Quand partir

AVRIL	MAI	JUIN	JUILLET	AOÛT	SEPTEMBRE

Descente de la principale pyramide de Yaxhá, ***Guatemala***

Pêcheur de barracuda, Belize

*Toucan à carène (*Ramphastos sulfuratus*)*

AMÉRIQUE CENTRALE

CAP AVENTURE

AMERIQUE CENTRALE

Cap Aventure

Présidence
Antoine Gallimard
Direction
Philippe Rossat,
assisté de Sylvie Lecollinet
Direction éditoriale
Nicole Jusserand,
assistée de Malika Boualem

Droits internationaux
Gabriela Kaufman,
assistée de Michèle Vassaux
Édition et fabrication
Catherine Bourrabier
Gestion
Olivier Berret,
*assisté d'*Agnès Clerc
Graphisme et maquette
Yann Le Duc
assisté de Virginie Lafon

Partenariat
Marie-Christine Baladi,
Manuèle Destors,
Jean-Paul Lacombe (commercial)
Presse
Blandine Cottet

AMÉRIQUE CENTRALE

Responsable de collection
Sophie Lenormand
Édition française
Ædelsa : Béatrice Méneux-Boulet
Traduction
Jacques Chabert, Catherine
Ceresne, Aviva Kakar
Lecture-correction
Jean-Paul de Côteriche,
Béatrice Lejeune
Maquette
Alain Gouessant, Olivier Lauga,
Vanessa Guyomard

Les adresses sélectionnées – sites, hébergements, restaurants, loueurs – font l'objet du choix personnel de l'auteur. Aussi, les descriptions et commentaires peuvent contenir des éléments subjectifs qui ne reflètent pas toujours les opinions de l'éditeur, ni celles du voyageur.

Les régions couvertes dans ce guide peuvent être sujettes à des troubles politiques, économiques ou à des perturbations climatiques. Aussi est-il vivement recommandé aux voyageurs de contacter, avant de partir, le ministère des Affaires étrangères, l'ambassade ou consulat du pays, les tour-opérateurs, les compagnies aériennes, etc., pour s'informer des dernières formalités, et de tenir compte des avertissements et des conseils prodigués.

Pour soigneuse qu'ait été sa réalisation, ce guide n'est pas à l'abri de changements de dernière minute. Faites-nous part de vos remarques, informez-nous de vos découvertes personnelles : nous accordons la plus grande importance au courrier de nos lecteurs.

Guides Gallimard – Nouveaux-Loisirs
5, rue Sébastien-Bottin 75007 Paris

Adventure Travellers, Central America

Cartes noir et blanc : Advanced Illustration, Congleton, Cheshire

Dépôt légal : janvier 2002
Numéro d'édition : 05449
ISBN 2-74-240886-X
Gravure couverture : France Nova Gravure, Paris.
Imprimé et relié à Turin, Italie, par G. Canale & C. S.P.A. Décembre 2001

SOMMAIRE

PRÉPARATIFS

Étroit ruban reliant deux énormes continents, l'Amérique centrale est terre d'extrêmes, où l'Ancien et le Nouveau Monde s'entrechoquent, comme en témoignent les nombreux temples mayas encore inexplorés voisinant avec des cités à la modernité triomphante. L'Amérique centrale est également un fascinant kaléidoscope naturel : les déserts arides succèdent aux jungles suffocantes, les volcans fumants aux plages tropicales. Malgré son expansion démographique galopante – Mexico est la capitale la plus peuplée de la planète –, cette région compte encore de vastes étendues désertes, terrain d'exploration idéal pour les randonneurs, les amateurs de spéléologie, les grimpeurs et les cavaliers. Rivières torrentueuses ou baies coralliennes attendent rafteurs, kayakistes, plongeurs et plaisanciers ; 30 000 espèces de plantes, 1 000 espèces d'oiseaux et 450 espèces de mammifères s'offrent aux amoureux de la nature. Présentes depuis au moins 2000 av. J.-C., des civilisations prodigieuses ont partout laissé leurs empreintes : les ruines mayas surgissent mystérieusement au fin fond de la jungle, et certaines restent virtuellement à découvrir. Quant aux villes coloniales bâties par les conquérants espagnols, elles ont conservé un charme inouï, avec leurs places ombragées et leurs *cantinas* si accueillantes. Une halte bien méritée après l'aventure !

Les féeriques cascades d'Agua Azul, au sud du Mexique.
Ci-dessus *À la découverte des grottes de Venado, au Costa Rica.*

Les auteurs

Fiona Dunlop

Amoureuse des Tropiques, férue de civilisations anciennes et passionnée par les pays en voie de développement, Fiona Dunlop a déjà beaucoup écrit sur l'Indonésie, Singapour et la Malaisie, le Viêt Nam, l'Inde, le Costa Rica et le Mexique. Avant de se lancer dans cette vie de globe-trotter, elle a tout d'abord passé 15 ans à Paris, publiant des articles dans divers revues d'art et d'architecture intérieure. Aujourd'hui elle s'est fixée à Londres. Entre deux voyages, elle continue de s'occuper de design et collabore, entre autres, à l'*Observer*, au *Sunday Times*, au *Times*, à *Elle décoration* et à *Homes & Gardens*.

Carl Pendle

Après avoir été étudiant en photographie et participé à des ateliers d'écriture aux États-Unis, Carl Pendle est revenu en Angleterre pour travailler comme photographe de presse et rédacteur dans une agence de publicité. Il est auteur de récits de voyages et photographe indépendant depuis 1991.

Durant son voyage en Amérique centrale, Carl Pendle a affronté l'ouragan Mitch à bord d'un monomoteur au Nicaragua ; aussi, sa rencontre avec les requins du Belize ne l'a-t-elle guère ému… Il a collaboré avec de nombreux journaux et magazines, dont *The Washington Post*, *The Independent*, *GQ*, *Maxim*, *Active*.

Jane Egginton

Auteur de récits de voyages, lauréate du "Young Travel Writer of the Year Award" de l'*Observer*, Jane Eggington

collabore avec divers éditeurs, Reader's Digest et Thomas Cook entre autres. Toujours sur la route, pour son travail ou pour son plaisir, elle a parcouru la Grande-Bretagne, l'Asie, l'Asie australe, l'Amérique centrale et l'Amérique du Sud. Ces deux dernières demeurent les plus chères à son cœur, que ce soit pour leurs paysages ou pour leurs multiples possibilités d'aventures. Elle rédige actuellement un guide du Mexique.

Steve Watkins

Passionné par l'Amérique centrale et l'Australie, photographe et écrivain, Steve Watkins est spécialisé dans les voyages d'aventure, les sports extrêmes et les activités culturelles. Son travail a été publié dans de nombreux ouvrages, dont

No Limits World, *Traveller*, *Global Adventure*, *Wanderlust*, *Mountain Biking UK*, *Travellers Handbook*, et dans diverses parutions de la BBC. Ses photographies sont exposées à travers le monde, notamment à la Barbican Gallery de Londres. À présent, installé dans le sud du pays de Galles, il a publié en 2000 un livre intitulé *Adventure Sports Europe* (Queensgate Publishing).

Comment utiliser ce guide

Un guide en trois parties :

LES PRÉPARATIFS 6-17

Ces premières pages rassemblent les informations générales ainsi que les conseils pratiques relatifs aux pays traités dans le guide.

L'agenda (▶ page de garde et 14-15) Présenté sous forme de tableau, il vous permet, en un clin d'œil, de repérer la meilleure période de l'année pour suivre l'un des 25 périples sélectionnés.

Les auteurs (▶ 8) Ils ont sillonné pour vous un ou plusieurs pays et vous livrent ici leurs carnets de route. Leurs récits révèlent une passion commune, celle de l'aventure.

La carte (▶ 10-11) Elle illustre la région couverte par le guide. Chaque pays est repéré par un code couleur.

Le carnet pratique (▶ 12-13) Il fournit les renseignements utiles pour entrer et vivre dans les pays sélectionnés.

Bien préparer son voyage (▶ 16-17) Cette rubrique donne la liste des vêtements et des accessoires à ne pas oublier et rappelle des conseils de sécurité.

Le carnet Avant de partir, renseignez-vous sur la situation du pays auprès du ministère des Affaires étrangères, de l'office du tourisme ou d'un tour-opérateur.

LES PÉRIPLES 18-256

Partie principale du guide dans laquelle les auteurs relatent leurs périples : 25 aventures qui vous feront découvrir la vie autochtone, la faune et la flore d'une région, plus ou moins connue ; elles vous donneront aussi un avant-goût des différentes activités praticables sur place. Chaque récit est précédé d'un tableau (ci-contre) qui indique l'**échelle de difficulté**, la **gamme de confort** rencontrées sur le parcours, et l'**équipement spécialisé** requis.

Partir en solo Pour ceux qui souhaitent organiser eux-mêmes leur voyage, se rapporter à la page pratique qui clôt chaque périple. Ces informations sont complémentaires des "Pages Bleues", situées en troisième partie.

Les prix sont donnés à titre indicatif en $US : montants et taux de change du moment.

1 **Échelle de difficulté** Sans aucun souci, si vous en avez vraiment envie.

2 Pas trop difficile, il suffit juste de posséder certaines compétences de base.

3 Motivé, vous avez une bonne forme physique et quelques notions techniques.

4 Excellente condition physique et beaucoup de volonté – âmes sensibles, s'abstenir.

5 Pour les amateurs de sports engagés. Challenge physique et mental ! *

**Seule une partie du parcours présente une réelle difficulté. Une option plus facile peut être proposée.*

★ / ★★ / ★★★ / ★★★★ **Gamme de confort** (du plus sommaire au plus luxueux) Les étoiles indiquent le degré de confort auquel vous pouvez vous attendre. Il ne s'agit pas seulement de l'hébergement mais de l'expédition dans son ensemble (climat, trajet, logement, repas, etc.).

Équipement spécialisé Conseils sur l'équipement à emporter avec soi, du matériel de plongée aux vêtements, en passant par le matériel photographique.

LES PAGES BLEUES 257-320

Véritable annuaire, les "Pages Bleues" répertorient par pays tour-opérateurs et prestataires de services :

- Les pages **Contacts** dressent la liste des organismes spécifiques aux 25 expéditions, dont ceux présentés dans les récits.

- Les pages **Activités** proposent une sélection des sports et loisirs possibles par région, et les adresses et informations nécessaires pour organiser votre voyage.

Un **Index général** et un **Index géographique** se trouvent en fin de guide.

ÉTATS-UNIS
Fresno
4418m
Mt Whitney
Las Vegas
Colorado
Grand Canyon
Colorado Plateau
Pueblo
Arkansas
Wichita
Los Angeles
San Bernardino
Santa Fe
Albuquerque
Canadian
Amarillo
Oklahoma City
San Diego
Yuma
Phoenix
Gila
Tijuana
Tucson
Fort Worth
Dallas
El Paso
Ciudad Juárez
Austin
Guadalupe (Mex)
Hermosillo
San Antonio
Rio Grande
Baja California
Chihuahua
Golfe de Californie
Ciudad Obregón
Sierra Madre Occidental
Sierra Madre Oriental
Torreón
Monterrey
La Paz
Durango
MEXIQUE
Cabo San Lucas
Mazatlán
San Luis Potosí
León
Guadalajara
México
Puebla
Morelia
5 452 m
Popocatépetl
Islas Revillagigedo (Mex)
Acapulco
OCÉAN PACIFIQUE
Mexique
Guatemala
Belize
Honduras
Nicaragua
Costa Rica
Panamá
0
400
800 km
0
200
400 m

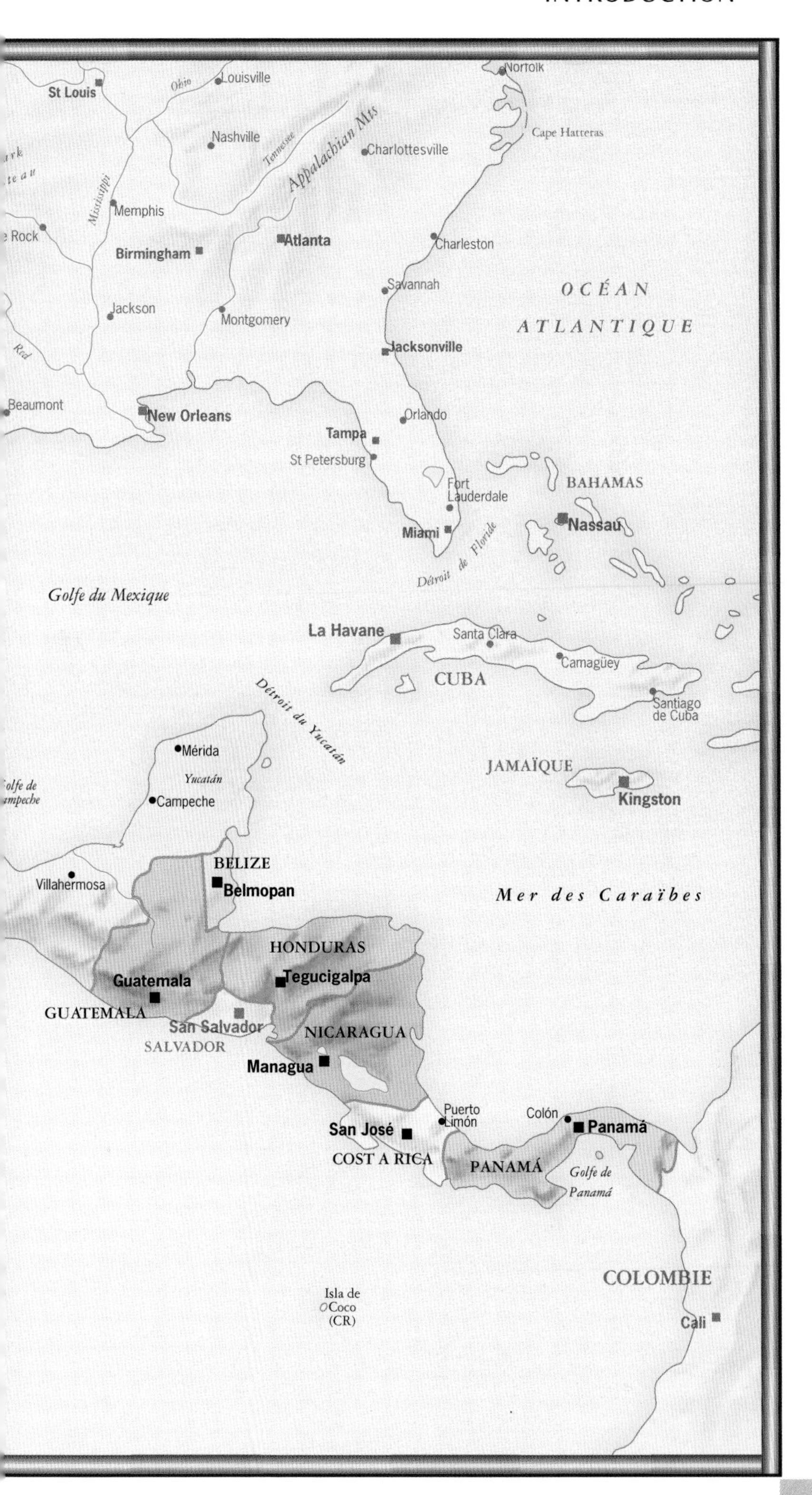

St Louis
Ohio
Louisville
Norfolk
Nashville
Tennessee
Appalachian Mts
Charlottesville
Cape Hatteras
Mississippi
Memphis
Rock
Birmingham
Atlanta
Charleston
Savannah
OCÉAN
ATLANTIQUE
Jackson
Montgomery
Red
Jacksonville
Beaumont
New Orleans
Orlando
Tampa
St Petersburg
Fort Lauderdale
BAHAMAS
Nassau
Miami
Détroit de Floride
Golfe du Mexique
La Havane
Santa Clara
Camagüey
CUBA
Santiago de Cuba
Détroit du Yucatán
Mérida
Yucatán
Campeche
JAMAÏQUE
Kingston
BELIZE
Belmopan
Villahermosa
Mer des Caraïbes
HONDURAS
Guatemala
Tegucigalpa
GUATEMALA
San Salvador
SALVADOR
NICARAGUA
Managua
Puerto Limón
Colón
Panamá
San José
COST A RICA
PANAMÁ
Golfe de Panamá
COLOMBIE
Isla de Coco (CR)
Cali

Carnet pratique

ARGENT

Conservez tous vos reçus d'opérations de change et vos notes d'hôtel : des contrôles à l'entrée comme à la sortie des pays visités peuvent avoir lieu.

CARTES DE CRÉDIT

Les cartes Visa et Mastercard (la plus répandue) vous permettent de retirer des espèces presque partout.

ESPÈCES

Les dollars sont toujours plus faciles à échanger. Ils vous permettront aussi de régler vos notes d'hôtel ou vos achats.

MISE À DISPOSITION D'ESPÈCES

Une solution en cas d'absolue nécessité (perte, vol...). Renseignez-vous auprès de votre banque avant de partir, pour en connaître les modalités.

TRAVELLER'S CHEQUES

Moyen le plus sûr de disposer d'argent en permanence. Ils sont souvent acceptés comme argent liquide et s'échangent aisément dans les banques et les grands hôtels. Les plus utilisés : Visa, American Express et Thomas Cook. Une commission est retenue à l'achat (env. 1,20 %). Vous aurez cependant une assurance de recouvrement en cas de perte ou de vol.

MONNAIES LOCALES

BELIZE	Dollar de Belize = 100 cents 10 dollars de Belize = 5,1 $
COSTA RICA	Colón = 100 céntimos 1000 colones = 3 $
GUATEMALA	Quetzal = 100 centavos 10 quetzales = 1,25 $
HONDURAS	Lempira = 100 centavos 100 lempiras = 6,41 $
MEXIQUE	Peso = 100 centavos 10 pesos = 1,05 $
NICARAGUA	Córdoba = 100 centavos 10 cordobas = 7,34 $
PANAMÁ	Balboa = 100 centésimos 1 balboa = 1 $

ASSURANCES

Assurez-vous d'être couvert pour les sports dits "à risque", en général exclus des polices ordinaires. Les séjours supérieurs à trois mois sont souvent considérés comme des expatriations : pensez à vérifier la validité de votre contrat.

FRAIS MÉDICAUX

Ayez toujours sur vous les cartes de groupe sanguin et d'allergies, et les coordonnées de votre assurance pour accélerer la prise en charge.

LICENCES SPORTIVES

Contactez votre fédération : certaines licences, reconnues à l'étranger, vous couvriront en cas d'accident, de dégât matériel et de responsabilité civile.

RAPATRIEMENT SANITAIRE

Vérifiez bien que vous ne bénéficiez pas déjà d'une assistance par le biais de votre carte de crédit, de votre mutuelle ou de votre assurance automobile.

FORMALITÉS

Faites des photocopies de tous vos documents (passeport, billet d'avion...).

PASSEPORT

Sa validité doit être supérieure à six mois à compter de la date de retour. Emportez des photocopies (avec photos d'identité), que vous aurez pris soin de faire certifier conformes.

VISAS

Belize Aucun visa exigé, sauf pour la Suisse. Autorisation de séjour : 1 mois.
Costa Rica Aucun visa exigé. Autorisation de séjour : 3 mois. À l'arrivée, présentation obligatoire d'un billet de retour ou d'un billet de transport à destination d'un autre pays.
Guatemala Aucun visa exigé. À l'arrivée, présentation obligatoire d'un billet de

retour, même dans le cas où le retour s'effectue à partir d'un autre pays.
Honduras Aucun visa exigé pour un séjour de moins de 3 mois.
Mexique Aucun visa exigé pour un séjour de moins de 3 mois.
Nicaragua Aucun visa exigé pour un séjour de moins de 3 mois.
Panamá Aucun visa exigé pour un séjour de moins de 2 mois.
Pour de plus amples informations, visitez le site des Affaires étrangères : www.france.diplomatie.fr/voyageurs

LANGUES

La communication sera parfois difficile dans certaines zones reculées ou tout simplement dans les régions de langues mayas. Mais il est rare de ne pas trouver quelqu'un qui possède des rudiments d'espagnol, la langue officielle de tous les pays d'Amérique centrale. L'anglais concurrence l'espagnol au Belize, au Costa Rica et au Panamá. Faites néanmoins l'effort d'apprendre quelques mots grâce à un guide de conversation. Savoir compter peut aussi vous être très utile.
Belize anglais, espagnol, langues indiennes, garífuna
Costa Rica espagnol, anglais
Guatemala espagnol, langues indiennes
Honduras espagnol, langues indiennes, garífuna
Mexique espagnol et 56 langues indiennes
Nicaragua espagnol, langues indiennes
Panamá espagnol, anglais

SANTÉ

Un carnet de santé traduit dans les langues des pays que vous visiterez (voir ci-contre, en bas) facilitera toute intervention médicale.

AVANT DE PARTIR

Les vaccinations obligatoires varient selon le pays visité. Accordez-vous six semaines pour effectuer les vaccins nécessaires. Le paludisme (appelé également malaria) sévit dans tous les pays cités dans ce guide. Un traitement préventif est indispensable. Il doit être commencé deux semaines avant votre arrivée et se poursuivre six semaines après votre retour.
Sites à consulter
- www.medisite.fr (*fiches destinations, infos pratiques, conseils personnalisés*)
- www.travelhealth.fr (*pour créer son carnet de santé en ligne et le traduire en huit langues*)

SUR PLACE

Des règles d'hygiène élémentaires vous éviteront des troubles gastriques : se laver les mains ; boire de l'eau en bouteille ou la purifier avec un filtre ou des tablettes que vous trouverez en pharmacie. Attention aux glaçons, jus de fruits frais et glaces. Lavez et épluchez légumes et fruits ; évitez les aliments crus (poisson) et, si vous buvez du lait, faites-le bouillir. Consommez des repas fraîchement cuits ; votre viande devra toujours être très cuite.

DÉCALAGES HORAIRES

	T.U. 12H (TEMPS UNIVERSEL)	FRANCE, BELGIQUE, SUISSE (HEURE D'ÉTÉ*)	QUÉBEC
BELIZE	- 5 H	- 7 H	- 1 H
COSTA RICA	- 5 H	- 7 H	- 1 H
GUATEMALA	- 5 H	- 7 H	- 1 H
HONDURAS	- 5 H	- 7 H	- 1 H
MEXIQUE:	- 5 H	- 7 H	- 1 H
États du Nord	- 6 H	- 8 H	- 2 H
Basse-Californie	- 7 H	- 9 H	- 3 H
NICARAGUA	- 5 H	- 7 H	- 1 H
PANAMÁ	- 4 H	- 6 H	0 H

(*) heure d'hiver : ajouter une heure

L'agenda du voyageur

OCTOBRE | NOVEMBRE | DÉCEMBRE | JANVIER | FÉVRIER | MARS

Un ara buffon (Ara ambigua)

Passage d'un cours d'eau, Corcovado, Costa Rica

Quand partir

AVRIL	MAI	JUIN	JUILLET	AOÛT	SEPTEMBRE

Descente de la principale pyramide de Yaxhá, ***Guatemala***

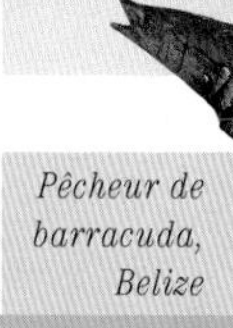

Pêcheur de barracuda, Belize

*Un toucan à carène (*Ramphastos sulfuratus*)*

Bien préparer son voyage

Quoi prendre

Plutôt que dans une valise, emportez vos affaires dans un grand sac de voyage solide et muni d'un cadenas – ou si vous partez en randonnée de plusieurs jours, dans un sac à dos. Par ailleurs, prévoyez un bagage à main que vous garderez sur vous dans l'avion et dans lequel vous pourrez transporter vos papiers et objets importants – une précaution indispensable pour parer à une perte de bagage principal. Ce petit sac vous sera également utile en ville ou lors des excursions. Tentez de vous limiter à ces deux bagages pour faciliter vos déplacements en transports publics.

Les indispensables

- ❑ Lampe-torche et piles de rechange
- ❑ Crème solaire
- ❑ Chapeau et lunettes de soleil
- ❑ Sac étanche pour objets de valeur
- ❑ Moustiquaire
- ❑ Jumelles et boussole
- ❑ Couteau multifonctions
- ❑ Sac de couchage. Il vous servira notamment d'oreiller ou de couverture pendant les longues attentes dans les gares ou dans les ports, ou encore à l'hôtel si la literie vous paraît suspecte
- ❑ Cadenas pour fermer les sacs de voyage
- ❑ Bonde universelle de lavabo (très utile pour laver ses habits ou faire sa toilette quand l'eau est rationnée)
- ❑ Nécessaire à couture
- ❑ Réveil à pile
- ❑ Canne pliante pour la montagne
- ❑ Parapluie

Vêtements

N'emportez pas une quantité astronomique de vêtements : choisissez-les selon les régions que vous allez visiter et les activités que vous allez pratiquer : les températures peuvent changer du tout au tout. Renseignez-vous auprès de l'organisateur sur les accessoires qui vous seront fournis sur place (combinaison en Néoprène...) Le choix de votre garde-robe sera aussi dicté par des considérations d'ordre culturel.

- ❑ Plusieurs vêtements légers, faciles à superposer ou à ôter selon la température
- ❑ Des habits de couleurs claires, couvrant bras et jambes, pour vous protéger des moustiques
- ❑ Une tenue imperméable
- ❑ Un pull en polaire
- ❑ Une paire de chaussures de marche déjà portées, pour les randonnées
- ❑ Des tongs que vous pourrez garder sous la douche dans les campements
- ❑ Une paire de gants en cuir pour toute activité sportive
- ❑ Un maillot de bain

Toilette et pharmacie

- ❑ La plupart des affaires de toilette (shampoing, crème de rasage, serviettes hygiéniques...) s'achètent facilement dans les grandes villes.
- ❑ Procurez-vous une trousse de premiers soins que vous compléterez selon vos besoins (désinfectant, paracétamol, antidiarrhéique, pommade contre les piqûres et les brûlures, sparadrap antiampoule...).

Matériel photographique

- ❑ Faites provision de pellicules avant de partir (en surestimant vos besoins). On en trouve dans les grandes villes, mais dans des conditions de conservation incertaines.
- ❑ Si vous prenez un appareil numérique, prévoyez des cartouches mémoire et un adaptateur électrique pour la recharge.

S'INFORMER

Quelques précautions de base, une dose de bon sens et de prudence, et un minimum d'informations vous permettront de profiter au mieux de votre voyage.

DROGUES ET AUTRES PIÈGES

- Le transport de substances illicites peut vous attirer les plus graves ennuis. Si vous êtes arrêté, vous ne vous en tirerez pas avec une simple amende ou la confiscation des produits – vous pouvez y perdre votre liberté pour de longues années...
- Si vous achetez des souvenirs, rappelez-vous que les lois internationales peuvent interdire les importations suivantes : objets fabriqués à partir de certains animaux, objets à caractère pornographique, armes offensives et drogues. Certains pays demandent des ordonnances pour la prescription de médicaments, d'autres opèrent un contrôle très sévère sur l'importation d'alcool.
- N'acceptez jamais de passer une frontière avec les bagages d'autrui, quelle que soit la personne qui vous le demande ou la somme proposée.

SÉCURITÉ

La plupart des agressions spontanées sont liées à l'argent : en règle générale, n'exhibez rien qui puisse tenter.

- Déposez l'essentiel de votre argent au coffre de l'hôtel et ne laissez rien traîner dans votre chambre, quel que soit le standing de l'établissement.
- Transportez vos espèces dans un sac banane ou une bourse, portée autour du cou. Vous pourrez dissimuler le tout sous vos vêtements.
- Munissez-vous d'un petit porte-monnaie, facile à extraire d'une poche, pour ne pas avoir à fouiller dans vos vêtements et à sortir tout votre argent pour des achats courants.
- Évitez les signes extérieurs de richesse. Une montre ou un bijou peuvent représenter plusieurs mois de salaire dans le pays que vous visitez.
- Sachez aborder les inconnus avec prudence.
- Ne vous trompez pas de période. Dans certains pays, mieux vaut éviter les élections, les pèlerinages ou les fêtes religieuses.
- Ne croyez pas tout ce qu'on vous raconte : n'hésitez pas à poser des questions et demandez quels sont les quartiers à éviter.
- Prenez le temps de découvrir, de jour, tel ou tel endroit, avant de vous y aventurer de nuit. Ne buvez pas trop : votre sécurité dépend aussi de votre sobriété.
- Laissez un double de votre itinéraire et les numéros de vos contacts à des amis ou à des proches.

US ET COUTUMES

- Adoptez une tenue décente, surtout dans les églises. Nos lectrices voyageant seules seront parfois l'objet de sollicitations importunes : en pareil cas, mutisme et indifférence sont de mise.
- Ne heurtez pas les susceptibilités locales et gardez vos opinions pour vous. Dans certains pays, des discussions anodines touchant à la religion ou la politique peuvent s'avérer lourdes de conséquences.
- Soyez respectueux des pratiques religieuses (alimentaires, sites...) et des codes de conduite à respecter.

JOUER FRANC JEU

- Soyez franc avec les organisateurs : ils vous proposeront des circuits adaptés à vos capacités.
- Prenez vos responsabilités et sachez vous faire entendre plutôt que de vous laisser influencer par le groupe.
- N'hésitez pas à poser des questions sur les points de sécurité qui vous soucient. Un bon organisateur ne se vexera jamais de devoir vous répondre.

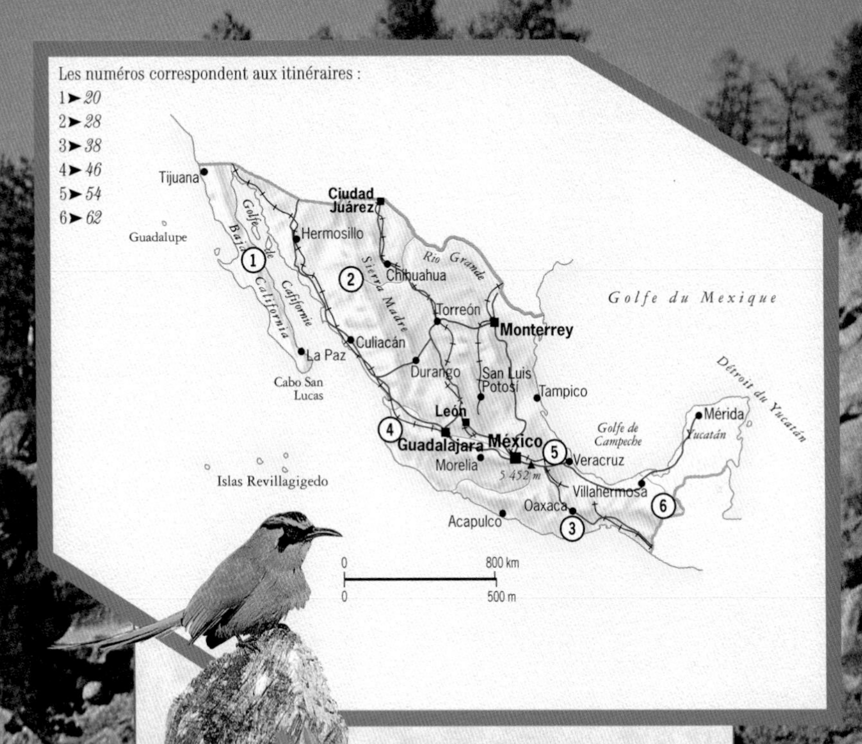

MEXIQUE

Sur un territoire qui correspond à un quart de la surface des États-Unis, le Mexique présente un fascinant éventail de peuples, de cultures et de paysages. Éventail qui se résume souvent à de fortes disparités et à des contrastes marquants : le pays oscille en effet entre la pauvreté du Sud et la prospérité du Nord, entre la forêt tropicale et le désert, et entre les *cantinas* miteuses et les bars chics. Toutefois, avec la mondialisation des échanges commerciaux et l'apparition d'une classe moyenne prospère, les Mexicains ont pris peu à peu conscience des enjeux économiques liés à leur environnement. Le tourisme d'aventure, idéal dans un pays comme le Mexique, en a récolté les fruits. Les randonneurs à pied, à VTT ou à cheval explorent ses vastes terres désertiques ; les amateurs de plongée et les plaisanciers découvrent ses kilomètres de côtes échancrées. Des jungles du Chiapas aux canyons arides de Basse-Californie, on a recensé plus de 30000 plantes à fleurs, 1000 espèces d'oiseaux et près de 450 mammifères différents, ce qui devrait ravir les amoureux de la nature les plus exigeants.

Les étonnantes formations rocheuses proches de Cusárare, dans la Sierra de Tarahumara. Ci-dessus *Motmot à sourcils bleus.*

1 Au cœur du désert

par Fiona Dunlop

La Basse-Californie, doigt de terre qui pointe vers le sud de la Californie, est une région magnifique à la végétation désertique. Pour me familiariser avec l'atmosphère si particulière du désert, j'ai descendu un canyon à dos de mulet.

Avec ses 1 700 km de long, la Baja California, qu'on appelle ici la "Baja", dépasse l'Italie par la taille alors que sa population atteint à peine un million d'habitants. Coincée entre la mer de Cortés (golfe de Californie) à l'est et l'océan Pacifique à l'ouest, cette péninsule aride offre les paysages désertiques les plus extrêmes. La vie subaquatique autour des îles quasi vierges du golfe est également exceptionnelle. De ce fait, la Basse-Californie est idéale pour pratiquer le kayak et surtout la plongée. Et chaque hiver, l'excitation est à son comble lorsque la côte pacifique de la péninsule reçoit la visite annuelle des baleines grises (*Eschrichtius robustus*).

La moitié sud de la péninsule, l'État de la Basse-Californie du Sud (BCS), est la partie la plus pittoresque et la moins américanisée, hormis son extrémité, Los Cabos, qui est en train de devenir un lieu de villégiature pour Américains du Nord à la recherche de soleil. À des années-lumière de cet univers : la Sierra de San Francisco, zone centrale de la péninsule, à cheval sur la frontière entre la Basse-Californie du Sud et la Basse-Californie du Nord. Ses montagnes et ses canyons sont la chasse gardée des archéologues spécialistes de la préhistoire car on y trouve la plus forte concentration de peintures rupestres de tout le Mexique. Je m'étonne que cette extraordinaire richesse ait été exploitée si tardivement. Le public n'a pu avoir accès à quelques rares sites qu'à partir de 1996. La raison en est simple : on n'y parvient qu'à dos de mulet !

Bien que l'exercice reste à la portée de toute personne en bonne condition physique, un voyage à dos de mulet signifie chaleur, poussière et inconfort, surtout lors des quelques rudes passages en terrain accidenté. Quelques connaissances d'espagnol faciliteront la communication avec votre guide.

Prévoir deux nuits sous la tente, sans sanitaires à proximité. À San Ignacio, on trouvera des hôtels bon marché et de moyenne catégorie.

De bonnes chaussures de marche sont nécessaires.

La longue marche

Le meilleur point de départ pour explorer la Basse-Californie du Sud est **La Paz**, capitale de la Basse-Californie : elle dispose d'un aéroport international et d'un ferry qui la relie à Topolobampo. Peut-être n'a-t-elle pas le passé historique qui fait le charme de la plupart des villes mexicaines, mais sa promenade (*malecón*) bordée de palmiers et sa vaste baie compensent largement cette lacune. Et les couchers de soleil sur la baie sont un must de cette ville, pourtant située sur la côte orientale : grâce à la courbe de la péninsule de Mogote au bout de laquelle La Paz est implantée, elle se retrouve orientée plein ouest.

Comme je dispose d'une journée entière et que je me sens happée par le grand bleu de la baie, je décide de faire un peu de kayak de mer. Hélas, ce n'est pas le bon jour, les vents du nord sont trop forts. Je me retrouve ainsi devant le musée anthropologique de la Basse-Californie du Sud qui, m'a-t-on dit, présente une belle exposition sur les peintures rupestres de la péninsule.

Mais décidément, la chance n'est pas de mon côté, car les employés du musée sont en grève. En désespoir de cause, je me rabats sur un cybercafé.

Le lendemain, alors que notre petit avion de 20 places décolle de La Paz en direction du nord dans un ciel sans nuage, je reste bouche bée devant ce que nous survolons en longeant la côte du golfe de Californie : se déploient, à l'ouest, des étendues désertiques et accidentées et, à l'est, une succession d'îles rocheuses éparpillées dans les eaux turquoise. L'excellente visibilité m'a permis d'identifier l'île Espíritu Santo dont les côtes sont fréquentées par les otaries… et les kayakistes, et que l'on peut atteindre en quelques heures au départ de La Paz. Vers l'intérieur des terres, les escarpements de la sierra prennent des tons rosâtres et ses ondulations, ses fissures et ses strates créent de gigantesques sculptures. Quelques pistes y sont visibles, ainsi que des lits de cours d'eau asséchés, des plages infinies et d'autres affleurements rocheux. Hormis cela *nada* ! Je me demande alors où se trouvent les dix habitants au kilomètre carré qui y vivent. Puis, à l'approche de Loreto s'élève la magnifique Sierra de la Giganta, tandis qu'au large on distingue, amarrés dans les anses de petites îles, des yachts aux voiles blanches. L'avion atterrit sous les applaudissements de mes compagnons de voyage, un groupe de jeunes touristes japonais qui constituent une rareté dans ce coin du monde où les visiteurs sont presque exclusivement des *gringos* d'Amérique du Nord.

GÉOLOGIE

Il y a 25 millions d'années, les mouvements de la faille de San Andreas ont séparé la Basse-Californie du continent et créé le golfe de Californie. Les montagnes se sont surélevées et l'activité volcanique a entraîné la création des sierras de San Francisco et de la Giganta. Ces épisodes sismiques ont laissé derrière eux deux volcans, Las Tres Virgenes (1 920 m) et l'Azufre (1 650 m). Ces derniers sont proches de la Carretera 1 (route n° 1) entre San Ignacio et Santa Rosalía. L'énergie géothermique a pu être captée en injectant de l'eau dans ces volcans pour produire de la vapeur qui actionne des turbines.

SUR LA ROUTE N° 1

Avec mon guide, Enrique, nous partons en 4x4 à la découverte de la sierra. En observant les cactus, je me rends compte qu'il ont tous la même forme, celle qu'utilisent les créatifs des agences de publicité du monde entier. Ces cierges (*Pachycereus pringlei*) sont une espèce endémique ici. En contournant les splendides promontoires et échancrures de la baie de Concepción, la route n° 1, également appelée Carretera Transpeninsular, serpente vers le nord, en direction de Tijuana. Je regarde au large la stupéfiante disposition des îles rocheuses sur fond d'azur bleu métallique et je me

LES CAPRICES DE L'HISTOIRE

En 1535, Hernán Cortés tenta vainement d'établir une colonie à La Paz. À partir de cette date, la ville a connu une histoire des plus mouvementées : plusieurs conflits avec les indigènes (Pericues, Cochimis et Guaycurus), une série de sécheresses, de famines et d'épidémies, des incursions de pirates… avant de devenir la capitale de la Basse-Californie en 1830. En 1853, l'aventurier américain William Walker essaya d'y officialiser l'esclavagisme. Presque un siècle plus tard, en 1940, une mystérieuse maladie ravagea les parcs à huîtres. En dépit de ses malheurs passés, La Paz est aujourd'hui l'une des villes les plus prospères du Mexique.

Ci-dessus *Il faut deux bonnes heures de chevauchée pour descendre le sentier muletier qui mène au fond du canyon de Santa Teresa. Le dénivelé total est de 700 m.*
À gauche *Avant d'aborder la descente à pic du canyon, mieux vaut raccourcir ses étriers pour avoir une meilleure assise.*

demande si la Sierra de San Francisco peut soutenir la comparaison avec ce paysage fastueux. En fait, la vaste baie de Concepción n'est pas passée inaperçue : les plages du sud de Mulegé sont maintenant bordées de caravanes et de baraques en bois. Par endroits, on devine même des embryons de lotissements.

Mais en "Baja", les déserts ne sont que très partiellement entamés par les efforts de l'homme. À 60 km des palmiers de Mulegé, on peut encore apercevoir les machines rouillées de la mine de cuivre d'**El Boleo**, exploitée par une société minière française à partir de 1885. Exonérée d'impôts pendant 50 ans, El Boleo a construit

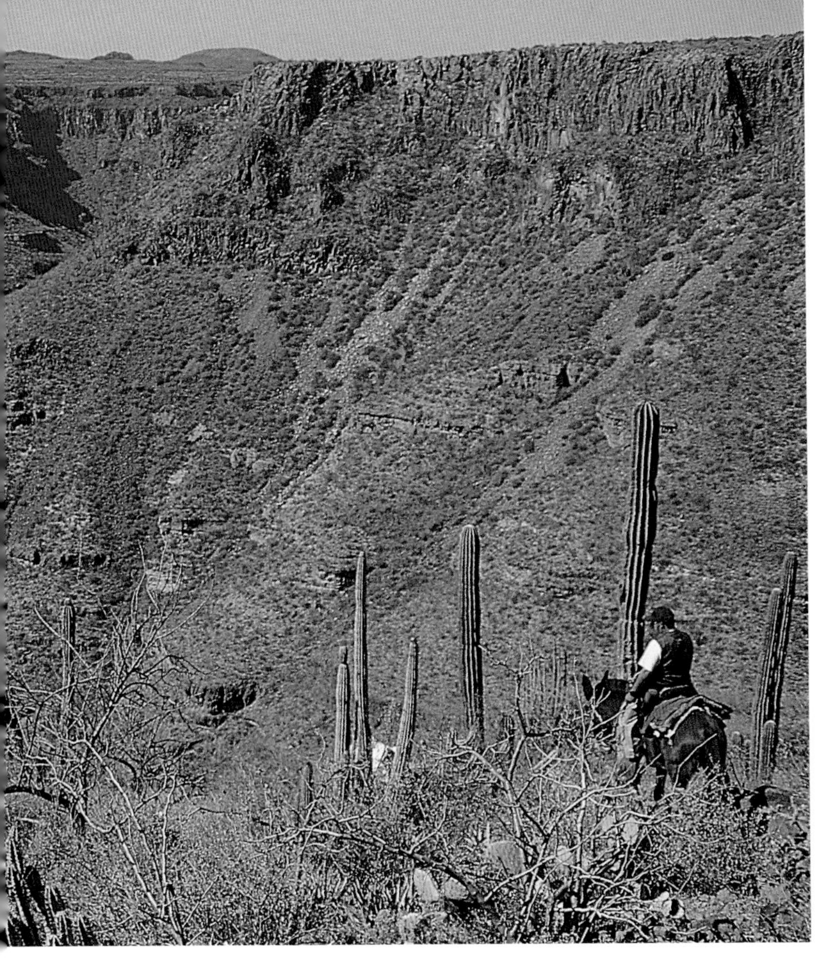

en échange Santa Rosalía. Cette curieuse petite ville est donc unique en son genre, plus caraïbe que française toutefois, avec cette subtile harmonie de couleurs que lui donnent ses maisons à charpente de bois de plain-pied ou à un étage. Sans oublier son église à l'architecture en fer galvanisé, longtemps attribuée à Gustave Eiffel, mais en fait l'œuvre d'un de ses collaborateurs ainsi que cela a été récemment établi. À Santa Rosalía, nous faisons provision de petits pains frais, spécialité de la boulangerie Boleo, un établissement réputé de la rue principale.

Pour accéder à la Sierra de San Francisco, il faut nécessairement passer par le minuscule village de **San Ignacio**, véritable oasis dans le désert avec son énorme et prolifique plantation de dattiers. Les missionnaires qui créèrent San Ignacio la lui laissèrent en héritage. Près de la charmante église dominicaine (1786) qui a remplacé la première version en adobe bâtie par les Jésuites en 1728, l'Institut national d'archéologie et d'histoire (INAH) possède un bureau. C'est ici que sont délivrées les autorisations de visite du **canyon de Santa Teresa**, où se concentre la plupart des peintures rupestres. Je suis maintenant en règle et prête à partir.

Descente dans le canyon

Le lendemain, nous quittons la civilisation et pénétrons dans un territoire qui paraît inexploré, avec pour seuls compagnons les aigles, les cactus et les serpents à

LES CACTUS DU DÉSERT ET DES CANYONS

La Basse-Californie est connue pour ses 120 espèces de cactus, allant des coussins miniatures jusqu'au célèbre cactus en tuyau d'orgue (*Lemaireocereus thurberi*). Dans le désert de Vizcaíno, situé à basse altitude, la végétation se résume pratiquement au *cardón* (cierge), pouvant atteindre 20 m. Quand l'altitude augmente, apparaît l'arbre de Boojum (*Idria columnaris*), dont le tronc élancé semble danser sur les pentes ; certains d'entre eux sont si penchés qu'il font songer à des cous d'autruche enfoncés dans le sable. Typique de la zone qui va de El Rosario à San Ignacio, il est une espèce endémique de la Basse-Californie. Les canyons abritent plusieurs variétés de "cactus-tonneau" (*Ferocactus spp.*), de candélabre à plusieurs branches (*Myrtillo cactus conchal*), de cholla (*Opuntia cholla*), de cactus senita (*Lophocereus schottii*) et de figuier de Barbarie (*Opuntia spp.*).

sonnette. Nous abandonnons la grande route pour une piste longue de 37 km qui gravit les hauteurs de la sierra. Les paysages qui s'offrent alors à nous sont vraiment extraordinaires. Dans la vallée, un nuage épais et frais enveloppe les millions de cierges qui, telles des sentinelles, paraissent monter la garde. La route grimpe au-dessus des nuées pour émerger finalement sur un plateau poussiéreux écrasé de soleil. Arrivés dans la petite communauté de San Francisco avec ses cabanes aux toits de tôle et ses gardiens de chèvres au teint rougeaud, nous sommes bien loin de La Paz…

Nous avons déjà fait une longue route, mais ce n'est là qu'un début. Devant moi se trouve Manuel, un éleveur de bétail borgne qui a la responsabilité de nos quatre ânes de bât. Je les suis à dos de mulet. Enrique, l'organisateur de l'expédition, ferme la marche sur sa mule, animal visiblement plus alerte et plus souple. Il ne me faut pas très longtemps pour apprendre à moduler le cri "*Macho-o-o-o !*" quand je veux faire avancer ma monture anonyme (ici, les bêtes de somme ne reçoivent pas de petits noms de leur propriétaire). "*Burro !*" ("Bourricot !"), hurle Manuel dès qu'un de ses ânes décide de n'en faire qu'à sa tête et trotte dans la nature, dans un concert où se mêlent bruits de gamelles et tintements de sonnaille.

LA REVANCHE DU MULET

Chevaucher un mulet est un exercice beaucoup plus facile que je ne l'avais imaginé, en dépit d'une frustration évidente devant la lenteur de l'animal. Ayant fait l'expérience du caractère imprévisible des chevaux pendant de longues années, je suis agréablement surprise de la docilité de l'animal et du confort du voyage. Le pommeau de la selle s'avère indispensable pour s'agripper dans les parties du chemin les plus pentues et les plus rocailleuses. Les étriers recouverts de cuir protègent mes pieds contre les agressions de la végétation. Le cuir est également utilisé pour les bottillons que portent la centaine d'habitants de cette communauté de San Francisco de la Sierra ; ceux de Manuel ont été fabriqués par son fils et les semelles taillées dans un pneu de voiture paraissent idéales pour ce sentier glissant et pierreux.

Parfois, le chemin est difficile à suivre : les zigzags abondent, tout comme les rochers, les cactus et la végétation du désert qui lutte pour s'enraciner dans cette pente presque verticale. Par moments, il nous faut descendre de nos montures car le chemin est trop raide pour les bêtes chargées. Manuel nous arrête également pour raccourcir ou rallonger nos étriers. En tout cas, la revanche du mulet n'est pas une légende : au moment où je me sens confortablement installée, bercée par le rythme du cliquetis de Manuel et que je contemple le paysage spectaculaire dans cet air chaud et clair, mon mulet s'arrête brutalement, face à la paroi du canyon. Je hurle "*Macho-o-o-o-o !*" encore et encore. Rien. Je tire sur les rênes, lui donne des coups de pied dans les côtes. Toujours rien ! Finalement, mes scrupules tombent : je coupe une fine branche pour stimuler ma monture rétive. Et c'est très efficace !

La vie sauvage

Après une heure à dos de mulet, nous arrivons au canyon, dont le fond se trouve 700 m plus bas. Cette seule descente nous prend 2h. Là, les températures sont sensiblement plus chaudes et la végétation change complètement, comme en témoignent les oliviers, orangers et lauriers-roses cramoisis (*Nerium oleander*) aperçus dans une ferme isolée. Dans la clairière où nous établissons notre camp, le long d'un torrent rocheux et étroit, poussent un bouquet de palmiers *Washingtonia filifera* et un grand palmier-éventail du type *Erythea brandegeei*, qui est endémique. La nuit, leurs silhouettes hautes de 30 m – un calcul effectué par mes compagnons en prenant comme unité la longueur d'un pick-up ! – se découpent sur un ciel étoilé éblouissant. Les grillons et les cigales se sont lancés dans leur symphonie nocturne et les ânes sont partis aux alentours à la recherche de nourriture, accompagnés par le bruit mélodieux de leur cloche.

Plus tard, bien à l'abri dans ma tente, j'entends le bruissement d'animaux nocturnes, vraisemblablement des souris du désert. En revanche, les ronflements ont une origine plus évidente : mes deux compagnons qui dorment à quelques pas de moi. J'attends en vain le hurlement du coyote, assez commun en "Baja", mais étrangement absent ici. Le lendemain matin, avant toute autre chose, j'accomplis le geste rituel de secouer mes chaussures pour en chasser les éventuels scorpions ; dans ce canyon, c'est une précaution élémentaire comme de garder un œil vigilant sur les serpents à sonnette et sur ces dangereuses araignées que sont les veuves noires (*Latrodectus mactans*).

Voyage dans le passé

Sept peintures rupestres sont signalées dans les deux branches du canyon de Santa Teresa, mais les plus pittoresques sont celles de las Flechas et les plus spectaculaires celles de la Pintada. Découvrir des œuvres d'art préhistoriques dans un cadre aussi sauvage, loin de tout, est une expérience très émouvante.
Et la route pour y accéder a été longue et délicate ! Après la descente du canyon, il faut encore marcher une heure en terrain accidenté, traverser plusieurs ruisseaux, gravir des pentes… Ces sublimes et mystérieux témoignages d'un passé

OBSERVER LES BALEINES

Entre janvier et mars, San Ignacio devient le point de départ des excursions en mer pour observer les baleines. Certaines organisations installent leur campement sur la lagune de San Ignacio, à 72 km à l'ouest de la ville. C'est la saison des amours et de la mise bas des baleines grises qui, chaque année, parcourent les 8 000 km qui les séparent des eaux froides de l'Alaska. Trois organismes proposent une navette quotidienne jusqu'à la lagune où des guides professionnels emmènent les amateurs à bord de canots pneumatiques, les *pangas*. Les baleines, qui pèsent de 20 à 40 t, sont très affectueuses et viennent le long des bateaux où l'on peut les caresser. Elles vont aussi chercher refuge dans la lagune Ojo de Liebre, près de Guerrero Negro, et dans la baie de Magdalena, qu'on atteint de Puerto San Carlos dans le sud de la péninsule. Les excursions sont proposées au départ des trois endroits.

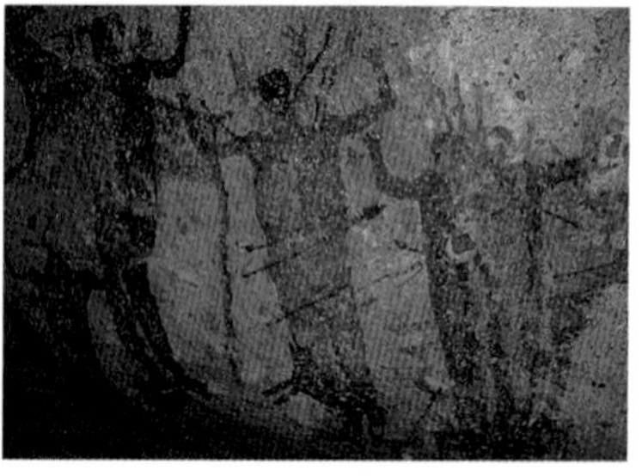

Ci-dessus *Le vaste surplomb de la Cueva la Pintada est couvert de peintures préhistoriques représentant la faune et la flore.*
À gauche *L'une des figures de la Cueva de las Flechas, transpercée de plusieurs flèches.*

LES PEINTURES RUPESTRES

Les peintures rupestres sont situées, principalement, entre Mulegé, à l'est, et Guerrero Negro, à l'ouest. En tout, quelque 700 sites ont été répertoriés, et en décembre 1993, la Sierra de San Francisco a été inscrite sur la liste du Patrimoine de l'humanité par l'Unesco. L'accès au public fut interdit pendant des années, les archéologues y menant leurs études. Les datations au carbone-14 ont révélé 38 dates différentes allant de 2350 ans av. J.-C. à l'an 1480 ; la Cueva del Ratón renferme des peintures dont les plus récentes datent de 1650. Les Indiens Cochimis les montrèrent aux missionnaires jésuites en déclarant qu'elles étaient l'œuvre de “géants du Nord”. Mais rien n'est certain, si ce n'est que ces artistes étaient des chasseurs-cueilleurs.

disparu semblent nous attendre : figures humaines, les bras levés au ciel, entourées d'innombrables représentations de la faune du désert.

Le temps se fige soudain dans la contemplation d'une profusion de peintures, où l'on reconnaît lièvres, écureuils, chèvres des montagnes, antilopes (plus précisément des antilopes à cornes ou antilocapres), pumas, oiseaux, tortues et même une baleine (bien que cela soit controversé). Dans la **Cueva de las Flechas**, un personnage est transpercé de douzaines de flèches, d'autres ont six doigts ou des coiffures de chamans. Presque tous sont plus grands que nature. Le noir, l'ocre-rouge, le jaune et des touches de mauve sont les seules couleurs utilisées, toutes tirées de pigments naturels. Complexes, les dessins s'imbriquent les uns dans les autres et tirent parfois profit des formes de la roche, comme cette figure peinte autour d'une bosse, qui représente, pense-t-on, une femme enceinte. La plus étonnante de ces cavités ornées est la Cueva la Pintada, un abri-sous-roche de 150 m de long sous un promontoire incurvé dont on a une vue d'ensemble magnifique, de la rivière en contrebas. Ce spectacle vaut bien à lui seul quelques heures à dos de mulet.

PARTIR EN SOLO

Quand partir

La Basse-Californie jouit d'un climat chaud et ensoleillé, ponctué par des crues soudaines. L'été (juin-septembre), la température peut devenir caniculaire (40° C). La saison d'observation des baleines (janvier-mars) peut être une excellente période pour visiter la région. Toutefois, il s'agit de la saison (sèche) où il fait le plus froid dans le désert : la température peut connaître des amplitudes de 25° C dans la même journée en descendant jusqu'à 0° C la nuit. Le climat y est idéal de mars à mai et de septembre à novembre. Les pluies d'hiver incluent les *equipatas*, pluies torrentielles pouvant durer deux ou trois jours. C'est en été et au début de l'automne que surviennent les orages tropicaux. Il est préférable de pratiquer la plongée et le kayak de mer entre octobre et mai.

Se déplacer

De la côte ouest des États-Unis, on accède facilement en Basse-Californie : on traverse la frontière à Tijuana par la Carretera 1 ou à Mexicali (Carretera 5). Il existe aussi de nombreux vols au départ de Los Angeles et d'autres villes américaines vers La Paz et Los Cabos. Des ferries relient Topolobampo, dans l'État de Sinaola, à La Paz, ainsi que Guaymas à Santa Rosalía. Au départ de La Paz, la compagnie aérienne Aeromexico dessert Loreto en 40 min. Le même trajet en car dure 8h (7h jusqu'à Santa Rosalía) mais coûte dix fois moins cher pour un confort équivalent. Aeromexico et Aerocalifornia proposent des vols intérieurs de Mexico à La Paz, mais cette dernière compagnie n'est pas recommandée car les retards et les annulations de vol y sont fréquents. Enfin, il est possible de louer des voitures à l'aéroport de La Paz.

Certaines grottes ne sont pas à la portée de tous les touristes !

S'organiser

Les agences de voyages qui organisent des excursions à dos de mulet sont peu nombreuses. Il est donc indispensable de réserver longtemps d'avance, surtout si votre séjour coïncide avec la période d'observation des baleines. Il est possible d'organiser votre voyage seul, mais il vous faut vous rappeler les points suivants :

- ❏ Vous devrez gagner la Sierra de San Francisco par vos propres moyens.
- ❏ Emportez de l'eau, des vivres, du matériel de camping et une trousse de premiers secours.
- ❏ Il est obligatoire d'avoir une autorisation de l'Institut national d'archéologie et d'histoire à San Ignacio, puis de vous faire enregistrer à San Francisco, où vous trouverez un guide, des ânes et des mulets.
- ❏ Une bonne connaissance de l'espagnol est utile pour communiquer avec votre guide.
- ❏ Dans le canyon, il est interdit d'apporter de l'alcool et de laisser du crottin de mulet près des peintures rupestres !

Quelques tuyaux

- ❏ La Basse-Californie offre un grand choix d'activités de plein air et, si l'on tient compte des distances à parcourir, mieux vaut ne pas y ajouter la visite d'autres régions du Mexique. Essayez en revanche d'associer les attraits du littoral et ceux du désert.

Santé

Assurez-vous que vos vaccinations contre la typhoïde, la poliomyélite et le tétanos sont à jour. Dans le canyon, vous serez loin de tout hôpital : vérifiez que votre guide emporte bien une trousse de première urgence comprenant les sérums antivenimeux appropriés.

Ne pas oublier

- ❏ Prenez le minimum de vêtements dans un sac solide pouvant résister à une chevauchée à dos de mulet. Les soirées sont fraîches : n'oubliez pas d'emporter un pull-over. Si vous partez en janvier ou en février, prenez également quelques vêtements plus chauds et des chaussettes de laine
- ❏ Au cours de la descente et de la montée du canyon, mettez de l'écran total et couvrez votre tête
- ❏ Bonnes chaussures de marche

2 Le chemin de fer sauvage

par Fiona Dunlop

Les spectaculaires montagnes de la Sierra Tarahumara sont l'une des merveilles naturelles du Mexique. Par leur ampleur, elles offrent des conditions idéales pour la randonnée à pied, à cheval ou en VTT. J'ai choisi le village de Creel comme point de départ de ma découverte de la région à pied et en car et j'ai gardé pour la fin de mon séjour le voyage en train Creel-El Fuerte, l'une des plus fabuleuses lignes de chemin de fer qui soient.

Qui dit Barranca del Cobre (canyon du Cuivre) dit ligne de chemin de fer Chihuahua-Pacífico. Dans les années 1960, ce réel exploit technique désenclava une contrée complètement sauvage que seuls les Tarahumaras (ou Rarámuris, le nom qu'ils se donnent) avaient osé fouler. Ils y firent même de grande foulées puisqu'ils gagnèrent la réputation de coureurs de fond à la résistance légendaire. C'est la seule ethnie du Mexique à avoir conservé cette caractéristique jadis commune à tous les peuples du pays. Leur isolement géographique et le rude climat de la région explique cette particularité. Il vous sera certainement difficile d'égaler leurs prouesses sportives, mais cela ne vous empêchera pas de randonner vers des cascades à vous couper le souffle ou de suivre, à bord d'autobus bringuebalants, la migration annuelle des Tarahumaras jusqu'à l'oasis subtropicale de Batopilas.

Sans être une partie de plaisir, le voyage demeure aisé sur cet itinéraire fréquenté. Le niveau des randonnées est varié.

Les trains ne sont pas équipés de couchettes. Le long du canyon du Cuivre, on dormira donc à l'hôtel. Le choix est large, du plus rudimentaire au grand luxe (Batopilas, par exemple, possède un hôtel de luxe et plusieurs autres de catégorie très modeste). Les coupures de courant sont fréquentes, comme partout au Mexique.

De bonnes chaussures de marche sont indispensables si vous envisagez de randonner.

DES ACHATS UTILES

À Creel, on ne peut éviter la grand-place, près de la gare. On y trouve la banque et la boutique de la mission, qui propose des cartes topographiques pour les randonnées à faire dans la région. On peut aussi y acheter de l'artisanat Tarahumara. D'autres commerçants proposent bien des produits similaires (moins les cartes), mais les bénéfices de la boutique de la mission servent à l'entretien et au fonctionnement de l'hôpital de 60 lits où sont soignés les Tarahumaras. Il ne faut pas manquer non plus le petit musée ethnographique qui donne d'excellentes informations de base.

Les cow-boys de Creel

De Chihuahua, je gagne en autobus la ville forestière de **Creel**, une des plus fréquentées de l'immense Sierra Tarahumara et un des plus hauts points de la ligne de chemin de fer (2 400 m). Ce plateau, où les pins alternent avec d'énormes amas de roches sculpturales, est typique de la sierra et d'une beauté stupéfiante. Grâce à ses infrastructures (hôtels et restaurants), Creel constitue un excellent point de départ vers Batopilas. Poussiéreuse et ventée, Creel reste l'archétype de la ville de pionniers avec sa grand-rue et ses cow-boys à cheval ou conduisant de vieux 4x4.

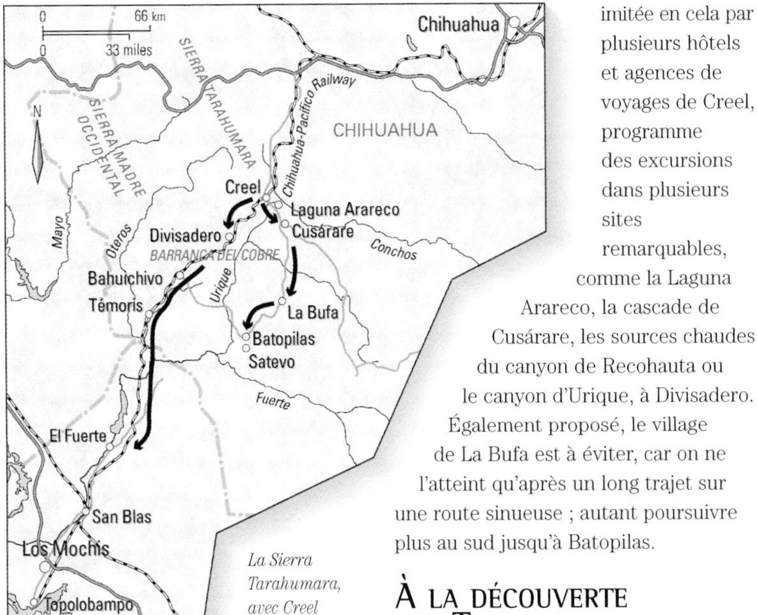

La Sierra Tarahumara, avec Creel pour centre.

Sans oublier le train, omniprésent, puisqu'ici, on se repère par rapport aux voies de chemin de fer, parallèles à la grand-rue. Les sifflements et les bruits d'aiguillage des trains de marchandises résonnent dans toute la vallée. On croise également à Creel, qui est un centre administratif et commercial, des Tarahumaras, pauvres, mais habillés de couleurs chatoyantes.

L'institution la plus connue des touristes est la Casa Margarita, une pension de famille délabrée jouxtant une des églises de la place principale. Elle fut la première à accueillir les rares voyageurs étrangers qui passaient par là il y a vingt ans. Depuis, la volubile propriétaire et ses fils ont monopolisé la clientèle des routards tout en créant un réseau d'hôtels. La Casa Margarita, imitée en cela par plusieurs hôtels et agences de voyages de Creel, programme des excursions dans plusieurs sites remarquables, comme la Laguna Arareco, la cascade de Cusárare, les sources chaudes du canyon de Recohauta ou le canyon d'Urique, à Divisadero. Également proposé, le village de La Bufa est à éviter, car on ne l'atteint qu'après un long trajet sur une route sinueuse ; autant poursuivre plus au sud jusqu'à Batopilas.

À la découverte des Tarahumaras

Par un frais matin de novembre, je fais le pied de grue avec les guides dans l'attente de clients potentiels pour l'excursion de Divisadero… en vain. Je me retrouve alors dans le capharnaüm de la Casa Margarita. Une bonne vingtaine de personnes s'entassent dans la cuisine bruyante où l'on distribue du café à la louche et où un seul homme tente de dresser des listes de participants. Divisadero ne faisant plus partie des destinations proposées, je me joins à un groupe qui doit partir incessamment pour Cusárare et je sors attendre à l'extérieur. Quelques minutes plus tard, dix d'entre nous embarquent dans un minibus pour un parcours de 20 km au sud de Creel. Arrêt-photo obligatoire au rocher de l'Eléphant et autre brève pause à la magnifique **Laguna Arareco**. Ensuite, nous prenons une piste à travers

ORGANISATION DES EXCURSIONS

Toutes les excursions de la journée, que ce soit celles de la Casa Margarita ou les circuits officiels (*paseos*) – stand d'inscription sur la place –, ne partent que si les participants sont suffisamment nombreux. Si votre propre groupe est assez important ou si vos moyens vous le permettent, vous pouvez louer un *suburban*, qui peut transporter jusqu'à 12 passagers.

Ci-dessus *Les enfants Tarahumaras sont rarement scolarisés.*
Ci-dessous *Outre le tissage et la sculpture sur bois, l'artisanat tarahumara comprend de la vannerie en aiguilles de pin.*
À droite *On peut effectuer le tour de la Laguna Arareco, située au sud de Creel, sur la route de Cusárare.*

une forêt de pins. L'atmosphère s'est détendue dans le minibus et les conversations vont bon train entre les voyageurs anglais, américains et hollandais. Certains terminent là un long parcours commencé en Amérique du Sud, d'autres entament juste leurs vacances.

Dans une *tienda* (boutique) isolée, nous achetons des provisions en vue de la marche jusqu'à la **cascade de Cusárare** et emboîtons le pas à notre guide, une timide jeune fille Tarahumara enveloppée dans une couverture d'un orange éclatant. Les échanges restent très limités car son espagnol est assez pauvre. La présence de son jeune frère, qui nous suit en trottinant, montre le peu de cas fait dans la région des règlements officiels sur la scolarisation. Les douces ondulations du sentier longent sur 3 km le cours d'un torrent, le plus souvent asséché, que dominent de spectaculaires falaises. Air pur, lumière cristalline, pins odorants, rochers érodés agrémentent notre marche. Après avoir croisé des enfants Tarahumaras vendant tissus et paniers en aiguilles de pin, nous arrivons

sur le plateau surplombant les chutes. Dans ce lieu magique, nous prenons un peu de repos pendant que les plus intrépides d'entre nous se frayent un chemin parmi les blocs jusqu'au sommet de cette cascade haute de 30 m.

Deux heures plus tard, nous sommes de retour dans notre minibus en route vers le village de **Cusárare**. Il est situé à l'écart de la route principale, au milieu d'herbages parsemés de ces roches qui sont propres à la région. Au centre du village s'élève l'**église de Los Santos Cinco Señores de Cusárare**. Bâtie par les Jésuites en 1744, elle a été très restaurée en 1972. Elle vaut le coup d'œil pour ses frises aux motifs géométriques colorés d'un pigment ocre-rouge. Les poteries paquimés découvertes à Casas Grandes, le site archéologique le plus septentrional du Mexique, sont ornées de motifs similaires.

Là, nous pouvons constater l'absence d'agressivité des Tarahumaras. Dans la cour de l'église, clôturée de murs, des groupes de femmes et d'enfants Tarahumaras sont rassemblés, pendant qu'à l'intérieur de l'église, des douzaines d'autres se pressent d'un côté de la nef. À la vue du cercueil devant l'autel, nous comprenons la raison de leur présence. Manifestement, une personnalité

LES TARAHUMARAS

Quelque 50 000 Tarahumaras, ou Rarámuris, vivent dans le sud-ouest de l'État de Chihuahua. Le rude climat de cette région désolée et accidentée, d'environ 35 000 km², les force chaque hiver à descendre les canyons avec leurs moutons et leurs chèvres. Vivant depuis longtemps dans un isolement qui les rend très attachés à leur terre, ils méprisent la "civilisation". Si on leur attribue des pouvoirs télépathiques, on note surtout chez eux le respect de l'individu qui va de pair avec la maîtrise du temps et une intense spiritualité. L'analphabétisme et la mortalité infantile demeurent courants chez les Tarahumaras qui, au cours de ces dernières années, ont connu plusieurs épisodes de disette.

respectée de la communauté vient de mourir et nous arrivons au beau milieu de la cérémonie, mais aucun Tarahumara n'a esquissé le moindre geste pour nous avertir. Nous retrouvons cette même attitude passive lors de notre retour à Creel quand notre chauffeur nous emmène visiter un site troglodytique. Avec le sentiment inconfortable d'être des voyeurs, nous jetons un coup d'œil dans la cuisine noircie par la fumée, puis nous sortons. Devant nous s'étend un autre splendide plateau avec des champs de maïs, du bétail et, ici et là, quelques cabanes de bois. Je comprends alors pourquoi les Tarahumaras sont si attachés à leur environnement, ne pouvant, par ailleurs, guère compter sur autre chose.

VOYAGE SUR LE TOIT D'UN AUTOBUS

Voilà longtemps que je veux visiter **Batopilas**, en fait depuis que j'ai lu l'histoire d'Alexander Shepherd, cet extravagant magnat des mines qui, en 1880, conduisit sa famille dans le fond d'un canyon à la végétation subtropicale, avec ces éléments indispensables à toute vie : un piano et un billard ! À cette époque, Batopilas était à cinq jours de Creel, à dos de mule sur une piste tortueuse. Aujourd'hui, il faut compter 7 à 8h en autobus local, avec des arrêts-repas fréquents et prolongés, et moins de 5h avec une voiture de tourisme ou un *suburban* de location. La distance à parcourir est de 140 km, en partie sur piste. De La Bufa à la Doble Herradura (Double Fer à cheval), alors que l'altitude passe brutalement de 2 400 m à 500 m, s'offrent à nous quelques-uns des paysages les plus spectaculaires de la Sierra Tarahumara. La végétation change, pins et sapins laissant la place aux yuccas, cactus, aloès et faux poivriers, pour finir en beauté à Batopilas : manguiers, citronniers et bougainvillées écarlates.

C'est une extraordinaire aventure que d'entreprendre ce long voyage d'environ 8h au milieu de paysages intacts à la beauté sauvage. Dans l'autobus qui quitte Creel, un peu plus de la moitié des passagers sont étrangers, le reste étant constitué de Tarahumaras ou d'autochtones en chapeau de cow-boy, dont certains sont contraints, par manque de place, de rester debout dans l'allée centrale. La route est toute en montées, descentes et épingles à cheveux, et plusieurs passagers sont victimes de nausées. La solidarité prend le dessus et on leur laisse les places près des fenêtres. Nous finissons, bon an mal an, par atteindre **La Bufa**, dont le nom évoque deux éléments : soit un rocher escarpé au point culminant de la vallée, qui, aux yeux de certains, ressemble à un casque de conquistador, soit le bruit du vent autour de cet affleurement rocheux. Dans ce canyon spectaculaire, l'une des mines de Batopilas a laissé derrière elle une sorte de pyramide, qui s'avère être un gigantesque terril.

Lorsque nous repartons de La Bufa, je choisis avec deux autres passagers de voyager sur le toit de l'autobus, coincée entre sacs à dos et paquets, accrochée aux barres métalliques rongées par la rouille. Au-dessus de nous se dressent des parois rocheuses érodées aux strates horizontales, tandis qu'en contrebas, notre regard plonge dans d'effrayants précipices. Ce panorama de 360°, sur fond de ciel bleu azur, est extraordinaire. La route perdant près de 2 000 m d'altitude, l'air se réchauffe peu à peu. Du haut de notre toit, nous évitons parfois de justesse les branches basses des arbres. Sur un cactus candélabre, nous apercevons un aigle, qui ne tient pas, comme dans la légende, de serpent dans son bec : c'est par ce signe que les Aztèques surent où construire leur capitale dans la vallée de Mexico et c'est aujourd'hui un symbole qui figure sur le drapeau mexicain.

Illusions perdus

Juste avant d'aborder le dernier pont menant à Batopilas, nous sommes dépassés par un convoi de *suburbans* luxueux. Voilà qui augure mal pour notre arrivée à Batopilas : nous autres intrépides aventuriers ne sommes pas seuls ! Sur la place principale du village, chacun disparaît prestement à la recherche d'un lieu pour passer la nuit. Du fait des horaires des autobus qui ne roulent qu'un jour sur deux et de la présence de plusieurs autres groupes de touristes, la chose s'avère difficile. Sans téléphone, comment pouvions-nous prévoir cela ? Je dois, pour ma part, rebrousser chemin sur plus d'un kilomètre jusqu'à l'entrée du village où je trouve enfin un hôtel avec une chambre libre. Le lendemain matin, dès que l'autobus de 5h quitte le village en libérant quelques chambres, je m'installe à l'hôtel Monse, plus central mais délabré. Sur le devant est installé un magasin d'artisanat tarahumara.

L'image romantique que je m'étais faite de Batopilas n'a pas grand-chose à voir avec la réalité. Certes, les ruines du manoir d'Alexander Shepherd se dressent toujours, majestueuses, de l'autre côté de la rivière. Certes, le climat est bien subtropical et le cadre ne manque pas de charme : torrent, rues pavées, maisons crépies à la chaux et ciel bleu éblouissant au-dessus d'une sierra parsemée de cactus. Comme nous sommes loin de la civilisation – les coupures de courant nocturnes en sont la preuve –, je ne m'attendais pas à trouver là autant de touristes, surtout ceux qui séjournent à 250 $ la nuit dans une hacienda restaurée au cœur de la ville. En fait, Batopilas, avec ses quelque 600 habitants, est victime de son succès. Les gérants des pensions de famille ne font guère d'effort pour améliorer la propreté ou le confort de leur établissement, car ils savent que le prochain bus leur amènera une clientèle captive. Et, alors que ces métis prospèrent, plus en amont dans le canyon, des Tarahumaras vivent dans une pauvreté extrême. Cela dit, le voyage à Batopilas demeure une expérience fantastique que je ne regrette pas un seul instant.

RICHESSES CACHÉES

La prospérité de Batopilas ne provient pas uniquement des revenus du tourisme. Dans les hauteurs de la sierra, on cultive illégalement le pavot, ce qui explique l'importante présence militaire dans la région, notamment à Batopilas même. Les fouilles effectuées dans les véhicules sur la route de Creel ne donnent souvent rien, la plus grande partie de la drogue quittant le lieu par de petits avions volant la nuit. Des Japonais et des Canadiens s'intéressent de nouveau aux mines d'or et d'argent 50 ans après la fermeture des mines d'argent et un siècle après l'apogée de la ville, qui était alors l'une des plus riches du pays.

La mission de Satevo

Sur la rive du Río Batopilas, à 8 km de la ville, la mission de **Satevo** offre une destination parfaite pour une randonnée matinale que l'on peut achever en beauté dans les eaux émeraude de la rivière. Mulets, vaches, chèvres, vautours et martins-pêcheurs seront vos compagnons de route, avec le doux bruit de l'eau en fond sonore. Cierges et faux poivriers constituent ici l'essentiel de la végétation. Prenez suffisamment d'eau car vous n'en trouverez pas à Satevo et prévoyez un retour à Batopilas vers 13h, quand la piste est à l'ombre. S'il existe un pont suspendu près de la mission, on peut également traverser la rivière à pied en certains endroits. D'où la possibilité de combiner la piste et des sentiers plus sauvages sur l'autre rive.

Pour cette randonnée, deux autres personnes m'accompagnent. Comme moi, elles sont intriguées par cette église imposante, dont l'édification en un lieu aussi isolé soulève des questions sur sa fonction première. Elle est dédiée à saint Pierre Claver (1580-1654), missionnaire jésuite qui fut canonisé en 1888 et qui est le saint patron des Tarahumaras. Les quelques maisons, qui flanquent ce bâtiment de brique rouge aux dômes multiples, sont toutes de construction récente. Nous nous présentons à la première maison, à gauche de la route, pour avoir la clé

Ci-dessus *La mission de Satevo, dédiée au jésuite saint Pierre Claver, a été construite au XVIIe siècle.*
À gauche *Pont suspendu sur la route qui mène de Satevo à Batopilas.*
Ci-dessous *Entrée d'un des nombreux tunnels de la légendaire ligne de chemin de fer Chihuahua-Pacífico.*

de l'église. La femme qui nous la remet vend aussi de la bière, boisson qu'officiellement on ne peut pas trouver à Batopilas. À l'intérieur de l'église récemment restaurée, on aperçoit, entre le crépi tout neuf et le bleu outremer particulièrement dense du mur dominant l'autel, quelques-unes des fresques d'origine. Mais c'est l'extérieur du bâtiment qui présente le plus d'intérêt.

Une grande équipée ferroviaire

De retour à Creel, je ne songe plus qu'à la dernière partie de mon aventure dans la sierra : le voyage à bord du train Chihuahua-Pacífico, une des lignes de chemin de fer les plus spectaculaires du monde. À 11h30 précises, j'entends son sifflet et vois arriver l'élégante *primera especial* (train de première classe) de couleur turquoise. Il n'y a que trois voitures alors que les passagers qui attendent sont très nombreux. Tout le monde parvient à s'entasser, y compris plusieurs soldats puissamment armés. Leur présence s'explique par un incident qui a eu lieu deux jours auparavant : une centaine de touristes ont été dévalisés, et l'un d'eux abattu, par des bandits. La Sierra Tarahumara n'a donc pas seulement l'allure du Far West : les cow-boys y sont bien vivants et disparaissent toujours à cheval dans le soleil couchant.

Ce chef-d'œuvre de l'art ferroviaire est la seule voie de terre qui permet de franchir les 700 km séparant la côte pacifique de la ville de Chihuahua. Ce sont des compagnies minières américaines qui, au début du XXe siècle, commencèrent la construction de ce qui s'appelait alors la Kansas City, Mexico and Orient Railroad. En 1961, le gouvernement mexicain acheva la section la plus difficile : au total, 86 tunnels ouverts à la dynamite dans une roche compacte, 39 ponts et un nombre incalculable de voies vertigineuses construits pour franchir les montagnes. Le plus long tunnel dépasse le kilomètre et le pont le plus élevé fait 120 m de haut. Parmi ceux qui ont le plus contribué à cet ouvrage remarquable, citons le président Adolfo López Mateos, l'entrepreneur Enrique Creel, Ulysses Grant, le dictateur Porfirio Díaz, le révolutionnaire Pancho Villa, Benjamin Johnson… et, bien entendu, les Tarahumaras qui ont constitué la majeure partie de la main-d'œuvre.

Notre train s'est rapidement montré à la hauteur de sa réputation quand il a abordé l'incroyable virage d'el Lazo (le Lacet). Une heure plus tard, nous entrons en gare de **Divisadero**. Là, des douzaines de femmes et d'enfants Tarahumaras, accroupis sur le quai, vendent de l'artisanat, d'autres des tacos ou des boissons, car le train s'arrête un quart d'heure. Cela nous laisse le temps de descendre et de nous rendre jusqu'au point de vue vertigineux sur le Río Urique, qui serpente dans la Barranca del Cobre (canyon du Cuivre) quelque 1 760 m plus bas.

Le prochain tronçon de 85 km jusqu'au village de Témoris est le plus spectaculaire de toute la ligne. Une succession de ponts vertigineux et de tunnels relient des canyons de plus en plus impressionnants. Les passagers se tassent du côté gauche du train, d'où l'on a la meilleure vue, et l'on assiste à des bousculades devant les fenêtres ouvertes.

Peu à peu, la nuit tombe. Je parle un moment avec l'homme assis à côté de moi, un Mexicain de Monterrey qui voyage en train depuis 24h. Nous partageons nos maigres provisions, puis nous dormons jusqu'à ce que, vers 21h, le train arrive bruyamment à **El Fuerte**. C'est dans cette petite ville, fondée au XVIe siècle, que j'ai décidé de terminer mon voyage afin d'éviter l'infernal terminus de Los Mochis, déjà expérimenté quelques années plus tôt. Je descends dans la nuit noire et me retrouve sur les sièges défoncés d'un taxi *colectivo*. De retour sur terre !

PARTIR EN SOLO

QUAND PARTIR

Avec ses très fortes dénivellations, la Sierra de Tarahumara présente une large gamme de climats. Au-dessus de 1 800 m (Creel et Divisadero), le climat va de tempéré à froid. En hiver, il risquera d'y avoir de la pluie, de la neige et les températures descendront parfois jusqu'à moins 23° C. En été, les températures atteindront environ 20° C et il y aura de fréquentes averses. Au contraire, dans le fond des canyons (à Batopilas, par exemple), les températures hivernales sont en moyenne de 17° C et peuvent monter jusqu'à 35, voire 40° C en été, saison durant laquelle de fortes pluies alimentent rivières et cascades. En fait, les périodes de demi-saison (avril-mai et octobre-novembre) sont les plus favorables.

Si vous souhaitez visiter cette région à Pâques, il est conseillé de réserver longtemps d'avance, car c'est l'époque où se déroulent les plus extraordinaires processions et cérémonies des Tarahumaras, notamment à Arareco, Cusárare et Norogachi. Attention : sachez que trouver le sommeil pendant les fêtes nocturnes de Batopilas relève de l'exploit !

SE DÉPLACER

Les terminus de la ligne Chihuahua-Pacífico (canyon du Cuivre) sont Los Mochis sur la côte Pacifique (dont l'avant-port est Topolobampo), et la ville de Chihuahua. On peut acheter son billet dans les gares ou à bord du train.

Le train de *primera especial* (première classe) quitte Los Mochis ou Chihuahua à 6h du matin. Il lui faut 13h pour parcourir toute la ligne. On peut s'arrêter n'importe où (outre à Creel, Divisadero et El Fuerte, on peut se loger à Basaseachi, Posada, Bahuichivo et près de Cerocahui et Guachochi), puis remonter dans le train un autre jour avec le même billet. Le train de seconde classe (*mixto*) qui suit normalement 2h plus tard est souvent en retard et, en conséquence, vous manquerez la moitié du paysage, car il termine son parcours de nuit.

Il existe une bonne route entre Chihuahua et Creel (elle ira prochainement jusqu'à Divisadero). Les autobus Estrella Blanca mettent 4h pour en faire les 246 km, avec un départ toutes les deux heures de 6h à 18h. L'autobus pour Batopilas quitte Creel les mardis, jeudis et samedis à 7h ; retour les lundis, mercredis et vendredis à 5h.

S'ORGANISER

La plupart des activités peuvent être organisées sur place, mais il est sans doute préférable de réserver son VTT pendant les périodes de pointe (Noël et Pâques), le vélo tout-terrain étant une activité très populaire au Mexique. Pour ceux qui viennent des États-Unis, de nombreuses agences de voyages américaines incluent cette zone dans leurs programmes.

QUELQUES TUYAUX

- ❑ Il y a une agence de la banque Serfín sur la place principale de Creel qui change les traveller's cheques en dollars et possède un distributeur automatique pour les cartes Visa et Mastercard. Pas de change à Batopilas.

SANTÉ

Assurez-vous que vos vaccinations contre la typhoïde, la poliomyélite et le tétanos sont encore à jour. Comme l'hôpital le plus proche est à Chihuahua, emportez une trousse de première urgence complète.

NE PAS OUBLIER

- ❑ Bonnes chaussures de randonnée
- ❑ Vêtements chauds pour le soir
- ❑ Lampe électrique en cas de coupures de courant, fréquentes à Batopilas (on peut en acheter sur place)

SÉCURITÉ

Bien que le gouvernement mexicain s'efforce par tous les moyens d'assurer la sécurité des touristes, il est recommandé à ceux qui projettent d'emprunter la ligne de chemin de fer Chihuahua-Pacífico de se renseigner au préalable sur la situation de la région, notamment auprès de leur ambassade.

3 Les ruines d'Oaxaca

par Steve Watkins

La splendide vallée d'Oaxaca a abrité certaines des premières civilisations du Mexique, comme en témoignent les sites précolombiens, Monte Albán, Yagul et Mitla. Je les ai découverts par la route, puis j'ai troqué ma voiture contre un cheval et me suis enfoncé dans les rudes montagnes de la Sierra Madre.

L'État d'Oaxaca est l'un des plus grands du Mexique et l'un de ceux qui ont la population indienne la plus nombreuse : plus d'un tiers de ses trois millions d'habitants ont une ascendance précolombienne. Il est situé au sud de Mexico, là où les chaînes orientale et occidentale de la Sierra Madre se rejoignent pour ne former, plus au sud, qu'une seule chaîne, la Sierra Madre del Sur. Elle se poursuit en Amérique du Sud pour former les Andes. Dans l'État d'Oaxaca, les pics et les vallées profondes se comptent par centaines et c'est dans la vallée même d'Oaxaca que s'étend la capitale de l'État. Dans cette géographie tourmentée, où villes et villages sont très isolés, sont apparus, à l'époque précolombienne, des cultures riches et diversifiées. On y parlait pas moins de seize langues différentes (notamment le zapotèque et le mixtèque), dont la survie illustre le faible impact de la modernisation dans cet État, l'un des plus pauvres du Mexique.

Grâce à la construction récente d'une route à péage, Oaxaca n'est plus qu'à 5h d'autocar de Mexico. La route vire, monte et descend dans des paysages montagneux pratiquement inhabités, où les déserts parsemés de cactus évoquent le Far West. À l'approche de la vallée d'Oaxaca, les reliefs s'adoucissent et l'on traverse de grandes étendues planes. Oaxaca, avec ses larges rues pavées, bordées de maisons coloniales colorées et de bâtiments publics ornementés, n'est pas décevante. Bien que la ville soit un centre industriel en plein développement, de stricts règlements d'urbanisme ont permis de préserver son charme d'antan. Ceux qui s'intéressent à l'art et à l'artisanat, à l'architecture, aux musées et aux églises anciennes pourront passer une semaine entière à explorer la ville.

Quel que soit le temps dont on dispose, je signale deux sites à ne pas manquer. À cinq rues au nord de la place principale, l'**église Santo Domingo**, récemment restaurée, illustre remarquablement l'extravagance de l'architecture espagnole à l'époque coloniale, quand l'or coulait à flots. Le haut mur derrière le maître-autel est entièrement doré à la feuille. On notera, au-dessus de l'entrée principale, le plafond orné de l'arbre généalogique de l'ordre des Dominicains. L'impressionnant **Museo del Estado**, qui jouxte l'église, a été aménagé dans un ancien monastère.

1 Aucune aptitude sportive n'est requise pour cette aventure, qui est surtout une incursion dans la culture et l'histoire. Elle convient parfaitement à un public familial.

★ On trouve tous les types d'hébergement, du plus simple pour le voyageur désargenté aux établissements de luxe.

Aucun équipement particulier n'est nécessaire.

Du temple des Colonnes, on aperçoit les dômes de l'église de Mitla, construite sur un bâtiment mixtèque.

LA POTERIE NOIRE D'OAXACA

Quand on circule sur les marchés d'Oaxaca, il est impossible de ne pas remarquer l'abondance de poteries d'un noir brillant. Dans le village de San Bartolo Coyotepec, à 8 km au sud d'Oaxaca, la céramique est une tradition séculaire. C'est à doña Rosa Real que l'on doit ce fameux aspect lustré, depuis qu'elle découvrit de manière accidentelle, que la poterie noire pouvait être polie. Devenue une légende locale, doña Rosa est morte en 1980, mais son grand atelier existe toujours. Pour tourner les pots, plutôt que d'utiliser un tour, les potiers se servent de deux plateaux d'argile concaves, l'un posé à l'envers sur l'autre, une méthode bien antérieure à 1521, date de la Conquête espagnole. La fabrication d'une poterie demande environ 25 jours à cause de la lenteur du séchage et du polissage réalisé à l'aide de quartz. Malgré leur aspect robuste, les pots ne peuvent contenir d'eau et ne sont utilisés qu'à des fins décoratives. On peut visiter l'atelier en une demi-journée au départ d'Oaxaca.

Dans son dédale de salles, outre des objets trouvés dans la région, notamment sur le site de Monte Albán, on peut admirer des bijoux de l'ère précolombienne, dont les matériaux (or, jade, obsidienne et autres pierres semi-précieuses) illustrent le raffinement de ces civilisations.

UNE CAPITALE SUR UNE ÎLE

La fertile vallée d'Oaxaca était voilà 10 000 ans peuplée de nomades vivant de la chasse et de la cueillette. Vers 850 av. J.-C., on y comptait plus de 80 villages qui, au cours des siècles, s'organisèrent en zones culturellement et politiquement distinctes. Cette régionalisation du pouvoir permit le développement de centres urbains, dont le premier fut **Monte Albán**, à 9 km de l'actuelle ville d'Oaxaca. Cette "île" au sommet d'une colline allait devenir la capitale zapotèque.

Pour m'y rendre, je loue une Coccinelle Volkswagen et invite Tim et Colleen, deux voyageurs américains, à se joindre à moi. Après 20 min d'une route en zigzag, nous arrivons aux ruines. Sur le sentier qui monte vers la place principale, nous faisons halte devant un bas-relief à l'effigie de l'archéologue mexicain Alfonso Caso. C'est lui qui, en 1931, entrepris les fouilles qui allaient permettre de percer de nombreux secrets du site.

Lorsque l'on pénètre sur la Grande place par un étroit passage entre deux murs de pierre, on ressent un véritable choc. Une vaste surface plate et herbeuse, bordée d'immenses plateformes et d'escaliers, s'ouvre devant soi. C'est un peu comme si l'on entrait dans une vieille cabane en bois pour se retrouver à l'intérieur d'un grand hall de marbre ! Quand, vers l'an 500 av. J.-C., Monte Albán devint un centre commercial important, seules quelques maisons couvraient les pentes de la colline. Puis, lorsque la cité prit de l'essor sur les plans politique et religieux, les dirigeants zapotèques entreprirent de niveler le sommet de la montagne – une tâche phénoménale, la surface totale couvrant 20 ha – pour y construire des bâtiments cultuels.

Il est probable que plusieurs facteurs ont joué un rôle dans l'évolution du site de Monte Albán. Après avoir gravi les marches raides et hautes menant au sommet de l'immense plateforme nord, nous avons une vue sur l'ensemble de la vallée, vue qui permettait aux Zapotèques de repérer les attaques de groupes rivaux. La vallée d'Oaxaca était très fertile et pouvait nourrir environ 17 000 personnes. Mais, à son apogée, Monte Albán comptait 25 000 âmes et l'insuffisance de nourriture a pu contribuer au déclin rapide de la cité vers l'an 750.

Le mur des Danseurs

En l'an 500, le commerce était florissant en Méso-Amérique, une région qui s'étendait des terres aztèques au nord du Mexique jusqu'aux territoires mayas du Honduras ► 148. Monte Albán était très exactement situé au centre de la région et, les jours de marché, la grande place devait grouiller de monde. Des poteries fabriquées ici ont été découvertes à Tenochtitlán, la capitale aztèque devenue le site du Mexico d'aujourd'hui. Parallèlement, le jade trouvé dans certaines tombes de Monte Albán avait dû être acheté aux Mayas.

Alors que nous flânons du côté ouest de la place, nous tombons sur le fascinant mur des Danseurs, grandes stèles de pierre sur lesquelles sont sculptées des figures humaines curieuses, voire horribles. Elles représentent soit des Olmèques (la première des civilisations précolombiennes, qui s'est développée dans la région côtière du golfe du Mexique), soit des hommes aux traits négroïdes se contorsionnant, d'où leur nom de "danseurs". Il semble que certains aient le ventre ou les organes génitaux ouverts. Jusqu'à présent, personne n'est parvenu à fournir une explication convaincante de leur signification, mais plusieurs hypothèses ont été avancées. Il est possible que ces figures soient des prisonniers de guerre mutilés au cours de sacrifices, mais il est difficile d'imaginer que des ennemis aient pu faire l'objet d'un tel effort artistique. Selon une autre théorie, Monte Albán était un centre de recherche médicale où les sujets difformes étaient soumis à des expériences ; toutefois, aucune autre preuve trouvée sur le site n'est venue étayer cette thèse. Ces sculptures n'en restent pas moins émouvantes.

La partie sud du site est dominée par la plateforme la plus élevée sur laquelle un temple se dressait jadis et qui était probablement utilisée pour des cérémonies. Sa structure large et basse et son appareillage en gros blocs de pierre furent conçus pour résister aux tremblements de terre. Le calcaire, le grès et le conglomérat qui ont servi à bâtir Monte Albán étaient en grande partie extraits des carrières des collines proches et taillés en blocs à l'aide d'outils en pierre. Sur le chemin menant à la grande place, à mi-pente, nous tombons sur l'entrée d'un tunnel et, incapables de résister à la tentation, nous pénétrons dans l'étroit passage en nous éclairant de nos lampes frontales. Nous pouvons nous glisser jusqu'à un minuscule trou d'aération qui marque la fin de la galerie. Un véritable réseau souterrain quadrille ainsi le sous-sol de la place, reliant entre eux les principaux monuments. Son but nous demeure inconnu, mais il a pu faire partie d'un système de défense. De retour à l'angle nord-est de la place, nous gravissons

UN JEU POUR GAGNANTS

De nombreux sites précolombiens ont un jeu de balle en forme de I. On ne connaît pas précisément les règles du jeu, mais on pense que les équipes étaient composées d'un petit nombre de joueurs. Ils utilisaient une balle de caoutchouc qui ne pouvait être touchée qu'avec les pieds, les hanches ou les coudes et un seul rebond était admis. Les bords inclinés du terrain, aujourd'hui couverts de minuscules marches, devaient être recouverts de plâtre blanc égalisant la surface afin que la balle rebondît. Sur certains terrains de la région, les gros anneaux de pierre (absents à Monte Albán), placés à chaque extrémité, seraient vraisemblablement des buts. On pense que seules des personnes de haut rang participaient à ces jeux et que les perdants étaient sacrifiés – une sanction qui donnerait à réfléchir à nos joueurs de football ! Un jeu similaire, la *pelota mixteca*, est toujours pratiqué dans la région.

une plateforme plus petite, d'où l'on peut contempler le jeu de balle. Après une brève visite au musée – petit mais impressionnant –, nous sautons dans la Coccinelle qui nous ramène à Oaxaca.

Randonnée en montagne

Pour avoir une vision différente de la région, nous décidons de passer l'après-midi à cheval dans les montagnes de la Sierra Madre. Nous gagnons en taxi le centre équestre de San Felipe, que dirige Doug French, un expatrié américain, chaleureux et bien informé. Constantino, notre guide, s'assure d'abord que nos chevaux correspondent à nos capacités. Le sentier qui part du centre équestre descend jusqu'à une petite rivière que nous traversons avant de gravir une pente boisée. En Amérique centrale, on forme les chevaux à être dirigés d'une seule main. Cela permet au cavalier d'être plus libre de ses mouvements sur la selle et de profiter du paysage. Derrière nous, nous pouvons voir Oaxaca au fond de sa vallée et il est agréable d'en quitter pour quelque temps l'atmosphère polluée. Constantino nous autorise à piquer un petit galop chaque fois que l'envie nous en prend. Au plus haut point de notre randonnée, nous admirons les imposantes collines de Monte Albán. À partir de là, les chevaux savent qu'ils sont sur le chemin du retour et accélèrent le pas.

De retour à la base, Doug nous fait goûter son propre mescal, une liqueur forte fabriquée à l'origine par les Indiens après que les Espagnols eurent introduit les techniques de distillation dans les années 1800 (► 44). Avec l'aide de citrons verts et de sel, nous descendons vaillamment plusieurs verres avant de nous régaler d'une autre spécialité locale, les sauterelles frites !

Anciennes cités-États

Après l'abandon de Monte Albán et d'autres centres urbains vers 750, une autre forme d'organisation sociale, plus maîtrisée, vit le jour dans la région et dura jusqu'à la Conquête espagnole. Les nouvelles cités-États jouaient non seulement le rôle de centres culturels, commerciaux et politiques, mais contrôlaient aussi plus directement les communautés de leur territoire. Yagul et Mitla, non loin de l'autoroute Panaméricaine, au sud d'Oaxaca, en sont deux exemples particulièrement typiques.

Lydia et Ben, deux voyageurs allemands, se joignent à nous dans la Coccinelle, maintenant bien pleine. Au Mexique, conduire est une activité à ne pas recommander aux personnes souffrant d'hypertension. Sortir d'Oaxaca est sans doute le plus difficile : les deux voies qui descendent vers le sud sont souvent encombrées par trois ou quatre voitures de front, les autobus s'arrêtent et redémarrent sans prévenir et les feux rouges semblent attirer tous les daltoniens de la région. Adoptant ici un style de conduite personnel que je

Ci-dessus, à droite *Les places de Yagul vues du haut de la forteresse.*
À droite *À Monte Albán, le mur des danseurs représente des hommes se contorsionnant.*
À gauche *La vallée de Tlacolula s'étend bien au-delà de cette curieuse ruine de la cité-État de Yagul.*

baptise “agression détendue”, je me lance sur la grande route, prêt à affronter cette course d'obstacles : camions énormes, nids-de-poule gigantesques et *topes* (ralentisseurs) très dangereux, car souvent non signalés.

Yagul, cité-État modèle

Après 29 km d'un parcours sportif, nous prenons sur la gauche la route de **Yagul**. La topographie du site reflète les priorités de l'époque : les cités-États n'étaient pas bâties au sommet des collines, mais à basse altitude, de préférence près d'une source et de plaines alluviales fertiles. Pour leur défense, de simples structures fortifiées étaient bâties sur les hauteurs, où les habitants pouvaient se réfugier en cas d'attaque. Le site de Yagul est d'une telle beauté, ses bâtiments sont disposés avec tant d'élégance qu'il semble avoir été conçu comme un modèle de cité-État.

Quelques éléments de Yagul ont été érigés durant l'âge d'or des Zapotèques, mais la plupart des bâtiments visibles aujourd'hui datent de l'époque de la cité-État mixtèque (à partir de 750). Nous commençons notre visite par le plus bas des trois niveaux de la zone principale. Le patio de la Triple Tombe, petite place carrée bordée de plateformes basses, est centré autour d'un autel, tandis qu'une étrange grenouille sculptée marque son côté oriental. Il a été construit pendant la période Monte Albán I (vers 600 av. J.-C.) ; agrandi, il a été utilisé jusqu'à celle de Monte Albán V en l'an 950. Sous l'autel, un escalier mène à une tombe exiguë et sombre, l'une des plus anciennes structures du site. Les chambres funéraires avaient toutes été pillées quand les archéologues les découvrirent dans les années 1950, mais on peut encore y voir des fresques, sur les linteaux des portes, et des traces de peinture ocre-rouge. Signe du rejet de cette puissante élite qui régnait sur Monte Albán au cours de cette nouvelle phase, peu de projets architecturaux de grande ampleur furent lancés, excepté le jeu de balle aménagé au deuxième niveau. Ses dimensions en font le deuxième du genre (après celui de Chichen Itzá, dans la péninsule du Yucatán) et peut-être le mieux conservé de Méso-Amérique. En son centre, une plateforme de pierre ronde servait à remettre en jeu la balle. Tout proche, au dernier niveau de la zone principale, le palais des Six Patios abritait, en un impressionnant dédale de salles, les dirigeants de Yagul.

LA FABRICATION DU MESCAL

Le mescal est une eau de vie fabriquée dans l'État d'Oaxaca à partir de l'agave. Ces plantes sont récoltées à l'âge de huit ans (de préférence dix). On en cuit le cœur dans une fosse et on le broie jusqu'à former une pâte que l'on place dans un tonneau rempli d'eau. La distillation du produit s'effectue dans des cuves de bronze recouvertes de terre, que l'on chauffe. L'alcool ainsi obtenu a un goût de fumé. Les vers vivant dans l'agave sont ajoutés au mescal pour ceux qui ont une petite faim (ils sont légèrement hallucinogènes) après avoir fini la bouteille.

Yagul était un important centre de la vallée d'Oaxaca et bien que la défense y paraisse moins développée qu'à Monte Albán, les attaques étaient cependant courantes. Nous avons gravi un sentier escarpé menant au sommet de la colline pour atteindre la muraille principale d'un petit fort. Là, la vue sur les ruines, au premier plan, et sur la vallée de Tlacolula, au loin, est remarquable. Si les ruines de Yagul ne sont pas aussi grandioses que celles de Monte Albán, elles valent le détour, surtout pour ceux qui s'en vont visiter les ruines plus célèbres de **Mitla**, à 30 km sur la Carretera 190.

Mitla et la conquête espagnole

Les vestiges mis au jour dans les cavernes du nord de Mitla prouvent que la région a été habitée plusieurs milliers d'années avant notre ère. La zone a connu des phases successives de développement avant de devenir un centre important au cours de la période des cités-États, après 750. Les techniques de construction ont jeté le trouble chez les archéologues, car les bâtiments s'avèrent être presque tous d'origine purement mixtèque alors que la région a été essentiellement habitée par des Zapotèques, avant et après l'arrivée des Mixtèques. L'édifice le plus étrange, une église couverte d'un dôme, est situé devant l'entrée principale d'une des trois cours connues sous le nom de groupe des Églises. Les Espagnols remployèrent, pour l'édifier, les pierres du bâtiment mixtèque d'origine, prouvant par ce moyen que leur religion était plus puissante que l'ancienne. Plutôt qu'une politique de la table rase, ils choisirent l'intégration de la civilisation ancienne, la continuité de l'Histoire.

Le groupe des Colonnes rassemble les palais les mieux conservés, encore ornés par exemple de stuc ocre-rouge. Après avoir gravi un large escalier, nous franchissons l'une des trois grandes portes du temple des Colonnes, abondamment décoré, et pénétrons dans la salle des Colonnes. Là, six piliers monolithiques sont toujours debout… sans toit à soutenir. Leurs silhouettes fuselées et parfaitement lisses représentent un véritable exploit si l'on songe que leurs bâtisseurs n'utilisaient pas d'outils métalliques. Il nous faut nous baisser pour franchir le long et sombre passage sinueux qui mène au patio des Grecques, ainsi nommé d'après les minuscules motifs géométriques que l'on retrouve sur de nombreux murs à Mitla. Ceux-ci devaient avoir une certaine importance puisqu'on les retrouve dans certains codex non détruits par les Espagnols. Ce n'est là qu'un des nombreux mystères de la vallée d'Oaxaca…

Explorer les ruines, avec leurs palais et leurs places, leurs forteresses et leurs œuvres d'art, est véritablement passionnant et nous éclaire sur ces civilisations disparues qui ont jadis régné sur la région mais qui, aujourd'hui, demeurent dans l'ombre des Aztèques et des Mayas. Il se peut qu'avec le temps et la poursuite des études entreprises, les sites de Yagul et Mitla, centres importants de deux des grandes civilisations du Mexique, gagnent la reconnaissance auxquels ils ont droit.

PARTIR EN SOLO

Quand partir

À Oaxaca, pendant la saison des pluies (juin à octobre), les averses ont lieu généralement au cours de l'après midi, mais le reste de la journée est ensoleillé. De décembre à avril, les températures montent en flèche et le soleil frappe sans merci. L'un des meilleurs mois pour visiter la région est novembre, lorsqu'il y a peu de touristes et encore pas mal de soleil. Allez à Monte Albán le matin de bonne heure : la lumière est magnifique, la température agréable et les autocars de touristes n'arrivent que vers 10h.

Se déplacer

Le voyage Mexico-Oaxaca est bon marché et rapide à bord des autocars des compagnies ADO et Cristóbal Colón. Il y a aussi un train quotidien, mais il est très lent et la sécurité des voyageurs n'y est pas assurée ; de surcroît, la plus grande partie du voyage s'effectue de nuit.

S'organiser

Les sites sont tous fréquemment desservis par autocar, et des excursions d'une journée sont organisées au départ d'Oaxaca. Yagul et Mitla peuvent être visités dans la même – longue – journée, car les deux sites sont proches de la route 190. Demandez au chauffeur de vous arrêter au carrefour de Yagul ; le site est à 15 min à pied. Toutes les grandes sociétés de location de voitures, dont Avis, Hertz et Budget, ont des bureaux à Oaxaca. Faites plusieurs agences avant de vous décider, car il y a souvent des promotions.

Vous pouvez louer des chevaux au club équestre de San Felipe ; les prix comprennent le taxi aller et retour au départ de votre hôtel.

Quelques tuyaux

- Si vous louez une voiture, vérifiez-la avant d'en prendre possession et assurez-vous que le moindre impact sur la carrosserie soit mentionné. Si le réservoir est plein au départ, rendez-le dans le même état, car la société pourrait vous facturer le complément trois fois le prix de l'essence.
- Soyez extrêmement prudent quand vous abordez un *tope* (ralentisseur), certains étant dangereux même à petite vitesse. Idem pour les *vibradores*, bandes de bitume ondulé placées à la périphérie des villes.
- Ne laissez jamais d'objets en vue à l'intérieur de la voiture. Des articles qui, à vos yeux, n'ont pas de valeur peuvent en tenter d'autres.
- Les autocars s'arrêtent n'importe où pour vous prendre si vous levez la main, sauf s'ils sont pleins.

Santé

Il convient de se prémunir contre le paludisme (consultez votre médecin pour les derniers traitements en date). Sur les sites, ayez un chapeau, de la crème solaire et suffisamment d'eau, stérilisée ou bouillie.

Ne pas oublier

- Bouteille d'eau
- Lunettes de soleil
- Crème solaire
- Lampe-torche pour explorer les tombes
- Bonnes chaussures de randonnée

AUTRES SITES DE LA VALLÉE D'OAXACA

- **Cerro de la Campana (Huijazoo)** Au nord-ouest d'Oaxaca. Le site, qui couvre plusieurs arêtes impressionnantes, n'a été que partiellement fouillé. On peut y voir un intéressant jeu de balle ainsi qu'une tombe (n° 5) merveilleusement décorée.
- **Dainzu** À l'ouest de Lambityeco (voir ci-dessous). Une des tombes, dont les linteaux sont sculptés de jaguars, est en excellent état. On peut voir aussi plusieurs grandes plateformes.
- **Lambityeco** Petit site près de la route 190, avant Yagul. D'impressionnantes façades de temple sont ornées de magnifiques masques de pierre.
- **San José Mogote** Au nord d'Oaxaca. San José Mogote était un des centres les plus importants de la vallée d'Oaxaca, à l'époque du développement des différentes cités. Certaines zones résidentielles ont été l'objet de fouilles.

4 Mer et sierra

par Fiona Dunlop

Puerto Vallarta est certainement la station balnéaire la plus séduisante du Mexique, alliant de magnifiques plages et la forêt tropicale à une riche histoire. Rares sont ceux qui repartent déçus de ce lieu où l'on peut pratiquer d'innombrables activités.

Jadis petit port de pêche endormi de l'État de Jalisco, Puerto Vallarta a connu le succès en 1964 quand John Huston a tourné, à Mismaloya (à 10 km de là), *La Nuit de l'iguane*, avec Ava Gardner et Richard Burton. La présence d'Elizabeth Taylor, qui vivait de tumultueuses amours avec Richard Burton, fit beaucoup pour la célébrité de cette pittoresque station de la côte pacifique.

Aujourd'hui, la majorité de ses habitants (plus de 100 000) vit du tourisme. Toutefois, malgré le faste tapageur des ses bars chics et de ses hôtels de luxe, Vallarta a su conserver une certaine authenticité, avec ses autobus circulant dans les rues étroites du centre-ville, ses étals offrant tacos et jus de fruits, ses boutiques d'artisanat présentant les productions psychédéliques des Indiens Huichols et son marché au poisson, où l'on trouve du requin. Certes, un autre type de requins pullule ici : ceux de l'immobilier qui cherchent à vendre des appartements en multipropriété. On domine ici la baie de Banderas, la plus grande du Mexique. C'est aussi, paraît-il, la deuxième du monde, avec ses 25 km de long, et l'une des plus profondes (1 865 m). Et puis il y a, toute proche au sud, la jungle luxuriante et bien sûr les superbes plages, que borde l'océan d'un bleu profond.

La plupart des activités proposées ici ne présentent donc pas de difficultés, exceptées les randonnées et les promenades à vélo ou à cheval dans la sierra, qui peuvent être plus exigeantes.

★/★★★★ Puerto Vallarta offre une gamme d'hôtels complète, allant des simples chambres de la vieille ville jusqu'aux établissements de luxe de Marina Vallarta et des plages du sud. Les familles optent souvent pour une autre alternative : les appartements à louer.

De bonnes chaussures de marche et des jumelles sont indispensables.

VALLARTA

À Vallarta, les hôtels s'étirent tout au long de la côte sur 15 km. Au nord : le nouveau quartier de **Nuevo Vallarta**, qui se trouve en fait dans l'État de Nayarit. **Marina Vallarta**, avec ses hôtels chics et ses yachts somptueux, est au sud de l'aéroport. Les spectaculaires baies du sud, de la plage Conchas Chinas à Mismaloya, abritent aussi plusieurs hôtels de luxe. **Vallarta** elle-même, où règne une authentique atmosphère mexicaine, est située au centre de la baie. Le fleuve qui la traverse, le beau Río Cuale, sert de frontière naturelle entre les deux quartiers principaux de la ville, où l'on trouvera une large sélection d'hôtels, de restaurants et de bars pour tous les budgets.

La **Playa de los Muertos** (plage des Morts), qui doit son nom aux exactions des pirates du XVIe siècle, voit affluer le week-end une foule qui gravite entre l'océan et les restaurants du front de mer, dont certains remontent aux années 1950, débuts du tourisme à Vallarta. S'y pressent également les vendeurs patentés, véritable fléau pour les estivants. On les reconnaît à leur tenue blanche réglementaire. Modèles réduits de voiture, couvertures tissées, bijoux, carillons éoliens, paniers gigantesques… l'éventail de l'offre est large. Les activités les plus pratiquées

Puerto Vallarta, jadis village de pêcheurs endormi, possède désormais sa marina et ses hôtels de luxe accueillant de plus en plus de touristes nord-américains et canadiens.

LES TRANSPORTS À VALLARTA

À l'aéroport international de Puerto Vallarta, évitez les taxis, dont les tarifs sont prohibitifs, et préférez les *colectivos*, qui déposent leurs passagers dans les différents hôtels de la ville. Ceux qui voyagent léger et avec un budget limité pourront rejoindre la nationale à pied et prendre un autobus marqué *Centro* qui se rend dans la vieille ville en passant par Marina Vallarta. Au moment du départ, prenez le bus marqué *Aeropuerto* ou utilisez un taxi de ville. Après s'être fait escroquer pendant de longues années, les touristes se voient désormais proposer des courses à prix fixes. Quant aux autobus, ils ne coûtent que quelques pesos.

sur la plage sont le parachutisme ascensionnel, le ski nautique et le scooter des mers. Si vous cherchez la tranquillité, la Playa de los Muertos n'est pas faite pour vous.

Si vous connaissez déjà Vallarta, que vous avez goûté à ses restaurants et à sa vie nocturne agitée, vous n'avez pas tout vu de cette ville qui a plus à vous offrir. Pour mon troisième voyage, je choisis de pousser plus loin l'exploration, afin de découvrir certaines des richesses naturelles vantées par les habitants. Les baleines ne pouvant être inscrites à mon programme compte tenu de la saison, j'opte tout de même pour une approche de la faune (des dauphins en particulier) qui vit, paradoxalement, à proximité de cette station à la mode.

Oiseaux du matin

Comme je ne veux pas attraper de trop forts coups de soleil en ce début de voyage, rien de mieux, me dis-je, que de commencer par l'observation des oiseaux. Le rendez-vous est fixé à 6h45 dans une agence de voyages de la vieille ville. En quittant mon hôtel pour enfiler les ruelles sombres menant à la Playa de los Muertos, j'ai vraiment l'impression d'habiter Vallarta : à l'aube, on se sent toujours proche des passants dans le monde entier, et Vallarta ne fait pas exception. Quelques noctambules éméchés rentrent chez eux d'un pas mal assuré ; des ouvriers s'apprêtent à réparer un toit de palmes (*palapa*) ; un homme moustachu, portant combinaison et tablier d'un blanc immaculé, presse carottes, pamplemousses et oranges sur un étal ; plusieurs coqs chantent avec application tandis que les cloches de l'église sonnent 6h30.

À l'agence, du fait d'annulations de dernière minute, nous ne sommes que deux. C'est beaucoup mieux ainsi, déclare l'autre inscrite, une Canadienne dont l'enthousiasme ne faillira pas durant les cinq heures suivantes. C'est dans un énorme 4x4 Chevrolet que nous quittons la ville en direction du nord. Au volant : Kimberley, une joviale biologiste américaine qui, comme nous allons le voir bientôt, a l'œil exercé pour repérer la gent ailée. Alors que nous filons à vive allure sur l'autoroute du littoral, bordée de palmiers, le soleil se lève derrière nous au-dessus de la sierra. C'est là une des singularités de Vallarta : les couchers de soleil sur l'océan sont somptueux, alors que les levers de soleil, cachés derrière les montagnes sont inexistants. Nous passons devant des bâtiments semi-industriels en piteux état, puis le décor devient de plus en plus rural. Kimberley quitte brutalement la route pour une piste cahoteuse et s'arrête près d'un grand champ. Chacun sort ses jumelles, les ajuste et les cris d'admiration fusent. L'endroit, entouré de palmiers et de broussailles, s'avère être un véritable paradis ornithologique.

Dans nos jumelles respectives apparaissent des anis à bec cannelé (*Crotophaga sulcirostris*), des caciques à dos jaune (*Cacicus cela*), des jacanas du Mexique (*Jacana spinosa*), des aigrettes, des gobe-mouches, ainsi qu'une gallinule violette (*Porphyrio martinicus*), oiseau multicolore en dépit de son nom. Sans cesse, il en arrive de nouveaux qui se pavanent sur les branches et les lignes électriques. Il devient difficile de suivre, même si Kimberley fait de son mieux pour nous aider à identifier les espèces, leur sexe et leur âge, à l'aide de son télescope. De temps à autre, un vélo ou un camion emprunte la piste et laisse derrière lui, comme toujours au Mexique, des nuages de poussière. Kimberley invite un vieil homme, qui passe par là, à regarder dans son télescope. Stupéfait par ce qu'il voit, il reprend sa route non sans nous avoir serré la main. Peu après son départ, nous apercevons une élégante caille des blés (*Coturnix coturnix*) qui traverse devant lui en se rengorgeant.

Oiseaux aquatiques

Nous quittons notre poste d'observation, puis longeons le Río Ameca, que bordent bananiers, manguiers et palétuviers. Comme nous avançons lentement sur la piste, nous découvrons toutes sortes d'iguanes : deux d'entre eux se chauffent au soleil sur une énorme termitière dans la fourche d'un arbre, d'autres se prélassent sur une barrière rouillée. Des nids d'oriole du Nord (*Icterus galbula*), en forme de sac, pendent des branches. La traversée d'une forêt de guanacastes (*Enterolobium cyclocarpum*) géants nous plonge dans une atmosphère idyllique : vaches paissant au loin, urubus noirs (*Coragyps atratus*) décrivant d'immenses cercles dans le ciel, papillons voletant autour de nous. Le fleuve attire à lui plusieurs oiseaux aquatiques : ibis blanc (*Eudocimus albus*), martins-pêcheurs d'Amérique (*Megaceryle alcyon*), sternes royales (*Sterna maxima*) et crécerelle d'Amérique (*Falco sparverius*). Nous ne sommes plus qu'à quelques minutes de marche de l'estuaire, la Boca de Tomate. À l'aide de simples filets, les pêcheurs y capturent quelques poissons qu'ils vendent aux restaurants venus s'installer pour la journée sur le sable. Les pélicans se font plus nombreux tandis qu'au loin on aperçoit déjà, sur fond de Sierra Madre, les hôtels de Marina Vallarta et Nueva Vallarta. Nous sommes si proches de la ville !

Voilà plus de 3h que nous observons les oiseaux : il est temps de gagner notre dernier poste de guet. Nous choisissons un café-restaurant des plus calmes implanté près d'une lagune couvert de jacinthes d'eau. Sous le regard de grandes aigrettes (*Casmerodius albus*), d'aigrettes neigeuses (*Egretta thula*) et de hérons gardes-bœufs (*Bubulcus ibis*) juchés sur un arbre, nous faisons le compte des espèces identifiées ce matin : nous arrivons à un total de 46, ce qui est une véritable performance dans cette zone côtière où, en moyenne, on ne dépasse pas la trentaine.

Une plongée dans le Pacifique

La baie de Banderas est si vaste que lorsque l'on est en son centre, la Punta de Mita, le promontoire nord, et le cap sud ne se distinguent que confusément au loin, dans la brume de chaleur. La Punta de Mita fait partie d'une formation volcanique dont la plateforme est reliée à un archipel, les **îles Marietas**. Les

Excursions ornithologiques

Une autre destination prisée par les amis des oiseaux est la sierra. Elle compte moins d'espèces, mais celles-ci sont plus exotiques (aras, perroquets, oiseaux-mouches et perruches). Plus au nord, les cours d'eau de la Tovara, autour de San Blas, recèlent quelque 300 espèces d'oiseaux. Évitez de programmer une excursion d'une journée au départ de Vallarta, car cela vous laissera trop peu de temps. Prévoyez de passer la nuit sur place.

amateurs de plongée apprécient le lieu pour ses pentes vertigineuses, si différentes des profondeurs sud de la baie.

Les îles Marietas constituent aussi un havre naturel pour les oiseaux aquatiques, ainsi que pour une faune sous-marine vierge de toute agression humaine. D'où leur candidature au statut de réserve marine nationale, par le commandant Cousteau voilà quelques décennies. Suite logique à ma séance d'observation ornithologique, ces îles sont également l'endroit idéal pour découvrir le Pacifique, sans la foule de la Playa de los Muertos.

Depuis des années, l'océanographe Oscar Frey poursuit avec passion l'étude du comportement des baleines et dirige une agence de voyages d'aventure. Je me joins à un de ses groupes dans le but d'aller observer les dauphins avec masque et tuba. À 9h précises, à Marina Vallarta, nous embarquons à douze dans un hors-bord : deux guides, deux membres d'équipage et huit touristes, sans compter plusieurs paniers de pique-nique. Environ une heure plus tard, nous mouillons dans une île pour notre première sortie en mer. Je me jette vite dans l'eau et me retrouve instantanément entourée d'une multitude de poissons multicolores. Les anges de mer, les demoiselles, les poissons-papillons cochers (*Chætodon auriga*) sont les plus faciles à identifier, mais d'autres espèces circulant en tout sens me sont inconnues. Un poisson-trompette (*Aulostomus maculatus*) semble prêt à gober le moindre poisson-ange nain passant à sa portée, tandis qu'un sergent-major (*Abudefduf margariteus*) supervise, comme son nom l'indique, les opérations. En plongeant plus profondément, j'aperçois des homards, des étoiles de mer et des oursins. Hormis les tuniciers, les polypes et quelques coraux-éventails, les coraux sont assez rares, du fait (en partie) du réchauffement des eaux dû au fameux el Niño.

À gauche *Autour des îles Marietas, à l'extrémité nord de la baie de Banderas, les eaux abondent en poissons multicolores.*
Ci-dessous *Le cadre du film* La Nuit de l'iguane, *de John Huston, Mismaloya, à 10 km au sud de Puerto Vallarta, est devenu une réserve d'iguanes.*

Plongée dans ce paradis sous-marin, j'entends soudain le bruit, par trop familier, d'un moteur de bateau. Il s'agit d'un navire de croisière transportant au moins 60 personnes… sans doute les habitués de la jetée (*malecón*) de Vallarta qui nous ont rattrapés. Alors que les nouveaux arrivants se jettent à l'eau à grand bruit, nous remontons sur notre bateau et le capitaine s'éloigne au plus vite. En passant près du rivage, nous pouvons voir de près des colonies de frégates superbes (*Fregata magnificens*), des pélicans plongeant la tête la première ainsi que des fous à pieds bleus (*Sula nebouxii*) et des fous bruns (*Sula leucogaster*). Alignés au sommet de la falaise, avec leurs petits en livrée noire, ces derniers semblent saluer notre départ.

À LA RECHERCHE DES DAUPHINS

Nous faisons le tour des îles à la recherche des dauphins. Mais comme aucun ne se montre, nous mouillons dans une petite crique de l'île la plus éloignée et nous déjeunons copieusement à bord de notre bateau, avant de nous offrir quelques plongées supplémentaires. Nous gagnons à la nage une petite plage dominée par des falaises, puis nous nous glissons sous une arche naturelle menant à des grottes marines. Une femme, qui souffre du mal du mer, est restée sur l'île et un guide lui a apporté à la nage son repas dans une boîte étanche. Voilà ce que j'appelle être au service du client !

Plus tard dans l'après-midi, alors que nous regagnons lentement Marina Vallarta, les dauphins consentent enfin à se montrer. Dès que le capitaine, qui n'a pas cessé de scruter l'eau, les repère, il dirige son bateau vers leurs formes ondoyantes. À l'aide de son hydrophone, un micro immergé relié à un petit haut-parleur, Oscar peut interpréter les gargouillements émis par les dauphins. Il nous explique qu'ils sont en train de communiquer entre eux et de se nourrir. Il estime que, dans la baie, il y en a probablement une centaine, répartis en petits groupes. Quelques-uns viennent danser autour de nous, sautant à la verticale au-dessus des vagues, tandis que notre bateau zigzague entre eux. Mes compagnons prennent alors photos sur photos. Même si, une fois développés, les clichés ne montrent que des images floues, ils seront là pour prouver que nous avons connu ce qu'est l'accueil des dauphins de la baie de Banderas.

Thérapies naturelles

Les Mexicains s'intéressent beaucoup aux médecines alternatives. Il faut vraisemblablement voir dans ce phénomène une survivance des croyances des Méso-Américains et la confirmation des relations intimes que l'homme entretient avec la nature. Certains rituels ont été repris, s'ils ont jamais disparu, tels le *temazcal*, ou bain de vapeur aztèque. On peut en goûter les bienfaits à **Terra Noble**, un centre récemment ouvert à Puerto Vallarta, qui dans un cadre spectaculaire et un bâtiment bien conçu, propose des massages et des traitements corporels ainsi que des stages collectifs de poterie et de peinture. J'ai la chance de me trouver à Vallarta à l'époque de la pleine lune, ce qui est considéré traditionnellement comme un moment de renouveau spirituel idéal pour un *temazcal*. À Terra Noble, les soins sont prodigués séparément aux hommes et aux femmes et ne se limitent pas à l'aspect corporel. J'ai ainsi crié, chanté, bu de l'infusion de sauge et transpiré d'abondance en compagnie de 11 femmes de Vallarta.

Cette expérience cathartique se déroule à l'intérieur d'un bâtiment en forme d'igloo symbolisant le sein maternel. Au centre, dans le sol, s'ouvre une fosse dans laquelle sont placées des pierres chauffées au rouge. Quelques verres d'eau jetés sur ces pierres produisent une vapeur qui vaut largement celle des hammams. Assises en cercle sur les bords, nous suivons les instructions de Gracia de la Luz qui, pour cette soirée, a pris en charge nos âmes d'une manière didactique et énergique. Entre chaque "acte" (car le rituel est celui du théâtre), Gracia douche chacune de nous à l'eau froide, ce qui nous a apporte un grand soulagement. Mais la température remonte et, deux heures plus tard, je sors trempée et physiquement vidée.

Les différents bâtiments de Terra Noble sont disposés sur le flanc d'une colline d'où l'on jouit d'une vue magnifique sur la baie. Les salles de massage, construites en adobe, sont ouvertes sur le devant, si bien que, lorsque vous vous allongez, vous voyez la baie. Le temps que vous vous retourniez, à la moitié de votre massage, la nuit est déjà tombée sur Vallarta, qui scintille de lumières. Plusieurs types de massage sont proposés ainsi que des soins à base de sel ou de boue ; les masseuses de Terra Noble tiennent compte de votre condition physique du moment. Je vous conseille de réserver cette expérience à la fin d'un séjour qui a été sportif. Une fois massé, vous vous sentirez prêt à redescendre vers le vieux Vallarta pour profiter d'un des attraits du lieu, ses traditions gastronomiques.

Baleines et dauphins

La baie de Banderas est un lieu de reproduction de plusieurs espèces de baleines et de dauphins. Les dauphins tachetés, peu farouches, sont visibles toute l'année, mais d'autres espèces n'apparaissent généralement que de novembre à avril, parfois en mai. Si les cachalots sont rares, d'autres variétés de baleines peuvent être observées : orques, pseudorques (ou faux épaulards), rorquals de Bryde et, plus fréquemment, baleines à bosse (ou jubartes). Le dauphin à gros nez et le dauphin à long bec sont aussi des espèces que l'on peut voir circuler dans ces eaux.

PARTIR EN SOLO

QUAND PARTIR

À Puerto Vallarta, les mois de juin à septembre sont les plus chauds (29° C en moyenne) et les moins agréables, l'humidité de la saison des pluies venant s'ajouter à ces fortes températures. La meilleure (et haute) saison, qui correspond également à l'époque où migrent les baleines, va de décembre à avril. Les températures oscillent entre 23 et 26° C (légèrement moins de janvier à mars). Il est indispensable de réserver votre hôtel d'avance à cette période, car le taux de remplissage est élevé.

SE DÉPLACER

Puerto Vallarta est très bien desservi par avion de l'Amérique du Nord et d'Europe. Il existe aussi des vols intérieurs réguliers de Mexico, Guadalajara, Los Cabos, Monterrey et Mazatlán. Des services d'autocars de première classe sont assurés entre Vallarta et Guadalajara, Tijuana, Mazatlán, Ciudad Juárez, Monterrey, Aguascalientes, León, Manzanillo, Querétaro, Colima, Barra de Navidad et Mexico. On peut louer des voitures et des Jeeps à Vallarta.

S'ORGANISER

La plupart des touristes séjournent à Vallarta dans le cadre d'un forfait. Si ce n'est pas le cas, il est recommandé, en haute saison, de réserver au moins pour les premières nuits. La plupart des activités sont programmées à la journée ou à la demi-journée et peuvent être réservées la veille, excepté les disciplines très spécialisées comme l'ornithologie, qui doivent rassembler un nombre suffisant d'amateurs. Les activités de Puerto Vallarta peuvent revenir assez cher, alors assurez-vous que vous avez un budget suffisant avant de vous engager.

On peut aisément combiner un séjour à Puerto Vallarta avec quelques jours à Guadalajara, la deuxième ville du Mexique, très active sur le plan culturel. Vous pouvez aussi louer une voiture et explorer le magnifique littoral au sud de Puerto Vallarta. Dernière option : choisir la sécurité en prenant l'avion pour Los Cabos, en Basse-Californie.

SANTÉ

De ce point de vue, Puerto Vallarta ne pose aucun problème particulier : la nourriture est préparée dans de bonnes conditions d'hygiène et l'eau du robinet répond aux exigences les plus élevées.

NE PAS OUBLIER

- ❑ Jumelles pour observer les oiseaux
- ❑ Lunettes de soleil
- ❑ Casquette ou chapeau à large bord pour le kayak de mer ou toute autre excursion en bateau
- ❑ Crème solaire
- ❑ Tee-shirt pour les plongées de longue durée

AUTRES ACTIVITÉS À PRATIQUER DANS LA RÉGION

Puerto Vallarta est idéal pour pratiquer de nombreux sports aquatiques, comme le scooter des mers, le parachute ascensionnel et le kayak de mer. Ce dernier est très en vogue, notamment à la Punta de Mita, lieu pittoresque qui est aussi un paradis pour les surfers. Les croisières et les parties de pêche permettent d'admirer la baie sans trop se fatiguer. Les fonds sous-marins au large de Vallarta offrent de grandes possibilités d'exploration pour plongeurs de tout niveau. Près de la pointe sud de la baie, à Chimo, deux formations sous-marines spectaculaires sont réservées aux plongeurs confirmés. Les néophytes pourront prendre des cours sur les plages de Majahuita et de Quimixto, tandis que les adeptes du tuba visiteront le parc national sous-marin de los Arcos. Dans le nord de la baie, au-delà des îles Marietas, au milieu des aiguilles d'El Morro, on peut voir des raies et des vivaneaux à queue jaune dans de nombreuses grottes sous-marines. Les baleines fréquentent aussi ces fonds magnifiques dont la visite est réservée aux plongeurs expérimentés. Quant aux activités terrestres, citons les centres équestres qui proposent des randonnées dans la sierra, le 4x4 pour explorer les pistes isolées, et le VTT, parfaitement adapté au terrain montagneux.

5 Rafting à Veracruz

par Fiona Dunlop

La diversité de ses paysages, la douceur de ses microclimats et son histoire font de l'État de Veracruz un terrain de jeu très apprécié des Capitalinos (habitants de Mexico), qui n'en sont qu'à 3h de route. Le rafting, qui y est très en vogue, peut aisément être associé à des activités plus culturelles.

L'image que l'on se fait le plus souvent de Veracruz est celle d'un port tropical écrasé de chaleur, mais ce n'est là qu'une première approche. Pour Hernán Cortés qui débarqua au nord de Veracruz le 21 avril 1519, ce fut aussi le début de la fabuleuse conquête du Mexique. De là, il s'enfonça dans les terres, vers l'ouest, franchit les hauteurs brumeuses de la Sierra Madre orientale, avant de descendre sur Tenochtitlán, la capitale des Aztèques. Nul doute qu'il traversa à gué plusieurs cours d'eau, nombreux dans l'État de Veracruz, comme le sont, de plus en plus, les sociétés spécialisées dans le rafting, nouveaux conquistadores de la région. Ajoutez à cela plusieurs sites archéologiques d'importance et des "produits du terroir" tels que les fruits de mer et l'excellent café que l'on y cultive… et vous avez là réuni tout ce qui rend une destination attrayante.

3 Le rafting est un sport à risques. Il n'est pas rare de tomber à l'eau et il arrive que des accidents se produisent. De plus, il faut pagayer avec énergie.

★★ Le camp de base est assez confortable, mais il se peut que vous ayez à partager une tente (elles sont faites pour quatre personnes) et les installations sanitaires. La nuit, la lampe électrique est indispensable. Attention, vos compagnons peuvent parfois être bruyants.

⚒ Tout l'équipement est fourni par l'organisateur. Il vous faut juste un maillot de bain, un short, un T-shirt et, de préférence, des sandales ne craignant pas l'eau. Si vous envisagez de faire plusieurs descentes, prévoyez des vêtements de rechange car le linge sèche lentement.

N'ayant jamais fait de rafting, j'ai très envie de découvrir cette activité dont on vante les fantastiques montées d'adrénaline qu'elle procure. Une agence de Mexico me propose un itinéraire de quatre jours mêlant le rafting dans les meilleurs endroits de l'État de Veracruz, la visite de plusieurs sites archéologiques et la traversée de paysages très variés. On passe également une nuit dans la ville de Veracruz elle-même. Alors comment résister à une telle offre ?

Le camp de base

À peine 5h après avoir quitté Mexico, nous arrivons à notre camp de base de rafting, près de **Jalcomulco**. Au moment où Alejandro, mon jeune guide et chauffeur, gare sa voiture, une trentaine de personnes débraillées sortent d'un vieil autobus américain recyclé. Lorsque je réalise que ces hommes et ces femmes de tous âges reviennent d'une expédition de rafting, je les regarde avec un peu plus d'attention : ils semblent tous en bonne forme ! Certains vont se mettre à l'ombre des manguiers et échangent des propos joyeux. Peut-être après tout vais-je donc survivre à cet après-midi ?

Le camp de base peut accueillir 100 personnes, dont une majorité viennent en voiture de la capitale pour le week-end. Il y a là une poignée de Japonais et de Canadiens, mais le groupe est surtout composé de Mexicains. Les installations ont des allures de camp scout : rangées de tentes montées sur plates-formes, terrain de volley-ball, tables de billard en plein air… Au bout du camp sont installés les sanitaires, bien conçus et propres. La nourriture est fraîche, variée et savoureuse, ce qui est un exploit quand on doit cuisiner pour un aussi grand nombre de personnes. Après le repas, repos à la mexicaine, c'est-à-dire dans un hamac.

À gauche *Le Río Pescados comprend des rapides de classes III et IV.*
Ci-dessous *La préparation des rafts à Jalcomulco avant la descente du Río Pescados.*

Alejandro me tire de ma sieste et me conduit, gilet de sauvetage et casque en main, vers le vieux bus délabré qui doit transporter le groupe de l'après-midi à la rivière. Nous longeons des champs de canne à sucre et croisons de petits ânes. Le petit village de Jalcomulco doit être désert et endormi pendant la semaine, mais en ce samedi après-midi, les kayakistes et les rafters qui le traversent avec leur équipement volumineux y apportent une certaine animation. Il y a là quatre sociétés de rafting, qu'il est facile de discerner par les couleurs des gilets de sauvetage et des rafts. Le Río Pescados et son prolongement, le Río Antigua, sont les rivières de classes III et IV au parcours le plus varié de l'État et, en cette époque de l'année, c'est là que se pratique l'essentiel du rafting.

LE RAFTING DANS L'ÉTAT DE VERACRUZ

Les rivières sont classées en cinq catégories, de la classe I, la plus facile, à la classe V, la plus difficile :

- **Barranca Grande** Classes IV et V. 12 km de canyons à réserver aux plus expérimentés. Navigable d'octobre à décembre.
- **Río Actopán** Classes II et III. Idéale en famille. 12 km d'un très beau paysage au milieu de vergers et de chutes. Navigable de janvier à mai.
- **Río Antigua** Classes III et IV. 24 km avec rapides en continu et hautes vagues. Navigable de juin à novembre.
- **Río Filobobos** Classes II et III. Parcours de 58 km, considéré comme la plus belle descente du Mexique, avec des paysages stupéfiants (chute d'Encanto) et des sites archéologiques. Navigable de juin à septembre.
- **Río Pescados** Classes III et IV. 18 km de descente ponctuée de 60 rapides. Navigable toute l'année.

Nous commençons par l'apprentissage de la technique elle-même, puis suivent des instructions générales, une présentation des ordres qui nous seront donnés, des recommandations à suivre au cas où nous tomberions à l'eau et ce qu'il faut faire pour éviter d'être blessé. Alejandro, qui est un garçon expérimenté, fait preuve d'un calme olympien et s'évertue à me rassurer en me lançant à plusieurs reprises : "*No preocupate*" (Ne t'en fais pas). Mais le ciel s'obscurcit, n'arrangeant en rien mon angoisse. Un guide est désigné pour chaque embarcation, soit six à huit personnes. Les exercices d'échauffement que l'on nous fait faire ne semblent pas être la règle dans toutes les compagnies. Mais comme la température chute tout à coup, je n'ai rien contre cette idée.

LE MAÎTRE DU RAFT

Le moment de vérité arrive enfin : nous montons à bord du canot pneumatique, pagaie en main, puis nous nous asseyons sur les boudins en calant nos pieds dans le fond. Notre guide, Emilio, un Mexicain tatoué à la silhouette sportive, parle quelques mots d'anglais. Très pédagogue sur le plan technique, Emilio s'avère être très spirituel, ce qui me détend. Le rôle du guide est fondamental ; de son poste d'observation à l'arrière, il crie les instructions : pagayer à gauche ou à droite, pagayer à l'envers, s'arrêter, descendre du boudin et s'accroupir à l'intérieur du canot… Ce statut d'"esclave" obéissant est en fait très confortable.

Avec Emilio aux commandes, nous nous lançons dans la première série de rapides. Rétrospectivement, ce sont les pires car nous avons du mal à suivre ses ordres. Mais rapidement nous devenons de véritables experts, pagayant en douceur ou énergiquement selon la demande, et nous arrêtant de ramer pour "surfer" sur les rapides. Chaque fois que nous négocions habilement un rapide, nous avons le sentiment de remporter une victoire. Derrière nous, le contingent japonais s'en sort lui aussi très bien, mais il nous faut souvent attendre les deux autres rafts, qui rencontrent quelques difficultés. Tout le long du parcours, un sauveteur kayakiste nous accompagne ; ce Québécois prend son rôle très au sérieux. Fort heureusement, nous n'aurons pas à tester ses aptitudes…

Environ 3h plus tard, nous frissonnons tous. Le soleil s'est caché depuis longtemps et une pluie fine se mêle aux embruns de la rivière. Nous passons en puissance la dernière série de rapides en nous félicitant. Nous descendons du radeau et, les pieds dans l'eau, gagnons la terre ferme, tremblants de froid. La pluie ne cesse de tomber maintenant et, comme il fallait s'y attendre, le vieux bus se met à patiner dans la boue. Poussé par des volontaires, l'autobus s'ébranle et nous ramène au camp, où des douches bien chaudes nous attendent. Ceux qui l'ont déjà expérimenté goûtent aux bienfaits du *temazcal*, le hammam aztèque.

Il n'y a rien d'étonnant à ce que le rafting soit de plus en plus utilisé dans les stages de motivation des cadres d'entreprise. Les liens affectifs se forment vite, même involontairement, comme l'a prouvé le geste spontané, en fin de parcours, de mes cinq compagnons : lever ensemble leurs pagaies en l'honneur de l'*Inglaterra* !

Plus tard dans la soirée, nous regardons avec enthousiasme la vidéo des principaux moments de notre expédition prise par ce kayakiste aux talents multiples. Alors que nous sommes confortablement installés dans le bar et que la tequila coule à flots, la pluie ne cesse de tomber autour de nous. Bien que la plupart des gens soient arrivés ici entre amis ou en famille, les conversations vont bon train et l'atmosphère est détendue. Un concert de rock *live* incite certains à danser, mais la fatigue se fait sentir et les rafters rejoignent peu à peu leurs tentes, lampe électrique à la main.

“On the road again”

Le lendemain, Alejandro a prévu un départ matinal car nous voulons atteindre, plus au nord, après la ville universitaire de Xalapa, le Río Filobobos. C'est à 2h de voiture d'ici. La descente en raft du Filobobos m'apportera, selon mon mentor, des sensations aussi fortes que celle du Río Pescados. Les paysages y sont en plus spectaculaires, notamment la chute d'Encanto, où je pourrai me baigner. Un rendez-vous a été pris à 9h avec une autre société de rafting, à Tlapacoyán. La route longe des plantations de bananiers et des flamboyants d'un orange étincelant, puis elle traverse des zones de forêt tropicale avant de prendre de l'altitude peu avant Xalapa. Le paysage s'embrume soudain ; on ne distingue plus que vaguement caféiers et figuiers de Barbarie. C'est là un effet du **Cofre de Perote**, le cinquième sommet du Mexique avec ses 4 250 m.

LE MUSÉE DE XALAPA

L'État de Veracruz est très riche sur le plan archéologique. Il fut le berceau de plusieurs cultures méso-américaines dont la première d'entre elles, les Olmèques. Vinrent ensuite les Totonaques et, au nord, les Huastèques. Pour mieux connaître ces civilisations anciennes, il faut visiter le magnifique musée d'Anthropologie de Xalapa, construit en 1986. Deuxième musée après celui de Mexico par la taille et la qualité, il présente ses collections dans une suite de patios éclairés naturellement et de salles de marbre en terrasses. Parmi ses trésors, on admirera plusieurs têtes géantes olmèques en basalte, une étonnante série de figures d'argile "souriantes", des haches votives et d'innombrables poteries de toute beauté.

La ville de Cantona, au pied de la Sierra Madre, comptait 80 000 habitants à son apogée. Elle a été abandonnée au début du XIe siècle.

Les milieux naturels traversés sont extraordinairement variés, des plantations de bananiers aux forêts de pins, en passant par de vastes étendues de landes parsemées de yuccas géants.

La seule agglomération de quelque importance que nous traversons est **Teziutlán**. Elle est située sur une route trouée de nids-de-poule en dépit de la récente prospérité apportée par les *maquiladores*, ces usines de montage qui réexportent leur production hors taxes vers les États-Unis. Cette jolie ville a pour cadre paradisiaque une vallée sauvage à la végétation luxuriante ; ça et là, des chutes d'eau tombent en cascade près de la route. De là, on glisse dans la vallée fertile de **Tlapacoyán** ; les bosquets de bambous, les poinsettias (*Euphorbia pulcherrima*) qui poussent sur les coteaux et les vastes orangeraies nous indiquent que nous avons une nouvelle fois changé de microclimat.

Y ALLER OU PAS

Arrivés au Río Filobobos, les 12 rafters néophytes que nous sommes regardent avec anxiété les eaux brunes et tumultueuses tandis que, de leur côté, organisateurs et guides pèsent le pour et le contre. La descente ne paraît guère engageante, car les pluies torrentielles de la veille ont gonflé la rivière qui a atteint un niveau dangereux. Deux autres sociétés de rafting ont déjà annulé leurs expéditions. Alejandro, toujours optimiste, m'assure que cela ne fera qu'ajouter un peu de piment à l'aventure, mais je ne suis pas convaincue. Finalement, les experts rendent leur verdict : l'expédition aura bien lieu, mais les personnes inexpérimentées (dont je fais partie) doivent savoir que la descente sera, du début à la fin, environ deux fois plus difficile que la première.

Avant de démarrer, les rafters doivent signer une décharge dans laquelle il est précisé qu'il n'y aura aucun recours possible en cas d'accident ou de mort. Cela me fait longuement réfléchir et je décide de ne pas y aller. Je ne suis pas seule à faire ce choix et nous sommes bientôt quatre dans la Coccinelle qui nous ramène à Tlapacoyán. J'apprendrai plus tard que les participants ont passé la plus grande partie de la matinée à secourir un autre canot qui s'était retourné et coincé entre des rochers.

DÉCOUVERTE DE LA CÔTE

De Xalapa, nous prenons la direction sud-est, vers **Veracruz**. Ce port tropical semble s'être figé dans les années 1940 et 1950, à l'époque de son âge d'or. Une soirée passée sous les palmiers de la Plaza de Armas est un moment de pur délice, surtout quand, à la nuit tombée, la ville revêt ses habits de carnaval. Des armées de vendeurs sortent en force et vous proposent cigares, modèles réduits de galions, bijoux en coquillages ou hamacs. Acrobates, cracheurs de feu

et mimes font assaut de talent, tandis qu'un orchestre de marimba et des mariachis se partagent la scène musicale. Si vous avez de la chance, vous pourrez voir un spectacle de danse dans l'hôtel de ville, à côté de l'église. Plus tard dans la soirée, touristes et autochtones s'installent aux tables des cafés bordant la place.Quand je quitte mon hôtel le lendemain matin, la place est pratiquement vide. Tout cela n'a-t-il été qu'un mirage ?

Le nouvel objectif de mon voyage dans l'État de Veracruz est **La Antigua**, à 30 km au nord sur la côte. C'est le point précis, appelé à l'origine Villa Rica de la Vera Cruz, où Hernán Cortés fonda en 1519 le premier établissement espagnol sur le sol mexicain. Il y laissa huit soldats en résidence avant gagner Tenochtitlán, la capitale aztèque. Alors que nous traversons ce pittoresque petit village, nous sommes abordés par de jeunes garçons qui proposent leurs services de guide. Alejandro choisit l'un d'entre eux, qui se met à débiter d'une voix monocorde l'histoire de Cortés. Cette leçon un tantinet ennuyeuse a pour cadre les ruines évocatrices de la villa des conquistadores (XVIe siècle), un bâtiment de pierre, de brique, de corail et de roche volcanique provenant du Cofre de Perote. Non loin s'élève une simple chapelle blanchie à la chaux, l'**Ermita del Rosario** (1523), dont la cour a été dessinée de manière à représenter les quatorze stations du chemin de croix. Nous sommes proches maintenant du Río Antigua, une rivière propice au rafting, mais qui n'est ici qu'un cours d'eau très calme.

Les vestiges du passé

De l'autre côté du Río Antigua, à 20 km au nord, on approche du site totonaque de **Zempoala**, dont le nom signifie "vingt sources" et où l'on a mis au jour des vestiges d'aqueducs. Ses murailles chaulées brillaient à ce point que les conquistadores crurent qu'elles étaient en argent. Alors qu'Alejandro file à vive allure le long des champs de canne à sucre, je songe à cette communauté des Totonaques qui a tant facilité l'avancée de Cortés. Sans leur aide, l'histoire de la Conquête eut été différente. Mais qui étaient-ils vraiment ?

Un Totonaque moustachu, qui traîne près de la baraque où se délivre les billets, nous sert de guide. Sans doute ne porte-t-il pas de labret, mais ses jeans pourpres sont ornés d'un énorme trousseau de clés, des chaînes d'argent pendent à son cou et ses doigts sont couverts de bagues. Un chapeau de cow-boy, des bottes et des Ray Ban complètent cet accoutrement original qui fait honneur à ses ancêtres (*ci-dessous*). Gesticulant pour accentuer son propos, il nous raconte comment les pacifiques Totonaques ont bâti cette ville en 1027, à l'aide de coquillages, de coraux, de cactus et de galets de la rivière.

Un mur percé de quatre portes aux points cardinaux ceint les 7,5 ha de l'espace rituel. On y compte cinq pyramides, parmi lesquelles un temple du Soleil où avaient lieu des sacrifices humains. Cette coutume fut empruntée aux Aztèques à la fin du XVe siècle, quand Zempoala tomba sous leur domination. Une autre structure, circulaire et crénelée, est dédiée au dieu du Vent Ehecatl et semble avoir quelques rapports avec l'astronomie. Comme d'autres sociétés méso-américaines, les Totonaques étaient passionnés par l'étude du ciel.

LES TOTONAQUES

Voici la description que fait le conquistador Bernal Díaz del Castillo des messagers totonaques de Zempoala venus voir Cortés : "Les hommes avaient un grand trou dans la lèvre inférieure, parfois garni d'un disque en pierre veinée de bleu [...]. Ils avaient aussi de grands trous aux oreilles, où étaient insérés des disques de pierre ou d'or ; leur costume et leur langage étaient bien différents de ceux des Mexicains qui étaient restés avec nous dans le camp."

Au moment de notre départ, notre ami totonaque nous conte le tragique destin de Zempoala. Peu après l'arrivée de Cortés, une épidémie de variole anéantit la population. Quelque 30 000 personnes moururent et seules huit familles survécurent. En 1600, la cité fut complètement abandonnée. Les rivalités entre groupes jouèrent aussi leur rôle dans cette tragédie. **Cantona**, dernière étape de notre voyage, en est un exemple typique. Cet immense site archéologique du Mexique central n'est ouvert au public que depuis 1996 et il ne figure pas encore sur les cartes. On n'y accède que par une longue piste utilisée par quelques rares chevaux ou pick-up. Nous n'avons pas encore atteint Cantona quand Alejandro entend un bruit fâcheux provenant de la voiture. Nous sommes bloqués en plein désert, avec pour seul horizon des pierres et des cactus. Mexico est encore à 3h de route, or je compte bien y prendre un avion cet après-midi.

Finalement, nous arrivons à Cantona. Ce site isolé de la période postclassique (600-1000) est blotti, presque invisible, au pied de la Sierra Madre. Sa position stratégique entre les plateaux centraux du Mexique et la côte du golfe du Mexique explique sa spectaculaire expansion : 80 000 habitants à son apogée sur une surface de 13 km^2. Sa prospérité reposait essentiellement sur le commerce de l'obsidienne. Mais au début du XIe siècle, des peuplades plus belliqueuses prirent le dessus et la population de Cantona se dispersa. Aujourd'hui, de cette splendeur passée, on ne contemple que les ruines, mais quelles ruines ! Jeux de balle, habitations en terrasses sur les collines, pyramides, patios et longues rues bordées de mur appelées *calzadas*... Très peu de visiteurs entreprennent ce long voyage au-delà de la frontière de l'État de Puebla, aussi n'aurez-vous pour compagnons que les cactus, les yuccas et les serpents à sonnette, qui y sont légion. Mais l'endroit vaut largement le détour.

PARTIR EN SOLO

QUAND PARTIR

La saison du rafting varie selon la rivière choisie (➤ 56). C'est donc une activité que l'on peut pratiquer toute l'année. Les températures sont plus élevées en été et les pluies plus fréquentes, mais le niveau des eaux y est bien meilleur. Dans l'État de Veracruz, il existe de nombreux microclimats, particulièrement sensibles autour du Cofre de Perote (4 250 m), près de Xalapa, et du pic d'Orizaba (5 610 m), au sud. Sur les routes proches de ces sommets, la visibilité est presque toujours réduite du fait du brouillard et de la pluie, mais le ciel s'éclaircit dès que l'on s'en éloigne. Près de la côte, le climat, chaud et humide, ressemble à celui de la mer des Caraïbes.

SE DÉPLACER

De nombreux vols intérieurs arrivent à l'aéroport de Las Bajadas, à 12 km du centre de Veracruz.

Ceux qui aiment l'atmosphère des voyages d'antan peuvent prendre le vieux train de seconde classe qui relie la capitale à Veracruz *via* Córdoba en 11h.

Mais le seul moyen de mener à bien cette aventure est de louer une voiture. On peut le faire à Mexico ou, plus facilement encore, à Veracruz. Pour vous rendre à Veracruz de Mexico, vous pouvez aussi prendre un car ADO à la gare routière de Tapo (Oriente ; station de métro San Lázaro). Le voyage dure environ 4h *via* Puebla et Córdoba. En été, la demande est très forte et il est prudent d'acheter son billet d'avance. Xalapa est une base de départ plus tranquille, également desservie par les autocars ADO (5h au départ de Mexico, 2h de Veracruz).

S'ORGANISER

Il est recommandé de demander d'avance quels sont les programmes de week-end proposés par les sociétés de rafting. On peut passer la nuit dans le camp de base de Jalcomulco ou venir simplement une demi-journée le temps d'une descente. Dans tous les cas, il vous faudra faire une réservation. Si vous faites partie d'un groupe de six, vous pouvez remplir un raft à vous seuls. Le prix des stages de trois jours est raisonnable, mais vous devrez prendre en charge votre propre transport.

Pour le rafting, il est exigé de peser plus de 35 kg et d'être en bonne santé.

QUELQUES TUYAUX

- ❏ À Veracruz, les hôtels font le plein en été (de juin à septembre), aussi est-il recommandé de réserver. Xalapa est moins fréquenté, mais on y trouve d'excellents hôtels à des prix raisonnables. Si vous êtes tentés par les rapides du Río Filobobos (considérés par beaucoup comme les meilleurs de tout le Mexique), il y a un bon hôtel dans la ville voisine de Tlapacoyán (➤ Contacts).
- ❏ Si vous êtes en voiture, achetez une carte routière Guía Roji. Quelques connaissances en espagnol vous seront utiles pour demander votre chemin, car on peut perdre beaucoup de temps en montagne lorsqu'on s'engage sur la mauvaise route. Pour aller à Cantona, ne manquez pas le panneau sur la Carretera 140 (Puebla-Xalapa), à quelque 20 km au sud-ouest de la ville de Perote. À l'embranchement, empruntez la piste vers Tepeyahualco et, là, demandez votre chemin ; le site se trouve 22 km plus loin.

CONSEILS DE RAFTERS

- ❏ Ne vous mettez pas de crème solaire sur le front, car elle risque de vous couler dans les yeux, ni sur l'arrière de vos jambes, ce qui vous ferait glisser sur les boudins du raft.
- ❏ Regroupez tous vos objets de valeur dans les sacs étanches fournis par les sociétés de rafting. Les sacs plastiques ordinaires ne sont pas assez résistants vu les conditions imposées par le rafting.

SANTÉ

Assurez-vous que vos vaccinations contre la typhoïde, le tétanos et la poliomyélite sont à jour. La vaccination contre l'hépatite A est recommandée. L'État de Veracruz n'est pas une zone impaludée.

NE PAS OUBLIER

- ❏ Maillot de bain, short, tee-shirt et sandales spéciales, résistant à l'eau pour le rafting
- ❏ Appareil photo étanche
- ❏ Vêtements chauds pour les passages en altitude
- ❏ Lampe électrique
- ❏ Boussole si vous êtes en voiture

6 L'art de la jungle

par Fiona Dunlop

La frontière entre le Mexique et le Guatemala est en partie délimitée par le Río Usumacinta, le plus long fleuve du monde maya, qui longe la réserve de la biosphère de la forêt Lacandone. C'est sur les rives de l'Usumacinta, dans cet État troublé qu'est le Chiapas, que sont situés les deux sites archéologiques de Bonampak et de Yaxchilán. Les visiter est une des grandes émotions qu'offre le Mexique.

Il y a plusieurs années, j'ai ressenti un véritable choc en voyant quelques reproductions de fresques de Bonampak et quelques images des ruines voisines de Yaxchilán, royaume du fameux Oiseau Jaguar. Les deux sites sont situés en bordure de la Selva Lacandona (forêt Lacandone) ; cette réserve de la biosphère est habitée par les derniers représentants des Mayas Lacandons, un groupe ethnique en voie d'extinction rapide. Cette zone a également fait la une des journaux en plusieurs occasions depuis 1994 quand les rebelles zapatistes, défenseurs des droits des peuples indigènes du Chiapas, lancèrent un mouvement de guérilla dans plusieurs villes des hautes terres. Cet État connaît donc de si nombreux conflits entre les groupes paramilitaires, l'armée mexicaine et les paysans que les postes de contrôle font désormais partie du paysage. Ma découverte de cette partie sauvage du Mexique et de ses trésors a commencé par le plus beau d'entre eux : Palenque.

La traversée de la jungle qu'impose la visite de Bonampak est éprouvante et exige une excellente condition physique. Il en va de même de l'escalade de la pyramide de Yaxchilán.

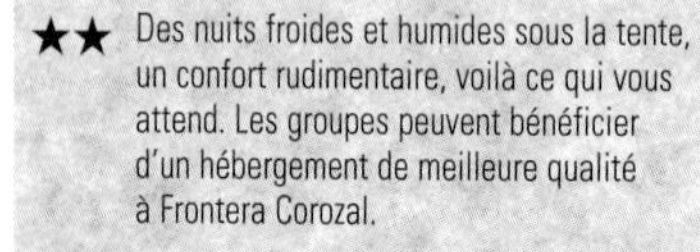

★★ Des nuits froides et humides sous la tente, un confort rudimentaire, voilà ce qui vous attend. Les groupes peuvent bénéficier d'un hébergement de meilleure qualité à Frontera Corozal.

De bonnes chaussures de marche sont essentielles.

PALENQUE

La ville moderne de **Palenque**, à 6 km du grand site maya du même nom, est la destination favorite de ceux qui partent sur les traces des Mayas. Une part importante de la vie locale repose sur le tourisme, comme en témoigne le nombre de boutiques de souvenirs

Cartouche *Jeunes Lacandons à Palenque.*
Ci-dessous *Le palais de Palenque, avec sa tour en forme de pagode, avait une fonction religieuse.*
À droite *Embarquement sur le Río Usumacinta, à Frontera Corozal.*

LES PREMIÈRES IMAGES DE PALENQUE

On doit les premières images de Palenque à Frederick Catherwood (► 148), dessinateur anglais qui accompagna l'aventurier américain, John Lloyd Stephens, lors de sa première expédition en Amérique centrale en 1837. Quatre ans plus tard, il publia *Incidents de voyage en Amérique centrale, dans le Chiapas et le Yucatán*, livre passionnant comprenant 35 gravures de Palenque, toujours disponible dans sa traduction française. Une dizaine d'années plus tôt avaient paru des illustrations peu fidèles du site dues au baron autrichien Johann Friedrich Waldeck, un excentrique qui dut par la suite s'enfuir du Mexique, car on l'accusait d'avoir illégalement exporté vers l'Europe des trésors archéologiques mayas.

et d'agences de voyages. Descendues des montagnes, des femmes mayas, vêtues de leur costume traditionnel et portant souvent sur le dos un bébé endormi, vendent, accroupies sur le trottoir, chemises brodées, ceintures, bracelets et petits animaux sculptés en argile. Il est facile de visiter le site, car des *colectivos* s'y rendent toutes les 15 min. Il est plus difficile d'échapper à la foule. J'ai décidé d'y aller après le déjeuner car la plupart des gens n'aiment pas la chaleur humide de la mi-journée.

Ce magnifique site archéologique, qui ne couvre que 6 km^2, a d'emblée quelque chose de familier, grâce à la jungle qui la ceint de ses lianes, grâce aux cours d'eau, bassins et chutes d'eau, nombreux aux alentours. J'escalade plusieurs de ses bâtiments, tous bâtis en pierre grise, jadis couverte de verts et de roses éclatants, puis je m'attaque à l'impressionnant **temple des Inscriptions**. Cette pyramide à escalier, haute de 25 m, est la plus élevée de toutes. Elle renferme la tombe de Pacal, le grand souverain qui dirigea Palenque de main de maître à l'époque de sa splendeur, c'est-à-dire au VIIe siècle. Si vous craignez d'être pris de vertige sur ces marches très raides, faites le tour et vous trouverez un chemin d'accès facile de la colline vers le sommet de la pyramide.

Le tombeau de Pacal, entouré par les corps de huit gardes, se trouve sous le temple, dans une crypte, accessible par un escalier abrupt. Il ne fut découvert qu'en 1952 par un archéologue mexicain. Pacal, revêtu de son habit de cérémonie, gisait dans un magnifique sarcophage avec, auprès de lui, des ornements de jade. Lorsque je pénètre dans cette crypte silencieuse, je me retrouve complètement seule, ce qui est exceptionnel dans un lieu si fréquenté. Les squelettes et les trésors n'y sont plus, car ils ont été transportés à Mexico il y a bien longtemps. On peut encore y voir, en revanche, les délicats bas-reliefs du sarcophage qui, à eux seuls, valent la visite.

Face au temple des Inscriptions se dresse, majestueuse, la structure centrale du site : le **palais de Palenque**. Il est facilement reconnaissable avec sa tour en forme de pagode et ses trois cours reliées entre elles. Les superbes sculptures de stuc de la façade soulignent la fonction religieuse de ce complexe qui n'était pas une résidence royale, comme son nom aurait pu le laisser penser.

SUR LA ROUTE

Ayant un avant-goût, avec Palenque, des chefs-d'œuvre de l'art maya, il ne m'est pas trop difficile de me lever à 5h du matin pour prendre l'autobus en direction de Bonampak et de Yaxchilán. Après avoir traversé les rues désertes de Palenque pour prendre trois autres touristes dans leurs hôtels, nous passons un temps fou à la station-service, à la sortie de la ville. Nous en profitons pour avaler un café et quelques *tamales*, à base de semoule de maïs. J'ai compris plus tard que des escortes de police y avaient été négociées. Après la vérification de nos passeports au premier des quatre postes de contrôle, nous pouvons enfin prendre la route.

Notre première destination est Frontera, sur le Río Usumacinta, qui marque la fin d'une route de 172 km. Elle ne fut goudronnée qu'en 1997, dix ans après sa construction par la Pemex, compagnie pétrolière mexicaine. La route doit en partie son existence à la recrudescence de la violence du côté guatémaltèque de la frontière et aux incursions des militaires guatémaltèques. Dans les cinquante premiers kilomètres, la route traverse une série de minuscules villages, qui ont tous été généreusement pourvus de *topes*, ces ralentisseurs qui sont la hantise des conducteurs en Amérique centrale. Au-delà s'étend la jungle, ou ce qu'il en reste après une déforestation intensive, car il ne subsiste aujourd'hui qu'un tiers des 15 000 km^2 de la forêt Lacandone originelle. L'action combinée des sociétés d'exploitation

LES LACANDONS

Les Lacandons, qui se nomment eux-mêmes les Hach Winik (les "Vrais Hommes"), vivent sur un territoire de 6 140 km^2. Leur mode de vie de jadis – chasse et pêche – était lié à la forêt tropicale. Dans les années 1940, ils furent regroupés de force en trois communautés ; plus récemment, les quelque 400 Lacandons restants durent partager leur territoire avec les Chols et les Tzeltals, des peuples agriculteurs venus des hautes terres. Le travail des missionnaires protestants a été facilité par le regroupement des Lacandons et on peut aujourd'hui les entendre chanter des hymnes baptistes traduits dans leur langue. Certains rites traditionnels ont toutefois été conservés.

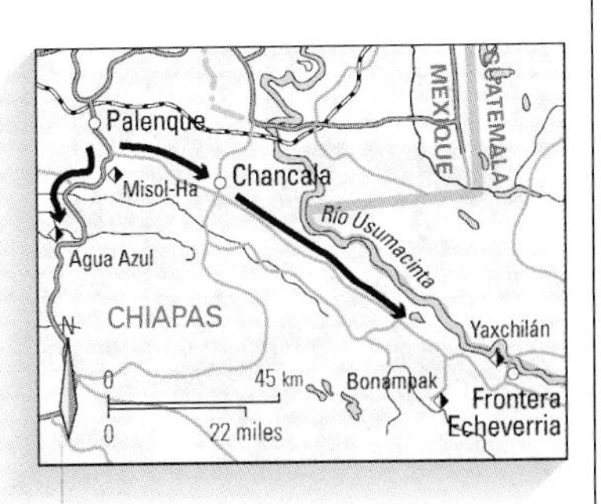

La route de Palenque à Bonampak et à Yaxchilán suit le cours du Río Usumacinta.

forestière, de la culture sur brûlis et des incendies de forêt explique ces pentes tondues, ponctuées de souches d'arbre. Çà et là subsistent quelques bouquets de forêt tropicale intacte. Ce paysage apocalyptique, qui nous poursuit tout au long de notre voyage à Yaxchilán, nous attriste malgré le spectacle féerique de la brume du matin flottant dans les vallées au-dessus de la cime des arbres.

Après un copieux petit-déjeuner à Chancala, nous sommes pris en charge par une escorte policière. Plus loin sur la route, les habitations disparaissent tandis que le paysage devient plus sauvage ; le soleil, toujours masqué par le brouillard, tarde à se montrer. Environ 2h plus tard, nous arrivons devant le restaurant d'un terrain de camping de Lacanja où les touristes des différentes agences de voyages sont répartis pour éviter un surnombre de véhicules. Certains visiteurs poursuivent tout droit vers la frontière et, au delà, vers Flores et le site de Tikal (► 86), d'autres se préparent pour la marche vers Bonampak. Avec sept autres touristes, nous montons dans un minibus à destination de Yaxchilán. Environ 45 min plus tard, nous passons devant un camp militaire où s'alignent des rangées de véhicules amphibies, puis nous franchissons un autre poste de contrôle. Avec mon nouveau groupe, composé de Français, de Hollandais, de Mexicains et d'Américains, nous arrivons enfin à Frontera, connu aussi sous le nom d'Echeverría.

YAXCHILÁN

Le Río Usumacinta, qui prend sa source dans les montagnes du Guatemala et serpente jusqu'au golfe du Mexique, fut jadis la grande voie commerciale des Mayas. Il devait grouiller, il y a environ 1 300 ans, de petites pirogues transportant le cacao de Tabasco, le jade du Guatemala et le sel de la péninsule du Yucatán. Aujourd'hui, ses eaux calmes ne sont troublées que par notre long bateau à moteur. Nous nous arrêtons un moment à Frontera, qui était autrefois un port fluvial prospère et semble à demi abandonné. De nouveau installés sous le toit de palmes de notre bateau, nous descendons les 20 km qui nous séparent de Yaxchilán. Un sentiment de paix nous envahit et nous prenons soudainement conscience de notre éloignement ; nos conversations de voyageurs échangeant leurs expériences cessent. Désormais, nous avons vraiment l'impression de voguer vers l'inconnu.

Le magnifique site de **Yaxchilán**, aujourd'hui isolé dans la jungle, jouait autrefois un rôle stratégique important. Contemporain de Palenque et de Tikal, il date de la période maya classique (250-900). Il a connu son apogée sous le règne du grand roi Escudo Jaguar, vers l'an 700. Cent vingt bâtiments sont blottis dans la jungle, extrêmement dense, même au point culminant de Yaxchilán où se dresse le bâtiment 41. Seuls 40 % du site ont été fouillés à ce jour. Ce site magique regorge de sculptures complexes en parfait état de conservation, de linteaux de calcaire, de hautes stèles et de murs couverts de glyphes.

À droite *À Yaxchilán, on atteint le faîte du palais de Hachakyum (bâtiment 33) par un escalier de 70 m.*
Ci-dessus *Un repos à l'ombre mérité dans notre bateau couvert.*
Ci-dessous *Le bâtiment 41, surplombant les ruines de Yaxchilán, est la moins accessible des pyramides.*

Les thèmes qui y sont développés, s'avèrent souvent macabres, la guerre et les automutilations faisant partie de la vie des Mayas.

En traversant l'impressionnante place principale, longue de 900 m, nous sommes accueillis par les cris d'une famille de singes-araignées (*Ateles geoffroyi*), agrippés à un acajou. Fait inhabituel, les singes partagent les branches de l'arbre avec un toucan, ce qui est un rare cas de bonne entente dans la jungle. De cette vaste place, le regard est inéluctablement attiré vers le chef-d'œuvre architectural de Yaxchilán : le **bâtiment 33**. Un escalier pentu de 70 m de haut permet d'accéder au mur faîtier très ouvragé bâti au centre du toit dans le but de surélever l'ensemble. Après avoir réussi l'ascension et exploré l'intérieur de ce remarquable édifice, nous poursuivons notre montée dans la jungle, par un sentier glissant, jusqu'au bâtiment 41. Alors que les plus hardis d'entre nous se lancent dans l'escalade, un peu risquée, de cette dernière pyramide, des singes hurleurs à manteau (*Alouatta palliata*) se mettent à pousser leurs cris lugubres, accompagnement sonore qui donne encore plus de majesté au paysage que l'on découvre de là-haut, vers le nord et le Guatemala.

Chacun est à la fois sous le coup de l'émotion et de la fatigue, et le déjeuner qui suit est le bienvenu. C'est la femme du gardien du site qui l'a préparé dans une hutte, près du fleuve. Le voyage de retour est beaucoup plus long qu'à l'aller, car nous sommes à contre-courant. Mais avec le spectacle du soleil qui se couche derrière les arbres, nous ne voyons pas le temps passer.

Bonampak

Au camp, je rencontre Paola, la guide lacandone qui va m'accompagner sur les 9 km de jungle qui me séparent de Bonampak. Une heure plus tôt, j'avais remarqué cette femme minuscule en sortant de ma tente dans la brume fraîche du petit matin. Elle a les hautes pommettes des Mayas et de longs cheveux séparés par une raie centrale, et elle porte une ample tunique à décor floral typique des femmes lacandones. Je prends congé des deux Italiens qui ont passé la nuit au camp. Ils attendent le minibus venant de Palenque qui doit les conduire au Guatemala. Quant au troisième Italien de Vérone, qu'on croirait sorti d'un décor de *Roméo et Juliette*, il a décidé de s'aventurer plus loin dans la réserve, armé d'une tente.

Malgré son apparence chétive, Paola est très vive et très observatrice. Dès que nous quittons la piste pour nous enfoncer dans la forêt, je mesure ma chance car elle est non seulement énergique mais surtout très sympathique. Pour la même visite, mes compagnons de Yaxchilán et les Italiens avaient eu droit à des guides quasi muets pendant tout le trajet, s'en tenant à leur rôle de base : montrer le chemin. Tout laisse donc penser que, dans cette loterie qu'est l'attribution de guides aux visiteurs, j'ai touché le bon numéro.

RITES SÉCULAIRES

Fait extraordinaire pour un site maya, les Lacandons célèbrent encore des rites à Yaxchilán, comme l'on peut s'en rendre compte à l'intérieur du bâtiment 33, appelé palais de Hachakyum ("Notre Vrai Seigneur"), la déité solaire lacandone. Un torse sculpté, sans tête, se tient près d'un encensoir à copal ; les murs noircis témoignent de passages assez récents. Le torse représente Oiseau Jaguar IV, le fils de Jaguar Escudo et dernier souverain de Yaxchilán, qui fut par la suite déifié. Les Lacandons croient que si ce torse retrouvait sa tête, la fin du monde s'ensuivrait.

Paola ne cesse de m'expliquer la jungle, sa faune et sa flore ; elle répond sans réticence à toutes mes questions sur ses enfants, son mari et leur mode de vie. Je suis même tellement absorbée par la conversation que j'en trébuche sur une racine et tombe la tête la première dans la boue, mais sans me faire mal. Très attentionnée, Paola m'empêche de m'aggripper au tronc hérissé d'épines de l'arbre le plus proche pour me relever.

Bien que la jungle ne soit pas une forêt primaire, on y trouve un échantillon impressionnant d'arbres tropicaux. Nous escaladons les énormes branches d'un arbre connu sous le nom latin de *Brosimum alicastrum*, nous croisons, au milieu de lianes et de plantes grimpantes, des acajous (*Swietenia mahagoní*), des kapokiers (*Ceiba pentandra*), des sapotiers (*Lucuma mammosum*) et des palmiers-éventails, utilisés pour les toitures. Les papillons volettent en tous lieux, notamment un magnifique morpho bleu (*Morpho peleides*). De retour sur la piste d'une blancheur étincelante, nous atteignons enfin Bonampak.

Comme Yaxchilán, **Bonampak**, qui signifie “murs peints”, était toujours utilisé comme centre cérémoniel par les Lacandons lorsque les archéologues le découvrirent en 1946. Bien que fondé deux siècles avant notre ère, le site ne connut son apogée qu'au début du VIIe siècle, sous le règne de Chaan Muan I. En 746, Bonampak et Yaxchilán s'allièrent pour vaincre Lacanja et, c'est sous Chaan Muan II (776-792) que furent réalisées les célèbres stèles et le temple des Peintures. Vers l'an 800, le site fut abandonné.

Peu après l'entrée, on arrive sur une vaste place herbeuse, dont le centre est orné d'une étonnante stèle de 6 m de haut, l'une des plus grandes du monde maya, où figurent les visages de dieux du maïs et un monstre terrestre. Pour accéder aux salles des peintures, il faut grimper des marches sur lesquelles s'élève une autre stèle sculptée de dieux mayas. Mais c'est le **bâtiment 1**, qui contient les extraordinaires fresques de Bonampak, qui a la vedette.

Trois des salles du bâtiment renferment à elles seules 150 m^2 de fresques aux couleurs vives. Elles furent réalisées à l'aide d'épaisses couches de chaux et de plâtre mélangées à des pigments minéraux et végétaux. La première pièce, dont la voûte repose sur des corbeaux, illustre, à travers une série de frises turquoise, ocre-rouge, jaune, terre de Sienne et vert, la présentation de l'héritier de Chaan Muan II. Les personnages, vêtus de leurs habits de cérémonie, ont des poses convenues, selon les règles du genre. Dans la deuxième salle, beaucoup plus animée, se côtoient scènes de batailles et de torture, tandis que la troisième salle, inachevée, a pour motif le sacrifice des prisonniers. Cet extraordinaire panorama, comprenant 108 textes glyphiques, 270 personnages et 30 images de dieux, nous donne un aperçu saisissant du monde maya et de son caractère sanguinaire (décapitation, arrachage d'ongles…). Au fil des siècles, les pigments ont bien sûr pâli, mais les restaurations délicates effectuées par les Mexicains ont pu rendre à certaines zones leurs couleurs d'origine.

Après un retour titubant au camp et un déjeuner qui me requinque, je suis prête à suivre Paola chez elle, à Lacanja, pour voir une cascade. Les 3 km de route asphaltée sont sans difficultés, mais le soleil n'a pas encore perdu de sa vigueur et mes muscles commencent à faiblir. Soudain, dans un virage, apparaît un Lacandon, habillé à la perfection d'une longue tunique blanche, les cheveux noirs taillés en une inimitable frange au-dessus d'un visage ridé. Un jeune garçon pareillement vêtu lui emboîte le pas.

Pages suivantes *Il existe plus de 500 chutes d'eau à Agua Azul, qui est considérée comme l'une des merveilles naturelles du sud du Mexique. On peut se baigner dans certains de ces bassins et profiter de la fraîcheur du lieu.*

COSTUMES MAYAS

Contrairement aux Lacandons vêtus très sobrement, les Mayas Tzotzils et Tzeltals des hautes terres du Chiapas ont conservé leurs vêtements traditionnels d'une remarquable diversité, tels ceux qu'on peut voir à Palenque, et surtout à San Cristóbal de las Casas. Pour les hommes, les coiffures de plumes et les pagnes que l'on observe sur les fresques de Bonampak et les bas-reliefs de Palenque ont, au fil des siècles, laissé la place à des chapeaux ornés de rubans et de pompons multicolores, des shorts ou des pantalons amples ; les fourrures de lapin ont été remplacées par de la laine tissée. Quant aux femmes, elles restent fidèles aux *huipiles*, tuniques tissées aux couleurs vives, et aux *enredos*, jupes-portefeuilles à large ceinture. Les motifs complexes des étoffes, traditionnels dans leurs couleurs éblouissantes (magenta, cramoisi, jaune, orange et bleu), le sont aussi par les figures représentées : soleil, serpent à plumes, pénis de jaguar et, plus abstraits, chevrons, triangles, zigzags et carrés. Les losanges représentent l'univers maya, leurs quatre côtés marquant les limites du temps et de l'espace ; dans chaque angle, de plus petits losanges symbolisent les quatre points cardinaux.

Pendant mon excursion, j'ai eu l'impression que les Lacandons avaient été absorbés par la société mexicaine et qu'ils y avaient perdu leur identité. Ces deux-là sont-ils donc des fantômes ? Cet homme, qui n'a pas répondu pas à mon "*Buenas tardes*" – confirmant par là son statut de spectre ou bien sa méconnaissance salutaire de l'espagnol –, semble être la preuve vivante de la survivance des coutumes.

QUE D'EAU, QUE D'EAU !

À Lacanja, je suis récompensée de mes efforts en me baignant dans la chute d'eau, et je ne peux alors imaginer la splendeur de ce qui m'attend au bout du chemin : les cascades d'**Agua Azul** ("Eau bleue"). Elles sont considérées comme l'une des plus grandes merveilles naturelles du sud du Mexique, aussi ne puis-je partir sans les avoir vues. J'achète un ticket à la dernière minute et je grimpe dans un minibus, avec des touristes de divers pays, allant de l'Irlande au Québec. Après une courte pause pour admirer la cascade de **Misol-Ha**, le minibus descend 62 km d'une route sinueuse, nous offrant au passage de nombreux panoramas spectaculaires sur la vallée et les villages en contrebas.

Agua Azul est situé dans un site naturel protégé, mais cela n'empêche pas les vendeurs d'y aller, ni les autochtones de s'y baigner. Car, au-dessus du parking, par un sentier qui serpente parallèlement aux cascades grondantes, on rejoint des douzaines de stands de marchands de souvenirs et de restaurants. En contrebas de la première chute d'eau, une multitude de personnes se rafraîchissent dans les bassins. À la confluence de deux rivières, la Yaxhá (appelée aussi Agua Azul) et la Shumulha, les eaux de plus de 500 cascades se fracassent en rugissant sur d'énormes blocs de calcaire. Le meilleur moment pour visiter le lieu, si vous souhaitez vous y baigner, est la saison sèche, car la force du courant est parfois dangereuse en période de hautes eaux. Pour en avoir une vue d'ensemble, vous pouvez survoler le site pendant 15 min à bord d'un Cessna de cinq places qui décolle de l'aérodrome local. Mieux encore, offrez-vous un tour en ULM. Et si vous tenez à vous colleter avec les rapides, prenez un raft et l'après-midi disparaîtra dans des gerbes d'écume et des sensations fortes qui n'auront rien à voir avec le majestueux glissement des pirogues mayas des siècles passés.

PARTIR EN SOLO

QUAND PARTIR

La meilleure période pour visiter Palenque se situe de décembre à février quand il ne pleut pas et qu'il ne fait pas encore trop chaud. Les températures s'élèvent considérablement en mars-avril et la saison des pluies dure de mai-juin à octobre-novembre, ce qui rend les treks en forêt extrêmement arrosés et difficiles. Rappelez-vous que la saison sèche correspond aussi à la haute saison et qu'il est indispensable de réserver les hôtels, surtout de la mi-décembre à la mi-janvier.

SE DÉPLACER

Sur le minuscule aéroport de Palenque arrivent des vols directs de Cancún, Mérida, Oaxaca et Tuxtla Gutiérrez, ainsi que de Flores (Guatemala).

Beaucoup préfèrent gagner Palenque à partir de Villahermosa après 2h d'autocar. Les vols vers Villahermosa sont plus nombreux. Des autocars desservent également Palenque au départ de San Cristóbal de las Casas, fascinante ville des hautes terres du Chiapas.

S'ORGANISER

Les départs sont quotidiens pour Yaxchilán et Bonampak. Évitez les excursions d'une journée, car la visite des deux sites est épuisante et vous manqueriez le trek en pleine jungle jusqu'à Bonampak.

Il y a deux camps à Lacanja, dont un est légèrement plus confortable. À Frontera, les petits groupes peuvent louer les bungalows "écologiques" d'Escudo Jaguar, aménagés dans un site agréable.

À Palenque, les prix varient beaucoup d'une agence de voyages à l'autre. Demandez bien quels types de service et quel hébergement elles proposent. Assurez-vous que le détail des prestations soit mentionné sur votre billet, car les nombreuses options peuvent entraîner des malentendus et, sans document écrit, aucune contestation n'est possible.

Effectuer le voyage par vous-même n'est pas recommandé. Louer un bateau à moteur pour aller de Frontera à Yaxchilán vous reviendra très cher si vous n'êtes pas au moins quatre. Des autocars aux passages peu fréquents font le trajet Palenque-Frontera.

QUELQUES TUYAUX

- ❑ Vous ne trouverez aucun commerce à Lacanja et à Palenque. Achetez donc d'avance vos pellicules et votre casse-croûte.
- ❑ Les Lacandons fabriquent des colliers de graines, des figurines de terre cuite et de nombreux objets en bois sculpté. Les souvenirs à rapporter ne manqueront donc pas.
- ❑ Soyez généreux pour vos pourboires.

SANTÉ

Le paludisme sévit ici surtout pendant la saison de pluies, les moustiques étant alors beaucoup plus nombreux que pendant la saison sèche. Prenez un traitement préventif approprié qui doit être commencé deux semaines avant votre arrivée et se poursuivre six semaines après votre retour. Assurez-vous aussi que vos vaccinations contre la typhoïde, le tétanos et la poliomyélite sont à jour.

NE PAS OUBLIER

- ❑ Bonnes chaussures de marche
- ❑ Lotion antimoustique
- ❑ Crème solaire
- ❑ Vêtements de coton léger, chemises à manches longues, pantalons, pull-over car les soirées sont fraîches
- ❑ Poncho imperméable (saison des pluies)
- ❑ Bouteille d'eau
- ❑ Nécessaire de toilette avec serviette
- ❑ Maillot de bain

ATTENTION !

Nous sommes dans le Chiapas et la sécurité n'est pas assurée en permanence et en tout lieu. Dans les zones les moins fréquentées d'Agua Azul, plusieurs personnes ont été victimes d'agressions. Avant d'envisager de quitter les lieux où se concentre l'activité touristique, assurez-vous auprès des offices du tourisme de la situation locale, ou mieux, louez les services d'un guide qui vous servira également de garde du corps. Faites aussi très attention aux baignades dans les bassins d'Agua Azul. Ces dernières années, on y a enregistré plusieurs noyades.

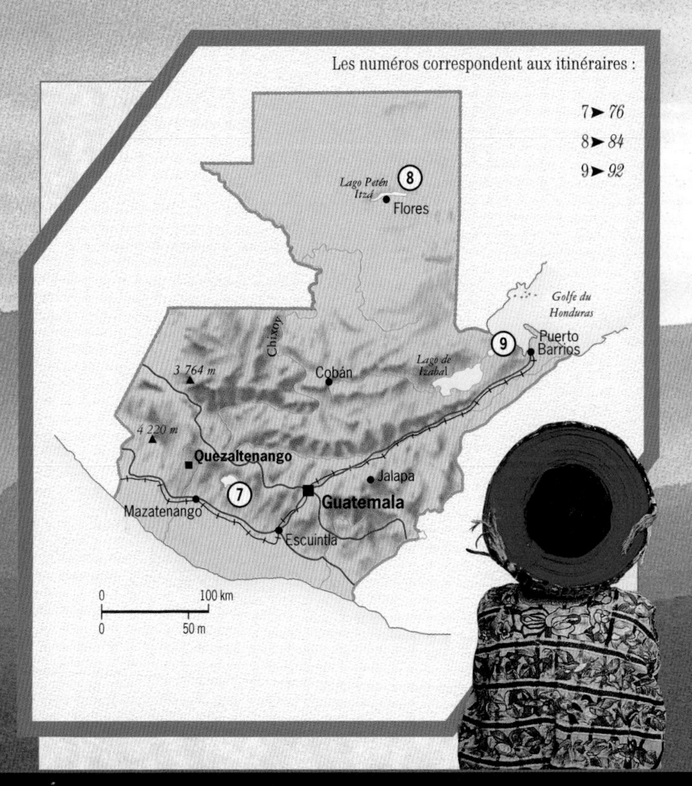

GUATEMALA

Le Guatemala, qui occupe une position stratégique à l'extrémité nord de l'isthme d'Amérique centrale, surprend par la diversité de ses paysages en une si petite superficie (un cinquième de la France) : s'y côtoient volcans, dont le plus élevé dépasse 4 000 m d'altitude, et hauts plateaux, basses terres couvertes de jungle, marécages et plages. C'est à l'ouest, sur l'*altiplano* (les hautes terres), que vivent la majorité des peuples indigènes, soit environ deux tiers des 10 millions d'habitants du Guatemala. Leur artisanat, riche et traditionnel, fait la joie des visiteurs à Antigua, l'ancienne capitale du Guatemala, et sur le lac Atitlán, deux excellentes bases de départ pour qui désire découvrir le pays. Beaucoup moins fréquenté, le pays des Garífunas, ou Caraïbes noirs, situé à l'est, sur la côte de la mer des Antilles et les rives du Río Dulce. Enfin, incontournable, le passé maya du Guatemala surgit des innombrables sites archéologiques dispersés dans l'épaisseur de la jungle du Petén.

Le lac Atitlán, vu des pentes du San Pedro, un volcan de plus de 3 000 m.
Ci-dessus La cinta, *coiffure traditionnelle des femmes de Santiago Atitlán, est faite d'un long ruban rouge broché de motifs géométriques qu'elles enroulent à la façon d'une auréole.*

7 Du lac aux volcans

par Fiona Dunlop

C'est à 116 km à l'est de la ville de Guatemala, dans les hautes terres du pays, que se cache le superbe lac Atitlán. La visite des villages mayas implantés sur ses rives constitue à elle seule un vrai voyage hors du temps, mais on peut aussi faire le tour du lac à pied, à cheval, en planche à voile, en kayak, voire explorer ses fonds.

Il fallut onze millions d'années pour que le **lac Atitlán** devienne cette magnifique étendue d'eau de 125 km² trônant à 1 562 m d'altitude. D'un coin à l'autre de la rive déchiquetée, selon l'heure, le jour et la saison, le panorama offre une palette de couleurs aux variations enchanteresses. Chacun des 11 villages qui le bordent possède sa propre identité et les 70 000 Mayas qui y vivent restent fermement attachés à leurs traditions et à l'une des trois langues parlées ici : le tzutujil, le quiché ou le cakchiquel. On ne peut qu'être séduit par cet environnement grandiose, mais il faut se rappeler que le lac Atitlán est une des destinations touristiques les plus fréquentées du Guatemala.

Un lieu de rassemblement

La plupart de ceux qui visitent Atitlán séjournent à **Panajachel**, village qui demeure le bastion de hippies des années 1960 et dont l'économie repose sur les produits de l'artisanat local. Le matin, des familles entières, venues des villages du lac, arrivent, chargées de paquets, à "Pana". Outre ses restaurants à l'occidentale, la ville propose toutes sortes de services, en particulier des activités de plein air parfaitement adaptées au lieu : sports nautiques, randonnées à pied ou à cheval. Les passionnés de parapente peuvent prendre leur envol sur la montagne dominant Santa Catarina Palopó, tandis que les néophytes se voient proposer des baptêmes en tandem. Je n'ai pu, malheureusement goûter à ces joies aériennes, car mon pilote est demeuré introuvable.

Le tour ou la traversée du lac est une bonne occasion de découvrir le mode de vie des habitants : on croisera souvent de petites villageoises mayas (elles dépassent rarement 1,50 m) qui gravissent péniblement les pentes en portant sur leur dos de lourds fardeaux, bois de chauffage ou produits agricoles, quand elles n'ont pas en plus la charge d'un bébé. Elles portent d'élégants costumes traditionnels tissés et brodés à la main, généralement de couleurs chatoyantes.

C'est aussi à "Pana" que vous pouvez préparer l'ascension d'un volcan, une balade à cheval dans la forêt tropicale, ou même apprendre le tissage. Depuis que j'ai vu au Mexique les fumées du Popocatépetl, je préfère la compagnie de volcans plus amicaux. Mais la vision nocturne des coulées de lave incandescente et des explosions sporadiques de l'Arenal ► 204, au Costa Rica, m'a profondément impressionnée que j'espère enfin pouvoir atteindre le sommet d'un volcan.

L'ascension du volcan San Pedro est très fatigante ; les autres activités proposées exigent moins d'efforts.

★ Santiago, Panajachel et les autres villages des bords du lac disposent de lieux d'hébergement confortables où vous pourrez vous remettre des fatigues de la journée.

Aucun équipement particulier n'est nécessaire pour cette randonnée, hormis de bonnes chaussures pour l'ascension du San Pedro et une lampe électrique en cas de coupure de courant.

SECOUSSES SISMIQUES

Sur les 324 "foyers éruptifs" que compte le Guatemala, seuls 32 sont considérés comme des volcans. Et si ces cônes couronnés de nuages magnifient les paysages de la Sierra Madre, il ne faut pas oublier leur fonction première et leur dangerosité. Le lac Atitlán était à l'origine un gigantesque cratère dont les explosions successives ont entraîné la création de nouveaux volcans et fissures. En 1976, une secousse sismique de grande magnitude a détruit de nombreuses maisons et plusieurs églises. Aujourd'hui, sur les trois volcans silencieux que compte la rive sud du lac, seul l'Atitlán est encore en activité, mais celle-ci se limite à des émissions de gaz sulfureux.

AU-DESSOUS DU VOLCAN

Je choisis comme point de départ Santiago Atitlán, un village tzutujil qui s'étend sur les contreforts des volcans Tolimán (3 130 m) et Atitlán (3 540 m), et fait face au **San Pedro** (3 020 m). Les vapeurs que renferme le cratère du volcan Atitlán peuvent être utilisées comme sauna en toute sécurité. L'ascension de l'Atitlán et du Tolimán est réservée à des randonneurs confirmés, car il faut prévoir deux jours de marche – et le transport du matériel de camping pour la nuit – jusqu'au col qui relie les deux pics. On y est récompensé par une vue sublime sur l'ensemble du lac et, au sud, sur l'océan Pacifique. Mais comme je ne suis pas une montagnarde aguerrie et que l'idée d'une nuit glaciale et humide ne m'enthousiasme guère, je limite mes ambitions au San Pedro, un volcan pour débutants et apparemment à ma portée avec ses 3 ou 4h d'ascension et un peu moins pour la descente. Alors que le bateau, parti de Panajachel, traverse poussivement le lac pour gagner Santiago Atitlán, j'aperçois à travers la brume l'énorme masse du San Pedro et sa facilité d'accès m'apparaît quelque peu exagérée.

Il n'existe pas d'excursions organisées au départ de Santiago Atitlán même, mais les guides y sont légion. Je décide de faire équipe avec Joe, un jeune Anglais, dont l'intention avouée est de grimper dix sommets pendant son voyage en Amérique centrale. Il jette un coup d'œil serein au San Pedro et déclare d'un ton assuré que si nous partons à 6h, nous devrions être de retour à midi. Novice en la matière, je m'empresse d'approuver ce pronostic optimiste. Après une rapide négociation faite à la tombée de la nuit au coin d'une rue, un petit homme râblé du nom de Francisco accepte pour une somme raisonnable de nous guider dans cette ascension. Après quelques poignées de main, et le paiement d'une petite avance, rendez-vous est pris pour le lendemain matin.

GUIDES ET SÉCURITÉ

Si vous n'allez pas à leur rencontre, soyez sûr qu'ils iront à la vôtre. À Santiago Atitlán, les guides ne manquent pas, mais il est préférable de louer les services d'un guide officiel. Rares sont ceux qui parlent d'autres langues que l'espagnol et leur dialecte. Mettez-vous bien d'accord sur ce que votre guide doit vous fournir et sur ce que vous devez emporter (eau purifiée, grand chapeau, écran total). Sa fonction première est de vous mettre à l'abri des attaques à main armée dont ont été victimes, ces dernières années, plusieurs randonneurs. Informez-vous quant à la sécurité du parcours, ne prenez que le minimum d'argent sur vous et laissez tous vos papiers et objets de valeur dans le coffre-fort de l'hôtel.

À droite *Parapente au-dessus de Santa Catarina Palopó… pour ceux qui ont le cœur bien accroché !*
À gauche *Le marché de Chichicastenango est considéré comme le plus grand d'Amérique centrale.*

UNE ASCENSION MATINALE

Alors que j'attends, assise sur la jetée de l'hôtel, le canoë de Francisco, le soleil se lève derrière moi et saupoudre de tons chauds le paysage d'une beauté stupéfiante. De l'autre côté du lac, la haute silhouette du San Pedro apparaît à travers la fine brume de l'aube qui prend dans ses filets les bateaux des pêcheurs. La magie de cette scène intemporelle, comme tirée du lointain passé maya, est tout à coup rompue par le vrombissement d'un camion et par le bruit sourd d'un groupe électrogène. Les pêcheurs sont assis dans leur embarcation dans l'espoir de capturer l'insaisissable black-bass. Ce poisson carnassier, introduit par erreur dans le lac dans les années 1960, a exterminé la plupart des autres espèces. Un canoë se dirige vers moi, avec, à son bord, Francisco et Joe. Quelques instants après, nous traversons l'anse. Installée sur une caisse qui fait office de siège, je pagaie à mon tour et, environ 20 min plus tard, nous touchons terre dans les roseaux… au pied du San Pedro.

Comme je suis la moins expérimentée, Francisco et Joe prennent la tête de l'équipe. J'avais imaginé un paysage volcanique austère, alors que le sentier longe, pendant environ un tiers de la montée, une mosaïque de cultures : maïs, entremêlé parfois de tiges de haricots, avocatiers et caféiers. Plus tard, beaucoup plus haut, nous passons devant des paysans qui binent leurs champs à la houe et prennent à peine le temps de lever la tête pour nous saluer d'un "*Buenos días*". Nous avons pris maintenant assez d'altitude pour jouir de quelques vues fabuleuses sur le lac, bien au-delà du promontoire de Santiago. Comme dans un lavis chinois, les montagnes s'estompent au loin dans la brume, de l'autre côté du lac, tandis qu'au premier plan un faucon plane silencieusement. Tout n'est qu'harmonie.

Francisco, qui bâille fréquemment, marmonne quelque chose à propos de petit-déjeuner. Joe, d'un sérieux imperturbable, dit que nous devrions attendre le prochain belvédère. Je continue donc à lutter pas à pas jusqu'au moment où Francisco nous montre un petit carré d'herbe humide qu'il a vite fait de tailler en quelques coups de machette. Et la vue est bien là. Du petit sac qu'il porte en bandoulière, il sort une nappe où sont enveloppées des tortillas tièdes et une gamelle contenant des œufs brouillés avec des tomates. C'est là tout notre petit-déjeuner, enjeu important de nos discussions financières de la veille, mais il me permet de retrouver de l'énergie et de contempler un paysage splendide.

ÉPUISEMENT VOLCANIQUE

Le sentier devient de plus en plus raide et les points de vue disparaissent derrière un mur rébarbatif de buissons, d'arbustes et de broussailles. Le soleil est déjà plus haut à l'horizon et nous nous engageons dans un couloir où l'air fait de plus en plus défaut. Mon cœur, peu habitué à cet exercice, se met à battre la chamade. Mes arrêts forcés deviennent encore plus fréquents et ma consommation d'eau augmente

nettement. Joe, toujours opimiste, me suggère de contempler ce que j'ai déjà grimpé plutôt que de paniquer devant ce qu'il me reste à parcourir. Même Francisco se met à m'encourager en me lançant en anglais "*Let's go !*" Mais mon cœur, ou plutôt mes poumons, n'en peuvent plus. Après 2h30 d'ascension, Francisco nous annonce que nous n'avons pas tout à fait parcouru la moitié du trajet et que la déclivité va rester la même, si ce n'est pis. Le masochisme n'étant pas dans ma nature, je décide de faire demi-tour et de renoncer à mon volcan.

Francisco déclare alors qu'il ne peut ni laisser Joe poursuivre seul, ni me laisser là à les attendre tous les deux,

SYNCRÉTISME

La religion joue un rôle important dans la culture tzutujile. Les anciennes croyances mayas n'ont pas totalement disparu, malgré l'évangélisation des communautés indigènes par les Espagnols. À Santiago Atitlán, l'imposante église San Francisco, bâtie dans les années 1540, voit défiler de nombreux fidèles. Mais souvent, ces derniers mêlent à la liturgie catholique des rites anciens. Toujours à Santiago Atitlán, l'idole Maximón est l'illustration de ce syncrétisme.

car c'est tout simplement trop dangereux. Heureusement, Joe ne se montre pas surpris, car il a déjà eu l'occasion d'accompagner des marcheurs inexpérimentés comme moi. En fait, il pense à l'ascension qu'il a prévue pour le lendemain, celle de l'Atitlán, le gros morceau. Pour lui, le San Pedro n'est qu'un échauffement. Nous redescendons donc ou plutôt je glisse dans le sens de la descente, si soulagée que je transforme ces glissades sur sol mouillé en un nouveau sport. Plus tard, mon sentiment d'échec sera quelque peu adouci quand j'apprendrai (Francisco le reconnaîtra également) que la majorité des gens font demi-tour encore plus tôt que moi. Donc, avant de suivre mes traces, rappelez-vous que l'ascension du San Pedro n'est pas une promenade d'agrément. Mais si vous vous avancez sur ses pentes, vous êtes assuré de jouir de points de vue de toute beauté.

La culture tzutujile

Santiago Atitlán, la plus grande ville du lac avec ses 47 000 habitants Tzutujils, a de nombreux attraits en dépit de son allure délabrée. Dans la plupart des villages des hautes terres, les femmes fabriquent des tissus et des broderies de qualité. Toutes portent la traditionnelle tunique brodée, le *huipil*, qu'elles ceinturent d'une jupe-portefeuille tissée. À Santiago, elles ajoutent un élément spécifique, la *cinta*, coiffe composée d'un long ruban rouge broché de motifs géométriques. Certains hommes portent encore un pantalon brodé et rayé, avec une large ceinture et un chapeau de cow-boy à bords raides. Santiago est également connue pour les techniques importées de détrempe et de peinture à l'huile, exploitées notamment par la famille Chavez qui possède plusieurs galeries d'art. La sculpture sur bois est également pratiquée avec succès dans la région. Pour découvrir ces produits de l'art et de l'artisanat, il n'est pas nécessaire d'aller bien loin, car une profusion de points de vente bordent la rue principale qui monte du débarcadère.

Maximón

C'est de la bouche édentée d'une vieille femme, ratatinée et pieds nus, que j'entends pour la première fois le nom de Maximón. Alors que la pluie redouble, je la suis le long de ruelles isolées avant qu'elle ne tourne dans une impasse où sèche de la lessive. En me faisant signe, elle me fait entrer dans une salle dont le plafond est entièrement couvert de guirlandes de papier, de fruits artificiels, de fleurs et d'ampoules électriques. Un panier, rempli de vieux papiers et de paquets de cigarettes vides, rappelle de manière inattendue les règles de bienséance. Assis ou affalés autour d'une table, six hommes s'imbibent de bière et d'alcool de maïs (*cusha*), bavardant comme s'ils étaient confortablement installés dans un bar. La lueur vacillante des cierges me dit que nous ne sommes pas dans un café, intuition confirmée par la présence d'une curieuse effigie : celle de Maximón.

Portant un chapeau et une veste de goût occidental, la statue arbore aussi plusieurs foulards imitation Hermès, et à la bouche un énorme cigare ! À ses côtés gisent, en guise de dons, des bouteilles de Quetzalteca, le tord-boyaux local, des cigarettes et un cendrier.

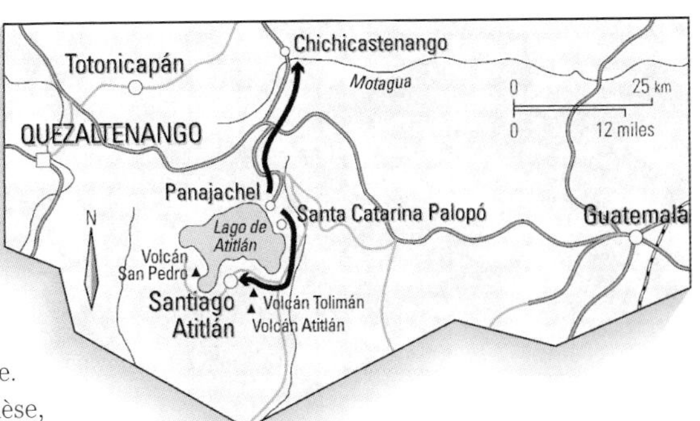

La région du lac Atitlán, avec ses trois volcans.

Ce Maximón maya fumeur et buveur tourne en dérision un prêtre catholique qui, selon la légende, fut chassé de l'Église pour cause de débauche. Selon une autre hypothèse, Maximón aurait pour modèle Judas Iscariote. Après qu'un aimable *cofrade* – membre de la confrérie (*cofradía*) qui veille sur le maintien des coutumes mayas – m'a demandé une obole, je m'assois dans le fond de la pièce pour assister aux rites. La pluie ne cesse de tambouriner sur le toit de tôle ; des fidèles trempés entrent et ressortent, certains s'agenouillent pour chanter et balancer des encensoirs (boîtes de conserve perforées). La fumée âcre du copal alourdit l'atmosphère. Certains dansent, la bouteille à la main, accompagnés à la guitare. Je me sens privilégiée d'être le témoin de cette scène parfaitement authentique.

Chichicastenango

Comme je veux assister à d'autres rituels mayas, je pars le dimanche pour Chichicastenango (dit "Chichi"), située à environ une heure de route au nord de Panajachel. J'ai pris le minibus touristique qui quitte Panajachel à 9h et revient vers 14h. Il s'y tient, le jeudi également, un marché considéré comme le plus grand d'Amérique centrale. Bien que très touristique, le marché de "Chichi" demeure un lieu unique pour découvrir les costumes, l'artisanat… et la force du syncrétisme religieux des Mayas. Liturgie catholique et rites traditionnels s'y mêlent allègrement. L'église de Santo Tomás, bâtie en 1540 par les Dominicains, est célèbre car un père franciscain y a retrouvé le *Popol Vuh*, livre sacré des Mayas Quichés. De l'allée centrale de l'église, j'observe des groupes de fidèles qui présentent au pied du maître-autel leurs offrandes (bougies, pétales de rose, alcool) et leurs suppliques. Le prêtre, après avoir lu et béni chacune d'elles, célèbre la messe. Pendant ce temps, un autre fidèle jette des verres de rhum sur la statue d'un saint, apparemment dans l'espoir de guérir un problème d'alcoolisme. À l'extérieur, sur les marches de l'église, des Mayas balancent des encensoirs, murmurant des prières.

De l'autre côté du square, à El Calvario, lieu réservé aux seuls Mayas, d'autres thuriféraires se rassemblent. Un jeune garçon m'accoste et me mène aux confins de la ville : un chaman, prêtre-thérapeute, y officie dans le sanctuaire bondé de la déesse pré-hispanique Pascual Abaj. À notre retour, nous croisons une confrérie arborant de magnifiques costumes. Quand j'ai appris que d'autres cérémonies avaient lieu au cimetière et en plusieurs lieux saints ancestraux des collines environnantes, j'ai compris le profond attachement des Mayas à leurs anciens dieux.

La visite des églises

Lors de la visite de l'église Santo Tomás, à Chichicastenango, il est interdit d'entrer par la porte principale et de prendre des photos, notamment lors des rituels indigènes. Car les Mayas se montrent de plus en plus susceptibles devant l'indiscrétion des touristes.

Le cheval reste le meilleur moyen pour aborder la forêt tropicale, près de Santiago Atitlán.

Une chevauchée dans les nuages

De mon hôtel de Santiago Atitlán, je peux apercevoir l'anse du lac, surplombée par une crête coiffée d'un belvédère. Cette zone à la végétation tropicale luxuriante abrite de nombreux oiseaux, dont le célèbre quetzal (*Pharomachrus mocinno*), l'oiseau national du Guatemala. Rares sont ceux qui ont eu la chance de l'apercevoir. Au choix pour atteindre ce *mirador* : 5h de marche ou le cheval. J'opte pour la seconde solution et parcours en *colectivo* les 7 km qui me séparent de mon but : un petit ranch, tenu par un couple d'Américains, qui organise des randonnées à cheval suivies de repas fins.

Le propriétaire du ranch, Jim Matison, me trouve rapidement un cheval pour cavalière manquant plutôt d'entraînement. Jim part au petit trot, suivi de près par ses deux pitbulls. Nous quittons la route pour les champs de maïs et de caféiers, puis nous traversons l'aérodrome local, coupons le long d'une falaise et partons enfin, en pleine jungle, à l'assaut de la crête. Au loin, le son de coups de hache nous rappelle que, malgré la protection théorique dont la forêt tropicale est l'objet, l'œuvre de destruction se poursuit sans que rien ne vienne l'arrêter. D'où, sans doute, la rareté du quetzal, cet oiseau au plumage magnifique.

Bien que la majeure partie de la forêt ne soit plus primaire, les paysages brumeux et les rochers escarpés la rendent fascinante. Comme prévu, nous arrivons au belvédère, mais le panorama est, hélas, noyé dans les nuages. La vue sur le Pacifique est réservée à ceux qui randonnent au petit matin ou en saison sèche. Alors que nos chevaux se lancent dans la descente avec aplomb et prennent de la vitesse, le déluge qui menaçait depuis notre départ nous tombe dessus. Comme par magie, Jim sort de ma selle un poncho imperméable. Parfaitement abritée de la pluie et du vent, les pieds bien calés dans les étriers de cuir et les mains fermement agrippées au haut pommeau de ma selle guatémaltèque traditionnelle, je me sens quelques affinités avec les conquistadores qui chevauchaient ici voilà 500 ans.

Les autobus locaux sont bon marché, mais plus lents et moins confortables que les minibus touristiques.

PARTIR EN SOLO

QUAND PARTIR

Pendant la saison des pluies (de mai à octobre), à l'aube, le lac est d'un calme parfait, mais vers midi, les nuages s'amoncellent autour des sommets et il se met à pleuvoir. De la mi-juillet à la mi-août, il arrive que la canicule s'abatte sur la région, mais c'est au cours de la saison sèche (de la fin novembre à avril) qu'on enregistre les plus hautes températures. Les nuits peuvent être froides en décembre et en janvier. Tout au long de l'année, le *xocomil* – qui signifie en cakchiquel "le vent qui emporte les péchés" – provoque des vagues sur le lac l'après-midi, ce qui interdit la pratique des sports aquatiques.

SE DÉPLACER

Il faut 3 à 4h pour atteindre Panajachel au départ de la ville de Guatemala et environ 2 à 3h d'Antigua. Tout dépend du mode de transport choisi : soit un vieil autocar scolaire américain, soit une navette touristique, plus confortable (pour dix personnes). Si l'on part de la capitale, il faut savoir que presque toutes les navettes passent par Antigua, destination de la majorité des touristes. Un des avantages de ces navettes est qu'elles vous prennent et vous déposent à votre hôtel. Des bus assurent aussi la liaison entre Guatemala et Santiago Atitlán.

Si vous voyagez en groupe, vous pouvez aussi louer un petit avion. Les tarifs ne sont pas prohibitifs. Chaque jour, quatre ferries relient Panajachel à Santiago Atitlán. Pour les bateaux-taxis, il convient de négocier le prix au préalable.

S'ORGANISER

Le lac Atitlán peut aisément être inclus dans un programme comprenant Antigua, ancienne capitale du Guatemala, et d'autres villes de l'*altiplano*, telles Quetzaltenango, Huehuetenango ou Chichicastenango. Hormis la réservation de vos hôtels, vous pouvez tout organiser sur place. Les agences de tourisme sont nombreuses, mais toutes ne sont pas fiables. En basse saison, certaines excursions peuvent ne pas être programmées.

Rappelez-vous que Pâques est le grand moment de l'année. Dans les bons hôtels, il vous faudra donc réserver votre chambre longtemps d'avance. À cette époque, le lac Atitlán et surtout Panajachel sont très fréquentés par les visiteurs guatémaltèques. Ceci est particulièrement vrai à Santiago Atitlán, lorsque la statue de Maximón est conduite vers son nouveau "foyer" pour l'année à venir, au cours d'une procession très spectaculaire. Le dimanche de Pâques, les habitants des villages bordant le lac se rassemblent, vêtus de leurs plus beaux atours, à Panajachel. Les célébrations de Chichicastenango sont très émouvantes, sans toutefois égaler la fête de Santo Tomás du 14 au 21 décembre.

QUELQUES TUYAUX

- ❑ Le marché de Chichicastenango est très fréquenté et on peut lui préférer celui de Sololá, qui se tient le mardi et le vendredi matin (le plus animé). Sololá, à 8 km de Panajachel, est situé à 550 m au-dessus du lac. On peut revenir ensuite à Panajachel à pied en suivant la route ou par la montagne.

SANTÉ

Comme presque partout en Amérique centrale, soyez prudent avec la nourriture fraîche que vous consommez. Il est préférable de manger des légumes bouillis et d'éviter les salades. À Atitlán, méfiez-vous du poisson frais. Buvez de l'eau en bouteille ou préalablement purifiée. Assurez-vous, avant de partir, que vos vaccinations contre la typhoïde, le tétanos et la poliomyélite sont à jour.

NE PAS OUBLIER

- ❑ Bonnes chaussures de marche
- ❑ Lampe électrique

AUTRES ACTIVITÉS DANS LA RÉGION

Autour d'Atitlán on peut pratiquer de nombreux sports comme le parapente (sauf pendant la saison des pluies), la planche à voile, le kayak et la plongée. Ceux qui recherchent des activités moins éprouvantes peuvent se promener sur les chemins, partir en excursion sur le lac ou suivre des cours de tissage (➤ Activités).

8 Patrimoine maya

par Fiona Dunlop

Au Guatemala, les basses terres du Petén comptent quelque 300 sites archéologiques, dont la plupart sont enfouis sous la jungle. Proche de Tikal, le plus célèbre d'entre eux, l'île lacustre de Flores constitue une base parfaite pour partir à la découverte d'autres mondes mayas perdus.

Dans ce vaste monde silencieux qu'est Tikal, il faut se projeter mille ans en arrière pour redonner vie aux temples : des prêtres gravissaient leurs hautes marches afin d'y brûler du copal, absorber des hallucinogènes et faire des offrandes aux dieux. En contrebas, des centaines de fidèles mayas observaient la scène et priaient. Aujourd'hui, on retrouve chez leurs descendants, qui vivent autour du **lac Petén Itzá**, ces mêmes yeux obliques et ces mêmes fronts fuyants représentés sur d'innombrables stèles et bas-reliefs mayas. Si la civilisation maya a connu un déclin spectaculaire au IXe siècle, le peuple maya, lui, est bien vivant.

En bateau sur le lac Petén Itzá

Flores, la plus grande des îles du lac, est reliée par une chaussée à Santa Elena, sur la rive sud. Ces deux villes forment une seule agglomération qui a le statut de capitale de l'état du Petén.

Durant ce séjour, il vous faudra résister à la chaleur et à l'humidité. Les treks deviennent plus difficiles au cours de la saison des pluies et le nombre des insectes augmente.

★ Pour toutes les activités décrites, l'hébergement est confortable. Les treks plus longs, qui exigent le camping, peuvent être organisés avec l'aide de tour-opérateurs.

De bonnes chaussures de marche sont essentielles, ainsi qu'un poncho imperméable pendant la saison des pluies. Prenez des jumelles pour observer les animaux sauvages et une boussole pour éviter de vous perdre dans la forêt tropicale.

Les deux tours jumelles de l'église de Flores sont visibles de loin. Construite dans les années 1960, elle a remplacé l'édifice colonial de l'époque de la Conquête. En 1697, les Espagnols avaient vaincu les Itzás, dernier groupe indigène à avoir résisté aux conquistadores. Les rues pavées qui descendent de l'église sont bordées de maisons aux couleurs vives qui donnent à la ville une allure de village méditerranéen. Nous sommes pourtant au cœur de la forêt subtropicale humide. Avec la forêt Lacandone du Mexique et la zone frontalière du Belize, le Petén forme la Réserve de la biosphère maya, créée en 1990, qui couvre une surface de 18 000 km^{2}.

Pour se déplacer sur le lac Petén Itzá, rien n'est plus commode que le millénaire *cayuco* (canoë) maya. Charles Lindbergh, qui posa ici même son hydravion dans les années 1930, ne le démentirait pas. Comme la plupart des activités sportives proposées au Guatemala, la location du kayak est une affaire vite réglée. Pendant 3h, je me promène agréablement sur le lac, croisant des pirogues chargées de bois et des bateaux transportant les passagers d'une rive à l'autre. Le *cayuco* est idéal pour observer la vie rurale : porcs cherchant leur nourriture, chevaux broutant devant de minuscules huttes à toits de chaume le long de la berge. Parfois, je m'approche de la rive pour observer et écouter à loisir de nombreux oiseaux. Non loin de là, sur la chaussée qui relie Flores à la terre ferme, des autobus scolaires, achetés d'occasion aux Américains et peints en jaune, rugissent en crachant des gaz d'échappement.

Alors que le soleil décline à l'horizon, je pagaie encore sur le lac, dont les eaux se teintent de reflets métalliques bleus et jaunes. Des cormorans traversent le ciel de leur vol royal et une éblouissante aigrette blanche me regarde, perchée sur une souche. Un pêcheur, au loin, me lance un cri de bienvenue. De la rive me parvient une odeur de fumée et les accents d'une marimba guatémaltèque mêlés à des hurlements d'enfants. Peu à peu, alors que les oiseaux s'assagissent et que la brume vient comme par magie s'accumuler au-dessus de la forêt, l'orchestre nocturne des cigales se fait entendre. En quelques heures, j'ai pu goûter aux multiples facettes de cette communauté de vie et ce n'est qu'à contrecœur que je reviens vers la rive qui s'obscurcit. Je rentre, complètement trempée, à mon hôtel.

Entre tradition et modernité

Le soir, un guide local m'explique la composition ethnique du Petén. On estime la population des Itzás à 1 800 âmes, mais seules 50 familles parlent encore leur langue maternelle. Elles vivent, pour la plupart, de l'autre côté du lac, à San José, où l'on tente, après des années de déclin, de revitaliser le maya itzá. Jadis belliqueux, le peuple de Chichén Itzá quitta le nord du Yucatán pour s'installer dans la forêt vierge du Petén entre 1200 et 1450. Le lac Petén Itzá (*petén* signifie "île") devint leur base et la plus grande île du lac leur capitale, Tayazal. En 1697, cette dernière fut rebaptisée Flores par les Espagnols. Les derniers arrivants de la région furent les Mayas Kekchis, venus du sud du Yucatán

PILLAGE

Le Guatemala possède environ 2200 sites mayas répartis sur plus de 40 % de son territoire. Pour ce pays en voie de développement, les protéger tous est une tâche impossible, les quelque 100 sites gardés n'étant eux-même pas à l'abri des pillages. Les célèbres stèles de Yaxhá ont été plusieurs fois l'objet de vols. En octobre 1997, les pilleurs en ont chargé une à bord d'une camionnette en utilisant un petit arbre comme levier et ont laissé sur place le corps d'un complice criblé de balles. En 1996, une bande armée a attaqué des ouvriers à Yaxhá pour dérober huit poteries polychromes ; les voleurs ont dû toucher pour chacune de 200 à 500 $, alors que les collectionneurs sont prêts à les payer jusqu'à 100 000 $ pièce.

ASTRONOMIE MAYA

De nombreuses structures de Tikal font en fait partie d'un observatoire astronomique, les Mayas étant passionnés par l'observation des planètes, comme bien d'autres peuples de Méso-Amérique (► 149). Brillants mathématiciens, ils étaient les plus avancés dans leurs calculs. Les équinoxes de printemps et d'automne, les solstices d'été et d'hiver étaient l'occasion d'importantes célébrations, et tous les rituels, les déclarations de guerre ou les périodes de plantation étaient déterminés selon les cycles complexes des *katuns* et des *baktuns*. Un *tun* représente une année maya, soit 360 jours ; un *katun* valait 20 *tuns* (20 ans) et un *baktun* 20 *katuns* (400 ans). Les dates étaient établies selon le Compte long, un système cyclique et linéaire de calcul du temps qui débuta en l'an 3113 av. J.-C. La stèle 29 du site de Tikal porte la date la plus ancienne du Compte long relevée dans les basses terres mayas, qui correspond à l'an 292 de notre ère.

après la Conquête. Dans les années 1960, grâce aux lois sur la réforme agraire, tout nouvel arrivant se voyait offrir des terres. Depuis, le nombre d'habitants du Petén a été multiplié par cinq, une grande partie des immigrés provenant des hautes terres guatémaltèques.

Le lendemain, je retourne sur le lac pour visiter **San José**, la communauté la plus traditionnelle du lac. Cette fois-ci, je choisis la ligne régulière au départ de Flores, qui implique de prendre deux bateaux, le premier jusqu'à San Benito, puis le bateau principal qui part toutes les heures. 45 min plus tard, j'arrive à San José. On perçoit d'emblée les signes d'une prospérité récente au vu de la superbe promenade qui longe le lac. Les traductions en itzá des panneaux routiers illustrent le renouveau culturel de la communauté. Mais les traditions persistent, tant au niveau architectural – maisons au toit de palmes – que dans le mode de vie – lessive dans le lac. Même à Flores, les gens qui ne possèdent pas de salle de bains se lavent dans le lac, à 100 m à peine d'un cybercafé ! San Andrés est réputée pour être moins traditionnelle que sa voisine, San José. Pourtant, lorsque je demande comment gagner un centre écologique situé sur les rives du lac, on me propose aussitôt de m'y conduire… en canoë.

Le monde perdu de Tikal

C'est par une route goudronnée que l'on atteint **Tikal**, le plus important des sites archéologiques du Guatemala, situé à 65 km au nord de Flores. De 1956 à 1960, ce site de 120 km^2 fut restauré par l'université de Pennsylvanie. L'aérodrome où débarquaient les archéologues est aujourd'hui un parking, et leurs simples cabanes ont été transformées en bungalows pour touristes. Mais il n'y a toujours pas d'électricité et le téléphone, installé en 1997, fonctionne grâce à l'énergie solaire. Des groupes électrogènes permettent aux clients de l'hôtel de bénéficier du confort habituel (selon des horaires bien précis). Cela mis à part, Tikal n'a pas souffert des outrages de la modernité. L'immense **parc national de Tikal** (575 km^2), qui occupe une région longtemps désertée par l'homme, renferme une faune et une flore tropicales très riches.

Contrairement à l'habitude masochiste de la plupart des touristes qui se lèvent à Flores à 4h du matin et escaladent la pyramide de Tikal à 5h30 pour voir le lever du soleil, je choisis de passer deux nuits à Tikal même. C'est une sensation merveilleuse que de sortir de sa chambre avant l'aube et de suivre un sentier en pleine jungle à la lampe-torche. Quelques oiseaux s'agitent lorsque j'atteins le guichet de vente des billets. Un gardien du parc m'y attend pour m'accompagner, formalité obligatoire pour qui arrive seul avant 5h30, l'heure officielle d'ouverture. Le jovial Roberto part à vive allure dans la pénombre de l'aube. Nous décidons de nous diriger vers la pyramide du Monde perdu plutôt que vers le temple 4, très fréquenté au moment du lever du soleil. Au milieu des ténèbres et de la brume se dresse soudain un mur imposant. Cette vision surprenante s'avère être l'arrière du temple 1. C'est à ce moment précis que je me rends compte de l'ampleur de ce que je vais explorer.

Après une demi-heure d'efforts épuisants, nous atteignons enfin la pyramide du Monde perdu. Cette zone comprend 38 structures qui ont été construites, pense-t-on, environ 500 ans avant la place centrale. Nous nous attaquons à l'édifice le plus anciennement fouillé, bâti probablement avant le IIIe siècle de notre ère. À tâtons dans l'obscurité déclinant rapidement, nous grimpons les étroites et hautes marches jusqu'au sommet, haut de 35 m. À l'est, le ciel s'éclaircit déjà, prenant des teintes roses, puis jaunes.

La vue qui se déploie du haut des 35 m de la pyramide du Monde perdu à Tikal vaut largement l'effort qu'en nécessite l'ascension.

Région des basses terres du Guatemala, avec le lac Petén Itzá et le fameux site de Tikal.

Alors que le contour flou et sombre du sommet des arbres se précise peu à peu, le soleil, majestueux, fait son apparition. Les disques du soleil et de la lune étaient si sacrés aux yeux des Mayas que certains voient ici l'explication de l'absence de la roue dans leur civilisation. Peut-être avaient-ils peur d'offenser l'astre vénéré.

La poignée de touristes australiens, allemands et suisses qui nous accompagne est tout aussi émue que nous par le spectacle. Peu à peu, alors que l'air se réchauffe, nous apercevons le faîte du temple I et son pendant, le temple II, l'imprenable temple III (également appelé temple du Prêtre-Jaguar) et le temple IV (temple du Serpent à deux têtes), qui tous émergent au-dessus de la canopée nimbée de brume. Brusquement, un toucan multicolore traverse le ciel, bientôt suivi par des fauvettes et des gobe-mouches. Le chœur matinal se fait entendre. Roberto prend alors congé, en empochant son pourboire avec reconnaissance. Il a vérifié préalablement avec moi ma situation exacte dans ce vaste site. Après la pyramide du Monde perdu, j'escalade les murs de fondations d'un triple jeu de balle, j'explore le dédale des salles du palais des Fenêtres envahies par les chauves-souris et je gravis de nouveaux escaliers escarpés pour atteindre d'autres belvédères mayas.

Un peu de zoologie

Le temple IV, bâtiment le plus élevé de Tikal (65 m), est accessible par un escalier de bois, branlant et raide que je ne recommande pas aux personnes sujettes au vertige. Alors que je médite sur la vue du haut du sommet, un renard argenté (*Vulpes cinerero-argentatus*) tourne à l'angle du bâtiment, spectacle insolite en présence de tant d'étrangers armés d'appareils photo. En contrebas, des singes-araignées (*Ateles geoffroyi*) peu farouches passent de branche en branche dans les hauteurs des fromagers, des acajous et des sapotilliers. Plus tard dans l'après-midi, j'entends les plaintes et les cris sinistres du singe hurleur (*Alouatta palliata*), beaucoup plus gros, dont on dit qu'il imite l'appel du jaguar de manière à tenir les prédateurs à distance. Les félins vivant dans cette zone sont les jaguars (*Panthera onca*), les margays (*Felis wiedi*),

COMMENT VISITER TIKAL

L'ampleur de Tikal n'a d'égale que l'aura de mystère qui l'entoure. Si les sentiers et les bâtiments principaux sont assez fréquentés, bien des ruines reposent dans le silence de chemins retirés. On peut alors s'asseoir à l'ombre des arbres et des pyramides, observer les oiseaux, les mammifères, les insectes, rêver aux temps anciens... Si vous envisagez une visite plus complète, achetez un plan du site au magasin du musée et emportez une boussole car, dans la forêt, tous les sentiers se ressemblent. Choisissez surtout vos heures de visite avec soin : démarrez à l'aube, faites une pause entre 10h et 15h pour reprendre des forces, puis profitez de l'accalmie de la fin de l'après-midi, quand les autobus sont repartis pour Flores. Vous pouvez rester après l'heure de fermeture si vous êtes accompagné d'un guide (n'oubliez pas son pourboire).

les jaguarundis (*Felis yaguarondi*) et les ocelots (*Felis pardalis*), mais il est très rare de les voir. En revanche, il est fréquent de croiser, surtout à la tombée de la nuit, des groupes de coatis, mammifères au museau allongé. Les fourmis coupeuses de feuilles sont omniprésentes ici. Elles dépouillent la forêt d'environ 15 % de sa production de feuilles. Elles y cultivent des champignons dont elles se nourrissent. On repère aussi souvent tatous, pécaris, porcs-épics, belettes et cervidés dans l'enceinte du parc national de Tikal.

YAXHÁ : VERS L'INCONNU

Après Tikal, j'ai eu très envie de visiter d'autres sites mayas moins connus. Jusqu'à présent, on en a recensé 314 dans le Petén, mais peu sont accessibles par piste et encore moins par une route goudronnée. Comme je n'ai pas le temps de me lancer dans une longue marche, je décide de consacrer une journée à la visite des sites de Yaxhá et d'Uaxactún dans le 4x4 d'Otto, un homme particulièrement chaleureux. La nuit qui précède notre départ à 6h du matin, la pluie n'a cessé de tomber, ce qui est souvent le cas au Petén. Alors que le soleil se lève dans une atmosphère détrempée, Otto s'arrête devant mon hôtel. Sagement assises à l'arrière de sa Jeep : ses deux filles, âgées de 6 et 8 ans qui vont aller avec nous à Yaxhá. Quant à Uaxactún, il faut d'ores et déjà y renoncer car nous perdrions trop de temps sur la route rendue boueuse par le déluge de cette nuit. Deux autres personnes nous accompagnent, des jeunes Japonais, étudiants en archéologie, Yuki et Mitsu, tous deux silencieux et éternellement souriant.

Yaxhá se situe à 60 km au nord-est de Flores, la moitié du parcours s'effectuant sur la route goudronnée menant à Tikal, le reste sur une piste. Notre 4x4 avance en cahotant, les roues patinant parfois dans la boue, mais nous arrivons sans encombre à bon port. Ce site très vaste s'étend sur les bords du grand lac de Topoxte où pullulent les crocodiles. Sur une île s'élèvent les ruines d'un centre cérémoniel. Selon les Mayas, les forêts tropicales sont les enfants d'une union torride entre le soleil, l'eau et la terre, union qui a également produit Yaxhá, qui signifie "Eau verte", référence à la couleur de cette pierre fine qu'est le jade. La ville fut, en fait, fondée en 751 à la suite d'un conflit qui éclata au sein de la famille régnante de Tikal. Comme toutes les autres cités mayas, ces quelque 500 bâtiments furent abandonnés vers le début du Xe siècle. Le site fut découvert par des Européens en 1904, mais les fouilles commencèrent réellement en 1993 avec le soutien de l'Allemagne. Ce site est considéré, par ordre d'importance, comme le troisième du Guatemala de l'époque classique. Il est surtout remarquable par sa double acropole, qui est l'une des constructions les plus étendues du monde maya.

LA MAGIE DE LA JUNGLE

Pour nous, seuls visiteurs de la journée, ce fut une expérience unique que de parcourir sous la conduite d'un gardien du parc un site vierge, resté en majeure partie dans son état originel. D'énormes

LES RESSOURCES DE LA JUNGLE

Ce sont les palmiers qui créent le plus d'emplois dans la réserve de la biosphère maya, car les fleuristes du monde entier composent leurs bouquets avec des palmes. Équipés de chaussures à griffes, les *pimenteros* cueillent les fruits du quatre-épices, qu'on utilise dans l'élaboration d'un condiment mêlant les arômes de la muscade, du clou de girofle et de la cannelle. De l'écorce du sapotillier, bel arbre de 20 à 25 m de haut, on extrait par incision un latex blanc qui contient la gomme chicle servant à la fabrication du chewing-gum.

Descente de la principale pyramide de Yaxhá alors que, dans la forêt en contrebas, résonnent les cris lugubres des singes hurleurs.

tertres herbeux couverts d'arbres sont en fait des pyramides. Quelques-unes des nombreuses stèles magnifiquement sculptées mises au jour sur le site sont présentées sous des abris au pied des pyramides. Il est aussi passionnant et amusant d'écouter Otto nous expliquer la jungle ou de l'entendre parler à ses filles en passant de l'espagnol au maya kekchi ou à l'allemand. Il tient cette dernière langue de son grand-père, l'un des immigrants allemands arrivés au Guatemala dans les années 1920 pour y exploiter des plantations de café.

Du haut du *nabakaj* ("clôture des prêtres"), au sommet de la pyramide principale – toujours en cours de fouilles –, ample est la vue sur la jungle et le lac. De retour sur la terre ferme, nous faisons attention où nous mettons les pieds, car l'abondante faune locale comprend quelques serpents au venin mortel, comme le fer-de-lance (*Bothrops atrox*) et le serpent-corail (*Micrurus fulvius*). Otto, pour nous rassurer, nous montre une feuille qu'il faut mâcher avant de l'appliquer sur la morsure de serpent, et d'autres qu'on utilise contre les piqûres de moustique, pour perdre du poids, guérir l'asthme ou la diarrhée ! En avançant sur les sentiers boueux, nous apercevons de grands arbres, des *pimentas*, dont le fruit est connu sous le nom de quatre-épices, des sapotilliers, des plantes épiphytes, comme le figuier étrangleur (*Ficus aurea*), qui étouffent lentement leur arbre hôte, et d'innombrables palmes vert jade du genre *Chamaedorea*. À cette heure de la journée, alors que les singes-araignées ne cessent leur bavardage, nous ne pouvons malheureusement observer que quelques-unes des 300 espèces d'oiseaux qui font de Yaxhá l'une des destinations favorites des ornithologues.

Épuisés par notre marche et notre réveil matinal, nous nous endormons tous sur le trajet du retour à Flores. À Santa Elena, Otto s'engage sur une piste qui, après quelques kilomètres, nous mène aux **grottes d'Aktun Kan**. Ce vaste réseau de cavernes comprend un tunnel souterrain de 4 km de long qui conduit à San Benito. On y trouve des concrétions étranges aux noms tout aussi étranges donnés par les gens du lieu. Alors que nous progressons sur les roches humides, éclairés par la lumière crue d'ampoules électriques, il est difficile d'imaginer que les Mayas aient pu utiliser ce sinistre décor pour leurs cérémonies. Une pyramide offrant une vue qui élève l'âme, oui. Mais une grotte suintante ? Il nous a paru plus opportun de laisser l'endroit aux chauves-souris.

PARTIR EN SOLO

QUAND PARTIR

La haute saison va de décembre à février, ce qui correspond à la première partie de la saison sèche, qui se poursuit jusqu'en juin. Cependant, de mars à mai, l'humidité atteint un taux de 90 % et les températures, qui sont en moyenne sur l'année de 22 à 30° C, peuvent s'élever jusqu'à 45° C. Les plus fortes pluies ont lieu de la fin septembre au début de décembre et coïncident avec l'arrivée d'éventuels ouragans. Dans le Petén, la canicule survient cinq jours après les équinoxes de printemps et d'automne et elle dure environ trois semaines.

SE DÉPLACER

Le petit aéroport de Santa Elena reçoit plusieurs vols quotidiens de Guatemala, Belize, Cancún et Chetumal (Mexique) ainsi que trois vols par semaine de Palenque. Il existe aussi des liaisons confortables en autocar avec la capitale et avec le Río Dulce, trajets considérablement améliorés depuis que les routes ont été goudronnées : ainsi les 488 km au départ de Guatemala peuvent être parcourus en une longue journée de route.

De nombreux minibus touristiques, ainsi qu'un autocar public très lent qui va aussi à Uaxactún, assurent la liaison entre Flores / Santa Elena et Tikal. On peut également louer une voiture à Santa Elena, notamment des Jeeps.

S'ORGANISER

Si vous prévoyez de partir au Petén en haute saison, il est impératif de réserver votre hébergement, sutout pour Tikal. Il en va de même pour vos billets d'avion. Si vous voulez visiter des sites mayas moins fréquentés, contactez les agences de voyages locales pour savoir si elles organisent des excursions. Le Petén a des possibilités infinies de trekking sous tente où peuvent se combiner randonnées, observation d'animaux sauvages et visite de ruines mayas. En formant un groupe de quatre personnes, vous pouvez vous préparer un voyage sur mesure et à prix raisonnable. En haute saison, on propose souvent des excursions à tarif réduit au départ de Flores vers certains sites mayas tels que Ceibal, Uaxactún ou Yaxhá, mais en basse saison les agences rencontrent plus de difficulté à remplir leurs véhicules.

QUELQUES TUYAUX

- ❏ Le Petén et le site de Tikal sont des étapes obligées sur la route Maya, qui traverse péninsule du Yucatán et Belize, et se poursuit au Honduras. On peut aussi ajouter à cet itinéraire le site mexicain de Palenque (► 62) et une station balnéaire du littoral comme Lívingston (► 92) ou une autre de la côte du Belize.
- ❏ Pour ceux qui ont deux semaines de vacances et ne veulent pas quitter le Guatemala, le Petén peut se combiner avec le Río Dulce (► 92) et le lac d'Atitlán (► 76).
- ❏ Dans le Petén, vous risquez d'avoir de la pluie, quelle que soit la période de l'année choisie.

SANTÉ

Vérifiez que vos vaccinations contre le tétanos, la typhoïde et la poliomyélite sont à jour. La région est impaludée pendant la saison des pluies. Prenez donc un traitement préventif approprié qui doit être commencé deux semaines avant votre arrivée et se poursuivre six semaines après votre retour. Si, lors d'une excursion, vous dormez sous la tente, assurez-vous que votre guide emporte du sérum antivenimeux.

NE PAS OUBLIER

- ❏ Lotion antimoustique
- ❏ Lampe-torche
- ❏ Canif
- ❏ Bonnes chaussures de randonnée
- ❏ Crème solaire
- ❏ Poncho imperméable
- ❏ Chemises à manches longues et pantalons en coton léger
- ❏ Boussole

À Flores, petits bateaux couverts en attente de passagers pour traverser le vaste lac Petén Itzá ; on peut aussi y louer des bateaux-taxis.

9 Le long du Río Dulce

par Fiona Dunlop

On oublie souvent que le Guatemala donne sur la mer des Caraïbes et on ne sait guère qu'une communauté noire, les Garífunas, y vivent. La côte constitue l'endroit idéal pour se détendre avant de partir en exploration sur le Río Dulce, où croisent et se croisent plaisanciers et amateurs de jungle.

Jadis, ce sont des pirates qui commandaient les navires descendant le Río Dulce. C'était l'époque où le fleuve, qui s'étend à travers la forêt tropicale du lac Izabal à la mer, constituait le seul moyen pour expédier vers l'Espagne les productions du Guatemala. Aujourd'hui, place aux goélettes et aux catamarans barrés par des skippers du monde entier. À la fin de l'été, face aux trop célèbres ouragans de la mer des Caraïbes, ils se réfugient souvent dans el Golfete, là où le fleuve s'élargit considérablement jusqu'à former une véritable mer intérieure. Puis, le Río Dulce se jette dans la mer, et c'est la fière communauté des Garífunas qui apparaît. Ces Afro-Caraïbes (► 93) tiennent tant à préserver leur culture qu'ils n'ont pas cherché à désenclaver Lívingston, leur ville principale, accessible seulement par la mer. C'est de là qu'il faut découvrir les merveilles naturelles de la région du Río Dulce.

2 Il vous faudra monter et descendre de plusieurs bateaux et pirogues, souvent sous des trombes d'eau, car dans la zone du Río Dulce, il pleut vraiment beaucoup. Les parcours en pleine jungle ne peuvent convenir qu'aux personnes en bonne condition physique.

On trouve des hôtels de bonne catégorie le long du fleuve et à Lívingston.

N'oubliez pas de prendre des jumelles pour observer les oiseaux, un masque et un tuba pour les explorations sous-marines à la Punta de Manabique ainsi que des chaussures utilisables à la fois sur les pirogues, par temps humide, et dans la forêt tropicale.

Si vous arrivez de la ville de Guatemala, n'oubliez pas de visiter **Quiriguá**, le plus important des 25 sites mayas découverts dans les alentours du lac Izabal. Il se situe à environ 4 km de la route de l'Atlantique, caché parmi les immenses bananeraies Del Monte. De la capitale, il faut environ 4h de voiture pour gagner Quiriguá.

Quiriguá, qui a connu son apogée entre 600 et 900, est contemporain de Copán, au Honduras (► 148). C'était un important comptoir commercial entre cette dernière cité et Tikal. Le site est surtout remarquable par un groupe de stèles imposantes dont la plus grande (stèle E) mesure près de 8 m. Superbement sculptées d'images d'animaux et de glyphes, ces pierres dressées sont parmi les plus belles du monde maya. La forêt tropicale toute proche, où dominent les fromagers et les tecks, abrite une riche faune sauvage ainsi que… des nuées de moustiques.

DIRECTION LÍVINGSTON

Assise sur le débarcadère de ce port bananier délabré qu'est Puerto Barrios, je me demande combien de temps il va me falloir pour atteindre Lívingston, au-delà de l'horizon noyé d'eau. Un bateau *colectivo* vient de quitter le port peu avant mon arrivée, mais des marins m'assurent que je serai partie dans moins de 40 min. Effectivement, nous sommes bientôt 12 à foncer sur les vagues. À notre gauche, c'est-à-dire au sud, s'étend une épaisse forêt tropicale, dont la canopée est parfois brisée par de hauts palmiers ou par une maison. On aperçoit alors par ces trouées les montagnes du Mico, derniers contreforts de la Sierra de las Minas. Un pêcheur dans sa pirogue lance son filet tandis qu'aigrettes et pélicans descendent en piqué près de nous. L'atmosphère devient de plus en plus paradisiaque dans la baie d'Amatique ; on est loin des rues défoncées de Puerto Barrios, bien connu pour ses bars mal-famés, ses bagarres et ses bordels. Après 45 min d'une agréable navigation, nous accostons **Lívingston**.

Cette petite ville située à moins de 20 km au sud du Belize, est vraiment fascinante, surtout si vous arrivez, fourbu, des hautes terres du Guatemala ou du Péten. L'humidité et la température y entretiennent une luxuriante végétation tropicale : cocotiers et arbres à pain projettent leur ombre bienfaisante sur des buissons parsemés d'hibiscus ou de lis blancs. L'eau cerne Lívingston, perchée sur son promontoire. Quelques rues montent du port du côté de l'embouchure du Río Dulce, puis redescendent vers l'étroite grève de sable gris de la baie d'Amatique, anse de la mer des Caraïbes. Il suffit de descendre quelque peu vers le sud pour sortir de la localité et entrer en pleine forêt. Cette atmosphère de trou perdu se trouve accentuée par l'absence de voitures, les habitants circulant à pied ou à bicyclette. Souvent, on est surpris de voir, couchés en rond dans des paniers fixés sur le porte-bagages, des tout-petits endormis. Restez dans les deux rues principales de Lívingston et vous serez séduit par l'affabilité et la décontraction des quelque 3 000 Garífunas qui y habitent. Il suffit de s'asseoir dans un des nombreux restaurants de plein air et d'observer. Quelques accords de reggae et quelques percussions envoûtantes suffiront à apaiser les visiteurs les plus stressés.

Siete Altares

Lívingston, coincée entre mer et forêt, offre peu de possibilités de promenades. La **cascade de Siete Altares**, d'une beauté stupéfiante, fait exception. Elle est accessible en bateau à moteur ou à pied. Dans ce dernier cas, il faut 6h pour l'atteindre. Les plus courageux peuvent poursuivre jusqu'à **Playa Blanca**, magnifique et unique plage de sable blanc des environs immédiats de Lívingston. Il y a peu de temps, des personnes ont été attaquées sur ce sentier isolé, aussi est-il préférable pour les visiteurs de s'y faire accompagner par un guide. On m'a recommandé un dénommé Rojillo, que j'ai trouvé dans sa cour, assis sur un cageot retourné, occupé à préparer un seau de poisson.

Le lendemain matin, après quelques faux départs, Lester, le bras droit de Rojillo, m'emmène hors de la ville

LES GARÍFUNAS

Longtemps avant l'arrivée de Christophe Colomb, les Indiens Caraïbes du Venezuela avaient commencé à émigrer vers le nord et la mer des Caraïbes. Après avoir vaincu les Arawak, les Garífunas (les "Braves") s'installèrent dans les îles antillaises, vivant de la pêche et de l'agriculture. Vers le milieu du XVIIe siècle, un bateau négrier en provenance de l'Afrique occidentale s'échoua sur la côte de l'île Saint-Vincent. Les unions entre rescapés du naufrage et Indiennes de l'île donnèrent naissance à un nouveau peuple, les Caraïbes noirs. En 1795, à la suite des conflits qui opposaient l'Espagne, l'Angleterre et la France, ces Garífunas furent rassemblés, puis massacrés ou déportés en 1797 sur l'île de Roatán, au large du Honduras. De là, leur minuscule communauté s'étendit. Aujourd'hui, les Garífunas, qu'on estime être à 70 000, sont présents au Belize, au Honduras et au Guatemala.

À gauche et ci-dessous
Lívingston est située sur un promontoire, entre le Río Dulce et la baie d'Amatique. Les Garífunas qui y vivent sont les descendants des Indiens Caraïbes et des esclaves venus d'Afrique occidentale.

avec deux jeunes visiteurs, Rosa, de Guatemala, et son ami italien, Giovanni. Sous son bras mutilé, ce jovial Garífuna d'à peine 20 ans a glissé une longue machette dans un fourreau de cuir, ce qui est assez rassurant. Nous laissons derrière nous les maisons de bardeaux et le cimetière anarchique et multicolore de Lívingston et nous nous enfonçons, par un sentier boueux, au milieu d'un no man's land tropical. Alors que nous montons lentement jusqu'à un belvédère, nous apercevons quelques champs de maïs ou de haricots rouges coincés entre palmiers et papayers sauvages. De là-haut se déploient les montagnes du Belize.

Hormis trois petits Mayas Kekchis ployant sous le poids d'énormes fardeaux de bois, nous ne rencontrons

LES SPÉCIALITÉS GARÍFUNAS

Les restaurants garífunas offrent de généreuses portions de poisson et de homard grillé, de *tapado*, un excellent bouillon de noix de coco contenant des palourdes, des crevettes roses, du crabe et du poisson, ainsi que d'autres plats à base de bouquets (goûtez au délicieux *ceviche de camarón*) et de bigorneaux (*caracol*). Le *pan de coco* (pain de noix de coco) et le *bocadillo* (noix de coco brûlée au sucre) sont des gâteaux faits maison vendus dans la rue par de solides matrones. Le soir, dans le bar garífuna de la rue de l'Église, les joueurs de tam-tam commencent à s'échauffer vers 22h. Leurs exploits rythmiques se doublent souvent de ceux d'une serveuse qui danse comme si elle avait fait cela toute sa vie.

personne. Plus loin sur notre chemin, la jungle prend un aspect sauvage. Lester nous montre un San Juan (*Vochysia guatemalensis*), arbre à partir duquel sont fabriqués pirogues et tambours. Les lianes sont de plus en plus nombreuses, enserrant des arbres vigoureux. Sous nos pieds, le sable remplace progressivement la terre. Il fait de plus en plus chaud et nos gourdes se vident. Giovanni retire même son tee-shirt. Nous arrivons finalement au Río Quehueche. Là, un piroguier Kekchi nous fait traverser la rivière. Sans doute équilibrée par le poids de ses cinq passagers, la pirogue dérive calmement au milieu d'épais tapis de palétuviers. Les oiseaux en grand nombre me font penser au film *Crocodile Dundee*. Il y a bien des crocodiles dans cette zone, mais Lester nous affirme qu'il n'en a jamais vu un seul. Heureusement, la stabilité de notre pirogue nous évite de mettre sa parole en doute.

Quelque temps après, je plonge avec délices dans l'eau fraîche d'un vert de jade de la cascade de Siete Altares (Sept-Autels). Droits comme des I, les arbres qui la surplombent atteignent 30 m de haut, tandis que plantes grimpantes, lianes, fougères et broussailles luttent pour leur survie sur les rives escarpées. Quelques rayons de lumière parviennent à percer, mais l'air est frais en comparaison de la chaleur et de l'humidité qui nous ont accablés sur le dernier tronçon de notre itinéraire. En général, les visiteurs s'arrêtent aux premiers bassins (ou autels), accessibles facilement. Pour atteindre le Septième Autel, plus profond, qui donne au lieu sa perfection, il faut se lancer dans une escalade risquée car les rochers y sont glissants. Revigorés par cette ascension, mais les muscles meurtris, nous quittons à regret ce lieu magique. Direction Lívingston par le chemin le plus direct, ce qui implique tout de même une marche de 6 km le long de la Playa Salvador Gaviota et une nouvelle traversée en pirogue du Río Quehueche.

Explorer le Río Dulce

Lívingston est située à l'extrémité d'une vaste zone sillonnée de cours d'eau dont le centre est le **lac Izabal**. Avec ses 48 km de long et ses 20 km de large, c'est le plus grand du pays. Il est alimenté par la plus longue rivière du Guatemala, le Río Cahabón, dont la partie supérieure, très spectaculaire, peut être descendue en raft. Il connaît également la plus forte pluviosité du pays. Chaque matin, des bateaux à moteur quittent Lívingston pour remonter le **Río Dulce** et gagner Fronteras en 2h30. De courts arrêts sont prévus dans certains des nombreux sites répartis sur les 36 km du parcours. Le voyage en vaut la peine comme en témoignent, à 200 m au sud-ouest de Lívingston, d'impressionnantes falaises de plus de 100 m de haut. En outre, ce canyon est fréquenté par de nombreux oiseaux, cormorans, pélicans, frégates, balbuzards et martins-pêcheurs.

Les éblouissantes parois de calcaire blanc de ces falaises sont le fruit d'une très longue histoire géologique. Il fallut 400 millions d'années pour que la région d'Izabal se métamorphose en un paysage karstique complexe avec cavernes, dolines, rivières, lacs et marécages. Rien ne vient entraver l'écosystème du Río Dulce comme en témoignent les prises abondantes des pêcheurs. Ces derniers manœuvrent habilement derrière des rideaux de végétation pour éviter les courants du milieu du fleuve. Au-delà s'étend la jungle impénétrable. De temps à autre, au bord de l'eau, une hutte au toit de palmes nous rappelle qu'ici vivent modestement des Mayas Kekchis. Ces habitations ne sont accessibles que par le fleuve, profond en cet endroit de près de 24 m. Par contraste, le Río Dulce est de plus en plus fréquenté par des habitants de la capitale qui y construisent leurs résidences secondaires. L'inaccessibilité du lieu ne les a pas arrêtés : ils arrivent en avion privé sur l'aérodrome local et se font transporter en bateau jusqu'à leur débarcadère personnel.

Les sources sulfureuses comptent parmi les nombreux attraits du Río Dulce. Leurs eaux chaudes relaxent les membres las des visiteurs débarqués par bateaux entiers. En fin d'après-midi, alors que la faune se réveille de sa torpeur après une longue journée caniculaire, je me laisse tenter par ce Jacuzzi naturel. Les oiseaux crient à tue-tête, voletant au-dessus de moi, et un singe hurleur lance son cri surnaturel. Non loin de là, vers l'est, se dessent les bâtiments de la **coopérative d'Ak'Tenamit**. Créée pour lutter contre la pauvreté dont souffrent les Mayas Kekchis, elle propose à la vente le papier fait main par des femmes Kekchis. On peut aussi faire don d'argent, de piles, de livres.

Non loin de là également, le Río Dulce accueille un de ses affluents : le Río Tatin. Cette rivière aux eaux tranquilles et peu profondes vient du sud et s'enfonce au cœur de la jungle. On peut la remonter en pirogue ou en canot pneumatique. Prenez l'embranchement de droite qui conduit à une chute d'eau cristalline où, souvent, les femmes Kekchis viennent se laver. Plus en amont se trouve la **Gruta del Tigre (grotte du Tigre)**. À partir des cascades, on peut regagner à pied Lívingston en 4 ou 5h. Sur l'autre rive du Río Dulce débouche le **Río Lampara**. Au loin, on aperçoit le **Cerro San Gil**, qui culmine à 1 300 m et abrite une réserve naturelle idéale pour pratiquer le VTT, l'équitation ou, plus simplement, la randonnée et l'observation des oiseaux. On y accède de la baie de Santo Tomás, au sud de Puerto Barrios.

LES MAYAS KEKCHIS

Outre les Garífunas, la région de Lívingston abrite la communauté des Mayas Kekchis, qui furent les premiers à s'y installer. Ces deux ethnies ont des modes de vie très différents. Si elles vivent toutes deux des produits de la mer, seuls les Mayas pratiquent l'agriculture. Plus de 6000 Kekchis, en général extrêmement pauvres, vivent isolés dans les montagnes où coule le Río Dulce.

LAMANTINS ET AUTRES CRÉATURES

Nous arrivons au large lagon d'el Golfete, dont les rives sont théoriquement protégées et forment le parc national Río Dulce. Situé à environ 16 km en amont de Lívingston, le **Biotopo Chocón Machacas** est une réserve naturelle conçue pour protéger les très menacés lamantins (► 99). En apercevoir un dans cette eau trouble est vraiment exceptionnel, car le lamantin est un animal particulièrement farouche. Par sa biodiversité, cette réserve de 6 245 ha constitue un véritable trésor.

Ci-dessus *Le lamantin, dont le long corps en fuseau se termine par une nageoire non échancrée, vit surtout dans les embouchures des fleuves des régions tropicales.*
À gauche *Pour aller de Lívingston à Siete Altares, il faut traverser le Río Quehueche en pirogue.*

Dans ce qui est le plus septentrional des écosystèmes "amazoniens", la forêt tropicale humide abrite une population de singes hurleurs, de boas constrictors, d'iguanes, de tapirs, de jaguars, ainsi que 300 espèces d'oiseaux, dont le multicolore toucan. Un sentier facile d'un kilomètre donne un avant-goût de ce spectaculaire décor tropical : haute futaie, palmiers, fougères, orchidées et broméliacées. Mais mieux vaut louer les services d'un guide qui vous emmènera au cœur de la forêt à pied ou en bateau. Comme toujours, n'oubliez pas d'emporter une lotion antimoustique et de l'eau.

FRONTERAS

L'aspect du Río Dulce a considérablement changé après la construction du pont qui franchit l'étroit chenal reliant le lac Izabal et el Golfete. Il assure la liaison entre les villages d'El Relleno, sur la rive est, et de Fronteras, sur la rive ouest. Depuis, la région s'est modernisée : une bonne route mène désormais au Petén, vers le nord-ouest, et une autre en direction d'El Estor, vers le sud-ouest. Le village

LE LAMANTIN

Le lamantin (*Trichechus manatus*) est un mammifère herbivore qui, quoiqu'ayant l'allure d'une torpille, se déplace lentement. Selon la légende, les premiers explorateurs espagnols avaient pris ces animaux pour des sirènes. Bien qu'on les rencontre du golfe du Mexique au nord du Brésil, c'est une espèce en voie d'extinction et plusieurs réserves ont été créées pour les protéger. Les adultes mesurent environ 3 m de long et pèsent de 400 à 500 kg. Ils mangent l'équivalent de 20 % de leur poids chaque jour. Dans son habitat naturel, le lamantin peut vivre de 50 à 60 ans, mais au Guatemala, en dépit de son statut d'espèce protégée, il est toujours chassé illégalement pour sa chair, qui est très appréciée.

de **Fronteras**, appelé aussi Río Dulce, est le rendez-vous des paysans (*campesinos*) et des plaisanciers, qui viennent des ports avoisinants y acheter les produits essentiels. En contrebas du pont, les navigateurs disposent de tous les services dont ils ont besoin : ateliers de réparation, bureaux avec fax et e-mails et, bien entendu, les inévitables bars. C'est aussi le meilleur endroit pour se renseigner sur les locations de bateaux ou sur les possibilités de rejoindre un autre port des Caraïbes.

Avant d'arriver à Fronteras, j'avais aperçu de loin le **château San Felipe**, célèbre monument historique du lac Izabal. Je souhaite le voir maintenant de plus près. Pour m'y rendre, j'ai le choix entre le bateau et le camion *colectivo*. J'opte pour ce dernier, que j'arrête d'un signe alors que j'ai déjà bien avancé à pied sur la route pavée d'El Estor. Ce nom est une déformation du mot anglais *store*, "magasin". Je monte sur la plate-forme où s'entassent déjà hommes et femmes chargés de produits du marché. Le camion poursuit sa route le long de champs ponctués de petites maisons de bois. Une vingtaine de minutes plus tard, je descends devant l'entrée du château.

Dans cet impressionnant bâtiment de pierre, restauré avec soin en 1955, une série d'escaliers étroits mène sur les remparts, puis de là vers les tours et les postes de guet. Une tour plus ancienne, bâtie en 1595, fut détruite par les pirates, puis reconstruite en 1604 par le capitaine Bustamante. En 1640, s'intensifièrent les attaques des pirates, menés par Diego le Mulâtre, l'aristocrate anglais Anthony Shirley, William Jackson et William Parker, connu pour avoir pillé Saint-Domingue et Puerto Bello. En 1651, le fort fut rebâti mais, malgré les améliorations apportées à ses fortifications et l'installation d'une herse, les pirates parvinrent à le reprendre et à piller ses entrepôts (*bodegas*). Après le passage du flibustier hollandais Jan Zaques qui y mit le feu en 1684, San Felipe fut entièrement repensé ; dès lors, les 100 nouveaux postes de garde créés lui assurèrent une existence paisible.

Aujourd'hui, les terrains entourant le château San Felipe ont été aménagés et déclarés parc national. On peut s'y baigner à certains endroits, et y pique-niquer à l'ombre des arbres. Devant moi s'étend le vaste lac Izabal, mais c'est une autre histoire…

EN BATEAU AUTOUR DE LÍVINGSTON

Si vous voyagez en groupe, il est préférable de louer votre propre bateau de manière à mieux profiter de cette région magnifique. Ce type d'excursion peut s'organiser au départ des docks de Lívingston ou de Fronteras, mais il vous faudra négocier fermement. Comme destination, vous pouvez également choisir la Punta de Manabique, une petite péninsule au nord de Puerto Barrios qui fait face à Lívingston. La traversée, qui dure une heure, est très agréable. Avec un peu de chance, on pourra voir des tortues de mer ou des dauphins et on est assuré que de nombreux oiseaux seront au rendez-vous. Sur la péninsule, les estuaires, les plages sableuses, les récifs coralliens permettent d'observer une faune sauvage abondante. Il est possible de passer la nuit dans le petit village, où les pêcheurs feront griller pour vous le poisson pris le jour même. Si la cacophonie des oiseaux tropicaux vous sort assez tôt de votre lit, allez sur la digue voir le soleil se lever et les bateaux de pêche affronter les vagues. Le Canal Inglés (le "chenal Anglais"), qui coupe la base de la péninsule vers le golfe du Honduras, est bordé d'une jungle épaisse rappelant la forêt amazonienne.

PARTIR EN SOLO

QUAND PARTIR

La zone du lac Izabal et du Río Dulce connaît les plus fortes précipitations du pays : plus de 3 000 mm par an, soit plus du double des autres régions. Attendez-vous donc à des averses torrentielles, quelle que soit l'époque choisie. Néanmoins, il pleut moins de décembre à avril.
Le climat tropical humide de Lívingston est adouci par des vents d'ouest et des brises venues du nord (en garífuna, on les appelle *lugudi varana*, ce qui signifie "brise marine").

SE DÉPLACER

Des autobus confortables relient la ville de Guatemala à Fronteras et à Puerto Barrios en 5-6h.
La compagnie aérienne Inter (Grupo Taca) propose des vols quotidiens vers Puerto Barrios. Un ferry plutôt ancien fait la navette entre Puerto Barrios et Lívingston deux fois par jour, à 5h et à 14h, mais les canots à moteur *colectivos*, qui fonctionnent de l'aube au coucher du soleil, sont plus rapides et plus confortables. On peut aussi éviter Puerto Barrios en prenant un bateau *colectivo* à Fronteras. Ces bateaux tendent à assurer la correspondance avec les autocars arrivant de Guatemala et de Flores vers 12h. À d'autres moments de la journée, cela peut être plus long.
Il y a un ferry entre Puerto Barrios et Punta Gorda (Belize) le mardi et le vendredi.

S'ORGANISER

Seule la location d'un yacht nécessite de s'organiser d'avance. Les excursions à pied ou en pirogue ne peuvent être réservées que sur place. Les agences de voyages de la rue principale de Lívingston proposent toutes des randonnées identiques à Siete Altares et à Playa Blanca, ainsi que des excursions en bateau sur le Río Dulce jusqu'à Fronteras, ou sur le Río Tatin, avec pique-nique (sandwiches) inclus.
Si vous faites partie d'un groupe, vous pouvez demander une excursion sur mesure. Sur le débarcadère principal de Lívingston, on peut louer des barques (*cayucos*) pour explorer le canyon ou pour pêcher. On trouve aussi des excursions vers des destinations plus lointaines comme les îles de la Baie au Honduras ou les cayes béliziennes. De plus, des bateaux *colectivos* desservent Punta Gorda au Belize.

QUELQUES TUYAUX

- Le transport par voie d'eau est essentiel dans cette région où les routes sont peu nombreuses. L'idéal est de louer les services du propriétaire d'un bateau pour plusieurs jours.
- On peut aisément se laisser bercer par le charme du Río Dulce, mais il est bon de se rappeler qu'une extrême pauvreté règne dans la région. La plupart des Mayas Kekchis ont été déportés là à la suite de conflits politiques violents et souffrent de graves insuffisances en matière de santé, d'éducation et d'aide à la famille. Dans le cadre du projet Ak'Tenamit, des bénévoles de divers pays apportent une aide aux villages kekchis. Une coopérative vend du papier fait main et une clinique est ouverte au public. On peut aussi faire des dons d'argent, de médicaments, de livres ou de piles.

SANTÉ

Assurez-vous que vos vaccinations contre la typhoïde, le tétanos et la poliomyélite sont à jour. La vaccination contre l'hépatite A est recommandée. Demandez à votre médecin quels sont les derniers traitements de prévention du paludisme.

NE PAS OUBLIER

- Vêtements en coton léger, car le climat est chaud et humide
- Bonnes chaussures de marche
- Sandales pour faire du bateau
- Palmes, tuba et masque

SÉJOURNER PRÈS DE LÍVINGSTON

Plutôt que de séjourner à Lívingston, choisissez la Punta de Manabique. Sur cette péninsule est implanté un village d'environ 500 habitants. On peut y passer la nuit dans des huttes au toit de palmes construites sur la plage même. N'oubliez pas votre masque et votre tuba pour explorer les récifs coralliens.

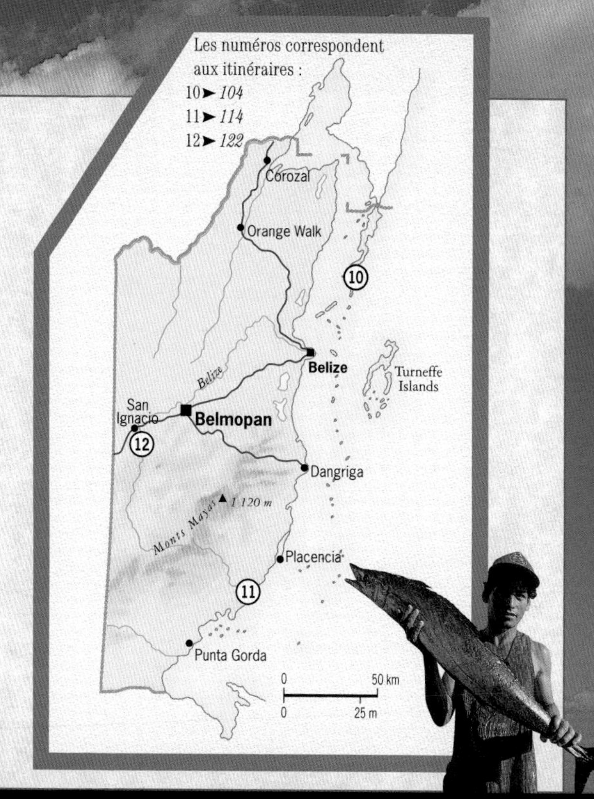

BELIZE

Le Belize : aucun autre pays d'Amérique centrale n'offre autant de richesses en un espace si restreint (22 963 km^2). À peine êtes-vous descendu de votre avion que vous pouvez sauter dans un autre qui, en 15 min, vous conduira dans l'un des 200 îlots coralliens qui parsèment la longue côte bélizienne (250 km). Ou alors filer vers l'intérieur des terres en direction des monts Mayas, pour un séjour des plus sportifs, avec au programme canoë, pêche, spéléologie, escalade, randonnée dans la jungle… La vie sauvage y est extraordinaire, du singe hurleur à l'iguane, en passant par le jaguar et le fameux tapir de Baird, emblème du pays. Si vous êtes prêt à tressauter sur les routes caillouteuses du grand Sud bélizien, un autre monde vous attend, celui des cités mayas souvent millénaires enfouies sous l'épais manteau de la forêt tropicale. Ajoutez à cela le souci permanent de l'environnement, l'hospitalité et la décontraction des Béliziens, et vous vous rendrez vite compte que le Belize est un pays qui, pour petit qu'il soit, vaut bien les plus grands.

La plage de San Pedro à Ambergris Caye, la plus grande île corallienne du Belize. Ci-dessus *Un pêcheur de San Pedro montrant fièrement un barracuda.*

10 Au royaume des eaux

par Carl Pendle

Le monde sous-marin du Belize peut rivaliser de beauté avec la Grande Barrière de corail d'Australie : plus de 200 cayes, ou îlots, s'égrènent, tel un chapelet, le long des 250 km de côte que compte ce pays baigné par la mer des Caraïbes. J'ai visité deux d'entre eux, Caye Caulker et Ambergris Caye, très différents l'un de l'autre, mais tout aussi éblouissants pour qui s'aventure sous leurs eaux.

De sombres silhouettes tournent infatigablement sous le bateau, non sans raison : c'est l'heure du repas, et les raies comme les requins ne se montrent pas difficiles sur le menu. L'eau turquoise est tentante, mais les 12 plongeurs de notre groupe hésitent à sauter. Notre capitaine, Paul, prend des sardines dans un sac en plastique et en jette une poignée. Le bateau se met à gîter quand nous passons tous à tribord pour assister à ce petit-déjeuner : les raies sont les premières à s'inviter au festin, suivies de près par les requins. Des queues s'agitent violemment, des ailerons émergent en un spectacle à la fois inquiétant et fascinant.

Nous sommes amarrés à Shark-Ray Alley (allée des Requins et des Raies), à quelque 6 km au sud-est de San Pedro, la plus grande agglomération d'Ambergris Caye. Cette île corallienne est la plus vaste et la plus urbanisée des 200 que compte le Belize. Ce qui ne devait être qu'une banale sortie en mer pour plongeurs devient une véritable aventure à la commandant Cousteau : comment plonger dans des eaux si visiblement infestées de requins ? Est-ce bien sûr ?

La barrière de corail

J'ai entendu parler pour la première fois de la barrière de corail du Belize à l'occasion d'une visite de la capitale, le jour même de mon arrivée dans le pays. Alors que nous nous trouvons dans le nord de la ville, près de la tombe et du phare du baron Bliss, face aux cayes, mon guide, le capitaine Nicolás Sánchez, se tourne vers moi et me dit : "S'il vous plaît, notez bien cela, parce que les gens se trompent souvent. La barrière de corail du Belize n'est pas la deuxième, mais seulement la cinquième du monde. Et elle mesure 250 km, et non pas

Presque toutes les plongées au départ d'Ambergris Caye sont organisées par des centres de plongée locaux. Ils fournissent un moniteur qui surveille les opérations et sert de guide. Par vent violent et forte houle (supérieure à 1,50-1,80 m), le bateau peut changer de site ou la sortie peut être annulée pour des raisons de sécurité. La réserve marine de Hol Chan est particulièrement idéale pour la plongée bouteille, mais on sera aussi pleinement satisfait avec un masque et un tuba. Attention, cet endroit peut connaître une forte affluence.

★ Les hébergements sur Ambergris Caye sont plus confortables que sur Caye Caulker. Attendez-vous à des prestations sans surprise à Ambergris et à un service à la bonne franquette chez sa voisine.

Bien que la température de l'eau avoisine les 27° C toute l'année, elle est plus fraîche au-dessous de 3 m de profondeur. Une combinaison en Lycra est généralement suffisante, mais ceux qui désireraient une protection thermique plus efficace prendront une combinaison en Néoprène de 3 mm. Les plongeurs peuvent aussi préférer emporter leur propre matériel technique, bien que tout l'équipement (y compris les plombs) soit fourni par le centre. Il en va de même pour la pêche en mer : le matériel est également fourni par l'organisateur de la sortie.

290 ou 298. Elle va de Boca Bacaler Chico, à la frontière mexicaine, jusqu'à Hunting Caye, au sud. Dire que c'est la plus grande barrière de corail vivant de l'hémisphère occidental serait plus juste."

Une semaine plus tard, après avoir visité l'intérieur du pays, je suis de retour dans la capitale, prêt à embarquer pour Caye Caulker, la plus fréquentée des îles du Belize après Ambergris. Assis sur un banc du port, j'attends patiemment le bateau, qui finit par arriver. Des routards descendent en file indienne et restent, l'air perdu, dans le hall d'accueil alors qu'un grand échalas essaie de les diriger vers les taxis. D'élégants hors-bord assurent la liaison avec Caulker (six fois par jour) et avec Ambergris (trois fois par jour). C'est une façon amusante de passer les 45 min que dure le trajet, bien que la plupart des visiteurs préfèrent le confort de l'avion (15 min de vol). Cela permet d'avoir une belle vue générale de ce magnifique chapelet d'îles.

Le bateau quitte doucement le port. Au large, le capitaine accélère et la houle commence à nous secouer sans ménagement. Les 19 passagers sautent de leur siège à chaque creux. Nous passons à vive allure devant plusieurs îles, puis nous nous arrêtons devant l'une d'entre elles, déserte, pour laisser descendre un entrepreneur en bâtiment et un couple d'Américains.

LES ATOLLS DU BELIZE

À l'est de la barrière corallienne se trouvent trois atolls rattachés à deux chaînes sous-marines que séparent deux fosses profondes. Turneffe Islands et Glovers Reef sont situés sur l'une des crêtes et Lighthouse Reef sur l'autre, plus à l'est. Au beau milieu de ce dernier s'ouvre le Grand Trou bleu ► 108. Turneffe Islands et Lighthouse Reef offrent les plus parfaites plongées de paroi de la mer des Caraïbes, puisqu'elles débutent à la profondeur de 8-10 m, pour se prolonger jusqu'à 1 000 m. On peut également y explorer d'intéressantes épaves. S'il est possible de visiter le Grand Trou bleu en une longue journée au départ d'Ambergris Caye, il est préférable, pour qui veut mieux connaître les atolls, d'y consacrer deux ou trois jours, soit en y campant, soit à bord d'un bateau habitable. Les centres de plongée locaux (► Contacts) proposent ces différentes options.

Nous accostons à **Caye Caulker**, où il est impossible de se perdre vu ses dimensions : 8 km de long sur 800 m de large. Les métis, qui vinrent s'y réfugier au milieu du XIXe siècle pendant la guerre des Castes mexicaines, furent

LA MANGROVE MENACÉE

Il existe divers types de mangrove au Belize selon les espèces de palétuviers qui les composent. Sans cet enchevêtrement de racines, une partie de la côte du Belize aurait été emportée par la mer. Cette perte aurait entraîné la disparition d'un écosystème déjà fragile. En fait, la plupart des poissons et fruits de mer exportés par le Belize dans le monde entier ont séjourné, à un certain stade de leur existence, entre les racines des palétuviers. Mais l'urbanisation menace cette précieuse mangrove. Des promoteurs arrachent sans vergogne des pans entiers de mangrove pour y implanter hôtels et bungalows avec vue sur la mer. Et malheureusement, aucune loi n'existe encore au Belize pour empêcher ces destructions. À moins que des mesures ne soient prises rapidement, le pays pourrait connaître un désastre environnemental majeur.

les premiers véritables colons. Quelques Mayas et pirates anglais les avaient précédés. *To caulk* signifiant "calfater", l'île tiendrait son nom des chantiers de réparation de bateaux qui y étaient installés. Elle a vécu depuis de l'exploitation d'une cocoteraie et de la pêche à la langouste. C'est dans les années 1960 qu'elle s'est muée en centre touristique.

ÉLOGE DE LA LENTEUR

Il semble que peu de choses aient changé depuis les années 1960, et les panneaux "Roulez lentement" semblent moins une injonction à l'adresse des quelques rares automobilistes que le reflet de la philosophie du lieu. En traînant mon sac, je me rends au Rainbow Hotel, tout droit en venant de la jetée, puis à gauche sur le rivage opposé. Ici,

il n'y a que trois rues parallèles reliées entre elles par des allées. Je longe en marchant de modestes maisons de bardeaux, doublé de temps à autre par de petits véhicules électriques, semblables à ceux qu'utilisent les golfeurs.

Le lendemain, je vais visiter, avec ma guide Ellen McRae, le nouveau parc national sous-marin de l'île. Il s'étend sur un peu plus de 11 km du nord au sud,

à 1,5 km au large de la côte est du caye, et comprend aussi 40 ha de terre, au nord. Ellen, qui est biologiste et étudie le milieu aquatique de l'île depuis 1975, a joué un rôle de premier plan dans la création du parc. J'écoute ses explications sur les enjeux environnementaux de la zone. Elle s'inquiète tout particulièrement de l'impact des projets immobiliers, qui se sont récemment

Ci-dessus *Plongée dans la réserve marine de Hol Chan, au large de l'île d'Ambergris.*
À gauche *L'ouragan Mitch qui a frappé la région en octobre 1998 a causé de graves dommages. Les ouragans sont heureusement assez rares.*
Ci-dessous *Un pêcheur trie le produit de sa dernière sortie en mer : des tritons.*

LES TROUS BLEUS

Plusieurs pays possèdent des trous bleus, mais le plus vaste de tous est celui du Belize. Le Great Blue Hole (Grand Trou bleu) s'ouvre au centre du Lighthouse Reef, atoll situé à l'est de la barrière de corail. Il mesure 400 m de diamètre pour une profondeur de 145 m. C'était à l'origine une grotte, qui faisait partie d'un réseau souterrain creusé dans du calcaire. Sa voûte s'est effondrée, sans doute à l'occasion d'un séisme, formant ainsi un gigantesque gouffre. Le terrain, sous l'effet de mouvements tectoniques, s'est incliné selon un angle d'environ 12°. À la fin de la dernière ère glaciaire, le niveau de la mer s'est élevé et le gouffre a été noyé. Sur les surplombs et les vires qui s'étagent le long des parois de cette ancienne caverne se sont formées de nombreuses concrétions (stalactites, stalagmites, colonnes). Mis à part leur intérêt géologique, il y a peu de chose à voir dans les trous bleus : la vie marine et le corail s'y sont peu développés en l'absence de soleil, dont les rayons ne peuvent frapper directement les parois et encore moins atteindre le fond de la cavité.

multipliés à Caulker et à Ambergris. Ils sont montés à la va-vite et ont pour seul but le profit à court terme. Le fragile écosystème sous-marin ne pourra pas supporter longtemps la pollution qu'apportent ces lotissements et, à moins qu'une législation ne soit rapidement mise en place pour en limiter les effets, on risque de voir disparaître la barrière de corail, et avec elle le tourisme.

Dans l'après-midi, Ellen m'emmène en bateau au nord de Caye Caulker. Avec son mari à la barre de notre bateau, nous larguons les amarres dans le vent et la pluie. Nous passons le Split, un chenal créé par le cyclone Hattie en 1961, qui coupe l'île en deux. Il est devenu un des coins de baignade préférés des vacanciers. Le nord de l'île est quasi inhabité. Passé le Split, des forêts de palétuviers envahissent la côte, rompant avec l'image de carte postale que l'on se fait habituellement d'une île corallienne. Elles jouent pourtant un rôle essentiel contre l'érosion et abritent une faune nombreuse – poissons et crustacés – et une flore spécifique (► 105). Arrivés tout au nord, il nous est impossible, du fait des dommages causés par le cyclone Mitch de 1998, de franchir le barrage de branches et de débris pour aller voir certaines plantes de l'intérieur de l'île.

LA BARRIÈRE DE CORAIL D'AMBERGRIS

Le jour suivant, je me rends à **San Pedro**, la seule ville d'Ambergris Caye. Après une traversée de 30 min, le hors-bord s'amarre à une petite jetée. Un taxi me conduit en 5 min au-delà de l'aéroport, à Royal Palm Villas. Je suis d'emblée frappé par le peu de voitures qui circulent sur ces routes de terre recouvertes d'une couche de sable. Ici, on se déplace essentiellement à pied, à bicyclette ou en voiturette électrique. Je loge dans un endroit très calme, qui contraste avec l'atmosphère enfiévrée régnant dans le centre-ville, avec ses hôtels, ses restaurants et ses boutiques de plongée.

32 km sur 1,5 km : ce sont les dimensions de la grande île d'Ambergris. Elle est bordée, sur toute sa longueur, par la barrière de corail, comme en témoigne le filet d'écume blanche qui se forme lorsque les vagues se brisent sur les hauts fonds. À moins de 800 m de la côte, on compte une cinquantaine de sites de plongée. Tous possèdent une bouée d'amarrage afin d'éviter que les ancres ne détruisent le corail. Sous l'eau, la visibilité, l'une des meilleures du monde, est excellente jusqu'à 50 m : la barrière étant située entre 13 et 26 km du rivage, elle n'est que peu affectée par les inondations et les précipitations.

Je m'inscris à une excursion vers deux sites sous-marins bien connus, dont la fameuse **réserve marine de Hol Chan**. Ce nom signifie "petit canal" en maya et fait référence à la profonde vallée qui scinde en deux la barrière de corail. Nous y arrivons 15 min après avoir quitté l'école de plongée de Larry Parker. Ce site, protégé depuis 1987, est le premier du genre en Amérique centrale. Pourtant, les 13 km² de ce Disneyland sous-marin regorgent de touristes et je me demande comment le corail parvient à survivre à ce déferlement. Les poissons, eux, n'ont pas l'air trop dérangés par ces intrusions.

Les plongeurs enfilent leur combinaison et leurs gilets, crachent dans leur masque et placent les bouteilles sur leur dos avant de procéder aux dernières vérifications. Pour ma part, je me contente d'une plongée avec masque et tuba. Tandis que j'observe un vivaneau gris (*Lutjanus griseus*) tapi derrière un éventail de corail, un poisson-perroquet feu tricolore (*Sparisoma viride*) me frôle en un éclair. Non loin, un barracuda patrouille furtivement. Bien au-dessous de moi, les plongeurs évoluent lentement, laissant remonter à la surface des chapelets de bulles. De retour au bateau, je me rends compte qu'il est impossible de faire un lien entre l'expérience voluptueuse qu'est la plongée et les documents du bord présentant les poissons du site. Ces derniers ont tout de même servi à aiguiser mon appétit et à m'équiper d'un masque et d'un tuba pour mieux connaître les habitants de cette barrière de corail. En toute honnêteté, les cayes ne sont guère plus que des plates-formes d'accès à la barrière de corail.

Toucher une pastenague

À **Shark-Ray Alley**, personne n'ose se mettre à l'eau. Paul jette encore quelques sardines et nous dit de sauter avant que tous les requins aient disparu avec la nourriture. Est-ce possible de nager avec ces requins en toute sécurité ?

APPRENDRE LA PLONGÉE

La plongée est un sport passionnant, mais exige une formation technique de base qui garantit l'indispensable sécurité du plongeur. Le diplôme sanctionnant cette formation sera exigé par les professionnels. Des stages de perfectionnement sont proposés, certains étant spécialisés dans les secours ou la plongée sur épaves. De nombreux clubs et associations dans le monde offrent cette formation. Les néophytes pourront acquérir les techniques de base au cours de stages théoriques et pratiques de 4-5 jours, validés par un examen écrit. Pour plus amples informations, se reporter à la section Activités.

❑ **Fédération française d'études et de sports sous-marins (FFESSM)** Créée en 1955 à Marseille, où elle conserve son siège (24, quai de Rive-Neuve 13007 Marseille), la FFESSM compte 160 000 licenciés et 2 200 clubs. Elle dispense des formations pour 4 niveaux de brevet et délivre des cartes double face "CMAS – FFESSM", qui certifient l'équivalence internationale des brevets qu'elle attribue. (Renseignements : 04 91 33 99 31 ou site internet : www.ffessm.fr)

❑ **Professional Association of Diving Instructors (PADI)** Fondée aux États-Unis en 1966, PADI est la plus grande école de plongée privée du monde : 55 % des plongeurs de la planète détiennent un diplôme Padi. Depuis peu, il est possible d'effectuer dans un club de la FFESSM une double formation Niveau I FFESSM et Open Water Padi. Cela permet au plongeur "fédéral" de voir son niveau reconnu à peu près partout dans le monde. (Renseignements : 00 41 523 041 414 ou site internet : www.padi.com)

Ci-dessus *Le charme de Caye Caulker tient en partie à ses maisonnettes en bois colorées sur pilotis.*
À gauche *Rencontre entre un plongeur et une raie. Cette dernière est de nature si farouche qu'il faut souvent la repousser de la main pour passer son chemin.*

Oui, car ces requins, appelés nourrices ou vaches de mer (*Ginglymostoma cirratum*), sont totalement inoffensifs. Assis sur le bord du bateau, je me jette en arrière en tenant mon masque.
Il n'y a ni corail, ni bancs de poissons à Shark-Ray Alley, mais une grande quantité de requins-nourrices, de raies apparentées aux pastenagues (*Dasyatis americana*) et, de temps à autre, un barracuda. Les raies s'approchent si près de vous qu'il faut les repousser de la main. Les requins, plus discrets, restent tapis par 2,50 m de fond et s'éloignent dès qu'on s'avance.
Ils tournent en rond, prêts à attraper le moindre débris ayant échappé aux raies agglutinées au-dessus d'eux.

Tunnels sous-marins

Comme je tiens à en savoir un peu plus sur la barrière de corail et sa faune, je fais appel à Gaz Cooper's Dive Belize, organisme spécialisé de l'hôtel Sunbreeze Beach, pour qu'il m'organise une plongée le lendemain. Je suis un plongeur certifié, ma participation ne pose donc pas de problème. Il me faut seulement choisir entre le matin et l'après-midi. J'opte pour une plongée du matin qui inclut les formations coralliennes des Victoria Tunnels et des Cyprus Canyons. Ces deux sites voisins se trouvent au sud de San Pedro, à 20 min en bateau. Comme chacun d'eux ne dispose que d'une bouée d'amarrage, seuls les plongeurs d'un même bateau y ont accès. Cela évite toute surpopulation : ainsi, au cours de mon exploration, nous ne serons que cinq avec le chef de plongée.

Le lendemain matin, un peu après 9h, nous atteignons sous le soleil les **Victoria Tunnels**. Une fois équipés et les vérifications faites, nous sommes fin prêts. Le programme prévoit une plongée d'environ 35 min à plusieurs niveaux. Elle va débuter par une descente à 27 m et se poursuivre à des profondeurs moindres. Le moniteur va bien sûr contrôler toutes les opérations grâce à son ordinateur de plongée. Les conditions sont idéales : la température de l'eau est très confortable (26° C) et, comme promis, la visibilité est excellente jusqu'à 40 m.

Alors que nous descendons le long de la chaîne d'ancre dans un nuage de bulles, les couleurs de la barrière de corail prennent soudain tout leur éclat. Nous nous enfonçons dans un canyon des Victoria Tunnels ; plusieurs gros mérous rouges s'éloignent de nous. Sur le plan technique, ces canyons sont du type éperons et sillons de pente. Les crêtes de corail dur, en partie colonisées par des coraux mous et des algues, s'élèvent à 12 m au-dessus des rainures remplies de sable blanc et de fragments de corail. Dans ces formations calcaires s'ouvrent des grottes et des tunnels qui ont donné leur nom au site.

Au moment où le moniteur nous conduit vers l'entrée d'un tunnel, nous apercevons des poissons-perroquets bleus (*Scarus cœruleus*) et feu tricolore (*Sparisoma viride*) qui "paissent" bruyamment sur le récif. Il fait signe à ceux qui veulent visiter le tunnel de le suivre ; les autres peuvent passer au-dessus pour le retrouver au canyon suivant. Nous choisissons tous de nous aventurer dans le tunnel, à l'exception de deux plongeurs. Passé l'entrée étroite qui nécessite un bon contrôle de la flottabilité, on débouche dans une grotte, dont les parois se peuplent d'ombres sous l'effet de la lumière. Soudain, nous voyons un tarpon (*Tarpon atlanticus*) se faufiler comme par magie dans la grotte, mais ce monstre de 70 kg, aux écailles d'argent, s'éclipse aussi vite qu'il est venu. C'est alors qu'arrive à l'improviste un rémora noir (*Remora remora*) ; il nous suit et essaie obstinément de s'accrocher à ma bouteille, en me prenant à l'évidence pour un requin-nourrice ou pour un bateau !

Sortis du tunnel, nous remontons lentement du canyon. Parmi les jardins de coraux qui se déploient devant nous, nous observons, émerveillés, la grande variété des poissons qui nous entourent : carangues, mérous noirs, lutjanidés rouges, perroquets de mer, ainsi qu'une myriade d'autres espèces endémiques, tels les demoiselles bleues et les anges de mer gris. Vers la fin de notre plongée, nous apercevons une grosse tortue verte (*Chelonia mydas*) qui nous observe avec méfiance quelques instants avant de s'enfoncer dans les profondeurs.

Nous revenons au bateau après un temps de décompression et nous nous reposons pendant 1h30 avant de gagner le site suivant : les **Cyprus Canyons**. Il s'agit là aussi d'une plongée à divers niveaux, qui commence à une profondeur de 25 m. Par bonheur, ce site présente une visibilité encore supérieure, à environ 45 m ! De nouveau, la topographie revêt ici la forme d'une série de canyons aux parois constituées de nombreux coraux. Durs ou mous, ils sont d'une grande variété de formes et de couleurs. Une murène pointe la tête hors de son trou, et nous sommes de nouveau cernés par une légion de poissons de récif. Après 25 min, nous remontons à bord du bateau en nous félicitant de ces deux plongées parfaitement réussies.

L'attrait des îles coralliennes du Belize réside véritablement dans les fabuleuses formations coralliennes que je viens de découvrir. La faune extraordinaire qu'elles abritent est d'une telle variété qu'il faut vraiment que je revienne, et vite !

PARTIR EN SOLO

QUAND PARTIR

Le Belize a un climat subtropical ; il pleut donc souvent l'après-midi, en particulier pendant la saison des pluies (de juin à août).Toutefois, la côte du Belize bénéficie de pluies modérées – en moyenne 1 800 mm par an. Les températures y sont plus fraîches qu'à l'intérieur des terres, c'est-à-dire de l'ordre de 28-30° C. Les ouragans sont rares et limités à la période juillet-novembre.

SE DÉPLACER

De la ville de Belize, plusieurs vols quotidiens desservent Ambergris Caye et Caye Caulker. De l'aéroport international Phillip Goldson, les vols durent moins de 30 min. Les bateaux, qui constituent une agréable solution de rechange, partent du terminus maritime, au centre-ville, et desservent les deux îles, six fois par jour pour Caye Caulker et trois pour Ambergris Caye. On peut aussi trouver des bateaux-taxis qui assurent ce service, mais attendez-vous à payer plus cher. Il n'est pas nécessaire de louer un véhicule à Caye Caulker, car l'île est petite. Si votre hôtel est un peu éloigné, vous pouvez louer une voiturette de golf à Ambergris.

S'ORGANISER

Il est rare que les touristes passent la nuit à Belize ; ils préfèrent sauter dans un avion pour être au plus vite sur les cayes. C'est fort dommage, car, en dépit de sa mauvaise réputation, Belize possède quelques hôtels et restaurants de qualité et faire le tour de la ville en compagnie du capitaine Sánchez (► Contacts) est une excellente introduction au pays. La visite du zoo de Belize (► 123) s'impose.

Vu les centaines de boutiques spécialisées et d'agences qui proposent des excursions sur les sites de la barrière de corail, il n'est pas possible de les citer toutes, même les plus intéressantes. Votre hôtel devrait être en mesure de vous aider à organiser une excursion. Sinon, demandez des tuyaux à d'autres touristes. Le Belize ne possède qu'un seul caisson de décompression, à San Pedro sur Ambergris Caye.

QUELQUES TUYAUX

- ❏ La délinquance est un véritable problème à Belize. Ne portez pas sur vous d'objets de valeur ni de grosses sommes d'argent et ne traînez pas la nuit dans les rues.
- ❏ Ne touchez pas aux coraux, car il leur faut plusieurs décennies pour se reformer. Rappelez-vous que le sable soulevé par vos palmes peut les étouffer. Restez à une distance d'au moins 60 cm pour votre propre protection et celle des coraux.
- ❏ Appliquez du dentifrice sur vos piqûres d'insectes : cela apaisera temporairement vos démangeaisons.

SANTÉ

Les chiques peuvent être un véritable problème quand le vent tombe. Protégez-vous avec de la crème anti-insecte. Sans oublier, bien sûr, une crème solaire à haut indice de protection et un tee-shirt pour la plongée avec masque et tuba.

NE PAS OUBLIER

- ❏ N'oubliez pas de vous munir de vos diplômes de plongée. N'emportez pas de fusil sous-marin ; il vous serait confisqué à l'aéroport.
- ❏ Les pêcheurs passionnés peuvent emporter leur propre matériel pour des sorties en mer organisées.
- ❏ Prenez des sacs étanches pour tenir vos objets de valeur au sec pendant les excursions en bateau.

LA PHOTOGRAPHIE SOUS-MARINE

Compte tenu des changements de pression, de la distorsion optique et du manque de lumière, utilisez une pellicule rapide – 400 ISO ou plus – et, comme le niveau de lumière varie, réglez le diaphragme si cela vous est possible. Le grand-angle est l'objectif indispensable pour éviter les déformations dues à la réfraction de la lumière et le filtre rouge contrebalance l'accroissement de la lumière bleue à des profondeurs dépassant 3 m. Enfin, souvenez-vous que votre sécurité et celle de votre compagnon de plongée sont toujours plus importantes qu'une bonne photo.

11 Bloqué dans le Sud

par Carl Pendle

Monkey River est un petit village de 250 habitants, situé à 120 km au sud de Belize. Les villageois ont tout perdu lorsque la banane, leur unique source de revenus, a disparu dans les années 1940 à la suite d'une maladie. Aujourd'hui, dans la lutte qu'ils mènent encore pour leur survie, ils bénéficient d'un atout, leur région, qui est une des plus belles et des mieux préservées du Belize.

Ma Jeep étant enlisée dans la boue, j'enclenche la première et j'emballe le moteur, en vain. J'essaie la même chose en marche arrière. Rien. Les roues tournent juste en crachant de la boue sur la route inondée et défoncée. La jungle qui m'entoure est oppressante et la chaleur suffocante. Par la vitre entrouverte, une nuée de mouches noires viennent me dévorer les jambes.

Dix minutes plus tôt, alors que je roulais encore, un cycliste solitaire m'avait dit : "Vous avez passé le plus difficile. Monkey River n'est qu'à un mile d'ici." Mais à chaque virage, la piste ressemblait de plus en plus à un champ de mines. Les gens du lieu savent qu'ils ne faut pas se risquer sur cette route après une forte pluie. Seuls les touristes restent bloqués. En venant les tirer d'affaire, un homme du village a trouvé là un activité florissante. Au Belize, il pleut rarement jamais de la sorte en janvier. La saison sèche s'est achevée il y a seulement un mois et les plus fortes pluies s'arrêtent d'ordinaire en octobre. Cependant, ici, nous sommes dans le district de Toledo, dans le sud du pays, et le climat y est traditionnellement plus humide, avec plus de 4 m d'eau par an contre 1,8 m, dans le Nord.

La route que je suis prend fin à Monkey River. Elle n'a pas de nom et-on n'y voit pas de panneaux indicateurs. La route convenable – si ce qualificatif peut lui être appliqué – la plus proche est la Southern Highway, qui continue son parcours sinueux vers le sud jusqu'à Punta Gorda, dernière étape avant le Guatemala. Les gens d'ici ont baptisé la région la "terre oubliée", car c'est la partie la plus pauvre de Belize : les routes y sont exécrables et les villages isolés. Le peu de visiteurs qui s'y risquent s'arrêtent à Monkey River pour faire un tour sur le fleuve, puis ils retournent à leur hôtel un peu plus haut sur la côte.

Je décide de laisser la Jeep, qui est décidément trop embourbée. En vain, j'ai placé des pierres sous les roues et secoué la voiture en tous sens. J'ai même attendu d'éventuels secours sans plus de résultat. Je laisse donc ma valise en prenant tout de même quelques objets de valeur que je mets dans un petit sac

Pendant la saison des pluies, la route non goudronnée qui mène à Monkey River est impraticable, sauf pour les conducteurs très expérimentés ; il est alors beaucoup plus facile de rejoindre le village par bateau.

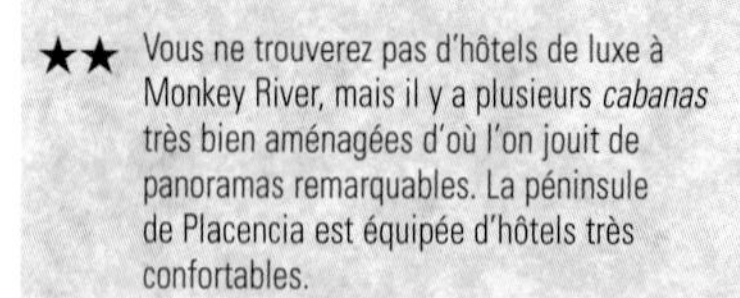

★★ Vous ne trouverez pas d'hôtels de luxe à Monkey River, mais il y a plusieurs *cabanas* très bien aménagées d'où l'on jouit de panoramas remarquables. La péninsule de Placencia est équipée d'hôtels très confortables.

Si vous êtes intéressé par l'ornithologie ou la vie sauvage en général, n'oubliez pas vos jumelles. La plupart des excursions proposées durent la journée entière, alors prenez de bonnes chaussures de marche et un petit sac à dos. Les moustiques et les chiques peuvent être une vraie plaie ; une lotion antimoustique est indispensable.

à dos avec ce qui me reste d'eau, puis je pars chercher de l'aide. La piste détrempée est totalement déserte mais j'y aperçois des traces profondes de pneus de camion, le léger tracé d'un vélo ainsi que les empreintes d'un jaguar.

Pour gagner le village, ce ne sont pas 1 500 m que je dois parcourir mais cinq bons kilomètres. Enfin, une heure plus tard, j'atteinds la fin de la piste, où un fleuve se jette dans la mer des Caraïbes. Sur la rive opposée, un groupe de femmes et d'enfants bavardent sous les pilotis d'une maison de bois. Un homme, juché sur sa chaloupe, vient alors vers moi. “Vot' voiture enlisée, me dit-il. Pas d'problème.” Mon sauveteur, Winsley, un de ses amis, qui possède le seul camion du village, et moi-même tirons ma voiture et la garons dans la ferme d'un voisin. Puis Winsley me ramène en bateau à mon hôtel, Bob's Paradise, à 10 min au nord du village.

LE JAGUAR, ANIMAL SACRÉ

Le nombre des jaguars est en progression au Belize, pays qui en compte la plus forte concentration au nord du bassin de l'Amazone. Mais il est rare de pouvoir apercevoir cet animal nocturne. Le jaguar (*Panthera onca*) est le plus gros félin des Amériques. C'est aussi le plus gros félin tacheté du monde ! Son nom vient du mot maya *yaguar*, “celui qui tue d'un bond”. Les Mayas avaient un tel respect pour cet animal carnivore qu'ils le croyaient apparenté au dieu du Soleil.

Pour observer la faune sauvage de cette zone, l'idéal est de descendre la Monkey River (“fleuve des Singes”). On peut couper le moteur et se laisser aller au fil de l'eau.

CONDUIRE AU BELIZE

Les routes du Belize sont généralement de mauvaise qualité. La Southern Highway, qui conduit à la frontière sud du pays, n'est qu'en partie goudronnée. Durant la saison des pluies, sa surface se transforme en un magma boueux et, quand il fait beau, des nuages de poussière vous obstruent la vue, surtout après le passage d'un camion. Le 4x4 est alors indispensable. Attention : les autobus roulent très vite et les ponts de bois n'autorisent le passage que d'un seul véhicule. Prenez garde aussi aux clauses de votre assurance. Ayant crevé avec ma voiture de location, j'ai cru que les dépenses seraient prises en compte par l'assurance dans le cadre d'une usure normale sur ces routes, mais il n'en a rien été. Plutôt que de prendre l'assurance spéciale du loueur et d'acquitter une franchise très chère, il est préférable de souscrire votre propre assurance avant le départ.

UNE RETRAITE CHEZ BOB

Si les transports sont assez compliqués dans le sud du Belize, on est largement récompensé par la richesse de la vie sauvage, les eaux poissonneuses, le rythme de vie agréable, l'hospitalité des gens et… l'absence de touristes.

L'embarcation de Winsley, qui rebondit sur les eaux, longe le rivage, où s'entremêlent des racines de palétuviers. À grands battements d'ailes, des pélicans survolent de près le fleuve à la recherche de poissons. Par une percée dans la mangrove, j'aperçois Bob's Paradise, blotti entre les cocotiers. Winsley accoste au ponton de l'hôtel. Alors que je débarque dans le bar à toit de palmes où plusieurs personnes sont déjà réunies autour d'une table, deux labradors viennent inspecter mes chevilles. La barmaid sort gentiment une bière du réfrigérateur. Quelqu'un me désigne le patron du Bob's Paradise, le bien nommé Bob. Pieds nus, vêtu d'un short élimé et portant des lunettes maculées de graisse, il s'avance vers moi lentement. Il me serre la main et commente, amusé, mes récents problèmes techniques. Son ton est animé et il parle avec les mains.

Ancien enseignant en Floride, Bob a pris sa retraite assez jeune. Après avoir vécu sur différentes îles des Caraïbes, il a finalement atterri ici en achetant ce coin de plage de 30 m sur 25 m. Pendant plusieurs années, il a vécu là sous une tente, puis il s'est construit une maison et trois bungalows à louer, équipés d'un confort sommaire. L'alimentation électrique est assurée par un groupe électrogène installé dans le fond de la propriété. Pas de téléphone et aucun commerce à proximité. Cette retraite parfaite n'est accessible que par bateau, aucune route ne conduisant jusqu'ici. Il n'y a que vous, la plage, la vue, le bar, les hamacs et les couchers de soleil. Que désirer de plus ?

BAVARDAGE

Ce soir-là au bar, je discute avec Anthony, un vieux mulâtre, sec et nerveux, qui rend quelques services à Bob en échange de quelques verres de rhum. Les mulâtres, descendants des esclaves africains et des colons britanniques, constituent 30 % de la population bélizienne. Ils parlent une langue aux sons martelés qui comporte peu de mots de plus d'une syllabe et chaque phrase se termine par "*man*". Il m'est presque impossible de comprendre Anthony : de temps en temps, un mot m'est familier mais je ne parviens pas à le rattacher au contexte. Le créole est parlé dans la plupart des villages du Belize, mais chacun d'eux a son propre dialecte. De plus, chaque mulâtre a un surnom, si ce n'est deux, ce qui ne simplifie pas les choses. Anthony est appelé Bing ou Painless ("Sans douleur") et Winsley, mon sauveteur et guide, est surnommé Babe, sans doute à cause de son visage poupin.

Sur la Monkey River

Le lendemain matin, Winsley arrive à l'hôtel à 7h pour m'emmener sur la **Monkey River**. Il est important de partir de bonne heure, car nous pourrons ainsi assister au repas des animaux. Le bateau contourne un promontoire et se lance dans les eaux troubles du fleuve. Sur les rives, la vie grouille. Même moi qui n'ait pas d'expérience, j'aperçois un faucon des chauves-souris (*Falco rufigularis*) niché entre les branches d'un palétuvier. Des aigrettes neigeuses (*Egretta thula*) et de grandes aigrettes (*Casmerodius albus*) se cachent dans l'épaisseur des fourrés, tandis qu'au sommet des arbres, des iguanes verts (*Iguana iguana*) étincellent dans le soleil du matin. Les indigènes les mangent et les appellent “poulets des bambous”. Mais le véritable régal de la jungle est l'agouti (*Agouti paca*), rongeur de la taille d'un lapin appelé ici *gibnut*. On en servit à la reine Elisabeth II lors de l'une de ses visites ; la presse le baptisa alors “rat royal”.

Le bateau continue sa lente remontée du fleuve. Les oiseaux sont si nombreux qu'il est difficile de tous les identifier : martin-pêcheur filant à la vitesse de l'éclair, couple de perroquets passant loin au dessus-de nos têtes. Deux vautours papes (*Sarcoramphus papa*) terminent leur vol plané sur une branche ; avec leur tête rougeâtre, leur encolure grise, leur corps blanc et la pointe de leurs ailes noire, ils sont aisément reconnaissables. Des chauves-souris, empaquetées dans leurs ailes, sommeillent sous les branches. Tandis que des tortues sortent vivement la tête de l'eau, un basilic (*Basiliscus vittatus*) glisse étrangement à la surface du fleuve, se montrant digne de son drôle de surnom : “lézard Jésus-Christ”. Le long des rives poussent des bataillons de joncs et toutes sortes de palmiers, des guazumas ou cèdres de la Jamaïque (*Guazuma ulmifolia*) ainsi que de nombreuses espèces qui dépassent les compétences de Winsley. Seuls 12 guides sont diplômés pour cette excursion, presque tous originaires du village de Monkey River. Certains sont meilleurs que d'autres et Winsley est le premier à reconnaître ses lacunes, surtout en ce qui concerne les noms scientifiques. Mais les noms vernaculaires ne sont-ils pas plus amusants ?

La vie sauvage

Winsley amarre le bateau et l'excursion dans la jungle peut commencer. Les moustiques ne tardent pas à se manifester. Ces terres étaient autrefois utilisées pour la culture des mangues, de la canne à sucre et du manioc, une plante dont la racine est comestible. Une vieille bâtisse, toujours debout, est envahie par les racines qui percent ses murs de brique.

Sur le bord du sentier, une souche sort du sol. Winsley y repère une grosse tarentule dans sa livrée noire et orange. Généralement inoffensive, elle est la plus grosse araignée du Belize. Outre d'innombrables insectes, le pays se targue d'abiter plus de 4 000 plantes à fleurs, 700 essences d'arbres et 540 espèces d'oiseaux. Le boa constrictor, de loin le plus gros serpent local, peut atteindre 4 m de long et fait partie des 54 variétés de serpents connues ici, dont neuf sont venimeuses.

Alors que nous apercevons un petit serpent noir qui s'enfuit dans les broussailles, un grognement sourd détourne notre attention. “Des singes

UN MELTING-POT

Sur les 200 000 habitants que compte le Belize, 30 % sont mulâtres et 44 % *mestizos*, métis descendant d'Indiens et d'Espagnols. Les Indiens Mayas, les premiers occupants du pays, ne représentent plus que 8 % de la population. Les 18 % restants se divisent entre Garífunas, Chinois, Libanais et quelques minorités. Sans oublier les Mennonites (adeptes de la religion mennonite). Tous semblent vivre en bonne intelligence.

LE PARADIS DES ORNITHOLOGUES

Le Belize abrite 540 espèces d'oiseaux, dont près de 200 sont des migrateurs. Avec ses six districts, le pays offre une large gamme d'habitats : au nord et au sud, forêts et pins des montagnes ; sur la côte, savanes, mangroves et bancs de sable des cayes. Plus de 40 % du territoire national est constitué de zones protégées, parcs nationaux, réserves forestières et d'animaux, publiques et privées. L'observation des oiseaux y est très prisée pendant la période de l'accouplement, des premiers jours de mars au commencement de la saison des pluies (début juin).

hurleurs", me murmure Winsley. Du haut d'un groupe de grands arbres, quatre ou cinq singes hurleurs (*Alouatta palliata*) nous fixent, intrigués. Winsley donne alors un coup de machette à la base d'un tronc pour provoquer les singes et les faire hurler. S'ensuit un chœur de profonds cris de gorge qui retentit dans la forêt.

De retour vers le bateau, nous croisons une colonne de fourmis coupeuses de feuilles. Winsley nous explique que leurs mâchoires sont parfaites pour suturer une plaie ouverte : on y place l'animal jusqu'à ce qu'il ferme la blessure en la mordant, puis on extrait le corps en le tordant pour n'y laisser que les pinces qui servent d'agrafes.

De très nombreuses espèces d'oiseaux vivent sur les berges du fleuve.

U VILLAGE HORS DU MONDE

Nous retournons au **village de Monkey River**, où seules 250 personnes vivent dans des maisons de bois sur pilotis. Les nombreux habitants qui quittèrent la région quand une épidémie frappa les bananeraies dans les années 1940 ne sont jamais revenus. La banane représente de nouveau une activité florissante au Belize, comme on peut en juger par le nombre de cargos qui accostent dans le village voisin d'Independence, la capitale bananière. Mais Monkey River dépend entièrement du tourisme pour sa survie.

Il y a trois hôtels dans le village, tous modestes. Le principal est le Sunset Inn, que dirige Clive Garbutt, l'un des

Bob's Paradise est situé sur la côte, près du village de Monkey River. On ne peut l'atteindre que par bateau, ce qui en fait un lieu de retraite parfait.

principaux guides de la région. Il y a aussi quelques restaurants et cafés, mais l'attrait de ce village réside surtout dans la simplicité de cette communauté vivant à la lisière de la jungle. Dans les rues sablonneuses aux noms étranges tels que Lover's Lane ("allée de l'Amoureux"), Lemon Street ("rue du Citron") et Cashew Street ("rue du Cajou"), des accents de reggae nous parviennent de deux haut-parleurs crachotants. La plage a été peu à peu emportée par l'érosion, et quelques maisons délabrées subissent l'assaut des vagues. L'école a ses portes et fenêtres grandes ouvertes pour laisser pénétrer l'air frais de l'océan. La maison abandonnée qui lui fait face était autrefois le dispensaire. L'infirmière du lieu soigne à présent elle-même les malades et accouche toutes les femmes.

Les équipements collectifs sont en bien meilleur état à **Placencia**, un peu plus au nord sur la côte. Le village est situé sur une chétive péninsule à quelque 160 km au sud de Belize. Une piste infernale de 42 km parcourt cette langue de terre, ce qui explique pourquoi beaucoup préfèrent prendre l'avion. Dans les années 1880, Placencia était un village de pêcheurs après avoir été, si l'on en croit les histoires qui circulent, un repère de pirates comme toute la péninsule. Aujourd'hui, son économie repose essentiellement sur le tourisme. On y vient pour s'y reposer. Des rues, simples allées de béton coulées sur le sable, serpentent autour de maisons de bois sur pilotis posées çà et là. Par endroits, la péninsule est si étroite qu'on aperçoit, d'un côté, la mer des Caraïbes et, de l'autre, le lagon et sa mangrove.

Malgré son éloignement, l'intérêt de la péninsule de Placencia n'a pas échappé aux promoteurs immobiliers. Certains ont commencé à bâtir des immeubles et d'autres vendent des terrains à 50 000 $ l'unité. Sur Maya Beach, au milieu de la péninsule, plusieurs opérations immobilières sont de qualité, comme Singing Sands et ses bungalows construits avec goût à quelques mètres de la mer. Non loin, je m'arrête dans un restaurant, Nautical Inn, dont les propriétaires, Ben et Janice Ruoti, préparent un spectacle traditionnel. Ben a engagé pour cela des danseurs du village voisin de Seine Bight.

Les Garífunas

Seine Bight, bidonville situé à 11 km au nord de Placencia, compte environ 750 habitants dont la plupart ont moins de 18 ans. C'est l'une des quatre agglomérations du Belize où vivent les Garífunas (► 93), descendants d'esclaves africains et d'Indiens de l'île antillaise Saint-Vincent. Les cultures ont fusionné lorsque un navire espagnol transportant des esclaves nigérians ont fait naufrage en 1635 au large de la côte de Saint-Vincent. En 1797, les Britanniques ont déporté 2 000 Garífunas sur Roatan, île de la côte nord du Honduras (► 141). De là, ils se sont dispersés et ont formé de petites communautés dans divers pays d'Amérique centrale, dont le Belize. Chaque année, le 19 novembre, les Garífunas béliziens commémorent leur arrivée dans le pays par une fête qui dure neuf jours et neuf nuits : ils dansent et boivent vaillamment. Le Garifuna Settlement Day est à présent une fête nationale au Belize.

Sous le toit de palme d'un bungalow, une femme commence à frapper en rythme sur son tambour ; d'autres membres de l'assemblée font sonner des maracas ou des morceaux de bois, tandis que d'autres encore s'agitent en cadence. Six adolescents, garçons et filles, s'avancent au milieu de la scène. Une femme annonce que les jeunes vont interpréter la danse du Plaisir de Punta. Les garçons projettent leurs bassins vers les filles qui, à leur tour, se déhanchent dans leur direction. Avec le rythme qui s'accélère, les mouvements érotiques s'amplifient. Puis l'une des filles s'effondre en riant, et la tension retombe.

Sur la route cahoteuse qui nous ramène à Singing Sands, nous nous arrêtons pour regarder à la lumière de nos phares un boa constrictor qui traverse lourdement la route. Quelques mois plus tôt un jaguar a été vu un peu plus loin sur cette même route. Nous croisons ensuite des ouvriers assis devant un poste de télévision installé à l'extérieur. L'écran jette une lueur verte sur leurs visages, passionnés par un combat de Mike Tyson.

Fort heureusement, les difficultés d'accès ont préservé le charme du lieu et les voyageurs auront encore l'occasion de vivre les péripéties d'un enlisement dans la boue.

LES EMBLÈMES DU BELIZE

- **L'orchidée noire** (*Encyclia cochleata*), la fleur nationale, est verte, jaune et pourpre. Elle fleurit presque tout au long de l'année sur les arbres dans les zones humides du Belize.
- **L'acajou** (*Swietenia mahagoni*) peut atteindre une hauteur de 30 m. Cet arbre figure sur le drapeau du Belize et a inspiré la devise du pays : "*Sub umbra floreo*" ("Je fleuris à l'ombre").
- **Le toucan à carène** (*Ramphastos sulfuratus*), l'oiseau national, a un bec aux couleurs vives qui mesure 50 cm.
- **Le tapir de Baird** (*Tapirus bairdii*) est, malgré son aspect peu engageant (un museau en forme de trompe), l'animal national. Cousin du cheval et du rhinocéros, c'est un des animaux les plus rares du monde.

PARTIR EN SOLO

QUAND PARTIR

Le climat subtropical du Belize est agréable. La plupart des visiteurs choisissent d'y aller durant la saison sèche (de novembre à mai), mais le climat reste très plaisant jusqu'au mois d'août. Le Sud est beaucoup plus arrosé que le Nord : il y tombe parfois de 3,3 à 4 m d'eau.

SE DÉPLACER

Maya Island Air et Tropic Air proposent des vols réguliers jusqu'à Placencia au départ de Belize. Le vol prend un peu moins d'une heure.

Plusieurs loueurs de voitures ont une agence à l'aéroport international Phillip Goldson, à Belize. Louez une voiture pour descendre dans le sud du pays. Le parcours jusqu'à Placencia vous prendra quelque 3h dans de bonnes conditions. Comptez 4h de route jusqu'au village de Monkey River, mais ne tentez pas l'aventure s'il vient de pleuvoir, car la route se transforme en un infâme bourbier. Seule solution : allez à Placencia et louez un bateau pour Monkey River. Attention, au Belize, l'essence est chère et la conduite se fait à droite.

S'ORGANISER

Peu de gens séjournent à Monkey River bien qu'il y ait trois modestes hôtels bien tenus. Un peu plus loin sur la côte, Bob's Paradise et Monkey River House offrent des installations plus luxueuses, mais on ne peut les atteindre que par bateau. On peut réserver une excursion sur la Monkey River dans la plupart des centres touristiques de la région. J'ai trouvé la mienne au prix de 25 $ et on est venu me chercher directement au Bob's Paradise, sans supplément. Les excursions d'une journée au départ de Placencia, à 20 min de là en bateau, vous coûteront environ 50 $. Pendant la saison sèche, le niveau du fleuve devient très bas ; aussi pour explorer ses rives, est-il préférable de louer un kayak.

QUELQUES TUYAUX

- Il n'y a pas de véritable commerce au village de Monkey River. Faites vos provisions avant de partir.

SANTÉ

La région ne présente pas de dangers spécifiques. Cependant, ceux qui veulent faire du trekking dans la forêt tropicale doivent prendre des antipaludéens ; consultez votre médecin, qui vous conseillera les traitements les plus efficaces.

NE PAS OUBLIER

- Jumelles
- Bonnes chaussures de marche
- Crème anti-insecte

PHOTOGRAPHIER LES OISEAUX

- Les oiseaux ont une vue et une ouïe très développées, ce qui les rend très difficiles à photographier, car ils s'envolent dès qu'ils vous ont aperçu. Pour prendre une bonne photo, il vous faut se cacher dans un abri naturel ou artificiel.
- Le meilleur moment pour prendre une photo d'oiseau est l'instant précis où il s'envole ou se pose, car le suivre en plein vol est très délicat, même avec des appareils autofocus. Préparez vos réglages de manière à n'avoir qu'à appuyer sur le déclencheur lorsque l'oiseau passera devant l'objectif. Les oiseaux empruntent en général le même itinéraire pour rejoindre leur nid ou le lieu où ils s'alimentent ; il est donc assez facile de réaliser un bon cliché quand ils se posent ou vous survolent.
- Préférez des pellicules de 400 ISO ou plus. Vous pourrez ainsi choisir une vitesse d'obturation élevée sans craindre le flou. Vous pouvez aussi utiliser un flash dont la durée très brève figera tout mouvement. Mais cela sous-entend qu'il vous faudra fixer votre appareil sur un trépied et vous cacher jusqu'au prochain passage de l'oiseau.
- Enfin, n'oubliez pas qu'il ne faut jamais s'approcher trop près d'un nid, car les parents pourraient ensuite l'abandonner ou détruire les œufs.

12 Sous le charme des Mayas

par Carl Pendle

Il y a plusieurs millions d'années, au Belize, seuls émergeaient les monts Mayas. Aujourd'hui, ces mêmes monts surplombent le district de Cayo, traversant l'intérieur du pays du nord-est au sud-ouest, jusqu'à la frontière avec le Guatemala. J'ai choisi de rester au pied de ces montagnes, en pleine forêt tropicale, afin de découvrir, sous son épais manteau, de beaux vestiges mayas.

Dans le faisceau vacillant de nos lampes frontales, notre guide, José García, un Anglais de Londres, Rob Pywell, et moi nous mettons à danser en braillant. Nous agitons nos mains au-dessus de nos têtes et tapons du pied dans l'eau froide de la rivière. Nos cris perturbent une colonie de chauves-souris endormies qui finalement se joignent à la sarabande. José prend un peu d'argile dans le lit de la rivière et nous fait signe d'en faire autant. Nous pétrissons la glaise entre nos doigts et, tout en continuant à chanter, nous nous enduisons le visage de cette pâte épaisse et râpeuse.

L'excursion sur le sentier médicinal est sans difficulté. Non loin, à Chaa Creek, on peut pratiquer toute une gamme d'activités de différents niveaux. Les plus aventureux tenteront la visite souterraine de Caves Branch.

Chaa Creek est un centre d'hébergement très luxueux en pleine jungle. En revanche, à Caves Branch, le confort est vraiment sommaire.

Le seul équipement indispensable est une bonne paire de chaussures de marche.

Nous nous trouvons dans un grotte vieille de cinq millions d'années, sous les monts Mayas, au centre du Belize. Là, à une profondeur de 2 500 m, nous nous préparons à rencontrer le dieu-singe, divinité maya du Bonheur. Les Mayas appelaient le monde souterrain Xibalba (prononcez *chibalba*) et venaient souvent dans cette caverne parler à leurs dieux. Il y a plus de 2000 ans, à l'endroit même où je me tiens, des femmes et des enfants leur étaient sacrifiés en guise d'offrande. Parmi les tessons de poterie disséminés çà et là, des ossements

Ci-dessus *C'est le long de cette «route» de terre que sont situées Ix Chel Farm et Chaa Creek, à 13 km au sud de San Ignacio.*
Ci-dessous à droite *Rosita Arvigo, créatrice de la Fondation pour la recherche tropicale d'Ix Chel, présente elle-même les visites de la ferme.*
À gauche *José García, mon guide, utilise les chambres à air comme moyen de transport.*

d'enfants ont été découverts. Nous sommes seuls dans la grotte et personne n'est au courant de notre présence ici, hormis Ian Anderson. Ce dernier est le gérant de Caves Branch, un centre de loisirs spécialisé dans ce type d'aventure souterraine. Ian sait qu'il doit impérativement aller nous chercher si nous ne sommes pas ressortis à 17h.

José, garçon de 20 ans d'une grande compétence, est l'un des cinq guides de Caves Branch. Il nous emmène, frissonnants et couverts de boue, à l'assaut d'une vire que nous escaladons derrière lui. Arrivés au sommet, nous éteignons nos lampes frontales et restons muets et immobiles. Dans ce silence étrange, je jurerais entendre des murmures de voix. Un homme à la voix grave et rauque parle et des enfants pouffent de rire. Je sens la panique me gagner. Dans le noir, je cherche à tâtons l'interrupteur de ma lampe. Le faisceau taillade l'obscurité et illumine un visage sculpté dans la paroi calcaire. Mon cœur bat la chamade ; je regarde autour de moi et m'aperçois que José a disparu.

Le début du voyage

J'ai découvert le Belize de manière beaucoup plus douce : la ville de Belize tout d'abord, en voiture de location, guidé par le capitaine Sánchez, grand connaisseur de l'histoire locale. Le lendemain, je prends la Western Highway, qui file vers le Guatemala. Je passe devant le zoo de Belize, puis je traverse de petites villes aux noms évocateurs tels que Cotton Tree ("cotonnier"), Orange

LE ZOO DE BELIZE

Sentiers sinueux et végétation luxuriante y recréent l'atmosphère de la jungle, indispensable aux animaux de ce zoo, tous originaires du Belize : bien qu'en cage, ils sont dans leur habitat naturel. L'humour, qui n'est pas de règle d'ordinaire dans les parcs zoologiques, constitue ici un atout pédagogique. Ainsi, on peut lire sur le panneau présentant le puma : "Vous dites puma et je dis couguar. Vous dites lion des montagnes et je dis tigre rouge. Puma, couguar, lion des montagnes, tigre rouge. Allons, mettons tout le monde d'accord, appelons-le *Felis concolor.*» Afin de compenser le manque de moyens, ce zoo fait preuve de beaucoup d'imagination, ce qui en accroît l'intérêt.

LES CONSEILS DE BOB

Bob Jones, qui vit au Belize depuis 1984, possède Eva's Restaurant à San Ignacio.

- Ne partez pas en excursion avec quelqu'un qui vous aborde dans la rue.
- N'achetez rien qui paraisse suspect à des gens de la ville.
- N'oubliez pas d'emporter une lampe électrique.
- Le dollar américain est mieux accepté que toute autre monnaie étrangère.
- Portez vos chaussures de marche quelques jours avant de partir.

Walk, Mount Hope ("mont de l'Espérance") et Unitedville. Je croise des enfants en uniforme sortant de l'école et des femmes qui se protègent du soleil sous leur parapluie noir. De drôles de maisons de bois sur pilotis bordent cette route tranquille. Mais le charme est rompu lorsqu'un automobiliste impatient veut nous dépasser ou quand un camion de l'armée britannique file vers une base proche. La station de radio Love FM égrène des morceaux de musique classique, entrecoupés d'annonces de décès précisant les lieux où l'on peut aller rendre un dernier hommage aux défunts.

Une heure après mon départ, les monts Mayas m'apparaissent au milieu de nuages gris comme la fumée. Mon but est Ix Chel Farm, à 8 km de San Ignacio dans le district de Cayo. Cette bourgade poussiéreuse est une bonne base de départ pour ceux qui veulent échapper aux sentiers battus de la côte bélizienne. Cayo est le plus grand district du pays, avec plus de 5 000 km². Les paysages y sont très variés : jungle épaisse sillonnée de sentiers, torrents se jetant des montagnes en cascades spectaculaires, fourrés grouillant d'animaux. On connaît peu de régions au monde ayant conservé pareille magie.

Je m'engage sur une piste caillouteuse et poudreuse qui serpente dans la jungle sur 6 km. Passé un beau verger de pamplemoussiers et des cabanes en bois avec des cochons se prélassant dans la boue, j'arrive à la ferme, qui marque la fin de la route. Trois hommes sont en train de planter de jeunes arbres ; je demande à l'un d'eux où je peux rencontrer Rosita Arvigo.

Ix Chel Farm, établissement unique en son genre, a pour but d'expliciter l'intérêt médicinal des plantes tropicales. Il a été créé par Rosita Arvigo, herboriste et médecin formée à Chicago, qui normalise les fonctions corporelles par le stretching et le traitement des tissus conjonctifs. Elle s'est installée au Belize en 1981 avec sa famille, y a acheté 14 ha de jungle le long de Macal River et a ouvert un cabinet de naturopathe à San Ignacio. Le hasard a voulu qu'elle rencontre un vieux guérisseur surnommé don Elijio. Après dix ans d'apprentissage auprès de ce spécialiste des médecines anciennes, elle s'est consacrée à l'étude de l'ethnobotanique et des médecines traditionnelles. C'est ainsi qu'est née la Fondation pour la recherche tropicale d'Ix Chel qui, en liaison avec le National Cancer Institute américain, s'est donné pour but de trouver des plantes pouvant avoir des effets sur le cancer et le sida. Avec l'aide de don Elijio, Rosita en a envoyé plus de 2 000 aux États-Unis afin qu'elles y soient analysées. Dix d'entre elles se sont avérées prometteuses et trois sont en cours d'essais cliniques.

Dans l'avant-propos du livre de Rosita Arvigo, *Sastun*, Michael Balick, directeur du jardin botanique de New York, déclare que "moins de 0,5 % des 250 000 végétaux supérieurs de la planète ont été étudiés quant à leurs éventuelles vertus curatives. Mais c'est au sein de ces 0,5 % que 25 % de nos médicaments ont été découverts." Cette seule affirmation a aiguisé ma curiosité.

CHEZ BOB

Rosita Arvigo étant occupée, je décide de me rendre à **San Ignacio**. Il ne me faut pas longtemps pour trouver Eva's Restaurant, sur Burns Avenue. Cet endroit, qui ne paie pas de mine, sert de lieu de rendez-vous aux routards en tous genres. Bob Jones est donc à la fois patron de restaurant et directeur d'un office du tourisme officieux. Cet Anglais s'est installé au Belize en 1984 après avoir quitté l'armée. Comme il est l'heure de déjeuner, je jette un coup d'œil au menu inscrit sur un tableau noir. Quelques voyageurs esseulés caressent, adossés au bar, leur bouteille de bière Belikin tandis que quatre Américains discutent autour d'une table dans l'angle opposé. Près de moi, un jeune homme regarde fixement un écran d'ordinateur, concentré sur la rédaction d'un e-mail. Bob se montre prodigue de conseils et me donne une longue liste d'hôtels et de guides de confiance. Il me présente également un instituteur, un peintre paysagiste, un ancien combattant du Viêt-Nam et un certain Pops, qui vient tous les jours boire ses trois bières. Quel défilé !

Il n'y a pas grand-chose à voir à San Ignacio, excepté le pont suspendu de Hawkesworth. Cette reproduction à petite échelle de Brooklyn Bridge à New York relie San Ignacio au village voisin de Santa Elena. Le poste de police près du pont est un bel exemple d'architecture coloniale : sous l'Empire britannique, San Ignacio était un important centre forestier.

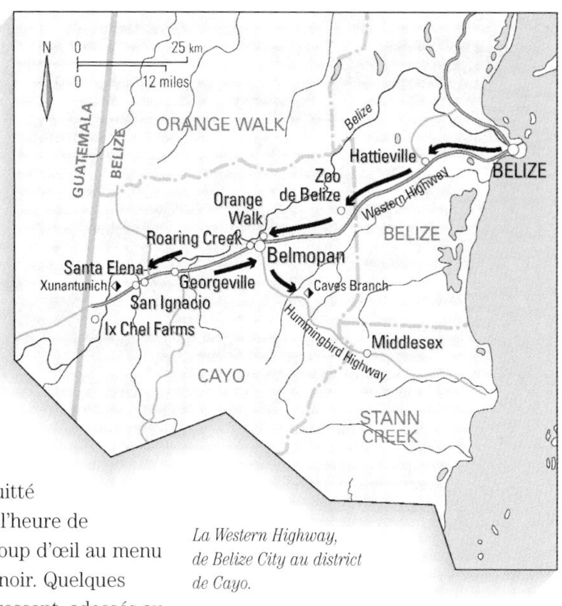

La Western Highway, de Belize City au district de Cayo.

LE SENTIER MÉDICINAL

Tôt le lendemain matin, je visite avec 18 autres personnes, en majeure partie des Américains, le sentier médicinal d'Ix Chel. Mais avant toute chose, Rosita Arvigo nous raconte l'histoire d'Ix Chel, déesse maya de la Médecine.

Apparemment, cette déesse régnait, quand elle était jeune, sur la naissance et le tissage, puis dans sa vieillesse, sur la médecine et la lune. Comme le montre une illustration, la divinité est représentée agenouillée, avec un serpent dans les cheveux, un collier de perles de jade au cou et un rameau dans sa main tendue.

L'IGNAME

L'igname (*Dioscorea spp.*) est l'exemple même de ces plantes tropicales sur lesquels travaillent les sociétés pharmaceutiques. Dans les années 1930, un biochimiste du nom de Russell Marker remarqua que les femmes Nahuatl du Mexique mangeaient des ignames pour éviter d'être enceintes. Le professeur Marker réussit à isoler dans l'igname une substance appelée sapogénine, qui servit à l'élaboration de la pilule contraceptive. Les herboristes traditionnels recommandent également la tisane de tubercules d'igname hachés afin de soulager les rhumatismes et l'arthrite.

Après son exposé, Rosita nous conduit sur un sentier de gravier blanc décrivant des cercles dans la jungle. Grâce à des panneaux de bois verni, nous pouvons identifier 35 plantes médicinales. Rosita nous captive par ses histoires, comme celle de la neurolène à feuilles lobées ou herbe à pique (*Neurolaena lobata*). Cette grande plante jaune vif, présente dans toute la péninsule du Yucatán, est utilisée en tisane contre le paludisme, les parasites intestinaux, la teigne et pour soigner les plaies. Rosita nous parle également longuement du *Bursera simaruba*, un arbre dont l'écorce hérissée de poils a des vertus curatives dans le domaine de la dermatologie. Elle pousse dans tout le Belize, au voisinage du bois mulâtre (*Metopium brownei*), arbre vénéneux dont la sève noire peut causer de sérieuses brûlures. Quelques jours plus tôt, un gardien du zoo de Belize m'a montré sa cicatrice allant du coude au poignet, séquelle d'une rencontre malencontreuse avec cet arbre. Sa peau avait comme fondu. Malheureusement, il ignorait à l'époque l'antidote à cette brûlure : l'écorce du gommier rouge.

La visite, qui a duré 2h, se termine dans Granny's Garden, le "Jardin de grand-mère". On y découvre un cactus qui guérit les maux de tête ainsi que des soucis de couleur orange qui soulagent les fièvres et qui, mélangés à de la pelure d'orange, débarrassent le corps des esprits mauvais.

VIE ET MORT DU MORPHO

Au centre d'élevage de Chaa Creek se déroule sous nos yeux le cycle complet du *Morpho peleides*, superbe papillon bleu. Le morpho commence sa vie sous la forme d'un œuf vert qui, après huit jours, éclôt : la chenille qui en sort se met aussitôt à se nourrir. Ses couleurs vives, rouge et jaune, avertissent les prédateurs qu'elle est extrêmement vénéneuse. Dans sa phase de chrysalide, le morpho devient vert vif et se suspend à l'envers sous une feuille ou une petite branche. Deux semaines plus tard, le papillon brise son cocon et déplie ses ailes fripées. Il passe alors son temps à se repaître de fruits pourrissants et à se chercher un partenaire. Lorsque ses ailes, d'un bleu métallique magnifique, sont fermées, seules apparaissent de complexes marques brunes, qui font un merveilleux camouflage. Avant de mourir – quelques jours seulement après être sorti de sa chrysalide –, il pond ses œufs et le cycle recommence.

Ci-dessus *Le magnifique morpho bleu.*
À droite *Draperies de calcite dans la Foot Print Cave, la "grotte aux Empreintes de pas".*
Ci-dessous *Une douche bienvenue à Caves Branch.*

LE SILENCE DES MAYAS

Un autre après-midi, je visite le site voisin de **Xunantunich**, ce qui signifie "Femme de pierre". Je prends la Western Highway, vers l'ouest, pendant 20 min et arrête ma Jeep près d'un vieux bac en bois délabré à la périphérie de San José Succotz. La journée est chaude et poussiéreuse et la Mopán River me tente. Un homme obèse d'une quarantaine d'années me fait signe

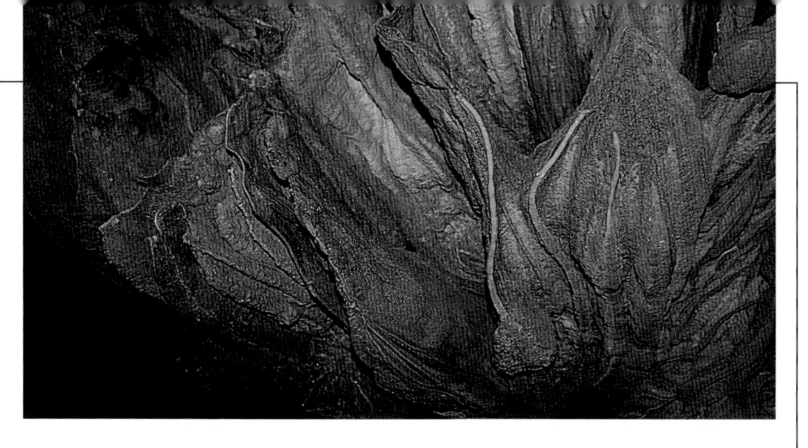

d'avancer vers le bac. Au moment où la Jeep aborde la rampe, l'embarcation oscille et craque bruyamment. En quelques minutes, je suis sur l'autre rive, un peu coupable d'avoir vu le gros homme souffler et peiner en tournant la manivelle. Après 5 min de route caillouteuse, j'arrive à bon port.

La ville de Xunantunich fut prospère jusqu'à la fin de la période classique, il y a un millier d'années. À l'époque, 7 000 à 10 000 personnes y vivaient. Une fois les ruines enfouies sous la jungle, il fallut attendre les premières années du XXe siècle pour mettre au jour la cité, la fouiller et la reconstruire. Sur la face sud du Castillo, monumentale pyramide à terrasses, nous admirons la copie d'une frise dont l'original fut restauré en 1972. Le Castillo, qui s'élève à 40 m au-dessus de la place centrale, était le plus haut bâtiment du Belize avant la découverte du temple de Caana à Caracol. De son sommet se découvre un panorama à 360° sur la canopée.

Le lendemain, je prends de nouveau la Western Highway, en direction de Belmopan, la capitale du Belize. Je dois participer à une visite guidée de Caves Branch. À Roaring Creek, je tourne à droite sur la Hummingbird Highway, la "route du Colibri", dont le magnifique tracé serpente dans la jungle, longe des orangeraies et traverse les monts Mayas. Après avoir contourné des engins qui goudronnent la route, j'aperçois 30 min plus tard le panneau indiquant Caves Branch. Je débarque alors dans une clairière, près d'une rivière, où sont installées quelques cabines en toile. En attendant que le guide prépare mon équipement, je regarde bouche bée une loutre nager avec élégance de l'autre côté du cours d'eau. Surpris par le spectacle, je sens un frisson de plaisir me parcourir la nuque…

Mon guide, José García, me présente Rob Pywell, puis il regarde sa montre et nous annonce que nous partirons dans 30 min. Il me demande de me changer et de m'habiller d'un short et d'un tee-shirt ; quant à mes chaussures, elles sont parfaites selon lui pour grimper dans ces grottes glissantes. Nous sautons tous les trois dans un vieux camion et nous reprenons en sens inverse le chemin cahoteux du centre de loisirs. Sur la route, je vois la chaussée défiler à travers un trou dans le plancher, tout en essayant d'éviter la pluie qui dégouline du toit ouvrant. Après 10 min de grande route, nous nous arrêtons enfin dans une orangeraie.

À BORD D'UNE CHAMBRE À AIR

Nous prenons chacun une chambre à air à l'arrière du camion et partons à pied vers la rivière. Tout en nous parlant des grottes que nous allons visiter, José nous montre des traces d'animaux sauvages (ocelot et tapir) et identifie, sans lever la tête, un geai enfumé qui chante dans un oranger. Selon ses dires, les Mayas croyaient que des esprits malins habitaient les grottes. Encore aujourd'hui, les trois quarts des Béliziens refusent de pénétrer dans ces lieux jadis sacrés. José lui-même nous fait part de sa foi en l'existence de ces esprits. La plupart des grottes du Belize doivent leurs concrétions fantastiques à l'érosion du calcaire par l'eau durant des millions d'années.

Foot Print Cave, la "grotte aux Empreintes de pas", doit son nom aux traces qu'y ont laissées les chamans. Son réseau souterrain s'étend sur 11 km et est parcouru sur toute sa longueur par une rivière aux multiples méandres. À l'aide de nos chambres à air, nous devons nous battre pour atteindre l'entrée de la grotte. Là, un énorme arbre immergé permet de passer l'entrée, mais nous devons remonter sur nos chambres à air pour poursuivre notre chemin dans les éclaboussures. L'exploration de ce réseau souterrain est récente et certaines parties n'ont toujours pas été topographiées. Nous n'en visiterons qu'environ 3 km. José nous presse de ne toucher à rien, afin de préserver l'environnement très fragile. Même la sueur de nos doigts pourrait détruire une stalactite qui a mis un millier d'années à se former.

Si vous souffrez de claustrophobie ou si vous avez peur de l'obscurité, vous éviterez de passer une journée dans ces grottes. Les lampes frontales y sont la seule source de lumière et, au cas où elles se briseraient, vous seriez plongé dans des ténèbres dont vous n'auriez jamais fait l'expérience auparavant. Mais, avec Rob, nous sommes entre de bonnes mains. José a suivi une excellente formation et est membre du Spéléo-secours bélizien. Il n'a heureusement jamais eu l'occasion d'exercer ses compétences, car Caves Branch est fier de n'avoir jamais enregistré le moindre accident au cours de ces sorties souterraines.

Alors que nous commençons notre voyage dans les entrailles de la terre, la lumière du jour n'est plus qu'une faible lueur blanche dans le noir absolu. Puis elle disparaît totalement et nous avons l'impression d'être plongés dans un vide profond. Pendant quelques instants, je me sens mal à l'aise mais je suis vite subjugué par la beauté de cet étrange environnement. Des chauves-souris, échappées d'un trou de la voûte, décrivent de grands cercles autour de nous. Nos lampes éclairent momentanément de grandes salles où de longs doigts de pierre semblent nous désigner. José nous parle des concrétions et l'écho de sa voix haut perchée se répercute dans la salle de 30 m de haut.

Nous nous arrêtons sur une plage de sable parsemée de galets apportés par la rivière. José nous montre un pseudoscorpion perché au sommet d'un rocher qui agite ses longues pattes et ses antennes démesurées dans le faisceau de nos lampes. Plus bas, nous apercevons des sauterelles cavernicoles, et du plafond pendent les fils gluants qu'utilisent des vers pour attraper leurs proies. Je trouve stupéfiant que ces animaux aient réussi à s'adapter à un monde dépourvu de lumière.

Au cœur des ténèbres

Plus nous enfonçons dans la grotte, plus l'air s'épaissit. Dans le faisceau de nos lampes étincellent des grains de poussière issus des excrétions des chauves-souris.

À 15h, tout couverts de boue, nous pouvons rendre hommage au dieu-singe. José nous demande d'éteindre nos lampes, mais au bout de 5 min, je la rallume, ne supportant plus longtemps cette noire solitude. José a disparu ; Rob et moi sommes pris de panique avant de le repérer quelques pas plus loin, ravi de sa plaisanterie.

Sur le chemin du retour, José nous presse de nouveau d'éteindre nos lampes et de descendre la rivière en flottant dans le noir. Le silence est si parfait qu'il en est troublant, mais l'expérience est très relaxante. Parfois, je sens une présence proche. Est-ce mon imagination qui me joue un vilain tour ? Dans l'univers mystique des Mayas, peut-être vaut-il mieux laisser planer le mystère…

PARTIR EN SOLO

QUAND PARTIR

Le Belize jouit d'un climat subtropical et d'une température assez constante, descendant rarement au-dessous de 16° C. À San Ignacio, il fait légèrement plus frais que sur la côte. La plupart des visiteurs y viennent en saison sèche (de novembre à mai) et évitent la période des ouragans (de juillet à octobre). Les monts Mayas sont plus arrosés que le littoral, mais moins que le Sud : le district de Cayo reçoit en moyenne de 1 750 à 3 300 mm d'eau par an. Durant la saison des pluies, le niveau des rivières s'élève, arrosant davantage les grottes. Mais, en général, les excursions ne sont pas annulées pour autant.

SE DÉPLACER

Il est très facile de gagner, par ses propres moyens, le district de Cayo : la Western Highway est une excellente route et la location d'une voiture à l'aéroport Phillip Goldson à Belize sera rondement menée. Certaines agences du district iront même vous prendre à l'aéroport si vous vous arrangez avec elles au préalable.

S'ORGANISER

Ix Chel Farm n'ayant ni restaurant ni lieu d'hébergement, il convient de louer une chambre à Chaa Creek ou de prévoir une visite d'une journée. San Ignacio n'est qu'à 30 min de voiture et on y trouve plusieurs possibilités de logement bon marché. La plupart des *lodges* acceptent les réservations par e-mail. Renseignez-vous auprès de Bob Jones, d'Eva's Restaurant, par e-mail sur les hôtels disponibles pendant la haute saison (► Contacts).

QUELQUES TUYAUX

- ❏ Sur le sentier médicinal, ne touchez à aucun des arbres à moins d'être certain que vous ne risquez rien : le bois mulâtre, par exemple, peut infliger de sérieuses brûlures. Pantalons et chemises à manches longues sont de mise en forêt face aux insectes et aux plantes vénéneuses.
- ❏ Si vous envisagez une excursion souterraine, sachez que vous serez trempé. Il faut donc être bien chaussé. Mon guide m'a conseillé de partir en short et en tee-shirt, mais à force d'entrer dans l'eau et d'en sortir, j'ai fini par avoir froid. Prenez donc un vêtement léger mais imperméable ainsi qu'un sac étanche pour les objets que vous voulez garder au sec.

SANTÉ

Il est recommandé de prendre des antipaludéens ; consultez votre médecin qui vous conseillera les traitements les plus efficaces. Les personnes souffrant d'asthme ou de difficultés respiratoires doivent savoir que les grottes sont poussiéreuses

NE PAS OUBLIER

- ❏ Bonnes chaussures de marche, plus une paire de rechange
- ❏ Torche électrique (avec piles et ampoules de rechange)
- ❏ Moustiquaire et crème anti-insecte
- ❏ Vêtements légers et imperméables et sac étanche
- ❏ Pantalons et chemises à manches longues

LES PRINCIPAUX SITES MAYAS DU BELIZE

- ❏ **Altún Ha** Le plus célèbre des sites mayas du pays (de 600 av. J.-C. à l'an 900) : petite mais riche communauté de commerçants avec son centre cérémoniel.
- ❏ **Caracol** Vaste ville de 88 km² (de 300 av. J.-C. à l'an 1150). À visiter absolument : le temple Caana (42 m).
- ❏ **Cerros** Port de commerce du préclassique récent (de 300 av. J.-C. à l'an 250).
- ❏ **Cuello** Possède une pyramide à terrasses de la fin de la période préclassique tardif, sise sur un domaine privé.
- ❏ **Lamanaï** Occupé de 1500 av. J.-C. jusqu'à la Conquête espagnole. Temple haut de 34 m.
- ❏ **Lubaantún** Centre de commerce du VIIIe siècle. Ruines non restaurées.
- ❏ **Nim Li Punit** Sans doute une ville satellite de Lubaantún. Victime de nombreux pillages.
- ❏ **Xunantunich** Centre cérémoniel abandonné en l'an 900, dominé par le Castello (40 m).

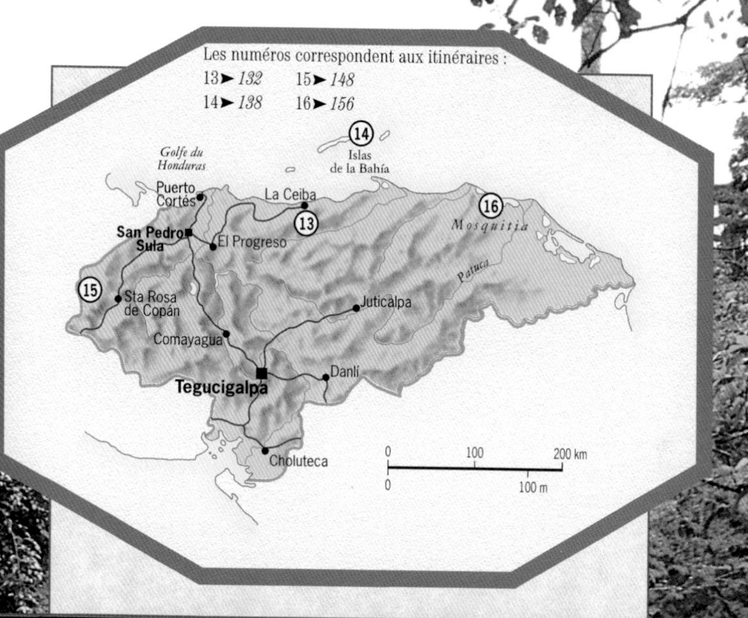

HONDURAS

Si le Honduras (112 088 km²) est le deuxième pays d'Amérique centrale, par la taille, après le Nicaragua, il ne compte pourtant que 5,8 millions d'habitants, soit encore moins que son modeste voisin, le Salvador. On peut le diviser grossièrement en trois grandes zones géographiques : la côte nord caraïbe, langue de terre ourlée de superbes plages et parsemée de villages où vivent les Indiens Garífunas. Au nord-est, la Mosquitia, vaste étendue presque désertique à laquelle on n'accède que par ses lagons et ses cours d'eau. Enfin, la région du centre, la plus étendue. Elle se compose d'un plateau dominé par une chaîne de montagnes, elles-mêmes peuplées de petites communautés de fermiers. Avec 40 zones protégées, 20 parcs nationaux et 2 sites classés patrimoine de l'humanité par l'Unesco (site maya de Copán et réserve de la biosphère Río Plátano), le Honduras offre de multiples possibilités d'aventure. Riche de tout ce dont le Costa Rica, mieux connu, s'enorgueillit – randonnées dans la jungle, plongée sous-marine, initiation à la culture maya –, il demeure néanmoins l'un des pays les moins visités de la région.

Marche à travers la jungle, sur les sentiers du parc national Pico Bonito.

13 Échappées sauvages

par Steve Watkins

La côte nord du Honduras est devenue la destination la plus prisée du pays pour les voyageurs en quête d'aventure. Elle abrite plusieurs réserves naturelles protégées, toutes aisément accessibles depuis la ville de La Ceiba. En une seule journée, j'ai ainsi exploré la réserve naturelle de Cuero y Salado et le parc national Pico Bonito, tous deux très intéressants pour leur diversité.

Au Honduras, la côte nord caraïbe s'étend de part et d'autre du port de La Ceiba, entre la mer et une spectaculaire chaîne de montagnes. Diverses fleuves prennent leur source sur ces sommets et rejoignent la plaine côtière sous forme de cascade ou par des gorges étroites. Là, ils traversent paisiblement la mangrove et une forêt tropicale dense avant de finir dans la mer des Caraïbes. Il s'agit de l'une des zones géographiques les plus variées du pays, comme en témoignent le grand nombre de réserves et de parcs naturels. Pour me faire une idée de leurs richesses, j'ai choisi d'en visiter deux : la réserve naturelle de Cuero y Salado et le parc national Pico Bonito.

La visite de la réserve naturelle de Cuero y Salado n'est pas fatigante. En revanche, les randonnées d'une demi-journée dans la jungle du parc national Pico Bonito requièrent une bonne forme physique.

Bien que la *burra* soit inconfortable, il est amusant d'emprunter ce trolley pendant une heure, de La Ceiba jusqu'à Cuero y Salado. On est un peu mieux assis dans le petit train… lorsqu'il fonctionne. Vous aurez chaud lors de la randonnée à Pico Bonito, mais de magnifiques piscines naturelles vous permettront de vous rafraîchir. Enfin, il existe à La Ceiba des hôtels pour tous les budgets.

Cette excursion ne requiert aucun équipement particulier, sauf une bonne paire de chaussures de marche et des jumelles.

Parcourir en train une région exotique a quelque chose de magique : le mouvement qui vous berce, le cliquetis des roues sur les rails, le bruit de la machine, tout cela combiné aux senteurs de la végétation… c'est vraiment mon mode de transport préféré. Aussi, je me suis réjoui en apprenant que Cuero y Salado n'est accessible que par une voie de chemin de fer ancienne appartenant à la Standard Fruit Company. J'imaginais une bonne vieille locomotive à vapeur, actionnant ses pistons et crachant sa fumée. Mais quelle déception ! À mon arrivée au petit village de La Unión, où nous devons prendre le train, à environ 30 km à l'ouest de La Ceiba, je découvre avec surprise que les rails ont presque disparu sous les mauvaises herbes. La "gare" est en réalité une baraque en bois délabrée, offrant sodas et coupe-faim. Depuis son antre, le propriétaire informe Joaquín, mon guide, que le fameux train, appelé plus couramment *motocarro*, est tombé en panne la veille et que nous allons devoir prendre la *burra*. En entendant ce mot, vu ma modeste connaissance de l'espagnol, j'ai aussitôt pensé à une pénible excursion à dos de baudet. En fait, la *burra* se révèle être un chariot sur rails que l'on pousse avec des perches : bref, pas grand-chose à voir avec l'*Orient Express*, mais ça a l'air assez amusant.

La réserve se trouve à environ 9 km de La Unión, soit une heure de trajet en *burra*. Je m'installe en tailleur au milieu de l'étroit plateau et observe, admiratif, nos deux "chauffeurs" mettre en branle le chariot. À ma grande surprise, ils lui font atteindre une vitesse telle que je commence à me demander si nous n'allons pas dérailler, vu l'état de la voie. Plusieurs fois, à ma grande inquiétude, le wagon menace de quitter les rails, mais les deux hommes me font de grands sourires pour me rassurer.

La *burra* n'est pas ce dont j'avais rêvé, mais je n'ai pas été déçu par le voyage. Construite vers 1972 pour desservir les plantations de cocotiers de la compagnie Standard Fruit, cette ligne de chemin de fer les traverse aujourd'hui en plusieurs endroits et longe aussi de petits lacs et cours d'eau, avec au loin le sommet du Pico Bonito. Compte tenu des efforts que fournissent les deux hommes, je suis étonné d'apprendre qu'ils font chaque jour trois ou quatre allers-retours, soit environ 8h de travail non-stop. Pas étonnant qu'ils aient l'air aussi en forme !

Noix de coco à gogo

Lorsque nous arrivons à l'usine – très rustique – du village de **Salado Barra**, un petit groupe d'enfants court à notre rencontre. Les écales de noix de coco (l'enveloppe du fruit), qui jonchent les bords de la route, couvrent également le vieux sol en tôle ondulée de l'usine. À l'intérieur, deux femmes les jettent dans des machines rudimentaires qui détachent les fibres, tandis qu'un garçon d'une dizaine d'années les prédécoupe à la machette. L'un des plus anciens employés vient nous montrer comment casser les noix et les débarrasser de leurs écales. Mais cela va si vite que je lui demande de recommencer pour comprendre.

Quatre-vingt-cinq familles vivent ici, dans des cabanes sur pilotis qui les protègent des inondations. Pour se nourrir, elles récoltent les noix de coco ou pêchent sur des pirogues sommaires appelées *cayucos*. Récemment, un bâtiment a été construit dans ce village pour les voyageurs souhaitant rester une nuit ou deux afin de mieux explorer les 13 250 ha de la **réserve naturelle de Cuero y Salado.**

Après avoir été à l'accueil, où certains des hôtes les moins sympathiques de la réserve (scorpions et serpents venimeux) trônent dans des bocaux de formol, nous montons à bord d'une petite embarcation pour nous rendre au Río Salado. La réserve est sillonnée par la multitude de canaux naturels et de bras que forment les trois fleuves Río Cuero, Río Salado et Río San Juan. Ce dernier parvient jusqu'aux plages longeant la mer des Caraïbes. En 1987, Cuero y Salado a obtenu le statut de réserve nationale de la vie sauvage, essentiellement parce qu'elle abrite des lamantins des Caraïbes (*Trichecus manatus*), espèce en voie d'extinction. Notre guide nous explique que, depuis l'ouragan Mitch (octobre 1998), les lamantins semblent avoir migré, car les plantes aquatiques dont ils se nourrissent

DANS LA NOIX DE COCO, TOUT EST BON !

Saviez-vous que la noix de coco était l'un des fruits les plus utiles au monde ? De forme ovale, elle pousse sur les cocotiers par grappes de dix ou plus, et a de multiples usages. Les fibres qui recouvrent son écale se tissent pour faire de la corde. On mange bien sûr sa chair blanche qui, séchée, produit du copra, dont l'huile sert à fabriquer savons et bougies. Le lait de coco, au centre de la noix, parfume délicieusement certaines boissons et plats (goûtez le riz au lait de coco dans les restaurants de la côte nord). Les feuilles de cocotier, quant à elles, peuvent couvrir les toits des maisons ou être tressées pour fabriquer paniers et nattes. Enfin, les racines du cocotier sont réputées pour leurs vertus narcotiques.

Ci-dessus *Petit garçon assis sur un énorme tas de fibres de noix de coco, à l'usine du village de Salado Barra.*
Ci-dessous *Sur la route de Cuero y Salado : attente de la* burra*, chariot sur rails que l'on pousse avec des perches.*
Ci-contre *Une bonne surprise nous attend au bout d'un sentier du parc national Pico Bonito : une cascade de 15 m de haut.*

ont été emportées au large. On en aperçoit encore, mais c'est rare. Selon lui, une fois que les plantes aquatiques auront repoussé, ils reviendront tous.

En naviguant sur les eaux sombres du Río Salado, nous pouvons admirer une partie des 196 espèces d'oiseaux qui peuplent cette zone protégée. Les cassiques de Montezuma (*Gymnostinops montezuma*) sont les plus faciles à identifier, avec leurs cris stridents et leur queue jaune vif. Nous repérons, tout en haut d'un arbre, un toucan qui, pour beaucoup de gens, symbolise les Tropiques. L'espèce la plus répandue dans le parc est le toucan à carène (*Ramphastos sulfuratus*), aux couleurs criardes. Sa gorge et sa tête jaune vif contrastent violemment avec le reste du plumage d'un noir de jais, tandis que le devant de son grand bec jaune et vert est comme éclaboussé d'une tache écarlate. Nous avons eu tout le loisir de l'admirer tandis qu'il prenait son envol pour traverser le fleuve.

DES HURLEMENTS DE PROTESTATION

Si le crocodile a si mauvaise réputation, c'est sans doute à cause de son impressionnante mâchoire. En réalité, ces sauriens s'attaquent très rarement à l'homme, mais, bien évidemment, chaque accident fait les gros titres des journaux. Bien qu'en lieu sûr dans mon embarcation, je me raidis en en apercevant un qui somnole sur la rive. Notre guide coupe alors le moteur et nous dérivons vers lui le cœur battant. Lorsqu'il n'y a plus que 4 ou 5 m entre nous et le crocodile, ce dernier se précipite dans l'eau avec un puissant battement de queue, et continue de nous surveiller du coin de l'œil. Autant vous dire que je garde mes mains loin des bords de notre embarcation ! Un peu plus haut sur la rivière, des singes hurleurs à manteau (*Alouatta palliata*) nous accueillent de leurs cris rauques si caractéristiques. Nous avons apparemment troublé leur sieste, sur des branches juste au-dessus de l'eau. Pressés de se rendormir, ils protestent à peine contre notre intrusion, mais ouvrent tout de même un œil en nous entendant imiter leurs cris pour leur répondre ! Après ces 2 ou 3h intéressantes passées sur l'eau, nous retournons au village et regagnons La Unión… toujours avec la *burra*.

ESCALADER LE PICO BONITO

En Amérique centrale, c'est l'un des plus grands défis sportifs. Cette montagne aux parois très pentues culmine à 2 436 m et ne compte aucun sentier dans sa partie haute. Un randonneur expérimenté doit prévoir quatre ou cinq jours pour arriver seulement au pied du sommet pyramidal. Ce dernier ne peut être escaladé qu'en rappel ; il faut donc un bon entraînement. L'expédition dure au total sept à dix jours, et seuls quelques aventuriers l'ont menée jusqu'au bout. Ne sous-estimez donc pas la difficulté de cette escalade : mon guide m'a rapporté qu'un groupe de Japonais n'en était jamais revenu.

UN SENTIER DANS LA JUNGLE

Avant de rentrer à La Ceiba, nous faisons une halte au **parc national Pico Bonito**, le plus grand du pays, qui tient son nom du pic qui le surplombe du haut de ses 2 436 m : il représente un véritable défi pour les alpinistes (*ci-dessous*). Le parc couvre plus de 107 000 ha ; 80 % des terres sont parfaitement vierges, avec une flore et une faune très variées, dont des jaguars, des tatous et des quetzals (*Pharomachrus mocinno*) resplendissants . Les quelques sentiers qu'on y trouve sont forts étroits ; ils suivent les cours d'eau à travers les collines. Je rejoins José et Russel, deux guides de randonnée originaires de La Ceiba, pour effectuer une marche de 3h le long du Río Bonito.

Il a beaucoup plu la veille et le sentier est très boueux, aussi partons-nous sur un rythme lent, afin de nous habituer au parcours. Nous traversons une forêt secondaire, un petit cours d'eau, puis nous escaladons une berge abrupte au sommet de laquelle poussent des plantes à larges feuilles, signes avant-coureurs d'une forêt tropicale primaire. À notre approche, des lézards filent se cacher. De temps à autre, José nous montre des plantes intéressantes, dont une restée quasi inchangée depuis plusieurs millions d'années.

Le clou de la randonnée est au bout du chemin : là nous attend une cascade de 15 m de haut qui se déverse avec fracas dans une gorge rocheuse en hémicycle. Mais il faut repartir à présent. Bien que la réserve naturelle de Cuero y Salado et le parc national Pico Bonito ne soient qu'à une heure de route de la civilisation, j'ai été plongé, tout au long de cette journée, dans une nature réellement sauvage.

PARTIR EN SOLO

QUAND PARTIR

La meilleure période pour visiter la côte nord est la saison sèche, entre novembre et avril. Le reste de l'année, il pleut presque tous les après-midi.

S'ORGANISER

Il est relativement facile de visiter Cuero y Salado sans faire partie d'un groupe. Réservez votre excursion au moins un jour d'avance auprès de la Fundación Cuero y Salado, à La Ceiba. La Fucsa organisera votre transport en *burra* ou en train au départ du village de La Unión ainsi que le tour en bateau dans la réserve. Les prix sont très raisonnables pour les 2h de bateau et pour le trajet en *burra*) et les groupes bénéficient de remises.

À La Ceiba, les cars à destination de La Unión quittent la gare routière de San José à partir de 8 h 30 (le dernier revient vers 16 h). Vous pouvez aussi prendre un taxi (arrangez-vous pour qu'il vienne vous chercher, car vous aurez du mal à trouver un taxi à La Unión). Il n'est pas très facile d'aller seul à Pico Bonito, et le fait de vous joindre à un groupe rendra votre visite plus agréable. Plusieurs agences à La Ceiba organisent des visites de Cuero y Salado et de Pico Bonito. Je conseille La Moskitia Ecoaventuras et MC Tours, basés à San Pedro Sula.

QUELQUES TUYAUX

- On peut toujours prendre le *motocarro* de la Standard Fruit Company pour se rendre à Cuero y Salado, mais il serait dommage de ne pas essayer la *burra*.
- Les employés de l'usine de noix de coco de Salado Barra sont très accueillants et acceptent que vous preniez des photos. Demandez-leur de vous montrer comment ils ouvrent les noix de coco.
- Pensez à emporter une bouteille d'eau durant la randonnée dans le parc national de Pico Bonito. Vous aurez chaud !

SANTÉ

Avant de partir, vous devez vous prémunir contre le paludisme (consultez votre médecin pour les derniers traitements en date). Sur place, usez largement des lotions antimoustiques, surtout dans le parc national Pico Bonito. Attention au soleil qui tape fort à Cuero y Salado. Crème solaire et chapeau sont indispensables.

NE PAS OUBLIER

- Chapeau
- Lunettes de soleil
- Veste ou cape imperméable
- Lotion antimoustique
- Crème solaire
- Bonnes chaussures de marche
- Jumelles

LES PARCS NATIONAUX AU HONDURAS

- **Celaque** Accessible en 4x4 de Gracias, avec une randonnée difficile jusqu'au sommet de la montagne. Forêts des brouillards parmi les mieux préservées du pays, avec une biodiversité extraordinaire. Également quatre sommets élevés.
- **El Cusuco** Situé à l'ouest de San Pedro Sula, à une journée de voyage. Grande forêt des brouillards avec plusieurs sentiers bien entretenus. Présence de quetzals parmi les énormes fougères et les arbres immenses.
- **La Tigra** À une heure de Tegucigalpa. Forêt des brouillards secondaire principalement, avec des espèces d'oiseaux intéressantes et une multitude d'orchidées. Près d'une entrée, ancienne ville minière de Santa Lucia, qui abrita le premier consulat américain au Honduras.
- **Punta Sal** Situé à l'ouest de Tela, sur la côte nord. Magnifiques lagunes et marais, décors de rêve pour une myriade d'oiseaux (plus de 350 espèces entre décembre et mai). Villages pittoresques d'Indiens Garífunas le long des plages.
- **Sierra de Agalta** Situé dans la région centre, près de Juticalpa. Le moins visité mais le plus impressionnant de tous les parcs nationaux du pays : plus de 400 km² de forêt vierge, nombreuses espèces sauvages endémiques et chutes d'eau spectaculaires.

14 Les îles aux trésors

par Steve Watkins

Au XVIIe siècle, les Islas de la Bahía (îles de la Baie), au large de la côte nord du Honduras, étaient le repaire de pirates anglais. Aujourd'hui, elles sont devenues une destination de choix pour les aventuriers en quête des "trésors" modernes que sont les montées d'adrénaline et le farniente. J'ai visité les îles de Roatán et de Guanaja, avec, au programme, plongée sous-marine, kayak, vélo et randonnées.

Les îles de la Baie ne sont qu'à 20 min en avion de La Ceiba, ville portuaire la plus importante de la côte nord. Situées dans la mer des Caraïbes, les îles de Roatán, Guanaja et Utila ont une culture bien à elles. Leur passé est assez mouvementé, ponctué de conquêtes et de pillages. Le développement du tourisme y étant assez récent, j'ai décidé de consacrer une semaine à juger qui, de Guanaja ou de Roatán, propose le plus d'activités.

Avec 18 km de long et 6 km de large, Guanaja ne le cède en superficie qu'à Roatán. Elle est aussi la plus éloignée de La Ceiba, et le vol dure 35 min. En raison de l'insuffisance en eau potable sur l'île, ses 10 000 habitants vivent principalement sur deux langues sableuses au bout de la côte sud-est, dans de petites cabanes sur pilotis. L'ensemble de ces villages sillonnés par de petits cours d'eau a été surnommé pour cette raison la "Venise du Honduras".

2 — La plongée sous-marine n'est pas un sport fatigant, mais requiert tout de même une bonne forme physique. Les agences de voyages ont besoin des certificats de plongée. Le kayak en mer et le VTT supposent également un bon entraînement ; quant aux randonnées, elles sont courtes et relativement faciles.

★ Les îles de la Baie proposent des hébergements pour tous les budgets, avec pas mal d'hôtels confortables, à prix raisonnables. C'est une destination idéale pour ceux qui recherchent à la fois quelques frissons et une belle plage pour le farniente.

Tout l'équipement de plongée vous est fourni mais vous pouvez apporter le vôtre. Pour le kayak, la randonnée ou le VTT, les accessoires sont également disponibles sur place.

Guanaja a été la plus durement frappée par l'ouragan Mitch en octobre 1998. En à peine trois jours, il a fait table rase de la dense forêt tropicale de l'île, ne laissant qu'une terre montagneuse et aride. J'y suis arrivé seulement trois mois après son passage, et déjà la végétation avait commencé à repousser. Mais l'aspect de l'île, avec ses montagnes pelées, est encore très impressionnant.

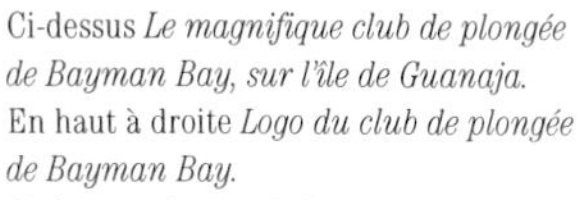

Ci-dessus *Le magnifique club de plongée de Bayman Bay, sur l'île de Guanaja.*
En haut à droite *Logo du club de plongée de Bayman Bay.*
Ci-dessous *Ponton à l'extrémité ouest de l'île de Roatán : les habitants du village viennent s'y réfugier pour échapper aux mouches des sables, très répandues sur les îles de la Baie.*

Après avoir atterri à Guanaja, je prends un bateau-taxi et parcours pendant un moment le canal artificiel. Il traverse les marécages et la partie la plus étroite de l'île, au centre, pour déboucher sur la côte nord-ouest et sur l'océan. Enfin, je débarque sur la nouvelle jetée du club de plongée de Bayman Bay. Ce club, situé assez haut à flanc de montagne, est réputé pour être l'un des plus idylliques des Caraïbes. En découvrant les 14 bungalows (18 à l'origine, mais quatre d'entre eux ont été rasés par Mitch) rustiques mais tout confort, je me sens déjà plus détendu. Tous offrent une vue splendide sur une plage de sable blanc et sur l'océan. Je m'installe sur ma terrasse, sirote mon cocktail de bienvenue et prends un bon bain de soleil.

HENRY MORGAN, POLITICIEN ET PIRATE

Né au pays de Galles en 1635, Henry Morgan fut kidnappé dans son jeune âge et envoyé sur l'île de la Barbade, aux Caraïbes, comme valet. Il mit assez d'argent de côté pour prendre le bateau jusqu'en Jamaïque. Là, il fréquenta des pirates qui amassaient des fortunes colossales en dépouillant les galions espagnols. S'inspirant de leur exemple, il arma son propre bateau vers 1666 et fit régner la terreur dans la région, avec l'appui du gouvernement jamaïcain. Ses attaques visaient des contrées aussi lointaines que Cuba, le Panamá ou le Venezuela. En 1672, il fut poursuivi en justice en Angleterre pour avoir mis à sac la ville de Panamá, mais le roi Charles II fut tellement ému par sa loyauté envers la Couronne qu'il le nomma gouverneur de Jamaïque ! En dépit de son nouveau titre, Morgan poursuivit ses activités jusqu'en 1683, où il fut suspendu de ses fonctions politiques pour actes de piraterie, cinq ans avant sa mort.

LÉZARDS ET QUEUES FOURCHUES

Je ne suis toutefois pas là pour me prélasser, mais pour explorer l'île. Alice, l'enthousiaste directrice générale adjointe de Bayman Bay, a fait débroussailler les sentiers des collines surplombant le club. Je mets donc mes chaussures de marche et je pars avec elle vers Pando Ridge, sur un chemin étroit et tortueux. Du haut de la corniche, on aperçoit presque toute l'île, de la colline de Sandy Rock au nord-est jusqu'à West Peak et Grant's Peak au sud-ouest. De petits lézards filent entre nos pieds et, au-dessus de nos têtes, des frégates superbes (*Fregata magnificens*), à la queue fourchue et à l'envergure impressionnante, planent sur les courants ascendants. Sur le chemin du retour, le panorama est splendide, notamment sur le club de plongée.

Le dîner est servi dans une superbe salle de restaurant tout en bois ; je discute plongée avec les autres clients de l'hôtel. Steve, homme d'affaires américain et plongeur averti, a déjà testé de nombreux sites dans le monde, mais sa femme et lui reviennent chaque année à Guanaja, le meilleur endroit pour faire de la plongée, selon eux.

Malheureusement, un mauvais temps qui n'est pas de saison s'installe sur l'île pendant la nuit. Le lendemain matin, le ciel est chargé de gros nuages, et les vagues sont si grosses que les bateaux ne peuvent quitter le quai. Ne pouvant plonger qu'une seule journée sur les trois que compte mon séjour (car il est déconseillé de prendre l'avion au cours des mêmes 24h), je me résigne à attendre d'être sur l'île de Roatán avant d'explorer les fonds sous-marins.

Par chance, la houle se calme suffisamment pour que je puisse faire un tour en kayak dans l'après-midi. Je m'amuse tellement qu'en arrivant près du bord je décide de prolonger un peu le plaisir en surfant sur les vagues. À plusieurs reprises, je parviens à me laisser porter par une vague jusqu'à la plage, mais il m'arrive aussi de chavirer. Voyant que le soleil décline, je m'offre une dernière sensation en choisissant une vague particulièrement haute… sans grand succès.

Le lendemain matin, avant de quitter Bayman Bay pour aller prendre l'avion, j'emprunte un tuba et des palmes et remonte la côte en kayak jusqu'à une petite avancée rocheuse connue sous le nom de rocher de Michel. L'orage est passé depuis longtemps et je pagaie une demi-heure sur les eaux limpides avant d'atteindre la plage qui jouxte cette corniche. Il n'y a pas âme qui vive et, pendant quelques instants, je goûte le sentiment de solitude qui a dû être celui de Robinson Crusoe. Au milieu des coraux et des algues, je repère un groupe de poissons exotiques, dont un ange français (*Pomacanthus paru*) et un poisson perroquet (*Scarus spp.*). Cette vision aiguise mon appétit d'aventures sous-marines, et je prépare mon sac pour me rendre à Roatán en me disant que le temps va forcément s'améliorer.

PLONGER AUX ÎLES DE LA BAIE

Il est relativement facile d'apprendre à plonger, et plusieurs clubs proposent des stages conformes aux programmes de l'association des moniteurs de plongée (Padi ► 109). Le diplôme obtenu est reconnu partout dans le monde. Les stages pour les débutants, d'une durée de trois à cinq jours, permettent ensuite de plonger à 40 m. Utila, la troisième des îles de la Baie, se targue d'être l'endroit le moins cher au monde pour obtenir son diplôme. C'est pourquoi elle attire les jeunes routards. Avant les leçons, vous devez passer un petit examen de santé et savoir nager. Les stages comprennent des cours théoriques, un questionnaire à choix multiples ainsi que plusieurs plongées. Des baptêmes sont aussi proposés, ainsi que des cours plus perfectionnés, pour savoir comment réagir en cas de matériel déficient ou s'il faut secourir quelqu'un.

UN REPAIRE DE PIRATES

Avec ses 3 km de large et ses 50 km de long, **Roatán** est la plus grande des îles de la Baie. Après l'arrivée de Christophe Colomb en 1502, ses premiers habitants, les Indiens Pech, furent massacrés ou transportés à Cuba et vendus comme esclaves. Au XVIIe siècle, Roatán devint un repaire de pirates anglais si apprécié qu'au milieu du siècle, elle en comptait bien 5 000. Le plus connu d'entre eux était le capitaine Henry Morgan (► 40), le gouverneur boucanier de Jamaïque, qui utilisa la ville de Port Royal comme base de ses expéditions pour piller les navires espagnols (ainsi, bien sûr, que tous ceux qui croisaient sa route). Ce n'est que vers la fin du siècle que la marine britannique reprit le contrôle de la région. En 1797, les troupes de Sa Majesté envoyèrent sur Roatán des Indiens Garífunas (► 93) qui s'étaient insurgés dans l'île antillaise toute proche de Saint-Vincent. L'exubérance si particulière des habitants de Roatán doit sans doute beaucoup au syncrétisme de trois cultures, indienne et africaine, d'un côté, et anglaise, de l'autre.

L'île de Roatán n'est qu'à quelques kilomètres à l'ouest de Guanaja et, pourtant, l'ouragan Mitch n'y a causé presque aucun dégât. L'île, recouverte d'une forêt tropicale luxuriante, est encerclée par un impressionnant récif corallien qui constitue la base de la deuxième barrière de corail au monde, après celle d'Australie. Elle est connue pour sa très grande variété de coraux, ainsi que pour la limpidité de son eau, même en profondeur. Le site le plus réputé de l'île pour la plongée est **West End**, à 15 min seulement de l'aéroport en taxi. Après avoir déposé mes bagages au charmant hôtel Posada Arco Iris sur Half-Moon Bay, je passe le reste de l'après-midi à nager avec mes palmes et mon tuba dans la mer, qui est à présent parfaitement calme.

Ci-dessus *Aux îles de la Baie, la visibilité est parmi les meilleures au monde à 30 m de profondeur… pour le plus grand bonheur des plongeurs.*
À gauche *Avant d'arriver sur le site de plongée, on vérifie son matériel et on s'équipe sous l'œil du moniteur.*

Tôt le lendemain matin, je marche tranquillement sur le bord de la route principale en sable pour rejoindre le club de plongée Sueño del Mar et je réserve une journée. Au programme, visite d'une épave et d'une grotte, puis seconde sortie à une profondeur moindre pour explorer un mur de corail. Il existe plus de 60 sites répertoriés pour la plongée à proximité immédiate de l'île, les trajets en bateau restent donc très courts. Après avoir reçu notre équipement et embarqué sur le bateau, les quatre autres plongeurs et moi-même avons à peine le temps de nous préparer avant d'arriver à la bouée qui désigne l'épave. Mike, le guide, et Claudio, le moniteur, vérifient nos équipements. Ils nous expliquent comment va se dérouler la plongée et nous racontent l'histoire de l'épave. À l'origine, *El Aguila* (*l'Aigle*) avait coulé dans des eaux peu profondes près de l'île d'Utila, mais il fut remonté à la surface et préparé pour pouvoir être visité en toute sécurité par les plongeurs, avant d'être recoulé près de Roatán. Aujourd'hui, il constitue la plus grande épave des îles de la Baie. En 1998, l'ouragan Mitch a cassé en trois morceaux ce navire de 80 m de long, ce qui en fait maintenant une "vraie" épave ! *El Aguila* gît à une profondeur de 33 m et nous allons passer 12 min à l'explorer. Mike insiste sur le fait que si l'un d'entre nous souffre de l'exiguïté des espaces, il peut attendre les autres à l'extérieur. L'un après l'autre, nous marchons d'un pas lourd jusqu'à la plate-forme arrière du bateau, avant de nous laisser engloutir doucement par les eaux bleues des Caraïbes.

VAISSEAU FANTÔME

Comme Mike nous l'a promis, la visibilité est excellente. Tandis que nous descendons en suivant la ligne de la bouée, une myriade de poissons vient nous inspecter. La carcasse tordue et rouillée d'*El Aguila* se détache nettement sur les fonds recouverts de sable blanc. Nous nous dirigeons vers la proue, et trois d'entre nous entrent à la suite de Mike par une porte étroite et bizarrement oblique, pour se retrouver sur le pont principal. Quelle vision étrange ! De vieux radiateurs et de la tuyauterie sont toujours accrochés aux murs et des poissons évoluent dans le poste de pilotage. Le franchissement des ouvertures les plus étroites est délicat car les bouteilles d'oxygène doublent pratiquement la largeur de nos corps et raclent parfois contre les parois métalliques. Nous tournons à gauche pour pénétrer dans une salle plus petite, éclairée par de la lumière jaillissant d'une porte tout au fond. Nous la traversons lentement, passons sous un mât et sortons par la poupe dans l'eau bleue et lumineuse de l'océan. Même si nous n'avons pas rencontré les murènes vertes (*Gymnothorax funebris*) censées avoir élu domicile dans l'épave, ce fut l'une des meilleures plongées de ma vie.

Mais ce n'est pas fini. Pendant les 30 min qui nous restent, nous remontons vers un récif corallien à une profondeur d'environ 12 à 18 m, où Mike a promis de nous montrer une grotte s'il nous reste au moins 80 bars d'air en réserve. Nous consultons rapidement nos jauges : tous ceux qui veulent y aller ont encore suffisamment d'oxygène. Mike nous fait donc visiter la grotte un par un. L'entrée, située dans un impressionnant mur de coraux aux formes et aux couleurs étranges, est assez grande pour nous laisser passer. Mais ensuite la grotte se rétrécit à tel point que nos bouteilles en accrochent parfois les parois. Nous tombons sur deux grottes en enfilade, où de petites ouvertures au-dessus de nos têtes laissent filtrer la lumière. Dans la seconde cavité, un trou plus grand nous permet de voir les autres plongeurs qui nous attendent, mais il est impossible de passer par là, et nous devons donc faire demi-tour

FORMATION D'UN RÉCIF CORALLIEN

Les barrières de corail sont constituées de fragiles colonies d'organismes pouvant vivre plusieurs centaines d'années. Cet ensemble d'animalcules, d'algues rouges et de mollusques s'épanouissent dans les eaux tropicales d'environ 20° C et ont toujours besoin de lumière ; aussi ne les trouve-t-on que dans les parties les moins profondes des océans. Les "coraux cerveau" appartiennent à la catégorie des coraux durs et supportent les eaux agitées. Les récifs de coraux sont de plus en plus menacés par la pollution des océans, les quantités importantes d'ultraviolets qui traversent la couche d'ozone, une pêche trop intensive, mais aussi par les plongeurs non avertis.

pour sortir. Claudio et moi avons encore une bonne réserve d'oxygène, aussi, pendant que les autres retournent au bateau, nous nous aventurons dans les longs couloirs creusés dans le récif. Au milieu des *Iciligorgia schrammi* et de plusieurs variétés de "coraux cerveau" – dont des *Colpophyllia natans* –, nous apercevons de petits girelles paons *Thalassoma bifasciatum*, des labres nettoyeurs communs (*Labriodes dimidiatuis*), encore des poissons-perroquets multicolores, ainsi qu'une timide murène pointant son nez de dessous un rocher : une expérience inoubliable ! Constatant avec regret que ma jauge n'atteint plus que 50 bars, je remonte après la pause réglementaire à 4,5 m de profondeur pour évacuer le trop-plein d'azote dans mon corps. En arrivant sur le bateau, je constate que mon enthousiasme est partagé : l'exploration de l'épave d'*El Aguila* restera pour nous tous une aventure mémorable.

Mur de corail

Nous retournons au club de plongée Sueño del Mar pour reprendre des forces, en grignotant quelquechose. Mais, malheureusement, dans l'intervalle, le vent se met à forcir et la houle augmente. Lorsque nous arrivons sur le second site, les conditions sont devenues assez difficiles, et je regrette d'avoir mangé et surtout bu une boisson gazeuse. Je suis vraiment soulagé de quitter le bateau et de plonger de nouveau. Les remous ont un peu réduit la visibilité et provoquent de curieux mouvements dans l'eau. Mais le mur de corail que nous devons explorer est à environ 24 m de profondeur, et la visibilité y est meilleure. C'est un récif assez extraordinaire, peuplé d'éponges pourpres lumineuses (*Aplysina archeri*), pareilles à de grosses bougies de couleurs et de formes variées.

Les poissons, qui ne veulent pas être en reste, se joignent à nous, et nous nous retrouvons au sein d'un magnifique banc de poissons-chirurgiens couleur bleu océan (*Acanthurus cœruleus*). Pendant ce temps, des barracudas (*Sphyræna barracuda*), semblables à de petites torpilles argentées, zigzaguent à la recherche de leur prochaine victime. Ces poissons sont les pirates du monde sous-marin, et leurs attaques sont foudroyantes. Vu la manière dont ils nous dévisagent, il semble que malgré notre taille nous pourrions figurer à leur menu. En réalité, ils s'attaquent très rarement aux plongeurs. Temps fort de notre expédition : la découverte d'un crabe si énorme qu'il en semble monstrueux. Après avoir longé pendant une heure ce récif splendide, nous remontons à la surface et constatons que le temps a encore empiré. Nous avons du mal à nous hisser sur le bateau, mais une fois à bord nous sommes trop occupés à parler de notre plongée pour penser à la houle. Pour l'un d'entre nous, il s'agissait de la dernière plongée à effectuer avant d'obtenir son diplôme de la Padi. Maintenant, il pourra plonger partout dans le monde. Dans la soirée, douchés et reposés, nous nous retrouvons tous autour d'une bière dans le bar en plein air superbement situé de Sueño del Mar.

Visite de l'île

Roatán est une île si grande que cela vaut la peine de faire un tour à l'intérieur des terres avant de repartir. Le dernier jour, je loue donc un vélo chez Captain Van's Rentals et pédale pendant 45 min vers **West Bay**, à l'opposé de l'île. Les routes ne sont pas trop pentues et je croise peu de voitures. Je m'aventure sur un petit sentier qui traverse la forêt jusqu'à une petite crique au sud de l'île, puis je reviens sur la route principale et m'engage sur une descente pour rejoindre West Bay. C'est un endroit idéal pour ceux qui souhaitent être tranquilles, avec quelques charmants petits hôtels, des bungalows et des maisons à louer pour les vacances, tous donnant sur une plage bordée de cocotiers, qui est sans doute la plus belle de l'île. Ce jour-là, le sable blanc scintille sous le soleil du matin et l'eau de la mer est aussi claire que de l'eau de source. Il paraît incroyable qu'aussi peu de monde en profite. West Bay est également le meilleur endroit où explorer les fonds marins avec un masque et un tuba. Pourtant, là encore, il n'y a presque personne dans l'eau. Les îles de la Baie étaient jadis prisées des chasseurs de trésors. Aujourd'hui, les aventuriers modernes y découvrent de nouvelles richesses, qui laisseraient sceptique le vieil Henry Morgan…

En louant un VTT, vous pourrez quitter la plage et les fonds sous-marins une journée pour partir à la conquête des magnifiques collines boisées de l'île de Roatán.

PARTIR EN SOLO

QUAND PARTIR

Il faut visiter les îles de la Baie à la saison sèche (entre avril et août), lorsque la visibilité sous l'eau est la meilleure et qu'un petit vent aide à supporter les températures élevées. Mais on peut aussi envisager d'y aller pendant la saison des pluies, car les averses sont généralement concentrées dans l'après-midi et de courte durée. La visibilité pour la plongée n'est pas tout à fait aussi bonne, mais l'hébergement et les vols sont tout de même moins chers. Si le mois de septembre est normalement celui des orages tropicaux, l'île est rarement traversée par un ouragan comme Mitch, ceux-ci suivant habituellement une ligne plus au nord.

SE DÉPLACER

Il est facile et relativement bon marché de se rendre en bateau ou en avion dans les îles de la Baie. Les compagnies aériennes Grupo Taca/Isleña, Sosa et Rollins les desservent de La Ceiba. Leurs tarifs sont les mêmes. Les premiers vols partent vers 6h et les derniers vers 17h. Il existe des liaisons régulières entre La Ceiba et San Pedro Sula ou Tegucigalpa. Chaque vendredi, Air Caraïbes propose un vol direct de Miami jusqu'à Roatán.

Il n'existe pas de vol direct entre Roatán et Guanaja, et plus aucun ferry ne dessert Guanaja depuis La Ceiba.La compagnie Safeway Transportation Company gère le service des ferries *Galaxy II* et *Tropical* entre La Ceiba, Utila et Roatán. Les horaires changent fréquemment : mieux vaut les vérifier.

S'ORGANISER

La plupart des hôtels de moyenne catégorie offrent un bon rapport qualité/prix. En revanche, le choix est moindre dans le bas de gamme. Il est nécessaire de réserver d'avance en plein été et durant les week-ends en saison sèche, lorsque les gens du continent viennent s'y reposer. Les plongées peuvent généralement être organisées la veille, ou le jour même en période calme. Il existe une multitude de clubs de plongée, et vous en trouverez certainement un qui pourra vous proposer une demi-journée au lieu d'une journée entière.

QUELQUES TUYAUX

- ❏ Confirmez votre vol retour dès votre arrivée. Le système de réservations n'est pas vraiment au point et, souvent, les ordinateurs sont en panne. Si vous vous retrouvez à l'aéroport avec un billet non confirmé, dites que vous allez rater plusieurs correspondances si vous ne prenez pas le vol prévu. On vous octroiera peut-être une “place supplémentaire”, tout à l'arrière de l'avion, au niveau de la soute à bagages !
- ❏ Les compagnies ont peu d'avions sur ce trajet, aussi les retards sont-ils fréquents. N'ayez donc pas un emploi du temps trop serré.
- ❏ Tous les clubs de plongée ne se valent pas. Demandez conseil aux autres plongeurs et inspectez l'équipement avant de vous inscrire. Il en va de votre vie ! Pour plusieurs jours de plongée, prenez un forfait, qui sera bien plus économique.
- ❏ Beaucoup d'hôtels mettent à disposition de leurs clients kayaks, masques et tubas. Sinon, vous pourrez en louer pour pas cher dans des magasins de plongée.

SANTÉ

Les moustiques sont un problème sur ces îles, aussi faut-il se prémunir contre le paludisme avant de partir (consultez votre médecin pour les derniers traitements en date). Certains endroits, à Guanaja en particulier, comptent aussi beaucoup de chiques ; elles ne véhiculent pas de maladies, mais leur piqûre est très irritante. Le soleil tape fort sous ces latitudes, aussi une crème solaire écran total, un chapeau et des lunettes de soleil sont-ils indispensables, surtout pour faire du kayak ou de la plongée. Des chambres de décompression existent à Roatán pour traiter les problèmes liés à la plongée. On peut souscrire une assurance sur place, qui couvre un éventuel transfert en hélicoptère, ainsi que les soins. Cela vaut vraiment la peine de la payer. Tous les clubs peuvent vous renseigner à ce sujet.

NE PAS OUBLIER

- ❏ Chapeau, crème solaire écran total et lunettes de soleil
- ❏ Lotion antimoustique, moustiquaire et de quoi la fixer
- ❏ Bonnes chaussures de marche

15 Vestiges d'une civilisation

par Steve Watkins

Les Mayas ont dominé le cœur de l'Amérique centrale pendant plus de 700 ans, laissant dans leur sillage de magnifiques villes. Copán, une de leurs plus grandes réussites, est idéale pour se familiariser avec la culture maya ; j'ai donc exploré les ruines de cette riche cité et visité, en particulier, l'impressionnant temple de Rosalila, récemment découvert.

Pendant que l'Europe se recomposait à la suite de la chute de l'Empire romain, la civilisation maya, qui s'étendait du sud du Mexique au Salvador, connaissait son apogée. Les Mayas construisirent d'impressionnantes cités aux structures monumentales, conçurent le calendrier le plus précis de l'époque, ainsi qu'une route marchande reliant les grandes villes du centre du Mexique telles que Teotihuacán. Mais, parmi ces cités, aucune n'égale les richesses artistiques de Copán, classée en 1980 patrimoine de l'humanité par l'Unesco. Depuis sont menées de nombreuses fouilles archéologiques de première importance qui font progresser notre connaissance du mode de vie des Mayas et du fonctionnement de leurs cités. Aussi y ai-je prévu une excursion de deux jours avec la compagnie MC Tours (San Pedro Sula).

Même si cette expédition n'est pas éprouvante physiquement, vous transpirerez sûrement en gravissant les marches du temple !

★ La visite de Copán et de ses alentours est une aventure idéale en famille. Le site lui-même et les deux musées (l'un à côté des ruines, l'autre dans la ville) vous occuperont pendant deux jours. Dans la ville coloniale voisine de Copán Ruinas, vous pourrez être hébergé quel que soit votre budget.

Aucun équipement particulier n'est nécessaire.

Les ruines s'élèvent dans une vallée très verte à côté d'un méandre serré du Río Copán. Elles sont dominées par de hauts massifs qui se prolongent jusqu'au Guatemala. Durant son âge d'or, aux alentours de 600 apr. J.-C., Copán couvrait plus de 130 km^2, ce qui en faisait probablement la ville maya la plus étendue, et plus de 27 000 personnes vivaient en son centre. On a dénombré

AVENTURES ET DÉCOUVERTES

Après leur découverte par les Espagnols en 1576, les ruines de Copán n'intéressèrent guère les Européens, jusqu'à ce qu'en 1839 l'écrivain John L. Stephens et le dessinateur Frederick Catherwood les visitent au cours de leur expédition sur plusieurs sites mayas. Ils y demeurèrent plus longtemps que sur les autres sites et décrivirent leurs trouvailles dans le célèbre *Incidents de voyage en Amérique Centrale, dans le Chiapas et le Yucatán.* En parcourant ces pages illustrées de magnifiques croquis de Catherwood, on ne peut s'empêcher de se laisser gagner par leur enthousiasme. En 1855, le musée Peabody de Cambridge (Massachusetts) autorisa l'archéologue Alfred Maudslay à mener des fouilles sur ce site. Il effectua des moulages de nombreuses stèles et autels afin de les exposer au British Museum, à Londres.

4 500 édifices dans la vallée, de la simple hutte en terre au temple massif. Comme dans les villes modernes, les bâtiments les plus intéressants – qui forment le Groupe principal – se trouvent dans le centre de Copán.

En arrivant sur le site, on a le choix entre la visite du musée ou celle des ruines. Afin de profiter de la superbe lumière du petit matin, j'opte pour les ruines, d'où ont été exhumés les objets exposés au musée. J'emprunte alors une ravissante allée bordée d'arbres. Malgré l'heure matinale, des travailleurs sont déjà à pied d'œuvre pour entretenir les sites, preuve de l'importance de Copán pour les Honduriens.

Un drôle de lapin

L'avenue principale donne sur la **Grande Place**, orientée nord-sud. C'est sans doute la place la plus imposante du monde maya, surplombée par huit énormes stèles en pierre sculptée. Celles-ci ont pour sujet, à des fins d'autoglorification, le roi Waxaklahun-Ubah-K'awil, surnommé, comme on me l'apprit, "18 Lapin". Copán fut gouverné par une dynastie de rois qui se succédèrent pendant environ quatre siècles, à partir de l'an 400 de notre ère environ. "18 Lapin", qui était le treizième de ces rois, régna de 695 à 738. Il commanda six de ces stèles aux carriers, aux scribes et aux sculpteurs les plus réputés de l'époque. En une série de motifs complexes et d'images fortes, le roi nous est montré revêtant les différents attributs des esprits ancestraux de la mythologie maya. Par ces incarnations divines, "18 Lapin" renforçait à la fois son pouvoir et la légitimité de la dynastie.

Si "18 Lapin" parvint à faire de Copán une cité dynamique en développant une politique de conquête systématique des villes voisines, ses méthodes finirent par le perdre. En 725, il s'attaqua au royaume voisin de Quiriguá (► 92) et mit à sa tête l'un de ses nobles, Cauac-Sky. Quiriguá gagna petit à petit en indépendance et ce qui devait arriver arriva : en 738, Cauac-Sky attaqua Copán, fit prisonnier "18 Lapin" et le tua.

Pendant que j'admire, fasciné, les stèles narrant le règne de "18 Lapin", je ne peux m'empêcher de penser aux merveilles qu'il aurait créées s'il avait vécu plus longtemps. Me dirigeant plus au sud, je traverse la Grande Place et dépasse le temple bas et isolé n° IV, pour atteindre le "stade" de Copán, appelé "jeu de balle". Il en existe sur beaucoup de sites dans toute la Méso-Amérique – nom donné à la région de l'Amérique, comprise entre le centre-nord du Mexique et le Salvador, où se développèrent les civilisations précolombiennes. Mais les règles du jeu de balle pratiqué restent mystérieuses. Il y avait sans doute, de chaque côté du terrain, deux ou trois joueurs devant se renvoyer une balle

Déchiffrer les glyphes

Pour le non-initié que je suis, il paraît incroyable que des archéologues et des iconographes aient pu tirer d'un nombre apparemment infini de dessins et de marques gravés dans la pierre des histoires aussi détaillées sur les Mayas. Il fallut attendre longtemps pour faire les premières découvertes en la matière, mais le déchiffrage s'accéléra lorsque Heinrich Berlin démontra en 1958 qu'il s'agissait de "glyphes emblématiques", fonctionnant comme des blasons. Tatiana Prouskouriakoff se rendit compte la première que les groupes de stèles étaient généralement en rapport avec un seul roi. Et en 1973, Linda Schale et Peter Matthews terminaient de décrypter toute l'histoire de la dynastie des gouvernants de Palenque (► 63), au Mexique. Désormais, la reconstitution de la syntaxe maya permet aux chercheurs de reconstituer des mots faits de plusieurs glyphes.

sans se servir de leurs mains ou de leurs pieds. De nombreux chercheurs pensent que loin d'être un simple sport, ce jeu était un rituel où des nobles dirigeants, peut-être de villes rivales, se défiaient et que les perdants étaient mis à mort. Le jeu de balle de Copán fut reconstruit plusieurs fois durant l'âge d'or des Mayas, mais les grandes têtes d'aras que l'on aperçoit encore aujourd'hui sont d'origine. Aras et quetzals ont toujours été des symboles prisés à Copán, probablement en raison du nom du fondateur de la dynastie, Yax K'uk' Mo', qui signifie "Ara-Quetzal bleu". Les terrasses légèrement inclinées entourant le terrain étaient jadis recouvertes de stuc blanc pour permettre à la balle de bien rebondir, et des piquets servaient de points de repère ou de "buts", à chaque extrémité. Ce devait être un beau spectacle que de voir les pyramides couvertes de spectateurs venus encourager leur équipe favorite.

Propagande royale

L'un des monuments les plus remarquables de Copán est l'**escalier Hiéroglyphique**, sur le temple 26, à l'extrême sud du jeu de balle. Bien que surmonté d'une bâche peu esthétique qui le protège des intempéries, il reste néanmoins impressionnant par sa taille et par la complexité de sa construction. Il comprend plus de 1 250 pierres gravées de hiéroglyphes, constituant le plus long écrit précolombien trouvé à ce jour. Cette audacieuse œuvre de propagande avait pour but de redorer le blason de la dynastie déclinante.

L'assassinat de "18 Lapin" entraîna l'affaiblissement du pouvoir dynastique à Copán. Son successeur, "Singe qui Fume", s'efforça de redresser la situation, aussi, durant les dix courtes années de son règne, très peu de bâtiments publics furent édifiés. Mais lorsque son fils, "Coquille qui Fume", quinzième de la dynastie, arriva au pouvoir en 749, il entama une énergique campagne de construction, relevant tout d'abord le temple 26 et créant l'incroyable escalier Hiéroglyphique au cœur même de la ville. Ses hiéroglyphes relatent toute l'histoire de la dynastie et insistent particulièrement sur ses conquêtes. L'escalier démarre de la gueule ouverte d'un serpent renversé traditionnel qui aidait à invoquer les ancêtres durant les cérémonies rituelles, et porte les statues grandeur nature des cinq derniers rois de la dynastie en tenue de combat. Lorsqu'on se trouve au pied de l'escalier, on imagine aisément que ceux, paysans ou nobles, qui doutaient de la capacité de la famille royale à diriger la ville, aient été impressionnés par cette réalisation et son commanditaire. Pourtant, c'en était bel et bien fini de l'âge d'or de Copán.

Je quitte l'escalier et longe l'immense façade nord inclinée du **temple 11** jusqu'à la stèle N, dernier ouvrage public découvert sur le site. Ces deux ouvrages furent édifiés par le successeur de "Coquille qui Fume", Yax Pac, seizième et dernier grand roi de Copán, qui régna de 763 à 820. Loin d'assister passivement à la décadence de la dynastie, Yax Pac poursuivit les efforts de son père pour renforcer le pouvoir royal. Il lança un vaste programme de constructions publiques, dont le temple 11 fut la plus belle réussite. Pour mieux l'admirer, il faut emprunter un sentier qui, de la place, monte dans la forêt. Quelques marches bien commodes mènent aux plates-formes supérieures du temple, d'où l'on a une vue remarquable sur la Grande Place et sur le jeu de balle, avec les montagnes en arrière-plan. Cette mise en scène était sans doute voulue par Yax Pac car, pendant les cérémonies, debout devant la gueule ouverte d'un terrible monstre Witz (*witz* est le terme maya désignant les montagnes, que symbolisent les temples), il ne pouvait qu'en imposer aux spectateurs massés en bas.

Un soleil voilé éclaire le temple 22, l'une des constructions les plus importantes du règne de "18 Lapin".

Meurtres d'outre-tombe

À l'angle nord-est du temple 11, je tombe nez à nez avec une tête géante au visage déformé par un rictus de dément. Sa face ronde, sa peau plissée et ses grandes dents me font penser aux têtes sculptées des sites olmèques, sur la côte est du Mexique. On s'accorde à dire que les Olmèques constituèrent la première civilisation majeure de la Méso-Amérique (➤ 149), et de nombreux chercheurs pensent que ce sont des commerçants appartenant à ce peuple qui fondèrent les bases de la civilisation maya. La tête géante au rictus inquiétant appartient en fait à l'une des quatre statues qui marquaient les quatre angles du temple 11. Ces statues figurent les êtres mythologiques soutenant les quatre coins du ciel, symbolisé par le toit du temple.

Aux niveaux inférieurs de ce temple 11, côté sud, Yax Pac recréa Xibalba, le monde immergé des ancêtres dans la mythologie maya, dont l'imagerie, pourtant vieille de 1 200 ans, continue de faire froid dans le dos. Au sommet de l'escalier menant à la plate-forme, des têtes de crocodiles endommagées et des coquillages sculptés indiquent que tout ce qui se situe au-dessous, sur la cour Ouest, appartient au domaine de Xibalba. En haut de l'escalier qui se poursuit, le dieu exécuteur Chac Xib Chac, armé de sa hache, surgit de l'eau avec un air féroce. Les victimes des sacrifices, a priori des prisonniers de villes ennemies, étaient jetées au bas de cet escalier où les seigneurs de la Mort les attendaient, porteurs de messages des ancêtres. Ce n'est qu'assez récemment que les chercheurs ont mis en évidence la nature violente et guerrière du peuple maya, jusque-là considéré comme un peuple pacifique et rêveur.

Le temple 11 eut sans aucun doute un effet bénéfique sur le règne de Yax Pac, mais les problèmes ne cessèrent de s'accumuler à Copán. Les nobles étaient persuadés qu'ils pourraient fort bien se passer de roi ; plusieurs indices, tels que la construction de plus petits temples à l'extérieur de l'acropole, indiquent que l'autorité de Yax Pac était contestée. De plus, l'opulence de la ville avait entraîné un surpeuplement de la vallée, rendant les ressources naturelles insuffisantes. Pour apaiser l'anxiété croissante des habitants de la ville, Yax Pac ordonna la construction de l'impressionnant **autel Q**, au pied du temple 16, l'autre grande pyramide qu'il fit ériger dans la cour Ouest. C'est dans cette zone que la plupart des fouilles archéologiques actuelles sont menées. Pendant que des hommes transportent de la terre pour la passer dans un crible spécial, j'admire la réplique de l'autel carré, l'original se trouvant dans le musée du site. Les 16 rois de Copán y sont admirablement sculptés en relief, quatre sur chaque face, à commencer par le fondateur

CALENDRIERS MAYAS

Les savants mayas mesuraient le temps à l'aide d'un système original fondé sur deux calendriers. Le premier, le *tzolkin*, couvrait 260 jours, en associant 20 noms de jours avec 13 chiffres. Il commençait avec le 1 Imix et se terminait le 13 Ahau. Chaque jour était associé à un présage, et les prêtres utilisaient ce calendrier pour régenter tous les aspects de la vie maya. Le *tzolkin* fut ensuite couplé à un calendrier de 365 jours, le plus précis du genre jusqu'à l'apparition du calendrier grégorien en 1582. Cette "année vague" prenait en compte le quart de journée gagné chaque année qui explique nos années bissextiles. Ce calendrier maya de 365 jours se composait de 18 mois de 20 jours, avec une période de cinq jours que l'on ajoutait à la fin et qui était réputée être de mauvais augure. Ces deux calendriers couvraient conjointement un cycle de 52 années.

de la dynastie, Yax K'uk' Mo', repris dans le dernier motif, qui le montre passant le pouvoir à Yax Pac. La situation de ce dernier ne s'améliora pas et cet autel fut son dernier effort pour se relier aux ancêtres. Les nobles prirent progressivement le pouvoir alors qu'il tentait d'acheter leur soutien en les autorisant à exercer certaines de ses prérogatives cérémonielles.

UN TEMPLE PEUT EN CACHER BIEN D'AUTRES...

Sur l'autel Q, la mise en scène en boucle de la dynastie royale souligne l'importance du lien au fondateur. Sur tous les sites mayas, on a constaté que les nouvelles structures étaient toujours édifiées sur les anciennes, de manière à détruire rituellement ces dernières. Les archéologues savent depuis longtemps que le **Temple 16** a été construit à la place d'un autre bâtiment, mais ce n'est que récemment qu'ils ont percé son secret. En 1989, alors que l'archéologue hondurien Ricardo Agurcia Fasquelle travaillait dans un tunnel conduisant au temple, il découvrit un autre temple somptueux sur quatre niveaux, presque intact, qui fut baptisé **Rosalila**. C'est sans doute le dixième roi, "Jaguar de la Lune", qui fit bâtir ce temple durant son règne (553-573). Jamais nouvelle ne fit autant sensation parmi les spécialistes de la culture maya.

En 1991, Robert Sharer et David Sedat, de l'université de Pennsylvanie, menèrent des fouilles plus poussées et découvrirent encore un autre temple, sous Rosalia, qui fut baptisé **Margarita**. À l'intérieur reposaient, dans leurs sépultures, le fondateur Yax K'uk' Mo' et sa femme. On y trouva également de nombreux objets peints, dont les couleurs, rouge, vert et jaune, étaient aussi vives que le jour de leur ensevelissement. Ces découvertes majeures aidèrent à reconstituer en grande partie le puzzle de Copán et donnèrent aux archéologues l'idée de créer une réplique à grande échelle de Rosalila, afin de l'exposer dans le musée. Comme l'ouverture officielle au public d'une partie de Rosalila est prévue un mois après ma visite (mars 1999), je réussis à obtenir une autorisation spéciale de la part du professeur Cruz, directeur du site de Copán depuis 1967, pour pénétrer dans ce temple ainsi que dans un autre, surnommé Ante, qui doit être inauguré à la même date.

Certaines découvertes faites dans Ante permettent de penser qu'il fut construit sous les règnes du septième et du onzième roi. Ce dernier, le charismatique Butz' Chan ou " Serpent qui Fume", eut le règne le plus long (578-628) après celui de Yax Pac. Les tunnels dans lesquels nous évoluons sont tortueux, étroits et poussiéreux, et je me félicite d'avoir avec moi Roberto, mon guide, pour m'ouvrir la voie. Dans un petit passage qui sépare les temples intérieurs des temples extérieurs, d'imposants masques d'aras sont toujours en partie recouverts, après plus de 1 400 ans, de stuc rouge, fine couche de plâtre qui servait aussi à couvrir les murs. Saisi, je m'arrête quelques instants pour imaginer la splendeur de cette ville à son apogée.

FACE AU SERPENT

Nous ressortons à l'arrière de l'Acropole et nous nous rendons au nord du temple 16, dans la cour des Jaguars. Cette dernière tient son nom des sculptures qui en ornent les marches : des danseurs déguisés en jaguar entourant un masque du dieu Soleil. Roberto ouvre une porte en bois sur le bas-côté et nous entrons dans un tunnel étroit où l'atmosphère est irrespirable. Très vite, je transpire et commence à mesurer combien le travail des archéologues doit être pénible dans de telles conditions. Nous pénétrons dans un couloir légèrement plus long, aux parois spécialement renforcées pour faciliter l'accès aux touristes. Un tunnel annexe mène au deuxième niveau de

Le musée en plein air du site expose les objets les plus importants découverts à Copán, ainsi que certaines façades. Face aux répliques très colorées du temple Rosalila, je me suis demandé comment une aussi riche civilisation avait pu disparaître si vite. Bien sûr, le peuple maya constitue encore une part importante de la population de l'État mexicain du Chiapas et des montagnes du Guatemala, mais pourquoi les puissantes cités mayas furent-elles désertées en si peu de temps ? Il est vrai que la surpopulation a engendré une dégradation des terres arables autour de Copán et que, comme nous l'avons vu, les pressions politiques de la noblesse ont mis fin à une dynastie de plusieurs siècles. Il semble pourtant étrange que les gens soient partis à cause de cela. Les villes surpeuplées modernes, telle Mexico, semblent au contraire attirer toujours plus de monde. Et les échanges commerciaux entre les cités mayas devaient pouvoir remédier au manque de nourriture. En politique, les vainqueurs n'abandonnent pas les grandes villes qui leur échoient, mais cherchent au contraire à imposer leur marque sur elles. Personne ne sait réellement ce qui s'est passé, mais chaque découverte nous rapproche peut-être de la réponse. Après une visite aussi passionnante, j'espère simplement être dans les parages lorsque l'on résoudra enfin cette l'énigme.

Ci-dessus *Sous le temple 16 se trouve Rosalila, un temple de quatre niveaux, regorgeant de trésors.* Ci-dessous *La stèle B, sur la Grande Place, date de 731 et évoque comme d'autres le grand roi "18 Lapin"*

Rosalila. Là, une sculpture représentant l'esprit d'un ancêtre dans la gueule béante d'un serpent renversé est protégée par une paroi en Plexiglas. Puis nous longeons un mur sculpté de circonvolutions élaborées symbolisant le corps de ce serpent, avant de tomber sur un autre masque.

Ce n'est qu'en voyant par la suite, dans le **musée**, la réplique spectaculaire du temple Rosalila que je me suis rendu compte de sa taille immense. Il est incroyable que Yax Pac soit parvenu à édifier le temple 16 par-dessus sans l'abîmer. Le fait que Rosalila soit resté intact prouve à quel point Yax K'uk' Mo' symbolisait les jours glorieux de Copán : les 15 rois suivants continuèrent à le révérer pendant plus de 400 ans !

PARTIR EN SOLO

QUAND PARTIR

Le site est ouvert au public toute l'année, mais le meilleur moment est sans aucun doute la saison sèche, surtout entre décembre et avril. Évitez si possible les jours fériés et les vacances scolaires, en raison de l'affluence.

SE DÉPLACER

Si vous voyagez seul, vous pouvez prendre le car de San Pedro Sula jusqu'à Copán. La compagnie Cheny en affrète 4 par jour (ceux de 14h et de 15h sont directs et mettent à peine 3h, pour un supplément raisonnable). Il n'existe pas de cars directs au départ de la capitale Tegucigalpa. Il faut passer par San Pedro Sula. Une liaison existe aussi entre la ville de Guatemala et Chiquimula, d'où des cars vous emmènent à la frontière du Honduras ; habituellement, vous trouverez là un autre car qui gagnera Copán en 1h (et s'il n'est pas là, vous pouvez facilement vous faire prendre en stop).

S'ORGANISER

On peut visiter Copán de multiples façons selon son budget. Plusieurs organismes honduriens, dont MC Tours, basé à San Pedro Sula, proposent des formules tout compris avec visite des ruines et hébergement au superbe hôtel colonial Marina Copán. Des excursions sont également possibles de Guatemala la Ciudad et Antigua (voisine de la ville de Guatemala), mais elles impliquent de faire beaucoup de route ; c'est pourquoi les excursions d'une journée ne sont pas vraiment intéressantes, car vous ne resterez que 2h sur place. Il existe à Copán des hôtels pour tous les budgets, dont Los Gemelos, Popul Nah et Marina Copán.

Comptez 20 min de marche pour sortir de la ville et rejoindre le site, ou bien prenez un taxi, le trajet durera 5 min.

Le site ouvre à 8h et ferme à 17h ; l'entrée est gratuite après 16h. Il faut acheter des tickets différents pour accéder au parc, au musée ou au temple Rosalila.

QUELQUES TUYAUX

- ❏ Cela vaut vraiment la peine de se lever tôt pour être là à l'ouverture du site, car ainsi vous aurez des chances d'être pratiquement seul pour votre visite. Le moment de la fermeture aussi est intéressant, car en fin de journée des daims viennent souvent se promener autour de la Grande Place et de l'Acropole, après que la plupart des visiteurs sont partis.
- ❏ Offrez-vous les services d'un guide multilingue : il saura faire parler les vieilles pierres.
- ❏ Pensez à emporter de l'eau, car le restaurant est assez éloigné des ruines et il peut faire très chaud en milieu de journée.
- ❏ Prenez votre temps durant la visite. N'hésitez pas à faire des pauses et même à vous asseoir pour imaginer ce que devait être, dans ce cadre, la vie des Mayas.

SANTÉ

Sur le site, les moustiques sont nombreux tôt le matin et tard dans la soirée, aussi prémunissez-vous contre le paludisme avant de partir (consultez votre médecin pour les derniers traitements en date).
Le site est assez exposé au soleil, lequel tape très fort en milieu de journée, en conséquence n'oubliez pas d'emporter un chapeau et pensez à boire beaucoup d'eau.

NE PAS OUBLIER

- ❏ Chapeau
- ❏ Lunettes de soleil
- ❏ Lotion antimoustique
- ❏ Bonnes chaussures de marche
- ❏ Lampe-torche
- ❏ Eau potable

Ci-dessous *Tête géante Pauahtun, au rictus inquiétant, temple 11.*

16 Des fleuves à remonter le temps

par Steve Watkins

La région de la Mosquitia, dans l'est du Honduras, est extrêmement vaste et ne comporte pratiquement aucune route. Traversée par plusieurs cours d'eau, elle abrite de petits campements rustiques peuplés d'indigènes. Pendant cinq jours, je me suis promené en bateau dans la réserve de la biosphère du Río Plátano, classée patrimoine de l'humanité, pour visiter les communautés Pech, Miskito et Garífuna.

Lorsque l'on consulte une carte de l'Amérique centrale, la Mosquitia saute aux yeux pour une seule raison : l'absence quasi totale de routes. Cet isolement incita Paul Theroux à en faire le sujet de son célèbre livre *The Mosquito Coast*, où il narrait l'histoire d'une famille américaine s'installant là pour essayer, en vain, de vivre en autarcie. En 1986, ce roman fut porté à l'écran, avec Harrison Ford dans le rôle principal. Malgré l'intérêt croissant, partout dans le monde, pour les voyages d'aventures, le nombre de visiteurs à avoir parcouru cette région demeure très faible. Car on n'y accède que par bateau privé et aucune réservation n'est possible. La Mosquitia est habitée par les Indiens Pech, Miskitos et Garífunas, qui, par leur style de vie traditionnel, offrent une vraie occasion de remonter le temps. Je m'engage pour une excursion de cinq jours avec le guide local Roberto Marín, qui commence par m'aider pour le voyage vers Las Marías, au plus profond de la réserve de la biosphère du Río Plátano.

Le vol entre La Ceiba et Palacios, petite ville côtière qui sert de porte d'accès au nord de la Mosquitia, ne dure que 50 min, mais c'est une aventure en soi. Avec Martin et Michael, des étudiants allemands, nous prenons un vieux monoréacteur de 14 places et survolons une jungle dense ponctuée ici et là de huttes et sillonnée de cours d'eau d'un brun profond. Nous arrivons à très basse altitude au-dessus de la lagune de Balcalar, et l'avion atterrit sur la piste d'herbe sèche de l'"aéroport", rebondissant au passage sur un terrain de football ! Roberto nous apprend que, si un match se joue, les joueurs quittent le terrain, puis reprennent leur partie comme si de rien n'était.

Visiter la Mosquitia en bateau n'est pas fatigant mais prend beaucoup de temps. Les randonnées proposées dans la jungle peuvent aussi bien être des marches d'une heure assez tranquilles que des treks éprouvants sur plusieurs jours.

Si vous êtes habitué au luxe, cet endroit n'est pas pour vous. Dans cette région très reculée, tous les équipements sont sommaires et l'on se déplace en pirogue ou à pied. On est souvent mouillé mais ce n'est pas cher payé pour avoir la chance de partager la vie des communautés indigènes. On loge dans des huttes simples mais confortables et les plats sont tous préparés à partir de riz, de yucca (légume qui ressemble à la pomme de terre) et d'œufs.

Munissez-vous de chaussures de marche pour les treks. Également indispensables : une moustiquaire et une trousse de secours.

Des bateaux envoûtants

Palacios se situe au nord-ouest de la réserve de la biosphère du Río Plátano, qui couvre plus de 5 250 km². Elle fut créée par le gouvernement en 1980 et se vit classée, la même année, patrimoine

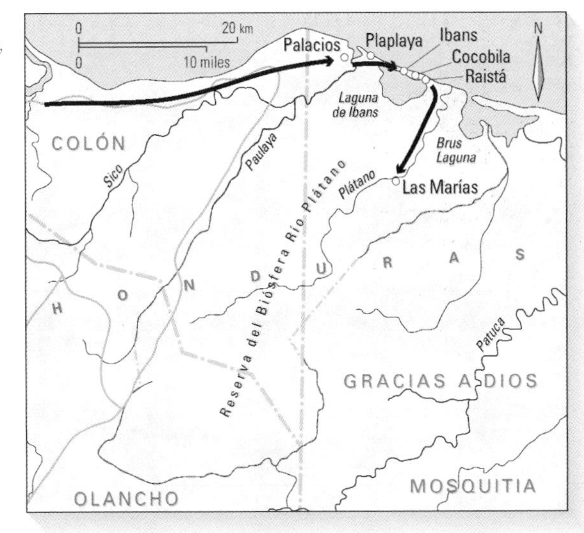

La réserve de la biosphère de Río Plátano, à l'est du Honduras.

de l'humanité par l'Unesco. Constituée de marais et de forêts tropicales, elle possède la plus faible densité de population de toute l'Amérique centrale (3 hab/km^2). De Palacios, Roberto réserve un bateau pour nous rendre au village de Raistá, sur la lagune d'Ibans, où nous devons passer notre première nuit. Les petites embarcations en bois utilisées dans la région sont appelées *tuk-tuks* à cause du bruit quasi hypnotique que produit leur faible moteur à un cylindre placé à l'avant. Notre matériel rangé dans des sacs imperméables, nous pataugeons dans l'eau pour embarquer à bord de notre *tuk-tuk*.

Pour écourter les distances entre les rivières et les lacs de la région, une série de canaux les reliant ont été creusés. De la lagune de Bacalar, nous manœuvrons périlleuseusement contre un fort courant afin d'atteindre l'entrée envahie d'herbes qui mène au canal de Siblablá. Ce dernier est si étroit et tortueux que Roberto doit utiliser les rames pour mieux négocier les virages. Sur la rive gauche, la présence de souches d'arbres montre que les fermiers continuent, malgré le statut de réserve, de défricher pour faire paître leurs quelques bêtes. Roberto, né près de Plaplaya, se souvient, à la vue de la forêt très dense couvrant la rive droite, que le canal attirait jadis de nombreux singes.

LES PLUS BEAUX ENDROITS DU MONDE

En 1972, l'Unesco adopta un traité international visant à protéger le patrimoine mondial culturel et naturel en établissant une liste de sites répertoriés comme patrimoine de l'humanité. Les sites naturels proposés doivent répondre à ces quatre critères : représenter des étapes majeures de l'histoire de la Terre ; faire partie d'un écosystème ; être d'une beauté ou d'une rareté exceptionnelle ; constituer des habitats naturels significatifs, notamment ceux d'espèces menacées. Les sites retenus doivent avoir une "valeur universellement reconnue" et "appartiennent" à tous. Le devoir de les protéger dépasse donc les frontières nationales. Les contributions des 146 États membres de l'ONU ainsi que la vente des produits labellisés Patrimoine de l'humanité rapportent environ 3 millions de dollars par an. Ces ressources très limitées servent d'abord à protéger les sites classés considérés comme les plus menacés. En 1996, l'Unesco ajouta la réserve de la biosphère du Río Plátano à cette liste, en raison des défrichements continuels opérés par les fermiers, bûcherons et braconniers dans le sud et l'ouest de la réserve, ainsi que de l'absence de plan d'exploitation valable de l'ensemble.

Ces derniers ont laissé place à une multitude d'oiseaux exotiques en quête de nourriture sur ce cours d'eau.

Le canal débouche dans le Río La Criba, parallèle à la côte. Cette rivière tient son nom de l'anglais "Black River" devenu avec le temps "Black Riba" puis "La Criba". Après avoir dépassé Plaplaya, nous arrivons à la grande lagune d'Ibans, qui englobe deux îles, Cayo Sicotingni et Cayo Halover. Nous nous frayons un passage entre cette dernière et un mince banc de sable séparant la lagune de l'océan. À Ibans, village essentiellement peuplé d'Indiens Miskitos, nous débarquons l'un de nos passagers, un garçon d'une dizaine d'années. Au bord de l'eau, une petite fille frotte énergiquement des vêtements sur une planche en bois tandis que sa sœur, plus jeune, surveille les opérations. Un groupe de femmes plus âgées se réunit devant la première hutte pour accueillir le garçon et en profite pour nous observer.

La maison des papillons

Ibans a prospéré ces dernières années et ne forme à présent presqu'un avec le

village voisin, Cocobila, village voisin également Miskito. Il y a 42 ans, William Bodden décida de partir de Cocobila pour fonder le village de **Raistá** où nous devons passer la nuit, quelques kilomètres plus à l'est. Grâce à l'acquisition d'un vaste domaine et à son refus d'en vendre même une parcelle, la colonie est restée un village unique, abritant une seule famille dans huit huttes. William Bodden, aujourd'hui octogénaire, demeure le personnage central du village. Autour de lui, ses nombreux petits-enfants se poursuivent

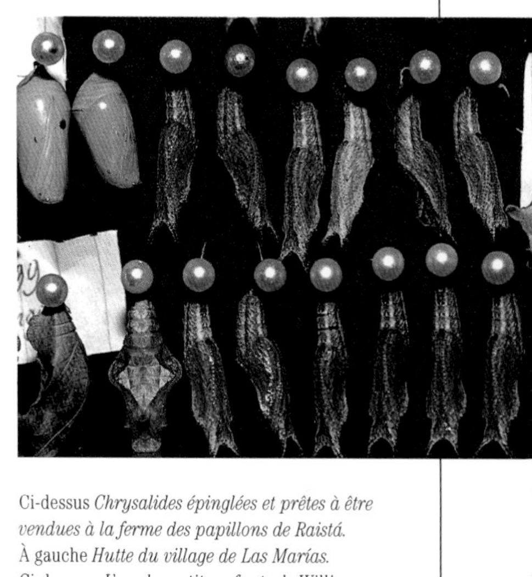

Ci-dessus *Chrysalides épinglées et prêtes à être vendues à la ferme des papillons de Raistá.*
À gauche *Hutte du village de Las Marías.*
Ci-dessous *L'un des petits-enfants de William Bodden, fondateur de Raistá.*

entre les fils où sèche du linge aux couleurs vives. Il a travaillé pour la société américaine qui exploite les plantations de cocotiers de la région. Mais aujourd'hui, le village vit du tourisme ainsi que d'un projet commercial qui concerne les papillons.

En mars 1992, Eddy, le fils de William, a créé la **Finca de Mariposas Raistá** (ferme des papillons de Raistá) en partenariat avec le Mopawi (agence non gouvernementale de développement de l'environnement), Roberto Gallardo (un Casque bleu) et le zoo de San Diego. Elle connaît un succès international. Quelques espèces de papillons exotiques sont capturées sur place à des fins de reproduction. Lorsque la larve devient chrysalide, ou pupe, ce qui prend généralement 7 à 14 jours, elle est vendue au zoo de San Diego entre 1,50 $ et 4 $. Avec Eddy, nous visitons la ferme. Dans la première pièce, les chrysalides

en formation sur des tiges végétales sont placées dans des canettes vides, le tout étant abrité dans des sortes de clapiers. À côté, plusieurs rangées de chrysalides sont accrochées à des épingles à tête en nacre. Eddy nous en montre des renflées d'un vert lumineux, qui ressemblent à de petits piments verts. Miracle de la nature, les chrysalides finissent par devenir de magnifiques morphos bleus (*Morpho peleides*), comme nous le constatons dans le grand abri pour les spécimens adultes. Ces superbes papillons sont si appréciés qu'ils se vendent 4 $. Le succès de la ferme a entraîné bien des changements : les habitants de la région se sont mis à protéger les forêts abritant ces lépidoptères, ce qui en retour, a favorisé le tourisme.

Nous nous reposons sur la terrasse de notre bungalow, qui est une des maisons de la famille Bodden ; devant nous, plusieurs petits-enfants de M. Bodden s'amusent à se balancer dans un hamac. Le décor est étrangement raffiné pour un endroit perdu dans la jungle : canapés recouverts de broderies délicates, cadres en argent ornant les murs du salon ou trônant sur les tables. Après un délicieux repas constitué de riz, de haricots, de yucca frit et de viande rôtie, nous partons nous promener le long du sentier menant à Cocobila pour boire un verre. Il n'y a pas de bar dans le village, mais les gens aiment à se retrouver devant le magasin central pour siroter l'une des deux bières nationales, Salva Vida et Port Royal. Le magasin de Cocobila vend de tout, des sacs de riz aux chaussures pour femmes, mais toujours à des prix élevés en raison du coût de l'acheminement des produits.

DES CIVILISATIONS PERDUES

Certains indices permettent de penser qu'une civilisation s'est développée dans la région de la Mosquitia, restée relativement ignorée des archéologues. Pourtant, elle compte plus de 80 sites archéologiques, et l'un d'eux, la mystique Ciudad Blanca (Ville blanche), fut probablement une ville importante qui rivalisait avec les sites mayas plus connus d'Amérique centrale. Jusqu'à présent, seule une reconnaissance aérienne des lieux a été menée, car les indigènes semblent peu disposés à laisser explorer ces ruines. Chaque fois que je demande où elles se trouvent exactement, j'ai droit à un grand silence.

UN DENTISTE POUR PAS CHER

Le lendemain matin, nous nous levons tôt pour entamer un long trajet jusqu'à Las Marías, petit village Pech situé sur le Río Plátano. Notre bateau nous attend à Nueva Jerusalem, à une heure de marche à l'est de Raistá en passant par le village de Belén. Après avoir traversé une section de forêt, le sentier que nous suivons débouche près de la piste d'atterrissage de Belén et nous observons un avion à six places de la compagnie Sami se poser sur le tarmac à moitié inondé. Sur la route de Belén, certains des toits en feuilles de palmier des maisons construites sur de hauts pilotis laissent échapper de la fumée. Nous nous arrêtons dans un petit magasin au bout du village pour acheter des jus de fruits. Sur le mur, une affichette manuscrite informe les habitants du village qu'un dentiste s'installera quelques jours sur la place du village. Chaque extraction coûte seulement sept lempiras (0,6 euro) ; je ne peux m'empêcher de me demander comment mon dentiste peut justifier ses honoraires exorbitants !

Le voyage vers Las Marías a duré 5h mais a été de tout confort. En Mosquitia, on trouve de longues vedettes hors bord, qui sont presque indispensables pour remonter le fort courant du Río Plátano. Mais ces bateaux coûtent cher et le prix du fuel est élevé dans la région, aussi beaucoup de gens du cru n'ont-ils pas les moyens

LA DURE VIE DES PETITS PLONGEURS

Les terres de Mosquitia sont soumises à une pression économique de plus en plus grande, et les familles Miskito ont du mal à trouver de quoi vivre. Pour gagner de l'argent, beaucoup de jeunes hommes ou garçons deviennent pêcheurs de homards. Le travail est bien payé – jusqu'à 500 $ pour une sortie en mer de deux semaines – mais les dangers qu'ils encourent pour leur santé sont énormes. Ils ont peu ou pas du tout d'entraînement et leur équipement est de très mauvaise qualité. Les homards se pêchant à une profondeur de 30 à 45 m, ils s'exposent à des pressions élevées, ce qui provoque des troubles importants chez presque tous ceux qui pratiquent longtemps cette activité. Chaque année, environ 20 plongeurs meurent subitement d'une embolie et la plupart d'entre eux se droguent ou boivent pour calmer la douleur. Un ancien membre des forces spéciales américaines a implanté des écoles dans le secteur de Cocobila pour apprendre aux plongeurs les règles élémentaires de sécurité. Cette initiative a déjà permis d'améliorer de manière significative leur état de santé dans la région.

de les emprunter et mettent parfois 15h avec leur pirogue pour couvrir la même distance. Une fois le bateau chargé, nous partons sur un petit canal envahi par les herbes, où notre longue embarcation s'efforce de se frayer un chemin. À la suite de fortes pluies, un arbre est tombé en travers du canal. Les gens du coin en ont évidé le tronc de façon à fabriquer une pirogue, mais notre bateau se trouve bel et bien coincé. Roberto et le conducteur sautent dans l'eau brunâtre et tentent de le dégager, tandis que nous nous reculons tous pour alléger l'avant du bateau. Enfin, il retrouve sa mobilité et repart dans les rapides tumultueux du Río Plátano, tout près de son embouchure où viennent mourir les vagues de la mer des Caraïbes.

Bien que la section basse du fleuve ait presque toujours été bordée d'une forêt secondaire, la vie sauvage y est foisonnante. Sur la rive, deux gros jabirus d'Amérique (*Jabiru mycteria*), gris-blanc avec des cous noirs et une gorge rouge vif, nous fixent, droits et stoïques, telles les sentinelles d'un palais. Ces oiseaux peuvent mesurer jusqu'à 1,5 m de haut et 3 m d'envergure. Sur les rives, nous repérons également diverses espèces de tortues de rivière qui lézardent sur des souches d'arbres. Pendant ce temps, en haut des arbres, des martins-pêcheurs d'Amérique (*Megaceryle alcyon*), reconnaissables à leur collier blanc, guettent le moindre mouvement à la surface de l'eau. N'ayant pas grand-chose d'autre à faire que de nous détendre, nous nous adossons à la coque du bateau pour jouir du spectacle qui s'offre à nous, tandis que des perruches d'un vert presque fluorescent et des aras rouges (*Ara macao*) jacassent au-dessus de nos têtes. Certains des bateaux que nous croisons sont tellement chargés de passagers, de marchandises et même de chiens qu'ils dépassent à peine la surface de l'eau, mais personne ne semble s'en affoler. Sur la rive ouest, alors que le soleil couchant vient souligner le relief des palmiers, un groupe d'enfants nous accueille à grands renforts de gestes et de cris à Las Marías.

COUPÉS DU MONDE

On pense que c'est vers 1945 qu'une femme Miskito, Francela Carington, arriva de Barra Patuca pour fonder Las Marías. Ensuite, la communauté devint à prédominance Pech lorsque des Indiens arrivèrent en 1949 de Buena Vista, en aval. Aujourd'hui, la population du village est mélangée et la majorité de ses 460 habitants vivent sur la rive ouest, sept ou huit familles s'étant

installées sur la rive opposée. En plus de leur seconde langue, l'espagnol, chacun des groupes indigènes a son propre dialecte. Le pech est parent du macro-chibcha originaire du nord de l'Amérique du Sud. Nous sommes installés dans un *lodge* en bois, de construction récente, avec un toit en palmier, qui appartient à la famille Tinglas. Il est très agréable d'écouter, assis sur la véranda, le murmure du

Ci-dessus *Un* pipante *(canoe) s'engage sur le Río Plátano à Las Marías.*
À gauche *Le guide Roberto désigne un hiéroglyphe gravé sur un rocher, en amont de Las Marías.*

fleuve, le chant des oiseaux à la tombée du jour et les coassements des crapauds. Le village n'a pas l'électricité, aussi ne sommes nous éclairés le soir qu'à la bougie et… au clair de lune. Là, nous sommes vraiment coupés du monde.

Le tourisme vert s'est développé de façon continue en Mosquitia et environ 300 voyageurs visitent Las Marías chaque année. L'une des attractions principales consiste à remonter le fleuve à la recherche de pétroglyphes gravés sur les rochers qui bordent la rivière. Après un petit déjeuner copieux composé de plantain frit (banane que l'on mange cuite), de riz et d'œufs, nous endossons nos sacs à dos, parcourons dans la forêt la courte distance qui nous sépare du village le plus important et prenons un troisième bateau. En amont de Las Marías, le niveau de l'eau baisse et de petits rapides rendent impossible la progression au moteur. On emprunte donc de petites pirogues sommaires appelées *pipantes*, poussées par deux hommes avec des perches, comme les gondoles à Venise. Ces bateaux ne transportent que cinq passagers à la fois, les deux "perchistes" et un barreur compris. Ce dernier, assis très près de l'eau, est également muni d'une rame. Roberto y prend place et je me dirige avec précaution vers le siège avant en bois, qui semble fait pour un enfant. Lorsque les deux pousseurs prennent appui sur leurs perches et écartent la pirogue du rivage, j'ai le sentiment qu'à un moment ou un autre durant les 4h de notre voyage, elle va chavirer, tellement elle paraît instable. Et je me félicite d'avoir rangé mes affaires dans un sac imperméable.

Sauvetage in extremis

Au loin, l'impressionnante aiguille rocheuse du Pico Dama domine la forêt vierge tropicale. Ce pic est une montagne sacrée dans la mythologie pech. Pour l'escalader, il faut prévoir deux semaines, avoir un niveau avancé en alpinisme et un goût immodéré pour le trekking dans la jungle. Mais notre défi consiste à vaincre les rapides ; j'observe la technique incroyable de nos accompagnateurs pour faire progresser le bateau. À l'approche de chaque difficulté, la première impulsion est cruciale et, parfois, le pagayeur arrière doit utiliser le courant de la rivière pour faire dévier l'esquif et mieux négocier son approche. Dans un rapide particulièrement puissant, les hommes perdent momentanément le contrôle et nous partons en arrière et en biais dans les eaux écumantes. Le bateau commence à s'enfoncer et je m'attends à devoir me jeter à l'eau pour regagner la rive. Mais les hommes parviennent à enfoncer leurs perches dans le lit pierreux de la rivière et à stopper notre dérive. Une fois le canot stabilisé, ils se remettent à le pousser vers l'avant.

Come nous arrivons au niveau d'un îlot rocailleux, Roberto annonce que nous pouvons débarquer et nous fait découvrir, gravé sur un rocher, le premier pétroglyphe : un visage tout simple et souriant, en signe de bienvenue. Un peu plus haut sur le fleuve, un autre, plus élaboré, fait penser à une pièce ornementale en fer forgé et semble davantage chargé de sens. Cependant, on ne sait presque rien de ces gravures ni de leurs auteurs. De gros nuages s'accumulent dans le ciel ; nous regagnons donc notre pirogue et redescendons vers Las Marías.

Le lendemain matin, nous nous levons à l'aube pour gagner Plaplaya, notre dernier point de chute, qui est aussi le village natal de Roberto. Il est situé plus en aval, près de la lagune d'Ibans. Plaplaya est un village Garífuna (► 93). Ces Indiens aux origines africaine et caraïbe descendent aussi des Indiens Arawak. Ils furent envoyés de l'île antillaise de Saint-Vincent au Honduras par les Anglais en 1797. Après avoir admiré le coucher de soleil sur une plage déserte à côté du village, nous assistons toute la nuit à des danses traditionnelles Punta sur la place du marché. Au rythme endiablé de grands tambours, un cercle de femmes de tous âges se forme, au milieu duquel une fillette se met à tournoyer et à s'agiter comme si elle était possédée. Elle est aussitôt rejointe par un jeune garçon et ils dansent collés l'un à l'autre, sans jamais se toucher. Leur visage ruisselle tandis que la musique s'intensifie. Autour d'eux, la foule se met à scander des chansons tribales. Même s'il a été organisé spécialement pour nous, le spectacle est impressionnant. Les danseurs, qui profitent de l'occasion pour se défouler, semblent même oublier notre présence.

À 5h du matin le lendemain, les rayons du soleil éclairent déjà le fleuve. Nous embarquons à bord de notre dernier *tuk-tuk* et regagnons Palacios. Je suis venu ici pour admirer la vie sauvage et les pétroglyphes mais je repars très marqué par le style de vie des indigènes. Je n'irai pas jusqu'à suivre l'exemple de Harrison Ford et m'y fixer, mais cela fait du bien de constater que le confort est loin d'être indispensable !

PARTIR EN SOLO

QUAND PARTIR

La meilleure période est la saison sèche (de novembre à avril). Février et mars sont les mois les plus propices pour observer les oiseaux, les espèces migratrices y faisant halte.

SE DÉPLACER

Les compagnies Isleña Airlines, Sosa et Rollins assurent une liaison quotidienne vers Palacios de La Ceiba et Trujillo. Sami est la seule qui propose des avions au départ de Belén.

S'ORGANISER

Plusieurs agences proposent des excursions variées dans la région. Il est plus économique d'organiser soi-même son voyage, notamment si l'on est en groupe. Mais il est alors vraiment conseillé de prendre un guide sur place pour faciliter le voyage, surtout si vous ne parlez pas bien l'espagnol. Les déplacements en bateau coûtent plutôt chers, surtout entre Raistá et Las Marías. Souvent, il n'y a pas d'horaires établis : c'est à vous de les décider. Le tarif est fixe pour le trajet en *pipante* de Las Marías jusqu'aux glyphes. N'oubliez pas que vous devrez payer les deux rameurs, le barreur et l'organisateur. Les repas et l'hébergement sont très abordables. Ce n'est pas un endroit où marchander.

QUELQUES TUYAUX

- ❏ Dans les *pipantes*, restez assis le plus bas possible et ne faites pas de mouvements brusques. Ces canots semblent totalement instables, mais ne vous affolez pas : ceux qui les conduisent sont très expérimentés et les accidents rares. De toute façon, le cours d'eau est la plupart du temps peu profond.
- ❏ Il peut être tentant de partir seul à l'aventure, mais un bon guide peut vous éviter bien des déboires et vous faire économiser pas mal d'argent. Vous comprendrez mieux les communautés locales ainsi que la vie sauvage. Enfin, l'argent donné à ce guide constituera une rentrée précieuse pour la région.
- ❏ Confirmez votre vol retour dès votre arrivée à Palacios. Le système des réservations laisse plutôt à désirer.

SANTÉ

Bien que peu répandues, le paludisme et la dengue existent dans la région. Il convient de vous prémunir avant de partir (consultez votre médecin pour les derniers traitements en date). Les lotions antimoustiques sont indispensables à l'aube et à la tombée du jour, ainsi que la moustiquaire pour dormir.

Le soleil peut vraiment taper fort, et longtemps durant les trajets en bateau. Aussi, prévoyez des vêtements à manches longues, un chapeau et des lunettes de soleil, et renouvelez régulièrement votre application de crème solaire.

Buvez beaucoup d'eau, soit des bouteilles achetées à La Ceiba, ou en filtrant l'eau locale grâce à des filtres à base d'iode (fournis dans un voyage organisé). La nourriture servie dans les centres reconnus de tourisme vert, tels que Raistá et Las Marías, est toujours préparée suivant des règles d'hygiène strictes.

Emportez une trousse de secours complète, dont vous aurez au préalable appris à vous servir. Vous risquez en effet d'attendre longtemps un médecin dans cette région difficilement accessible.

NE PAS OUBLIER

- ❏ Chapeau, crème solaire et lunettes de soleil
- ❏ Veste ou cape imperméable
- ❏ Moustiquaire et de quoi l'installer
- ❏ Lotion antimoustique
- ❏ Bonnes chaussures de marche
- ❏ Sandales, de préférence spéciales rafting
- ❏ Lampe-torche

POUR EN SAVOIR PLUS

- ❏ L'ouvrage de l'américain Derek Parent, *La Mosquitia – A Guide to the Land of Savannas, Rain Forests and Turtle Hunters* (1994), qui est disponible sur Internet (www.amazon.com) comblera les lacunes de la plupart des guides, même les plus réputés. Il offre une présentation approfondie de la population indigène et de sa langue, de la faune et de la flore sauvages, du climat, des itinéraires, des guides et des équipements locaux.

NICARAGUA

Qu'ils soient politiques, économiques ou environnementaux, le Nicaragua a connu son lot de problèmes au cours des dernières décennies. En décembre 1972, un tremblement de terre a presque entièrement rasé Managua, la capitale, tuant quelque 6 000 personnes. À la fin des années 1970, le Front sandiniste, puis, au début des années 1980 la riposte des contras, ravagèrent le pays. L'accès au pouvoir des sandinistes et l'inflation galopante qui s'ensuivit à la fin des années 1980 ont considérablement affaibli l'économie du pays. Mais, malgré tous ces fléaux, les Nicaraguayens n'ont cependant jamais baissé les bras. Ils constituent d'ailleurs, par leur naturel accueillant, la principale richesse de ce pays, qui est le plus vaste d'Amérique centrale (148 000 km^2) mais ne compte que 4 millions d'habitants. La majorité vit à Managua et ses environs. On distingue trois régions au Nicaragua : la plaine pacifique, la région centre-nord et la côte caraïbe, cette dernière regroupant une grande diversité de paysages avec ses îles paradisiaques, ses volcans encore en activité, sa jungle luxuriante et ses plages superbes. Le tourisme y est encore balbutiant, ce qui, pour le voyageur amateur d'expériences authentiques, est une aubaine.

Vue de Matagalpa, troisième ville, par la taille, du Nicaragua.

17 Une forêt magique

par Carl Pendle

Au centre-nord du Nicaragua, le domaine de Selva Negra (Forêt noire), baigné par l'air frais des montagnes, déploie ses 500 ha de terres arables, voués en partie à la culture du café et à la protection d'une faune et d'une flore d'exception. L'hôtel-restaurant qui complète l'ensemble a constitué pour moi la base idéale pour partir à la découverte de cette "forêt magique".

Mon arrivée au Nicaragua est assez mouvementée. En effet, un gros orage éclate peu avant mon atterrissage à Managua, accompagné de grands éclairs déchirant le ciel. Dans l'avion, nous autres touristes sommes peu rassurés alors que les Nicaraguayens semblent à peine prêter attention à cette manifestation classique du climat tropical de leur pays.

Mon guide, Juan Carlos Mendoza, de Careli Tours, m'attend à l'aéroport. Après avoir payé mon visa de séjour, je passe rapidement la douane et je récupère mes bagages. Dans le minibus, heureusement climatisé, Juan me souhaite la bienvenue au Nicaragua, "le pays des lacs, des montagnes, des rivières, des volcans, de la mer et du soleil", rien de moins ! Dans cette liste, il a omis les tremblements de terre : ainsi, le jour de mon arrivée, pas moins de 100 secousses sismiques ont été enregistrées. Le journal que lit Juan annonce un nouveau séisme, de même amplitude que celui de décembre 1972, qui a complètement dévasté Managua et fait 6 000 victimes. Juan me fait remarquer pour plaisanter que le somptueux Hôtel Intercontinental où je vais dormir ce soir a résisté cette année-là, et qu'il n'y a donc aucune raison qu'il s'écroule cette fois-ci. En moyenne, le Nicaragua subit tout de même un tremblement de terre par mois ! Comme vous pouvez l'imaginer, je ne dors pas très bien cette nuit-là.

Le lendemain matin, je suis soulagé de quitter l'atmosphère polluée de Managua pour Selva Negra. Après une demi-heure de route se profilent, au loin, des montagnes couvertes de forêts tropicales. Nous nous dirigeons vers la Cordillera Isabelia, qui culmine à 1 200 m et abrite, dit-on, les plus belles forêts tropicales d'Amérique centrale. Selva Negra est à deux bonnes heures de route au nord-est de Managua. L'essentiel du trajet emprunte l'autoroute Panaméricaine, où la circulation est dense. Une fois parvenu à Sébaco, il faut prendre la direction de Matagalpa. Là, sur la route sinueuse

1 À Selva Negra, c'est "chacun son rythme". Vous pouvez très bien y rester à lire un bon livre, tout en admirant la beauté du paysage, ou bien vous lever à l'aube pour espérer surprendre les oiseaux les plus rares, et emprunter ensuite l'un des 14 sentiers de randonnée. Ceux-ci correspondent à tous les niveaux de difficulté, d'une balade de 15 min autour d'un lac à une escalade de 4h.

★★ Par rapport au reste du pays, l'hébergement à Selva Negra est très confortable. Les bungalows sont bien équipés, la nourriture est excellente et le personnel très accueillant.

Munissez-vous de jumelles pour observer la vie sauvage dans la jungle et autour des bungalows. Pour faire du trekking, de bonnes chaussures de marche et une veste imperméable sont indispensables. Enfin, n'oubliez pas votre appareil photo et emportez une réserve de pellicules à haute sensibilité afin de pallier la pénombre qui règne dans la forêt.

qui mène à Jinotega, une vieille citerne rouillée gisant sur un talus herbeux indique l'entrée de la Selva Negra.

Le menuisier

Avant d'arriver, nous faisons une halte dans une vieille cabane en bois qui surplombe l'autoroute. Un écriteau sur la devanture annonce "Artesanía El Caminante" ("Artisanat Le Randonneur"). Juan me présente au propriétaire, Asención Zeledón, menuisier de son état. C'est un petit homme avec des dents en or et une moustache grisonnante ; il porte une casquette à l'envers qu'il retire sans cesse pour se gratter la tête. Asención est connu dans tout le pays pour les meubles de jardin qu'il fabrique de manière artisanale dans un bois appelé *chaperno*. Il se fournit dans les forêts voisines, qui ne lui appartiennent qu'officieusement : en effet, à la fin de la guerre, le gouvernement lui attribua 36 ha en récompense de ses faits d'armes comme guérillero, mais les gouvernements suivants lui en reprirent une bonne partie, ne lui laissant que 8 ha. Pendant qu'Asención nous raconte tout cela, il se met à pleuvoir à verse. Il part mettre à l'abri quelques chaises et une table. Il vend ces dernières 80 $, un prix très raisonnable pour les quatre jours de dur labeur qu'elles représentent.

Nous traversons **Sébaco**, située dans la vallée du même nom. Aujourd'hui, l'essentiel de la production de légumes du pays provient de cette région fertile. Sans doute parce qu'il y a des millions d'années, un grand lac occupait les lieux. Sur le bord de la route, carottes, ail, riz, betteraves et oignons sont empilés en pyramides impressionnantes sur des chariots, des étals ou des nattes.

La citerne indiquant l'entrée de Selva Negra fut détruite au bazooka à la fin des années 1970 lors de la révolution sandiniste contre Anastasio Somoza. Elle constitue un point de repère un peu étrange pour un complexe hôtelier. Le minibus cahote sur la route privée d'environ 1 km qui mène à l'hôtel. Elle est bordée d'arbres effilés appelés *esbadillas*, avec en arrière-plan des milliers de plants de caféier poussant à l'abri d'autres grands arbres, qui les protègent du soleil.

Eddy et Mausi

Le propriétaire de l'hôtel, Eddy Kühl, vient à notre rencontre. Avec sa femme Mausi, il a ouvert l'établissement en 1975. Il nous précède sur le chemin qui se ramifie en sentiers un peu boueux menant aux bungalows. Il y en a 24 et tous disposent d'une salle de bains avec douche. Certains sont même équipés d'une télévision, d'un réfrigérateur, d'un grand salon et d'un barbecue sur la terrasse. De conception rustique mais soignée, ils sont ornés de jolis rideaux, de tableaux aux murs et jouissent d'une vue superbe sur la forêt. À certaines périodes de l'année, des fleurs roses et rouges poussent même sur les toits.

Cet après-midi-là, Juan et moi-même retrouvons Eddy et Mausi au restaurant qui surplombe un magnifique lac artificiel. La vue est à couper le souffle :

UNE VIE SAUVAGE TRÈS RICHE

Selva Negra est un véritable zoo. Dès le petit déjeuner, c'est un spectacle haut en couleur qui s'offre à celui qui y séjourne : des colibris viennent prélever le nectar des fleurs à quelques centimètres de votre table et les perroquets volettent au-dessus du lac. Selva Negra abrite 175 espèces d'oiseaux, 85 variétés d'orchidées, une multitude de papillons et des milliers d'insectes. Les plus chanceux apercevront un toucan, et l'on dit que le mystérieux quetzal rôde également par ici. Selva Negra compte aussi parmi ses hôtes des mammifères comme des paresseux, des lions de montagne, des ocelots, des singes hurleurs, des tatous et des tapirs.

une légère vapeur, où percent quelques rayons de soleil, flotte au-dessus de l'étendue d'eau mais laisse apparaître le véritable collier de fleurs rouges qui la borde ; à l'arrière-plan, la forêt extraordinairement dense part à la conquête du ciel. La quiétude qui émane de ces lieux est tout simplement magique.

Des colons allemands

Eddy nous raconte pendant des heures l'histoire de la région. Dans les années 1880, une trentaine de colons allemands âgés d'une vingtaine d'années arrivèrent dans ces montagnes, chargés par le gouvernement nicaraguayen d'y faire pousser le café. En échange, ils se virent attribuer des terres où il s'installèrent ; ils donnèrent aux plantations les noms de leurs régions natales, tels que la Bavière ou Hammonia (Hambourg). Eddy et Mausi descendent de ces colons et en sont fiers comme en témoigne la touche germanique de leur hôtel : choucroute au menu et bungalows de style bavarois. Mausi fête même chaque année l'Oktoberfest, la fête de la Bière de Munich !

Je prévois, pour le matin suivant, de faire du trekking dans la jungle et de chercher à voir le plus d'oiseaux possible, en particulier le fameux quetzal (*Pharomachrus mocinno*), réputé l'un des plus rares au monde. En général, cette créature fascinante, dotée de longues plumes vertes, rouges et blanches, ne s'aventure pas au-dessous de 1 400 m d'altitude.

Pas si paresseux que ça !

A 3h du matin, un coup assez fort frappé sur le toit de mon bungalow me réveille. Malgré le vacarme incessant des insectes, je tends l'oreille au cas où le bruit se répéterait. La seconde fois, je le distingue nettement. Ce ne peut être un écureuil ou un oiseau, tant le coup

Ci-dessous *Parmi les 14 sentiers de randonnée que compte Selva Negra, l'un a été baptisé Indiana Jones et mène tout en haut de la réserve.*
À gauche *On peut organiser de l'hôtel une randonnée à cheval.*

est fort. Bien qu'on ait déjà vu s'aventurer près de l'hôtel des lions de montagne, des ocelots et des paresseux, j'imagine plutôt qu'il s'agit d'un singe hurleur à manteau (*Alouatta palliata*), détaché de son groupe. La jungle résonne de leurs cris familiers le jour mais heureusement pas la nuit.

Le lendemain matin, Mausi reçoit un message radio d'un de ses employés lui apprenant qu'il a repéré un paresseux endormi dans un arbre de la plantation. Les paresseux ne sont pas des animaux très réactifs, aussi, avant d'aller voir cette curieuse créature, ai-je le temps d'engloutir un petit déjeuner typiquement nicaraguayen : *gallo pinto* (mélange de riz et de haricots), œufs brouillés et tortillas sortant du four. Le contremaître nous attend au bord de la route. Avec sa grande machette, il désigne un arbre au milieu des jeunes pousses de caféier. En nous approchant, nous voyons qu'un paresseux à deux doigts (*Cholœpus meganychidæ*) y dort, roulé en boule entre deux branches. Notre présence le réveille et, délibérément, il déplie lentement ses pattes antérieures pour nous montrer deux longues griffes. Se pendant à l'arbre pour mieux nous observer, il reste ainsi quelques minutes avant de remonter et de se lever de nouveau dans le feuillage.

Au pays des oiseaux

Il existe 14 sentiers de randonnée à Selva Negra, allant du plus facile au plus ardu. Avec Juan, nous prenons celui qui mène au sommet de la montagne. Les oiseaux chahutent au point de nous interrompre dans notre montée, puis c'est le silence. Si Juan parvient à reconnaître le gazouillis d'un colibri, ainsi que la mélodie caractéristique d'un roitelet à couronne rubis (*Regulus calendula*), il est difficile d'identifier ces volatiles sans jumelles. Je repère tout de même un pivert grâce aux taches rouges de son plumage, et je reconnais le cri d'un tyran quiquivi (*Pitangus sulphuratus*), qu'on dit porteur de bonnes nouvelles.

Nous atteignons enfin le sentier Indiana-Jones, qui conduit à une fontaine dite de Jouvence, tout en haut de la réserve. Assez étroit et barré, de temps à autre, par un arbre effondré, il est néanmoins assez facile d'accès. Nous escaladons quelques rochers, glissons sur des souches d'arbres couvertes de mousse et nous frayons un chemin entre les branches. Juan me montre des avocatiers et des bananiers, ainsi qu'un cèdre et un acajou.

Sur la fin, le sentier devient plus pentu et nous sommes obligés par moments de nous agenouiller et nous agripper à des racines ou à des branches afin de gravir les parties humides et glissantes. Au loin résonne le cri strident d'un singe hurleur. Au point culminant de la réserve (1 400 m), il fait assez frais, ce qui tombe plutôt bien après tous nos efforts. Nous sommes cependant à une altitude moindre que celle du Pico Mogotón, situé près d'Ocotal, à côté de la frontière avec le Honduras. Avec ses 2 107 m, c'est le plus haut sommet du pays.

PRUDENCE !

Le sentier Peter-et-Helen fut baptisé d'après un couple anglais qui se perdit dans la jungle durant son séjour. Les sentiers se ressemblant beaucoup, il faut absolument prendre des précautions avant de s'engager sur l'un d'eux. Faites savoir au personnel de l'hôtel où vous allez et à quelle heure vous comptez revenir, et n'oubliez pas votre boussole. Si vous vous perdez malgré tout et qu'il commence à faire nuit, restez où vous êtes et attendez l'aube avant de repartir. Prévoyez des chaussures de marche avec un bon maintien de la cheville, une veste légère mais imperméable et de la lotion antimoustique. Enfin, emportez beaucoup d'eau.

Nous suivons la crête de la montagne afin de gagner le sentier Peter-et-Helen, qui nous ramènera à l'hôtel. Là-haut nous attendent quelques torrents, des feuilles aussi larges que des oreilles d'éléphants, des buissons aux épines venimeuses et de magnifiques papillons d'un bleu profond. Nous faisons une halte le long d'une rivière et Juan se désaltère à l'aide d'une feuille en guise de verre. Une fois de retour à l'hôtel, je me dis que je ne regrette pas une seule minute de ces 4h de randonnée.

Eddy, qui vient nous rejoindre au restaurant pour le déjeuner, nous parle un peu de sa clientèle. Selva Negra attire un panel intéressant de nationalités : la moitié des visiteurs sont nicaraguayens, l'autre moitié étant constituée d'Américains, de Canadiens, d'Allemands, de Hollandais et d'Anglais. L'hôtel est complet pratiquement tous les week-ends ; pendant la semaine, il n'est pas nécessaire de réserver.

LA PLANTATION DE CAFÉ

L'après-midi, tandis que nous roulons sur les routes caillouteuses bordant la plantation, Mausi me détaille leurs techniques d'exploitation écologiques. En matière d'électricité, ils ont un générateur hydraulique, et ils récupèrent le méthane pour les cuisines. Les restes des repas nourrissent des vers de terre, qui produisent ainsi un compost idéal pour faire pousser les légumes. Quand ils ont recours aux pesticides, c'est-à-dire le moins possible, ils ne les répandent que là où c'est nécessaire.

Mausi s'arrête devant un plant de caféier et en détache un grain rouge qu'elle met dans sa bouche ; elle en fait craquer l'enveloppe sous ses dents, afin d'en savourer le jus miellé. Voulant l'imiter, je croque le grain par mégarde. Mon second essai est plus concluant et je sens une matière gélatineuse et sucrée se répandre sur ma langue.

Les employés de la plantation sont peu payés mais bien traités. Les travailleurs permanents, soignés et

LE CAFÉ DE SELVA NEGRA

À Selva Negra, les plantations de caféiers couvrent 200 ha (sur 500 ha) et comptent 4800 plants par hectare. Entre novembre et début février, plus de 600 personnes y récoltent à la main les grains de café. Chaque plant produit des grains quatre ou cinq fois par saison, ce qui représente en moyenne 450 g de café. Il atteint sa maturité au bout de 3 ans mais donne des fruits pendant encore 30 ans. À Selva Negra, la production s'élève à 150 t par an, dont les deux tiers sont exportés aux États-Unis et le tiers restant en Europe. Le café est la principale ressource du Nicaragua à l'exportation, mais Mausi s'empresse de préciser que le producteur ne garde pour lui que 2% du prix que paiera le consommateur.

nourris, ont leur propre maison (il y a en tout 64 maisonnettes en briques). Mausi a même créé une école pour leurs enfants. Quant aux travailleurs saisonniers, ils dorment dans des dortoirs pouvant abriter plus de 300 personnes.

Les cuisines sont situées dans un long bâtiment sombre couvert de tuiles, sans doute une ancienne étable. Lors de notre visite, la cuisinière est occupée à cuire des tortillas (500 par jour !), et deux grosses marmites de riz et de haricots bouillonnent sur des feux de bois. La cuisinière doit sans doute ses yeux cernés au fait qu'elle se lève chaque jour en pleine nuit pour que le petit déjeuner soit prêt à 4h du matin.

Ce soir-là, Eddy nous raconte de nouvelles histoires. C'est dans ces montagnes, où la guérilla a commencé dès les années 1920, qu'il se joignit aux insurgés luttant contre Somoza. Il arriva plusieurs fois qu'on lui tire dessus, jusqu'à ce qu'en septembre 1978 il décide de s'exiler au Costa Rica. Avant de partir, il confia l'hôtel, qui, à l'époque, était souvent réquisitionné par les contras comme par les sandinistes, à sa mère ainsi qu'à un ancien condisciple.

Randonnée à cheval

Le lendemain matin, il se met à pleuvoir alors que nous devons randonner à cheval jusqu'à un village voisin. On nous amène les chevaux devant le restaurant, mais Juan et moi attendons tout de même sous la pluie qu'un palefrenier les sangle et ajuste les étriers. Ma monture est un petit cheval blanc et feu, qui maintient une jambe en l'air comme s'il était estropié. Le palefrenier m'attache un éperon au pied droit, et nous partons rejoindre la grande route. Après avoir passé la citerne, nous découvrons une vue magnifique sur la vallée verdoyante.

Une heure plus tard, nous arrivons au petit village de **Parsila**, où nous attachons nos chevaux, près d'un magasin. À l'intérieur, des enfants sont agglutinés devant une télévision noir et blanc et jouent à Super Mario sur une console Nintendo. Ils tournent la tête mais ne semblent guère intéressés par notre présence. La propriétaire nous accueille, puis sort du réfrigérateur deux sodas qu'elle pose sur le comptoir en bois. À côté, sur une étagère, se côtoient pêle-mêle des allumettes, des cigarettes, une boîte d'Alka Seltzer, du papier toilette, des sucettes et quelques gâteaux maison emballés dans du film plastique. Nous l'interrogeons, elle et une autre personne du village, sur la communauté dont Eddy nous a parlé et dont les membres ont la peau claire et les yeux bleus. La propriétaire nous dit qu'ils vivent dans la montagne et restent entre eux. Elle ajoute qu'ils descendent des gringos venus au Nicaragua pour travailler sur les routes au début des années 1900.

Alors que nous nous enfonçons dans les collines, nous croisons deux vieilles dames au teint clair et aux yeux bleus. Nous les saluons sans oser les interroger. Puis nous faisons demi-tour, car nos chevaux sont fatigués de gravir des chemins pentus et boueux.

Jeunes pousses de caféier attendant d'être replantées. La plantation de Selva Negra compte au total environ un millier de plants.

Comme nous évoquons notre rencontre avec ces deux femmes, Eddy nous rapporte quelques faits intéressants piochés dans l'ouvrage de Thomas Belt, *The Naturalist* (1874). Charles Darwin le considérait, paraît-il, comme une référence. Deux paragraphes sont consacrés à ces personnes au teint clair. Belt affirme, contrairement à ce que nous a dit la gérante du magasin de Parsila, qu'elles descendent des boucaniers arrivés dans la région par le Río Grande.

Sur le chemin du retour

Durant notre dernier après-midi à Selva Negra, Mausi nous conduit en bordure de la plantation : la vue y est dégagée et l'on discerne au loin **Matagalpa**, la troisième ville du Nicaragua. Nous y faisons une halte afin de visiter la cathédrale. Sur la place voisine, des femmes cuisinent sur des barbecues, des enfants s'improvisent cireurs de chaussures, tandis que des vieillards discutent entre eux à l'ombre des arbres. Pendant la guerre, cette ville essuya quelques-uns des combats les plus sanglants, ce qui explique le grand nombre d'infirmes et de femmes portant le deuil. Carlos Fonseca, fondateur du Front sandiniste, y est né ; sa maison a été transformée en musée.

Nous quittons nos paisibles collines pour retrouver la bruyante Managua. En chemin, deux hommes arrêtent de force notre camionnette en tendant une corde en travers de la route. Apparemment, c'est là un moyen répandu pour extorquer des "donations", censées servir à réparer la chaussée. Un plus loin le long de la route, un petit groupe vend perroquets, singes et tatous. Alors que nous ralentissons, l'un des marchands porte un tatou à hauteur de notre vitre. Celui-ci est toujours vivant, mais ses pattes arrière sont attachées. Bien que ces petits mammifères soient assez rares, l'homme en demande moins de 10 $.

Si vous voulez oublier un moment les dures réalités du Nicaragua, ou si vous souhaitez juste vous reposer de la fatigue de vos aventures, je vous recommande le tranquille hameau de Selva Negra et son cadre exceptionnel. Les animaux y sont protégés et la chasse interdite. Votre séjour y sera d'autant plus agréable que la cuisine est riche et variée, le café tout droit sorti de la plantation locale et les gâteaux allemands, traditionnels et faits maison !

PARTIR EN SOLO

QUAND PARTIR

La meilleure période pour visiter le Nicaragua est la saison sèche (de décembre à avril). Je m'y suis rendu en octobre, pendant la saison des pluies (de mai à novembre) : s'il pleuvait souvent l'après-midi, la température restait très agréable, autour de 20-25° C.

SE DÉPLACER

Si l'on passe par une agence de voyages de Managua pour se rendre à Selva Negra, le trajet en car dure environ 2h. Les cars publics au départ de la capitale sont plus lents. Prenez celui pour Jinotega et demandez que l'on vous dépose à Selva Negra, au niveau de la citerne rouillée.

S'ORGANISER

Vous pouvez facilement organiser vous-même votre voyage, en joignant directement l'hôtel de Selva Negra. Si vous téléphonez, sachez qu'Eddy et Mausi parlent tous deux très bien l'anglais, mais vous pouvez aussi réserver par Internet. Par une agence de voyages, le transport, le guide et les formalités administratives vous reviendront plus cher.

Trois ou quatre jours à Selva Negra sont amplement suffisants pour se détendre et faire de belles marches dans la jungle. Les balades à cheval ne coûtent pas cher, et on les réserve à la réception (dans le restaurant). Je vous conseille les excursions d'une journée à Matagalpa et à Jinotega, que vous pouvez très bien organiser par vous-même.

QUELQUES TUYAUX

- ❑ Si vous voyagez dans un car public, méfiez-vous des pickpockets à la gare routière de Managua. Ne perdez jamais de vue votre sac à dos et insistez pour le garder avec vous dans le car, plutôt que de le laisser dans la soute à bagages ou sur le toit.
- ❑ Si vous voyagez en minibus ou en voiture particulière, ne vous laissez arrêter par personne (sauf la police bien sûr) sur la route qui mène à Selva Negra.
- ❑ Les visites guidées de la plantation de café de Selva Negra sont très intéressantes.

SANTÉ

Du fait de son altitude, Selva Negra compte peu de moustiques. Méfiez-vous cependant des fourmis rouges, dont la piqûre peut être très douloureuse ; les fourmilières, en forme de petites mottes de terre, sont bien visibles sur le sol.

NE PAS OUBLIER

- ❑ Moustiquaire (non fournie)
- ❑ Jumelles
- ❑ Vêtements imperméables
- ❑ Chaussures de marche montantes
- ❑ Vêtements chauds pour le soir

Avec un peu d'imagination, on peut faire des merveilles à partir des matériaux locaux.

18 Au pays des volcans

par Carl Pendle

Rien n'est simple lorsque l'on veut à tout prix escalader un volcan de 1 395 m couvert d'une jungle presque impénétrable... qui plus est, sous un terrible orage. Il m'a fallu 4h pour atteindre son sommet et 3h pour en redescendre. Aujourd'hui encore, je n'en reviens pas d'avoir conquis ce géant de la nature.

Avec ses bottes en caoutchouc usées, son jean et son tee-shirt élimé, Ramiro Carrillo-Valle, 24 ans, n'a pas vraiment l'allure d'un guide. Pour tout équipement, il porte un petit sac à dos rouge dont pendouille une corde ; d'une poche dépasse la pointe d'une baïonnette qu'il a récupérée d'un AK47 (une machette, explique-t-il, serait trop encombrante). Il parle mal l'anglais et ne se souvient même pas combien de fois il a déjà escaladé le volcan qu'il doit nous faire découvrir ; entre 15 et 20 fois, suppose-t-il, après avoir réfléchi.

Nic, un Américain de San Francisco à l'allure athlétique, s'est joint à nous pour cette escalade. Nous sommes tous deux parfaitement équipés. Il faudrait d'ailleurs être fou pour ne pas l'être ! Nous portons des chaussures de marche robustes, un pantalon coupé dans une étoffe qui sèche rapidement, une veste imperméable et un sac à dos rempli de barres énergétiques et d'une bonne réserve d'eau.

La voiture nous dépose devant un chemin qui longe un champ au pied du volcan. À l'instant où je regarde son sommet, il joue à cache-cache avec de gros nuages. Je me baisse pour relacer mes chaussures, j'ajuste les bretelles de mon sac à dos : autant de gestes inutiles pour retarder ce qui m'attend. Le conducteur regarde Ramiro, Juan Carlos Mendoza, de Careli Tours, Nic et enfin moi, qui suis le plus petit du groupe. Il me demande si je fais de la musculation, ce à quoi je répond que non. Il me parie alors 10 $ que je n'arriverai pas jusqu'en haut. Je relève son pari, car j'ai appris qu'une Japonaise de 62 ans a escaladé ce même volcan il y a quelques semaines. Dans ce cas, pourquoi un homme de 33 ans en bonne forme n'y arriverait-il pas ?

Le volcan Madera

Depuis le début de la semaine, Juan m'a préparé à l'idée de cette escalade. Mais de quel volcan s'agit-il ? Le volcan Madera (1 395 m), l'un des deux points culminants de l'île d'Ometepe. Celle-ci est l'une des 365 îles du lac Nicaragua, 300 d'entre elles formant ce qu'on appelle las Isletas, à moins de 2 km de la ville coloniale de Granada. Ometepe, qui a la forme d'un os, accueille le Madera dans sa partie est, et le Concepción,

Il faut être bien entraîné pour escalader les volcans Madera et Concepción : l'effort est intense et les pentes sont parfois très raides. Il est possible de n'effectuer qu'une partie de la montée et de redescendre lorsqu'on est fatigué. Le mieux est de faire évaluer votre niveau physique par un praticien avant de vous engager dans cette aventure.

★★★ Les hôtels de l'île d'Ometepe offrent un confort très sommaire et n'ont généralement pas l'eau chaude. Si vous souhaitez un séjour plus confortable, prévoyez de ne rester sur l'île qu'une journée : prenez le dernier bac à 16h, afin de passer la nuit sur le continent.

Pour escalader les volcans, de bonnes chaussures de marche et des vêtements imperméables sont indispensables. Prenez également un petit sac à dos pour les objets de première nécessité, tels qu'une petite trousse de secours, de la lotion antimoustique, des barres énergétiques et bien sûr beaucoup d'eau.

dans sa partie ouest. Ces deux volcans sont reliés par un pont, l'isthme Tistian, formé par les éruptions successives. Ometepe s'équipera certainement un jour de structures touristiques mais, pour le moment, l'endroit convient parfaitement à qui souhaite goûter aux joies du tourisme vert et aux frissons d'une escalade inoubliable.

On peut faire l'ascension des deux volcans de l'île. Le Concepción (1 610 m), au sommet parfaitement triangulaire, fait beaucoup penser au Fuji-Yama japonais. Il n'est pas recouvert d'une forêt luxuriante comme le Madera et ses cendres volcaniques rendent son escalade assez ardue. Également difficile à gravir, le Madera est le plus intéressant par la richesse de sa flore et de sa faune. Et, son cratère abrite un superbe lac, une cascade et des sources naturelles. Notre choix est fait : nous irons escalader le volcan Madera.

En route pour l'aventure

À bord du bus climatisé de Careli Tours, nous quittons Managua à 8h et prenons l'autoroute Panaméricaine en direction de Rivas, à 110 km plus au sud. Pendant les 2h que dure le voyage, nous traversons de nombreux villages, dont Dirioma et Diria. On y pratique la sorcellerie, et les gens viennent de tout le pays y chercher des remèdes à leurs maux. Juan nous raconte que, pour les hommes en quête du grand amour, les sorcières prescrivent du pénis de raton laveur ! Ce traitement coûte assez cher, ajoute-t-il, la matière première étant difficile à se procurer.

Rivas, petite ville située sur la rive ouest du lac Nicaragua, n'est qu'à 30 km de l'océan Pacifique. Un projet de canal reliant le Pacifique à l'Atlantique a failli y voir le jour. Le milliardaire américain Cornelius Vanderbilt, propriétaire de la compagnie Accessory Transit, fut le premier à faire passer des voyageurs et des marchandises par ce chemin, jusqu'à San Juan del Sur (carte ► 181). Mais les défenseurs du canal de Panamá soulignèrent les dangers qu'engendrerait la construction d'une voie d'eau navigable à travers un pays qui compte tant de volcans encore en activité, et l'idée fut abandonnée.

La portion de la côte pacifique autour de **San Juan del Sur** est connue pour ses plages ainsi que pour les sites de Chococente et de La Flor, où viennent pondre des tortues de mer. Pendant les mois de septembre et d'octobre, ces paisibles animaux y enfouissent leurs œufs. Bien que ces sites soient protégés, on trouve des œufs de tortue en vente sur les marchés de Managua. Bizarrement, cela demeure légal si le marchand a l'autorisation du ministère des Ressources naturelles.

Un port lacustre

Revenus à Rivas, nous nous rendons à **San Jorge**, sur le lac Nicaragua, d'où part le bac pour l'île d'Ometepe. Comme nous sommes en avance, nous jetons un œil, dans la baraque vendant les tickets, sur des cartes postales de l'île afin de nous faire une idée de ce qui nous attend. L'espadon et les deux ou trois requins accrochés aus murs témoignent des prises fantastiques

UNE ASCENSION BIEN PRÉPARÉE

Lorsque vous vous attaquez à une ascension telle que celle du volcan Madera, vous devez évidemment être bien préparé. Votre corps ne peut stocker assez d'énergie que pour 3 ou 4h d'exercice intense, aussi devez-vous, pour une marche aussi longue, reconstituer régulièrement vos réserves. Les tablettes de glucose sont donc utiles, ainsi que des sachets de poudre contenant un mélange de sucre et de sels minéraux. Faites dissoudre cette poudre dans de l'eau et buvez-la pour compenser vos pertes.

que l'on peut faire dans ce lac. Dehors, les restaurants en enfilade, tous vides, offrent un spectacle assez triste sous la pluie battante.

Nous gagnons la jetée et embarquons à bord du bac. Celui-ci ne mesure pas plus de 12 m, et l'on peut tout juste y caser quelques voitures ou un gros camion. Les deux ponts prévus pour les piétons sont équipés de sièges, disposés face à un écran de télévision encastré dans un panneau en bois. Le bateau est rempli aux trois quarts, essentiellement de gens du coin. Un petit groupe de randonneurs américains est toutefois assis juste devant nous. Deux jeunes filles déambulent sur les ponts, essayant de vendre des paquets de chewing-gum. Un petit comptoir vend des sandwichs et toutes sortes de boissons, alcoolisées ou non. Je jette un œil à travers mon hublot, à l'affût des volcans, mais je ne distingue qu'une végétation très dense tout le long de la côte.

La vie sur l'île d'Ometepe

D'une superficie de 276 km², l'**île d'Ometepe** compte tout de même 35 000 habitants. Elle ne compte que deux villes, Moyogalpa et Altagracia, le reste de l'île étant émaillé de petits villages, où les gens vivent de la pêche et cultivent une terre très fertile. La banane plantain, semblable en apparence à la banane, y est récoltée en grandes quantités et constitue l'une des bases de l'alimentation nicaraguayenne. Mais on trouve aussi du riz, du tabac, du café, des pastèques, du maïs et divers agrumes.

En minibus, nous quittons Moyogalpa et son petit port animé et nous prenons la direction de San José del Sur. Passé le village, bifurquant sur un chemin en terre, nous arrivons, après avoir été bien secoués pendant 5 min, à une plage où des hommes construisent un bateau avec des planches en cèdre. Par temps clair, nous disent-ils, on aperçoit le Costa Rica, qui n'est qu'à 15 km. Nous allons voir, un peu plus loin sur la plage, Charco Verde, connu sous le nom de "lac du Diable". La légende veut que ceux qui vendent leur âme au diable en échange de richesses finissent sous ce lac… en enfer. En rebroussant chemin, nous passons à côté d'un arbre, dont l'écorce est supposée soigner l'arthrite. Juan nous montre également une plante qui replie ses feuilles lorsqu'on les touche, un arbre au tronc creusé par les termites ainsi qu'un magnifique héron cendré (*Ardea cinerea*).

L'île d'Ometepe est un paradis pour la vie sauvage ; d'ailleurs, de nombreux panneaux sur le bord de la route rappellent la nécessité de "protéger la faune sauvage". Même de notre bruyant minibus, nous surprenons des singes hurleurs (*Alouatta palliata*) et de nombreuses espèces d'oiseaux. En une heure, nous apercevons ainsi, grâce à Juan, des perroquets, des bécasses, des aigrettes, des hérons, des balbuzards pêcheurs, des frégates et des canards !

Une station balnéaire

Santo Domingo, la ville préférée de Juan, est une petite station balnéaire très tranquille implantée sur l'isthme qui relie les deux volcans. Nous faisons une halte à Villa Paraíso, un hôtel-restaurant tenu par un médecin et sa femme australienne. Un sympathique serveur nous conduit à notre table, non loin de palmiers et de papayers qui ploient sous une brise rafraîchissante. Nous commandons tous du tilapia, un poisson aux nageoires hérissées de pointes originaire d'Afrique, introduit il y a 25 ans dans le lac. Et c'est sous le regard attentif des deux singes apprivoisés de l'hôtel que nous déjeunons agréablement.

Le volcan Masaya, situé à 27 km au sud de Managua, est le plus spectaculaire des 58 volcans du Nicaragua, et son très vaste cratère fume en permanence.

L'après-midi, nous partons pour Altagracia afin de visiter le **musée d'Ometepe**. S'il n'a rien d'exceptionnel, l'endroit vaut le coup d'œil pour ses vestiges archéologiques de l'époque précolombienne. On nous explique que les pièces exposées ne sont pas datées pour dissuader d'éventuels voleurs ! Nous admirons ainsi des poteries, des céramiques, des objets ornementaux et quelques bijoux. Dehors trônent de grandes statues en pierre dont les glyphes sont dus aux Chorotegas. La présence dans l'île de cette tribu indienne originaire du sud du Mexique s'explique ainsi : les Chorotegas auraient obéi à une prophétie leur ordonnant de partir à la recherche d'une île constituée de deux montagnes émergeant de l'eau.

Nous retournons à Moyogalpa, en empruntant de nouveau la route unique qui longe le littoral, le reste de l'île n'étant accessible qu'en bateau, à cheval ou à pied.

À **Moyogalpa**, Nic, Juan et moi-même prenons une chambre à l'hôtel Pirata. Il n'y a en ville que trois hôtels assez rudimentaires, mais très suffisants pour quelques jours. Ce soir-là, alors que nous flânons dans les rues, un homme nous invite chez lui. Dans sa maison, une pièce est remplie d'antiquités indiennes : vieux pots en terre, bijoux et pierres gravées de visages aux grands yeux. Mais ce dont il est le plus fier s'avère être des urnes funéraires en forme de gourdes. Tout est à vendre, nous dit-il. Je lui demande alors si cette vente est légale ; il se contente de me répondre ainsi : la région est tellement riche que les autorités ferment les yeux sur ces petits trafics !

UNE RÉGION EXPLOSIVE

L'Amérique centrale a dans son ensemble une forte activité sismique, car c'est dans cette zone que se rencontrent les plaques tectoniques des Caraïbes et du Pacifique. Au fur et à mesure que cette dernière avance, elle fond au contact du manteau et produit de la lave, qui remonte à la surface par des fissures dans l'écorce terrestre. D'où les volcans. Le Concepción, sur l'île d'Ometepe, a ainsi connu 24 éruptions depuis 1883, la dernière étant advenue en 1986. Les tremblements de terre, assez courants dans le pays, résultent des fortes pressions se libérant parfois le long de la faille tectonique.

Un départ matinal

Le lendemain, le chauffeur nous attend devant notre hôtel à 5h du matin. À bord de sa Jeep, nous partons en direction de Balgue, de l'autre côté de l'île. La route décrit un huit et longe la plage de Santo Domingo, où nous nous sommes arrêtés la veille. Malgré une ou deux éclaircies, il pleut durant toute la journée, et de gros nuages masquent les sommets des deux volcans. Juste avant d'arriver à Balgue, nous faisons halte devant la maison où vit notre guide. Comme il n'y a personne, nous allons frapper à la porte d'un voisin. À en juger par sa tenue – caleçon et tongs –, nous l'avons certainement réveillé. Non sans nous avoir traités d'inconscients, il nous donne le nom d'un jeune homme, Ramiro, qui habite dans le centre et acceptera peut-être de nous aider.

Nous réussissons à trouver Ramiro, qui accepte de nous servir de guide. Pendant qu'il prépare ses affaires, je vais avec Nic au magasin du coin pour acheter un soda. Les jolis petits pains qui sortent du four sont si alléchants que nous n'y résistons pas. Lorsque nous racontons à la vendeuse que nous allons escalader le **Madera**, elle pousse un cri et nous dit que nous sommes complètement fous. Après 22 ans passés au village, elle ne s'est décidée que l'année dernière à se lancer dans cette aventure avec

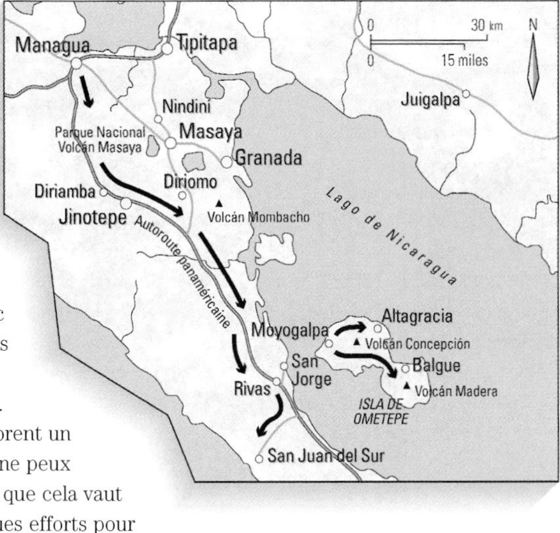

La zone volcanique autour du lac Nicaragua

des amis. Elle nous montre les photos de son ascension : l'une d'entre elles, qui est superbe, a été prise tout en haut du volcan, avec la forêt luxuriante et les eaux du lac d'un bleu perçant à l'arrière-plan. Cinq de ses amis y arborent un sourire triomphant. Je ne peux m'empêcher de penser que cela vaut la peine de faire quelques efforts pour admirer un spectacle aussi magnifique.

Le début de la randonnée se révèle assez facile. Nous traversons des rizières, puis des plantations de plantain. Puis nous parvenons à un bâtiment en bois appelé ferme de Magdalena, où nous sommes accueillis par une jeune fille qui nous demande si nous souhaitons un petit déjeuner. Il s'agit de la dernière habitation sur le chemin qui mène au sommet : un petit restaurant et un bar y ont été aménagés, ainsi que quelques chambres au confort rudimentaire. Nous déclinons l'offre de la jeune fille et nous engageons dans une forêt touffue.

Ramiro et Juan se mettent à marcher d'un pas rapide. Je suis soulagé de les voir s'arrêter pour prélever quelques fruits d'une plantation de cacaoyers. Les fèves de cacao étaient sacrées pour les Indiens, qui s'en servaient de monnaie d'échange. Ramiro détache une cosse et la fend en deux avec la pointe de sa baïonnette : une enveloppe blanchâtre laisse apparaître, serrées l'une contre l'autre, des fèves de la taille de gros haricots. Le goût amer du chocolat me fait oublier quelques instants les 6h d'escalade qui m'attendent.

Aux deux tiers de l'ascension, nous nous arrêtons enfin pour prendre un petit déjeuner tardif. Ramiro ouvre un récipient contenant un mélange brun et épais constitué de haricots, de riz et de banane plantain. Je verse un sachet de poudre énergisante dans ma bouteille d'eau et bois la mixture à petites gorgées, tout en contemplant la vue sur la baie. Alors que nous entendons derrière nous des singes hurleurs, des perroquets surgissent de tous côtés. Nous ne sommes qu'à 540 m d'altitude, et il nous reste encore 855 m à gravir.

Au bout de 3h d'escalade, je ne sens plus mes mollets ni mes cuisses. La pluie se met à tomber si fort que je n'essaie même plus de m'en protéger : mes doigts ramollissent sous l'effet de l'humidité. Je dois à présent m'arrêter tous les 15 min afin de reprendre mon souffle.

Des efforts mal récompensés

Nous atteignons enfin le sommet. Nous entrons dans le cratère et descendons vers le lac. Ramiro noue sa corde à un tronc d'arbre pour que nous puissions progresser le long d'une paroi presque à la verticale. Puis, nous pouvons de nouveau marcher normalement. En raison du brouillard, la visibilité est très limitée. Nous prenons tout de même quelques photos sous la pluie, sans prendre le temps de savourer notre exploit, car nous savons qu'il nous reste encore 3h d'efforts à fournir

Ci-dessus *Les bacs pour l'île d'Ometepe arrivent à Moyogalpa, dans l'ouest de l'île.*
À gauche *Les tapisseries en corde sont parmi les créations artisanales qui se vendent le mieux à Masaya.*

pour regagner le pied du volcan. Après être remontés sur le bord du cratère, nous entamons notre descente.

La pluie redouble à présent, formant un ruisseau dans le sentier déjà boueux. Des feuilles et des fougères frôlent nos bras et notre visage, et nous ne cessons de trébucher sur les racines. Tout d'abord, la descente me paraît facile mais, au bout de 2h, mes jambes ne me portent plus. Je m'arrête un instant, en me demandant si je vais parvenir jusqu'en bas. Je suis si fatigué que j'ai bien failli manquer un singe hurleur assis sur une branche juste au-dessus de ma tête. Me baissant un peu pour éviter sa queue, je me retourne pour l'examiner. Apparemment, ma présence ne le gêne guère.

La ferme de Magdalena réapparaît enfin au détour d'une clairière. Nous avons bien mérité une petite halte.

Je retire alors mes chaussures et mes chaussettes totalement trempées et m'écroule dans un hamac, un verre à la main. Détendu pour la première fois de la journée, j'arrive même à esquisser un sourire !

Ramiro nous invite à boire un café chez lui. Dans le salon, un petit garçon regarde *Conan le Barbare* à la télévision. Alors que je viens de repérer un rocking-chair en bois, je m'aperçois que la maison est remplie de cercueils, jusque dans la chambre à coucher. Menuisier de son état, le père de Ramiro fait des stocks en prévision d'un été chargé ! Lorsque je lui demande si cela ne le dérange pas d'avoir tous ces cercueils chez lui, il se contente de répondre en souriant qu'il n'a pas peur de la mort.

Les autres volcans du Nicaragua

Le pays compte 58 volcans en tout, dont le plus spectaculaire est le Masaya ("là où l'herbe brûle"), à seulement 27 km au sud de Managua. Il est toujours actif, et la fumée qui s'échappe en permanence de son large cratère lui confère un aspect redoutable. Lors de sa dernière éruption, le 16 mars 1772, la coulée de lave s'étendit sur 15 km. Cette coulée solidifiée constitue aujourd'hui une partie du **parc national du volcan Masaya**, le premier de son genre au Nicaragua.

Inauguré en 1979, ce parc abrite sur 54 km^2 une savane tropicale unique ainsi qu'un écosystème de forêt sèche. Une route goudronnée le traverse, atteignant

VOLCAN MASAYA : QUELQUES CHIFFRES

- Le cratère mesure 500 m de diamètre et 200 m de profondeur.
- La température à l'intérieur du cratère atteint jusqu'à 850° C.
- Le volcan fume depuis 2300 ans (dernière éruption en 1772) et émet chaque jour 1000 t de soufre. Ces émissions ont des conséquences désastreuses sur l'environnement, car rien ne pousse sur leur trajet, jusqu'à 30 km. Heureusement, la fumée est presque toujours déportée vers l'ouest, loin de Managua.

le sommet du volcan Masaya. Elle permet également d'accéder au volcan Nindirí, plus au nord. On compte trois cratères sur ces hauteurs, mais celui de Santiago, qui émet des gaz sulfureux, est le seul qui soit encore en activité. À l'entrée du parc, nous visitons un musée très intéressant, puis nous parcourons ensuite en voiture les 5 km qui nous séparent du cratère du Masaya. Un grand parking y a été aménagé à quelques centaines de mètres. Nous marchons jusqu'au bord du cratère et regardons au fond. De la fumée s'en échappe par bouffées, avant d'aller se fondre dans les nuages. De temps en temps, on devine, au grand bruit que nous entendons, que l'écorce terrestre craque sous la pression.

Les Indiens pensaient jadis que le Masaya était la porte des Enfers ; pour apaiser les dieux, ils lui offraient en sacrifice des enfants et des vierges qu'ils jetaient dans son cratère. En 1529, le père Fransisco Bobadilla fit ériger une croix au sommet du volcan afin d'exorciser ses démons. De là, la vue est superbe, et s'étend jusqu'à la capitale. Des coulées de lave, certaines vieilles de 300 ans, strient le paysage. La plupart ont conservé leur couleur noire malgré leur colonisation par les lichens, les mousses et autres plantes primaires. La faune sauvage s'y est beaucoup développée comme en témoignent coyotes (*Canis latrans*), moufettes rayées (*Mephitis mephitis*), ratons laveurs, opossums et chauves-souris. Dans l'atmosphère toxique qui environne le volcan vivent des perruches ondulées et nombre de curieux insectes qui se sont adaptés à ces conditions particulières.

À l'est du volcan s'étend le lac Masaya que borde la charmante ville de **Masaya**. Elle est réputée pour sa production d'objets d'art et d'artisanat, et vous pourrez trouver, entre autres, au marché local des vêtements, des articles en cuir, de la poterie et des hamacs bon marché. Pensez également à jeter un œil aux fontaines du marché, où nagent des caïmans à lunettes (*Caiman crocodilus*).

On peut tout à fait profiter d'un séjour à Masaya pour aller visiter la charmante bourgade de **Granada**, à seulement 15 km. Elle est située au pied du volcan Mombacho ("volcan Plat"), qui est, avec ses 1 400 m d'altitude, l'un des plus hauts de la région. Ses éruptions sont à l'origine des 365 îles du lac Nicaragua. Sur ses pentes couvertes d'une végétation dense, poussent des caféiers. On y trouve aussi plusieurs variétés d'orchidées rares ainsi que deux espèces endémiques de papillon. En contrebas, on aperçoit les édifices très colorés, d'inspiration espagnole, de Granada, qui est la plus ancienne ville coloniale d'Amérique centrale et la destination la plus prisée du Nicaragua. Découvrez-les de l'une des nombreuses calèches qui partent de la vieille place.

De tous les volcans du Nicaragua, Madera est celui qui m'aura le plus marqué… parce que je l'ai gravi. Comment pourrais-je oublier l'expression incrédule du chauffeur, venu nous chercher, lorsque je lui ai dit que j'avais remporté mon pari, que j'avais conquis ce colosse de la nature ? Qu'il m'ait crue ou non m'est bien égal. Le volcan, lui, en a été témoin !

PARTIR EN SOLO

QUAND PARTIR

Vous pouvez découvrir les volcans à n'importe quelle période de l'année, mais la saison sèche (de décembre à avril) est à l'évidence la plus agréable. Pour autant, les pluies ne seront pas exclues dans les forêts qui entourent certains volcans.

SE DÉPLACER

Le Nicaragua compte 58 volcans, dont un grand nombre peuvent être escaladés. Il est toujours préférable de partir avec un guide, car on se perd facilement sur les plus hauts d'entre eux, tels le Mombacho, le Madera, le Concepción et le Masaya. Managua est un bon point de départ pour visiter tous ces volcans.

Le bac reliant San Jorge à Moyogalpa coûte 3 $ par personne et 15 $ pour une voiture. Il y a un service régulier de cars sur l'île, avec un départ toutes les heures de Moyogalpa. Pour rejoindre Balgue, à 29 km, de l'autre côté de l'île, il faut environ 2h ! Si vous louez une Jeep, vous mettrez deux fois moins de temps. Quel que soit le moyen de transport adopté, sachez que les trajets seront inconfortables.

S'ORGANISER

Afin d'organiser une excursion sur un volcan, l'idéal est de contacter une agence de voyages à Managua. Cependant, on trouve facilement des guides sur l'île d'Ometepe ; renseignez-vous dans les hôtels ou *albergues* de Moyogalpa. Parfois, même cette démarche se révèle superflue : à deux reprises, en me promenant dans la rue principale, on me fit des propositions de guides. Ces derniers étant souvent fort jeunes, prenez bien soin de vérifier que la personne a la condition physique requise.

QUELQUES TUYAUX

- ❑ En général, le guide ne fournit pas les repas. Prévoyez donc de quoi manger ainsi qu'une bonne réserve d'eau. Pensez à vous munir de barres énergétiques et de tablettes de glucose.
- ❑ Les guides vous proposeront sans doute de goûter à plusieurs espèces de plantes comestibles ; laissez-vous tenter, mais avec modération : être pris de crampes d'estomac au milieu d'une marche de 7h n'est pas la chose la plus agréable qui soit. De même pour l'eau de source. Dans le doute, utilisez toujours des pastilles de purification.

SANTÉ

La forte odeur de soufre émanant du volcan Masaya peut gêner les asthmatiques ou les personnes souffrant d'insuffisance respiratoire.

NE PAS OUBLIER

- ❑ Il n'y a pas de magasins spécialisés sur l'île d'Ometepe. Équipez-vous donc avant d'arriver sur place
- ❑ Bonnes chaussures de randonnée
- ❑ Imperméable
- ❑ Jumelles pour observer la vie sauvage (seulement si elles sont légères)
- ❑ Lampe-torche (les coupures de courant sont assez fréquentes)

LE LAC NICARAGUA

Avec 8 157 km^2, le lac Nicaragua est le plus grand lac d'Amérique centrale. On pense qu'il a pour origine l'océan Pacifique (comme le lac de Managua) et que des éruptions volcaniques en ont fait un plan d'eau fermé. L'eau de mer qu'il contenait se transforma peu à peu en eau douce, et les poissons s'adaptèrent à ce changement de milieu. D'où la présence, aujourd'hui, de la seule espèce connue au monde de requin d'eau douce, le *Carcharhinus nicaraguensis*, et celle d'espadons et de tarpons. D'autres espèces migrent de l'océan *via* le Río San Juan. L'abondance et la rareté des poissons ont fait de ce lac une destination prisée des pêcheurs. Si vous avez un peu de temps, aller visiter le très protégé archipel de Solentiname, face à San Carlos, à l'extrémité sud du lac. C'est un vrai paradis pour la faune sauvage. L'île principale s'appelle Mancarrón, et les artistes qui s'y sont installés sont réputés pour leurs peintures naïves et leurs sculptures sur balsa colorées.

19 Un fleuve chargé d'histoire

par Carl Pendle

À l'extrême sud du Nicaragua, le Río San Juan veille jalousement sur les secrets les mieux gardés de ce pays incroyable. La seule manière de percer ces mystères est d'explorer cette voie d'eau historique, à partir de San Carlos, sur le lac Nicaragua.

Des paysages rêvés pour un aventurier amoureux de la nature : voilà ce que je découvre à travers le hublot de l'avion qui me conduit à San Carlos, petite ville sise sur l'historique Río San Juan, à la jonction du lac Nicaragua. Les îles semblent totalement préservées, les forêts tropicales s'étendent à perte de vue et les rivages du lac Nicaragua sont déserts. Sans doute devrais-je aussi remarquer, sans les nuages que nous traversons soudain, la mosaïque des champs labourés avec soin, les troupeaux de vaches broutant paisiblement et les sillages des bateaux zigzaguant entre les 365 îles du lac, le plus grand d'Amérique centrale. Il nous reste encore 30 min de vol. Nous avons dépassé l'île d'Ometepe (➤ 176) et nous dirigeons vers l'archipel de Solentiname, face à San Carlos.

Les nuages se dissipent juste avant que nous n'amorcions notre descente sur San Carlos et je parviens à distinguer quelques-unes des 36 îles de l'archipel de Solentiname. Havres de tranquillité riches d'une faune sauvage très variée, elles abritent une importante communauté d'artistes et de poètes. Nous les laissons derrière nous, l'avion effectuant un virage à gauche pour

2 Cette excursion ne nécessite pas une parfaite condition physique ; c'est une aventure tranquille, où l'on passe l'essentiel de son temps assis à admirer le paysage.

★★ Ne vous attendez pas à tomber sur des hôtels quatre étoiles le long du San Juan. On trouve des bungalows confortables sur les berges de ce fleuve magnifique, mais rien de plus. De nombreux hôtels ne disposent même pas de l'eau chaude.

Emportez des jumelles pour observer la faune sauvage, du bateau. Un petit calenuque gonflable ou un coussin de plage vous seront utiles afin d'améliorer le confort des sièges sur le bateau.

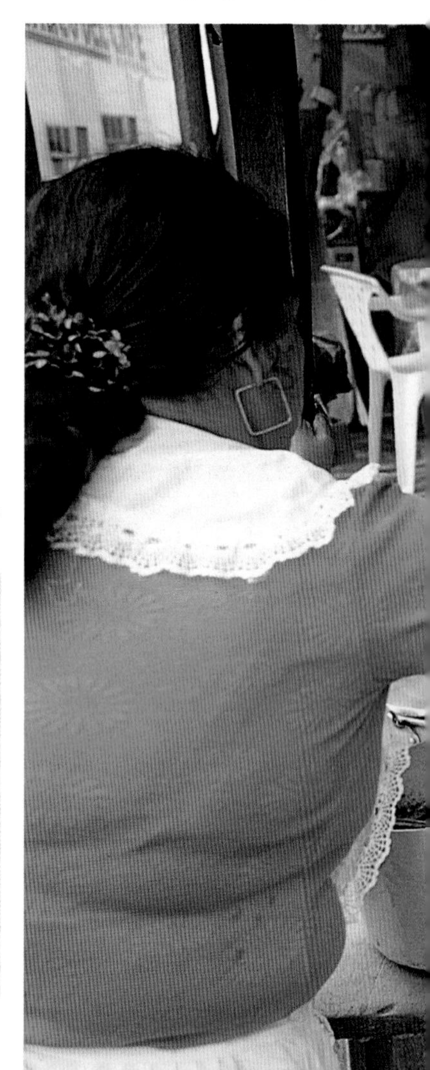

atterrir à San Carlos. À terre, une enfilade de vieilles Jeeps bleues toutes cabossées, qui font office de taxis, nous attend à côté d'un abri sommaire et de deux maisonnettes en bois. C'est là que débute ma descente du Río San Juan, un géant de 191 km qui, après avoir traversé le lac Nicaragua et délimité la frontière avec le Costa Rica, se déverse dans la mer des Caraïbes, au sud du pays. Au programme : paysages spectaculaires, rapides et villages comme oubliés du monde.

À droite *et* ci-dessous *San Carlos, situé à la jonction entre le lac Nicaragua et le Río San Juan, est une ville pauvre dont les habitants doivent travailler dur pour vivre.*

La majorité des visiteurs qui se rendent au Nicaragua ne vont pas jusqu'au Río San Juan. Trop à l'écart et largement inexploré, il demeure en grande partie un mystère. Pourtant, de Managua, un bref vol en avion suffit pour y arriver ; en voiture, il faut compter 6h et la route est cahoteuse ; et en bateau, la traversée du lac Nicaragua, de Granada, dure 12h ! La principale agglomération de la région est **San Carlos**, une ville pauvre aux rues poussiéreuses et aux maisons délabrées. C'est là que je vais devoir attendre 5h avant d'embarquer.

UNE ANCIENNE VILLE MILITAIRE

Avant de tomber dans la pauvreté et l'oubli, San Carlos a longtemps joué un rôle militaire majeur en protégeant la région des pirates. Les villes prospères de Granada et de León, situées au nord-ouest, étaient en effet très vulnérables à ce type d'attaques, tout comme les galions espagnols chargés d'or qui y transitaient avant de filer vers l'Europe. Aujourd'hui, il ne reste de cette période faste qu'une forteresse en ruine. Près de ses murs aux trois canons pointés par-delà le fleuve sur le Costa Rica, vous trouverez un restaurant agréable appelé El Mirador. Il offre une vue imprenable sur la **réserve naturelle de Guatusos**. Les enfants du coin s'y retrouvent pour faire voler leurs cerfs-volants de fortune.

Je décide de faire un petit tour à pied dans la ville, au milieu des échoppes vendant chaussures et babioles pour touristes ainsi que l'assortiment habituel et coloré de fruits et légumes. Une vieille femme assise sur un muret propose une boisson couleur framboise, qu'elle verse avec précaution d'une grande bassine dans des sachets en plastique munis d'une paille. Une petite fille portant une robe rose très sale et chaussée de sandales usées remonte la rue en criant "*Enchiladas ! Enchiladas !*" Les *enchiladas* sont des tortillas de maïs garnies de bœuf haché, de poulet ou de fromage. De petits garçons au visage tout taché entrent, une boîte de cirage à la main, dans les bars avec l'espoir de trouver un client. Apparemment, chacun essaie de s'en sortir du mieux qu'il peut.

L'AVENTURE COMMENCE

Une fois quitté San Carlos, l'excursion prend une tout autre tournure. À une nature pleine de richesses préservées par d'immenses réserves succède l'âpreté de la jungle. Le fleuve, qui traverse ce milieu sauvage et primitif, fascine autant par son histoire que par sa beauté. Les Espagnols cherchèrent assez longtemps une voie d'eau reliant le Nicaragua à l'Atlantique. Ils furent sans doute décontenancés par la taille du lac Nicaragua, qui, avec ses 8 157 km^2, est le dixième plan d'eau douce du monde (► 185). Et pas moins

UNE VOIE D'EAU IMPORTANTE

Des embarcations gréées en carré, des galions, des goélettes et même des bateaux à aubes ont navigué sur le Río San Juan. Ce fleuve a également été un axe majeur lors de la ruée vers l'or californien (1849). Grâce au milliardaire new-yorkais Cornelius Vanderbilt, qui créa l'Accessory Transit Company (► 177), des Américains de la côte Est transitèrent ici par milliers. Les gens embarquaient alors à Greytown (devenu San Juan del Norte) pour remonter le Río San Juan et traverser le lac Nicaragua jusqu'au port de San Jorge. Là, une diligence les emmenait au port de San Juan del Sur, sur le Pacifique, distant de 18 km seulement. Comme aujourd'hui, cela devait être un voyage fort agréable, et certainement plus rapide et plus sûr que de traverser toute l'Amérique du Nord.

UNE PROFONDEUR VARIABLE

Au fil des ans, le lit du Río San Juan a subi des modifications, le plus souvent à la suite d'interventions humaines. La légende raconte qu'un galion espagnol qui avait parcouru le fleuve jusqu'à Granada n'a jamais pu faire le chemin inverse, car un tremblement de terre en avait modifié la profondeur. Plus tard, les Espagnols y déversèrent des rochers afin de le rendre dangereux pour les pirates.

de 45 fleuves et rivières en partent et s'y jettent. Les conquistadors firent du Río San Juan une artère importante, sillonnée de navires chargés d'or, d'argent ou d'épices qui regagnaient l'Espagne et auxquels, dès le XVIIe siècle, s'attaquèrent les pirates anglais, français et hollandais.

Careli Tours, l'agence de Managua qui a préparé cette excursion, m'avait prévenu que le bateau public reliant San Carlos et El Castillo en 5h ne serait pas des plus confortables. Mais le prix de ce parcours est vraiment très avantageux puisque j'ai la possibilité de descendre ce fleuve magnifique pour 3 $ seulement. J'aurais aussi pu louer un bateau privé, mais cela m'aurait coûté plus de 200 $. Après avoir attendu 5h à San Carlos, je me dis que je vais devoir encore en passer cinq sur une quasi-épave ; je commence donc à réfléchir à un moyen plus rapide de rallier El Castillo. À San Carlos, il y a des bateaux partout, amarrés devant les restaurants et les bars, attachés aux pilotis des maisons. Même les enfants circulent à bord d'embarcations diverses. Parmi ces nombreux bateaux, il y en a bien un qui doit se rendre à El Castillo et pourra m'emmener.

BATEAU-STOP

Après le déjeuner, je me dirige vers la porte principale du port et informe le chef de la capitainerie que je désire me rendre dans l'après-midi à El Castillo. Il me dit de le suivre et me présente au pilote d'un bateau pouvant transporter 22 personnes assises. La traversée ne me coûtera que 4 $, précise celui-ci.

Comme rien n'est jamais sûr au Nicaragua, je me présente 30 min avant le départ pour être certain d'avoir une place à bord. Visiblement, d'autres passagers ont pris les mêmes précautions que moi. Les sièges sont disposés deux par deux, sur toute la longueur du bateau. Du fait de son étroitesse, celui-ci se met à tanguer dès que quelqu'un monte à bord. Je choisis de m'installer à la proue. À mes pieds, des sacs à moitié renversés jonchent le sol, laissant entrevoir une partie de leur contenu. Dans l'un, j'aperçois une poupée Barbie, des allumettes et des légumes ; un autre semble contenir quelque chose de liquide et de coloré ; quand je me baisse, une odeur de ranci m'emplit les narines. Les entrailles d'un animal quelconque, semble-t-il.

Tandis que nous prenons de la vitesse, la proue du bateau se soulève, fendant l'eau et m'éclaboussant. Les deux personnes assises devant moi sont les plus exposées, et se protègent tant bien que mal derrière une bâche en plastique. Pendant les 2h30 que dure le voyage, le spectacle du fleuve est fascinant : je me mets à guetter le moindre mouvement sur la rive ou l'apparition d'un tarpon ou d'un brochet à la surface de l'eau.

La largeur du Río San Juan, que bordent de chaque côté des forêts extrêmement denses, est variable. Ses eaux sont calmes, leur surface n'étant troublée de temps à autre que par la tête d'une tortue ou le brusque plongeon d'une hirondelle attrapant un insecte. Les rares maisons que nous apercevons sont toutes simples, le plus souvent construites en bois et couvertes de tôle ondulée.

À moitié dissimulés parmi les cultures qui prospèrent dans ce climat tropical, du bétail et des chevaux broutent tranquillement au bord de l'eau ; des cochons, eux, pataugent dans la boue.

Nous faisons une courte halte au hameau de Sabalos afin de laisser descendre trois passagers. Pour s'amuser et nous montrer leur habileté, des enfants, qui jouent dans l'eau, plongent par-dessus notre bateau, fiers de leur prouesse. Sur la rive opposée, des autochtones nous observent de la terrasse d'un bar.

Une ville sur le fleuve

La ville d'El Castillo n'est qu'à 30 min de Sabalos. Au fur et à mesure de notre progression, l'aspect du Río San Juan se modifie et les pirogues et bateaux à moteur se multiplient. J'aperçois déjà les premiers rapides. Par endroits, le fleuve est si peu profond que seul un marin expérimenté peut s'y aventurer.

Dès notre arrivée à **El Castillo**, des jeunes gens massés sur le quai proposent de nous aider à débarquer et de porter nos bagages. Chaque passager s'enfonce dans les rues de la ville tandis que je choisis de gravir les marches qui mènent à la forteresse triangulaire. Je m'engage sur sa rampe d'accès mais, une fois arrivé au bout, je ne sais de quel côté aller. Je découvre bientôt un plan indiquant les différentes parties du fort ouvertes à la visite. Après l'avoir consulté, je gravis de nouvelles marches et m'arrête pour visiter une salle de classe et une petite bibliothèque. Un intéressant musée, qui se trouve juste au-dessous, présente l'histoire mouvementée du fort à travers quelques objets et photos commentées, malheureusement pour moi, en espagnol. Malgré tout, je ne regrette pas ma visite. En sortant, de la passerelle du fort, je peux constater sa position stratégique sur le fleuve. Compte tenu des fortes pluies qui se sont abattues ces derniers jours, des torrents d'eau boueuse encerclent la ville.

Vue d'El Castillo, prise de son fort. Il fut construit par les Espagnols afin d'empêcher les pirates d'atteindre et d'attaquer Granada et León.

Actes de bravoure au fort d'El Castillo

Le fort d'El Castillo fut construit en 1675, ainsi que 12 autres fortifications semblables le long du Río San Juan. Il devait protéger des pirates venus d'Europe les villes de Granada et de León. En 1762, la jeune Rafaela Herrera, âgée de 19 ans, participa à la défense du fort contre une invasion britannique au cours de laquelle son père fut tué. Le jeune Horatio Nelson livra également une bataille mémorable en ces lieux en 1780. Cette année-là, 50 navires anglais et 2000 hommes attaquèrent les Espagnols et prirent le fort, avant qu'une épidémie ne les oblige à fuir.

Sauvé par les Américains

Cet après-midi, il est prévu qu'on vienne me chercher à El Castillo afin de me conduire à l'hôtel où j'ai réservé une chambre. Il s'agit du Refugio Bartola, à 20 km en aval du fleuve. Mais j'attends en vain et, comme le téléphone est en panne depuis le début de la journée, je n'ai d'autre choix que de rester en ville et de prendre une chambre à l'Albergue El Castillo, toute proche. Heureusement, j'ai un peu d'argent sur moi.

Paul et Kevin, un couple d'Américains, sont descendus dans le même hôtel que moi. Paul travaille pour USAid et Kevin pour la World Relief Corporation, un organisme caritatif religieux qui forme les paysans à des techniques de culture plus performantes. Par chance, ils ont prévu de se rendre à San Carlos le lendemain matin avec leur bateau privé, et ils m'invitent à les accompagner. À cette occasion, Paul et Kevin ont l'intention de visiter la réserve d'**Indio Maíz**, située juste en face du Refugio Bartola, où j'avais prévu de me rendre au départ.

Nous embarquons dès 7h le lendemain matin, prêts à entamer un court trajet de 20 min au sud, vers la réserve, qui se trouve au cœur d'une zone protégée de 360 000 ha. Le territoire en est si préservé que de nombreuses espèces de plantes et d'insectes n'y ont pas encore été répertoriées. Les responsables de la réserve en sont, à juste titre, très fiers. Avec le développement du tourisme vert, ils mesurent aujourd'hui qu'un arbre a bien plus de valeur vivant que coupé.

Nous accostons au ponton de la réserve d'Indio Maíz et nous suivons le guide, venu nous accueillir, sur un sentier de 2 km qui longe une forêt secondaire. J'ai du mal à croire que la forêt primaire a entièrement brûlé pendant la guerre, tant les arbres sont hauts et la végétation luxuriante. Du chemin boueux, nous apercevons, autour d'étangs, des gommiers et des amandiers sauvages (*Prunus fascicula*), ainsi que des palmiers que les gens du coin utilisent pour construire tous les toits de leurs maisons. Ici, les sons qui nous parviennent sont très variés, du chant d'oiseaux rares aux multiples bruissements d'insectes. Notre guide nous fait sentir l'odeur plutôt nauséabonde d'une plante connue sous le nom de berce. Il pointe du doigt également un arbre appelé grand homme, qui aide à soigner le paludisme et la dengue, ainsi que l'hypotension. Bien que nous n'en entrevoyions pas un seul, il nous conseille de faire attention aux serpents, en particulier au bien nommé fer-de-lance (*Bothrops atrox*). Celui-ci compte parmi les serpents les plus dangereux au monde, car il est agressif et son venin extrêmement toxique. Aussi les fermiers de la région courent-ils en permanence le risque de se faire mordre.

De retour sur le fleuve, nous voyons un certain nombre d'animaux mais peu de caïmans à lunettes (*Caiman crocodilus*), pourtant réputés vivre ici. Après avoir pris la précaution de couper le moteur de notre bateau, nous avons la chance de pouvoir observer des singes hurleurs à manteau (*Alouatta palliata*) qui mâchonnent tranquillement des feuilles. Puis, nous apercevons un groupe d'aigrettes, quelques hérons solitaires figés sur leurs longues pattes et de superbes hirondelles effectuant des plongeons spectaculaires.

Les ennuis commencent

Bien qu'arrivé sans encombres à San Carlos, j'ai beaucoup de mal à en repartir. En effet, mon vol a été annulé en raison de fortes pluies à Managua, et je ne peux redécoller que le lendemain. Comme je n'ai plus d'argent et ne connais personne, Kevin offre de m'accompagner jusqu'à la capitale dans une Jeep de World Relief. Le trajet de 290 km est long et pénible, car la chaussée est défoncée. Au bout de 2h, un conducteur arrivant en sens inverse nous informe que la route est bloquée, car un pont s'est écroulé. Nous devons donc retourner à San Carlos et tenter de prendre un bateau pour Granada. Mais celui-ci a anticipé son départ afin de ne pas être surpris par le mauvais temps ! Je passe donc la nuit en ville, chez un ami de Kevin.

Le lendemain la situation s'améliore, et mon avion finit par décoller, par temps couvert. Frustré de ne pouvoir admirer le paysage, je repense au Río San Juan. En fin de compte, c'est une bonne chose qu'on n'ait jamais construit ce canal entre le Pacifique et l'Atlantique. Rares sont les endroits dans le monde qui sont restés aussi préservés et, si vous aimez l'inattendu, vous serez comblés au-delà de vos espérances par cette région du Nicaragua.

PARTIR EN SOLO

QUAND PARTIR

Dans la plaine pacifique, il fait chaud presque partout et toute l'année. Pendant la saison des pluies (de mai à novembre), il pleut rarement de manière ininterrompue et vous n'aurez à redouter qu'une ou deux grosses averses dans l'après-midi. Les mois de décembre et janvier sont une période propice, car la végétation est encore bien verte et le temps plus sec. Mars et avril sont les mois les plus chauds, et vous risquez de devoir affronter une poussière importante, surtout s'il y a du vent.

SE DÉPLACER

On peut accéder au port de San Carlos de trois manières : en louant une Jeep et en effectuant une route pénible de 6h de Managua, la capitale ; en prenant le bateau à Granada ; ou par avion de Managua.

La Costeña propose des départs quotidiens pour San Carlos dans un petit avion de 15 places. Le vol ne dure que 45 min.

Le bateau reliant Granada à San Carlos part les lundis et jeudis à 14h, et arrive à San Carlos 12h plus tard. Il repart pour Granada les jeudis et vendredis, à 15h. Un bateau public relie San Carlos à El Castillo en 5h mais, étant fort bon marché, il est souvent bondé. On peut aussi choisir d'affréter un bateau privé, bien plus rapide et confortable, mais beaucoup plus cher évidemment. Si l'armée continue de surveiller tous les bateaux qui quittent San Carlos, les règles de location ont toutefois tendance à s'assouplir.

Dernière option : chercher dans le port un bateau qui puisse vous prendre en stop, ce qui constitue un moyen de transport économique !

S'ORGANISER

Pour éviter les déboires, la meilleure chose est de vous adresser à un bon tour-opérateur à Managua. Néanmoins, vous pouvez organiser votre voyage vous-même : de nombreux hôtels à San Carlos ou à El Castillo ont des chambres libres en basse saison, et l'on trouve sans mal un billet d'avion pour s'y rendre.

De San Carlos, vous pouvez facilement vous rendre au Costa Rica en passant par Los Chiles, à 20 min de là en longeant le Río Frío. De Los Chiles, une très bonne autoroute mène à San José (comptez 5-6h de route). Vous pouvez ainsi organiser des excursions qui débutent au Costa Rica et se poursuivent au Nicaragua. San Carlos est un point d'entrée international. Si vous choisissez cette ville pour quitter le pays, vous serez donc soumis aux coûts et aux formalités de douane habituels.

QUELQUES TUYAUX

- ❑ Vérifiez bien que votre nom figure sur la liste du vol retour vers Managua. Pour ce faire, rendez-vous au bureau de La Costeña, dans le centre de San Carlos, et exigez qu'on écrive devant vous votre nom sur la liste du vol retour. Ces avions ont la réputation d'être toujours surbookés, aussi si vous n'êtes pas parmi les quinze premiers sur la liste, vous risquez de voir votre retour reporté au lendemain. Le vol pourra très bien avoir du retard ou même être annulé pendant la saison des pluies, en raison des mauvaises conditions climatiques.
- ❑ Un guide n'est pas indispensable pour ce voyage, mais si vous ne maîtrisez pas l'espagnol, sachez que dans cette région du Nicaragua, on parle très mal l'anglais, le tourisme n'en étant qu'à ses prémices.
- ❑ Parcourir le Río San Juan en entier est possible. Pour préparer cette excursion, trouvez un guide à San Carlos.
- ❑ Le fleuve et le lac sont fantastiques pour la pêche, et les habitants de la région pourront vous recommander un bon guide afin de réaliser la prise de votre vie !

SANTÉ

Ne vous baignez pas, même si l'on vous dit que l'eau n'est pas polluée et que vous voyez les enfants s'ébattre tranquillement dans la rivière. Il vous faudrait faire des kilomètres pour trouver un hôpital bien équipé. Méfiez-vous aussi des serpents : ne vous aventurez pas hors des sentiers.

NE PAS OUBLIER

- ❑ Petit lexique franco-espagnol
- ❑ Trousse de secours
- ❑ Cale-nuque gonflable (pour les longues traversées en bateau)
- ❑ Veste imperméable et légère ou parapluie peu encombrant pour vous protéger des embruns sur le bateau
- ❑ Moustiquaire et lotion antimoustique

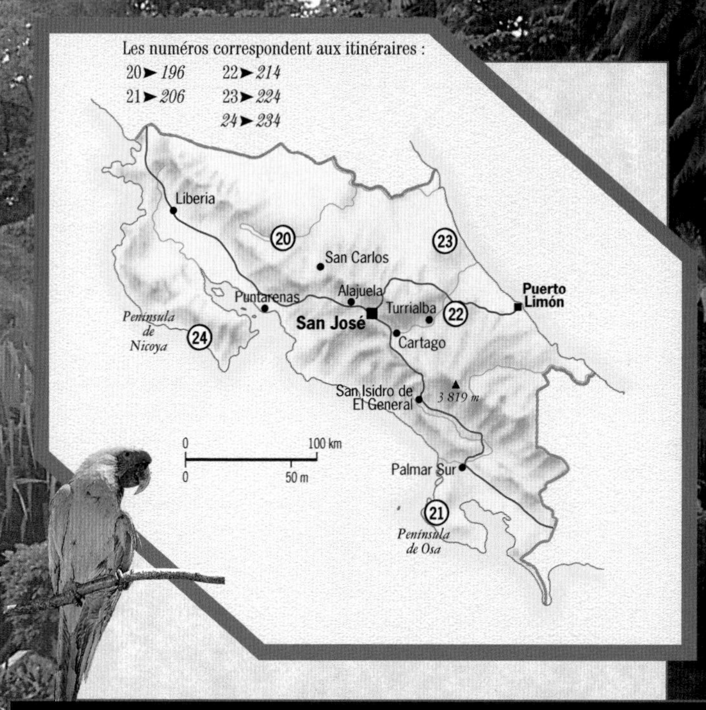

COSTA RICA

Malgré sa petite superficie (51 100 km²), le Costa Rica est doté d'incroyables beautés naturelles, portant ainsi bien son nom de "Côte riche". C'est Christophe Colomb qui baptisa ainsi le rivage atlantique où il aborda en 1502. À défaut de posséder, comme ses voisins d'Amérique centrale, un riche passé précolombien, le Costa Rica est un concentré de vie sauvage extraordinaire, accueillant 5 % des espèces végétales et animales de la planète. D'où sa grande popularité auprès des voyageurs en quête d'aventure et de découverte. La nature y est reine et les paysages extrêmement divers : volcans, hautes montagnes, forêts tropicales, vallées plantées de bananiers, de caféiers et de rizières, plages de sable blanc, gris, noir, récifs coralliens… De tous les pays d'Amérique centrale, le Costa Rica offre le plus grand choix d'activités de plein air. On peut y découvrir la faune et la flore exotiques de multiples manières, à pied, en vélo, en kayak, en 4x4. Enfin, les infrastructures touristiques y sont adaptées à tous les budgets.

Les sources chaudes de Tabacón, avec à l'arrière-plan la silhouette imposante du volcan Arenal. Ci-dessus *Un grand ara vert (*Ara ambigua*).*

20 Direction plein nord

par Steve Watkins

Le nord du Costa Rica alterne grandes fermes, églises alambiquées, grottes labyrinthiques et volcans menaçant de se réveiller à tout instant. Au fil du circuit panoramique qui mène de San José à La Fortuna, j'ai sillonné les routes en 4x4, bravant les conducteurs kamikases du pays.

Au Costa Rica, conduire constitue une des expériences les plus périlleuses qui soient. À San José, la capitale, les chauffeurs de taxi eux-mêmes le reconnaissent et, de la banquette arrière, il est vrai que le spectacle est assez effrayant. Aussi, je me demande si mes nerfs vont supporter le long trajet vers le nord qui m'attend, qui plus est vers une contrée où la nature fait sentir au quotidien l'étendue de son pouvoir. Mais je dois subir cette épreuve si je veux comprendre pourquoi la région entourant le volcan Arenal jouit d'une telle popularité.

Après plusieurs séjours au Costa Rica, j'en ai tiré la conclusion suivante : la conduite à la costaricaine repose sur trois principes : il n'y a aucune règle de priorité ; les deux côtés de la route sont ouverts à tous et en permanence ; malgré toutes les précautions, on ne peut éviter les nids-de-poule, tant ils sont nombreux. Âmes sensibles, s'abstenir ! Il est préférable alors d'emprunter le car – le réseau du pays étant tout à fait satisfaisant – ou de louer une voiture avec chauffeur. Si vous souhaitez tout de même conduire vous-même afin d'être plus libre, choisissez un 4x4.

Le moyen le plus rapide pour quitter San José est de prendre la route à péage qui passe par Alajuela et, peu après cette ville, de quitter la Panaméricaine en direction de Grecia, à 18 km au nord-ouest. La route devient rapidement sinueuse et grimpe à travers des collines à la végétation luxuriante couvertes de cannes à sucre et de caféiers. Les maisons basses en bois y sont entourées de magnifiques jardins débordants de fleurs aux couleurs éclatantes. Veillez cependant à ne pas trop vous laisser distraire par le paysage : vous risqueriez de finir sous un énorme camion.

Grecia, modeste petite cité agricole, vit de la culture des ananas et du sucre. Elle mérite surtout le détour pour sa remarquable église à charpente métallique, **las Mercedes**. Après un incendie, cette dernière fut reconstruite en 1958 à l'aide de plaques de métal importées de Belgique. Peint couleur rouille et ponctué de tuyaux blancs encadrant portes et fenêtres, ce lieu de culte coiffé de deux clochers ressemble à un jouet. Mais, grâce à la robustesse de ses murs scellés par des rivets, il est fait pour durer…

2 Parmi les activités proposées au cours de cette excursion, seules les randonnées peuvent se révéler un peu fatigantes. Un brin d'audace est nécessaire pour se lancer dans la visite de la Caverna del Venado (grotte de Venado) ; il faut surtout ne pas redouter l'eau. Vous en ressortirez en effet mouillé et sale. Cette expédition est fortement déconseillée aux personnes claustrophobes ou détestant les chauves-souris.

On peut trouver à se loger quel que soit son budget.

Le matériel de spéléologie est fourni sur place. Des chaussures de randonnée légères sont conseillées pour visiter les cascades et arpenter la jungle. Aucun autre équipement spécifique n'est à prévoir.

LES CHARRETTES À BŒUFS : UNE HISTOIRE DE FAMILLE

Au Costa Rica, les routes secondaires sont en meilleur état et beaucoup moins fréquentées que les routes principales. Autre atout : elles traversent en général des paysages plus séduisants. Si l'on y progresse plus lentement, on y voyage aussi plus agréablement.

Je prends la direction de **Sarchí**, berceau des fameuses charrettes à bœufs peintes (*carretas*), situé à environ 15 min de route de Grecia. Je décide de m'arrêter à la Fábrica de Carretas Chaverri, la plus vieille de la ville. Par chance, Joaquín Chaverri Jr., le fils du fondateur de l'usine, est là, assis sur une charrette aux couleurs légèrement passées, peinte par son père il y a un demi-siècle. Cet homme de 65 ans me raconte avec plaisir l'histoire de la charrette à bœufs. Tirés par deux bœufs, ces robustes véhicules de cèdre servaient à acheminer cannes à sucre, grains de café et bois de chauffage sur les sentiers escarpés des montagnes. Comme il n'y avait pas d'autre moyen de transport, la charrette servait aussi à conduire la famille en ville, notamment le dimanche pour l'office religieux. Vêtus de leurs plus beaux costumes, les passagers juraient alors avec leur véhicule miteux. Aussi, dès 1910, certains habitants se mirent à peindre leur charrette et finirent par se comporter comme les jeunes citadins d'aujourd'hui avec leur voiture. Les décorations étaient parfois très élaborées, puisant dans l'iconographie mauresque.

Dès les années 1930, la charrette à bœufs devint un signe extérieur de richesse. Les plus fortunés en possédaient deux, l'une, assez sobre, pour les champs, et l'autre à la décoration plus raffinée, pour se rendre en ville. Les meilleurs peintres de charrettes jouissaient d'une grande considération et étaient très bien payés. Leurs savantes compositions mêlaient fleurs, oiseaux, animaux ainsi que toute une série de motifs géométriques aux couleurs éclatantes. Comme les centres-villes devaient être animés les dimanches et jours de mariage ! Avec la motorisation des années 1960, ce décor devint un art à part entière.

Dans les années 1970, l'usage de la charrette avait disparu et la demande se développa à l'échelle internationale. L'essor du tourisme poussa les artisans à adapter leur production à ce nouveau marché. Les fabricants se mirent à construire des charrettes plus petites

LE CHANT DES ROUES DES "CARRETAS"

Les charrettes à bœufs de Sarchí sont plus qu'un moyen de transport : elles sont un signe extérieur de richesse. Avant que les décorations ne jouent ce rôle, les chars coûteux et de qualité étaient reconnaissables au "chant de leurs roues" (*chirrico*), c'est-à-dire la qualité de résonance du grincement des roues en acajou autour des essieux de fer. Selon la légende, les épouses entendaient ainsi à plus d'un kilomètre de distance leur mari rentrer des champs.

FAUSSES AMENDES

De plus en plus de conducteurs de voitures de location sont arrêtés par la police et se voient infliger des amendes à régler sur-le-champ. Un couple que j'ai croisé a ainsi dû s'acquitter de 80 $, et ce non sans avoir négocié, le montant de l'amende étant initialement fixé à 200 $. En réalité, il n'est pas obligatoire de payer tout de suite. N'hésitez pas à demander à l'officier de police son nom, son numéro d'identification, le commissariat dont il dépend, ainsi qu'un rapport écrit sur la nature de l'infraction. Et insistez pour régler au poste. Soyez vigilants néanmoins : il y a souvent des contrôles de vitesse, en particulier lors des vacances et des week-ends.

et en bois plus légers afin de mieux les exporter. Aujourd'hui, cette industrie est prospère. Si les magasins ressemblent à de véritables supermarchés, les charrettes continuent d'être peintes à la main sur place. Une charrette nécessite environ quatre jours de travail. Joaquín, peintre depuis l'âge de 13 ans et amoureux de ces *carretas*, assure la continuité de cet art superbe en formant de nouvelles générations.

Jardin paysager

Après un bref arrêt sur la place principale de Sarchí pour admirer sa belle église rose pâle, je me remets en route. Vers Naranjo, tout d'abord, puis au nord vers Zarcero, par la grand route. Bien qu'encore trop timoré pour doubler les camions les plus lents dans les tournants, j'adopte la conduite à la costaricaine, prêtant à peine attention aux piétons, prenant les virages au milieu de la route et négligeant l'usage du clignotant.

Sans la présence d'Evangelisto Blanco, **Zarcero** serait une petite ville montagneuse ordinaire. Depuis 1964, cette figure locale a conçu et réalisé seul (il travaille 7 jours sur 7, 365 jours par an) une collection unique d'immenses sculptures insolites taillées dans des cyprès. Peuplée d'éléphants fabuleux, de couples dansant, de taureaux chargeant et d'un tunnel fait d'une succession d'arches, la place offre un spectacle unique. Une fois de plus, j'ai de la chance : Evangelisto est là, en plein travail. Il me montre des photos de ses œuvres et évoque avec passion ses projets. Lorsque je lui demande d'où lui vient son inspiration, il me répond simplement en désignant le ciel du doigt : "*El Maestro*" (le Maître) !

Pau après la sortie de Zarcero, le paysage commence à changer. Une fois passé l'arête principale de la Cordillera Central,

À gauche *Pour se rendre au restaurant de l'hôtel La Garza, de l'autre côté de la rivière, il faut franchir une passerelle.* À droite *Jeunes plants près de Zarcero. Une grande partie des terres arables des flancs de la Cordillera Central est consacrée à la culture du café et de la canne à sucre.*

les villages se raréfient et de petits bois font leur apparition le long de la route. De temps à autre, j'aperçois, au milieu d'un paysage me rappelant la campagne anglaise, des troupeaux de Holstein, reconnaissables à leur manteau blanc et noir. Un spectacle plutôt étrange en ces lieux !

À partir de San Carlos, la route redescend brusquement vers Florencia, où dominent plantations de palmiers et de cannes à sucre. Comme elle de plus en plus détériorée et qu'il commence à faire nuit, je reporte au lendemain ma visite de La Fortuna, petite ville située au pied du volcan Arenal et très prisée des touristes. Après ce long trajet, je préfère le site paisible de La Garza Ranch Hotel, sur la grand route qui mène à Muelle San Carlos.

Aménagée dans une hacienda vieille de 90 ans, **La Garza** est à la fois une ferme et un ranch de plus de 1 000 ha appartenant à la famille Cantillo : Aberlado, un des premiers éleveurs de la région, acquit la propriété en 1947 et en fit le plus grand ranch de la région. Son fils Carlos, qui dirige maintenant le domaine, l'a réorienté vers le tourisme sans pour autant renoncer à ses activités premières. Douze superbes bungalows de bois offrant une vue imprenable sur la plaine du **volcan Arenal** sont ainsi alignés sur la rive du Río Planatas. Toujours dans le but d'attirer les écotouristes, Carlos a transformé une vaste zone forestière qui borde la plantation en réserve animalière. Le visiteur pourra y apercevoir des singes hurleurs, des grenouilles venimeuses et des toucans. Des balades à cheval sont également possibles.

LA FORMATION DES GROTTES

Des grottes comme la Caverna del Venado se sont formées sous l'action d'une eau acide, laquelle a dissout le calcaire et creusé les différentes salles. Ainsi, plus une salle est grande, plus elle est ancienne. À Venado se sont combinés l'effet des infiltrations d'eau provenant de la surface et l'action hautement érosive d'une rivière souterraine. Celle-ci, le Río de la Muerte, a créé de longs et étroits boyaux aux parois lisses, tandis que les infiltrations ont laissé des salles à cul-de-four et de curieuses formations rocheuses, pleines de fantaisie.

AVENTURE SOUTERRAINE

Le lendemain, je me lève à l'aube et roule en direction de La Fortuna pour admirer les flancs du volcan Arenal baignés par la lumière du matin. Durant la saison des pluies, le sommet est régulièrement enveloppé de nuages venant des plaines. Organisée autour d'une rue unique, **La Fortuna** ne compte que 5 000 habitants. Cependant, grâce à sa situation avantageuse au pied du volcan, elle est devenue le principal centre de la région nord pour les sports d'aventure. Les prix restent cependant raisonnables du fait de la concurrence : de petits tour-opérateurs ont investi jusqu'au moindre bâtiment.

J'opte pour l'exploration des **grottes de Venado**. Ayant mon propre moyen de transport, je n'ai pas besoin de faire appel à une agence. Je sors de La Fortuna par le nord-ouest, sur la route de San Rafael de Gatuso. Après 25 km, un court virage à gauche débouche sur une route en montagnes russes menant au village de Venado. De là, une piste conduit à la ferme de Las Cavernas, qui est mal signalée (demander votre chemin dans le village). La ferme est équipée de douches (très froides !), de vestiaires, et d'un petit restaurant.

J'y rencontre Gustavo Quesada, un Costaricain de San José, fou d'aventure, qui a aidé à cartographier les 2,5 km de galeries des grottes de Venado. Ce jour-là, il emmène en visite privée son cousin

Itinéraire dans le nord du Costa Rica.

Tim, un Américain d'un certain âge plein d'entrain, et Priscilla, une jeune expatriée costaricaine vivant en Californie. Il m'invite à me joindre à eux.

Équipés de casques spéléo, nous descendons tranquillement dans la vallée avant de nous frayer un chemin à travers les arbres, jusqu'à l'entrée des grottes. Là, nous perdons tout espoir de rester secs, car à peine à l'intérieur, nous nous enfonçons jusqu'aux genoux dans un trou d'eau. Creusée dans les collines de calcaire par le Río de la Muerte, au nom pour le moins inquiétant (rivière de la Mort), ces grottes furent utilisées et explorées par la peuplade indigène des Guatusos, qui les avait baptisées Gabinarraca. En 1962, le Français Robert Vergnes mena une première mission d'exploration sérieuse, mais c'est au groupe de spéléologie Anthros que l'on doit la meilleure contribution à la connaissance du système dans son ensemble.

Aveugle comme une chauve-souris

À la lumière de nos lampes, nous nous enfonçons dans un long et étroit couloir. De temps en temps, nous baissons brusquement la tête au passage d'une chauve-souris. Plus nous avançons, plus la chaleur et l'humidité s'intensifient, et nous sommes heureux de ne porter qu'un short et un tee-shirt. Nous passons sous une belle cascade, puis la voûte s'abaisse et les tournants se font plus serrés. Nous nous retrouvons bientôt en train de patauger dans l'eau en trébuchant parmi les trous. De magnifiques stalactites, des stalagmites à la base large et de superbes tables suspendues nous donnent l'impression d'avoir atterri sur la lune ou dans les décors d'un film de science-fiction. Je suis surpris de découvrir ici une araignée : cette espèce s'est adaptée aux conditions de la vie souterraine en développant sa perception du chaud et du mouvement. Elle compense ainsi la perte du sens de la vue dans cet environnement privé de toute lumière.

Dans la salle n° 5, où une paroi cannelée rappelle les tuyaux d'un orgue, Gustavo nous demande si nous voulons continuer. Car, pour atteindre la salle de la Vierge, qui ne fait pas partie des circuits habituels, nous allons devoir ramper dans l'eau à travers un couloir très bas et très étroit. Sans hésiter, nous répondons tous par l'affirmative. Gustavo n'a pas menti à propos du tunnel : la voûte est si basse que nous pouvons tout juste garder la tête hors de l'eau. Nos casques à la main, nous parcourons avec peine à quatre pattes le passage long de 10 m qui mène à une minuscule cavité. Pour Tim, le voyage s'arrête là, car il s'agit maintenant de se glisser dans le boyau très étroit qui sépare deux rochers. Assez baraqué, Tim n'y parviendrait pas. Il me faut une bonne dose de sang-froid pour ne pas paniquer lorsque je dois me tortiller et comprimer au maximum ma cage thoracique. Mais l'effort en vaut la peine. La salle est immense et, au fond, contre une paroi de calcaire blanc, jaillit une cascade qui dévale sur plusieurs niveaux. Mais nous n'avons pas de temps à perdre : Gustavo souhaite que nous soyons rentrés avant les pluies de l'après-midi. Elles peuvent être particulièrement abondantes et risquent de nous emprisonner en faisant monter le niveau des eaux.

Après le déjeuner, nous nous lançons dans une brève excursion aux chutes de Río Fortuna, située à 6 km seulement de La Fortuna, et accessibles par une piste réservée aux 4x4. Une fois arrivés sur le parking, nous n'avons que quelques mètres à faire pour contempler les

À gauche *Dans la salle n° 5 des grottes de Venado : une paroi cannelée semblable aux tuyaux d'un orgue.* Ci-dessous *Les apparences sont parfois trompeuses : si l'Arenal, à la forme presque conique, semble paisible dans la lumière du petit matin, il s'agit en fait d'un des volcans les plus actifs au monde.*

spectaculaires chutes d'eau qui plongent d'une crevasse en forme de V dans un bassin vert émeraude 30 m plus bas. Comme nous voulons nous en rapprocher, nous descendons la pente escarpée en suivant un sentier boueux et sinueux à travers la forêt tropicale. Le grondement s'intensifie et, arrivés au pied des chutes, nous ne nous entendons plus. Malgré l'eau glacée, Tim et Priscilla font courageusement quelques brasses avant de saisir que les courants les repoussent systématiquement vers le bord. Après avoir profité pleinement des lieux, nous repartons, résignés, en sens inverse sur cet épuisant chemin afin de rejoindre la voiture.

Des rivières pétrifiées

L'activité probablement la plus prisée des visiteurs de La Fortuna consiste à observer le volcan, dans l'espoir d'assister à l'une de ses éruptions. De nombreuses excursions autour du volcan sont proposées en ville, soit de jour pour voir les anciennes coulées de lave, soit de nuit pour observer l'activité bouillonnante du cratère. Si l'on souhaite s'y rendre seul, d'autres options moins coûteuses sont possibles. **Jungla y Senderos** est un complexe touristique situé juste au-dessous du volcan, sur la route de Tilarán. Moyennant une somme modique, on pourra explorer les nombreux sentiers desquels on découvre les lacs et les coulées de lave. On accède aux eaux vertes du premier des deux superbes lacs en 4x4 ou après une marche de 45 min le long d'une piste escarpée. Ce poste d'observation offre une vue spectaculaire du volcan. Sur la rive opposée, où des huttes spartiates servent d'hébergement, je gravis un sentier couvert de cendres volcaniques jusqu'aux versants inférieurs de l'Arenal. Au bout de 30 min de marche, j'aperçois une coulée de lave vieille de 6 000 ans. Malheureusement, le sommet est déjà dans les nuages. J'entends un léger grondement qui me coupe l'envie de traîner dans les parages ; je me hâte alors de retourner au lac. Là, je comprends que le bruit en question n'était que le signe avant-coureur d'un orage imminent et non d'une éruption…

À la fin de cette journée intense, je retrouve mes amis spéléologues, et nous nous offrons une agréable soirée de détente aux **bains thermaux Tabacón**. Chauffée par le volcan Arenal, l'eau qui jaillit des terres à la végétation superbe de Tabacón est à 38° C toute l'année. Après un massage revitalisant au centre de soins et une douche revigorante sous une chute d'eau chaude, tout le stress de la journée a disparu. Lorsque la nuit tombe, nous prenons place au bar installé dans le plus grand bassin pour siroter une bière glacée, dans l'attente du grand moment. Enfin, un concert de clameurs accueille le jaillissement d'une épaisse lave rouge incandescente hors du cratère.

L'Arenal est resté inactif d'environ 1500 av. J.-C au 28 juillet 1968, date à laquelle un important séisme emporta le sommet du cône du volcan, avec des conséquences désastreuses pour la région. Deux villages entiers furent ensevelis sous les coulées de lave, faisant au moins 65 victimes. Aujourd'hui, l'Arenal reste l'un des volcans les plus actifs au monde. Si quelques têtes brûlées persistent à l'escalader, il est bien plus sûr et plus confortable de l'observer des sources chaudes.

Tout en regardant l'avancée des coulées de lave au-dessus de nous, je demande à Gustavo pourquoi il nous a distribué des fiches d'identité vert fluorescent à notre entrée à Tabacón. "Oh, simplement parce que l'un des villages détruits en 1968 était juste ici", me répond-il. Il semble donc que même les aventures dites "tranquilles" au Costa Rica, telles que la conduite et la relaxation dans des sources chaudes, comportent leur part de risque !

PARTIR EN SOLO

QUAND PARTIR

La meilleure période est la saison sèche (de décembre à avril), pendant laquelle il faut réserver d'avance. Durant la saison des pluies (de juin à octobre), on peut encore profiter de moments d'ensoleillement, les prix baissent considérablement et il y a beaucoup moins de touristes. Les cascades sont très spectaculaires à cette période. Mais les grottes de Venado peuvent être fermées en cas de fortes précipitations.

SE DÉPLACER

Même si c'est l'option qui autorise la plus grande liberté, conduire soi-même n'est pas dénué d'inconvénients. À l'inverse, se déplacer en car limite les possibilités. Aussi l'idéal est-il de louer une voiture avec chauffeur. Ce service, qui est proposé par les principaux loueurs basés à San José, permet de profiter pleinement du séjour… sans avoir à se concentrer pour éviter les nids-de-poule, nombreux sur les routes costaricaines. Et c'est l'occasion d'admirer le paysage. Il est conseillé de comparer les prix et les prestations offertes, celles-ci étant extrêmement variables. Quant au prix de l'essence, il est plutôt abordable.

S'ORGANISER

L'hôtel La Garza propose des excursions au volcan Arenal et aux grottes de Venado, mais vous pouvez aussi passer par les nombreuses agences de La Fortuna, dont les offres sont similaires. Sunset Tours et Aventuras Arenal font parties des meilleures. Les excursions aux grottes de Venado débutent généralement tôt le matin. Si vous voulez vous joindre à un groupe seulement pour cette exploration souterraine, soyez sur place à 8h précises.

QUELQUES TUYAUX

- N'oubliez pas votre permis de conduire si vous voulez louer une voiture (le permis international n'est pas obligatoire).
- Les voitures de location ont souvent déjà beaucoup roulé : faites soigneusement l'inventaire des dommages antérieurs et inspectez le véhicule avant de quitter l'agence. N'hésitez pas à signaler les petites rayures, à ouvrir le capot et le coffre et à regarder sous la voiture. Ce genre de précautions peut vous permettre de récupérer votre caution, laquelle est assez substantielle. En cas d'accident, sachez que les contrats prévoient toujours une franchise à payer pour le client, qui peut être élevée.
- Si vous souhaitez acquérir une pièce d'artisanat de Sarchí, achetez-la dans un magasin ayant pignon sur rue. L'objet sera emballé de manière à minimiser les risques de détérioration pendant le voyage.
- La spéléologie est une activité passionnante, mais résistez toujours à la tentation de vous éloigner du groupe. Même si le chemin vous semble évident, il peut devenir rapidement complexe. Rien ne ressemble plus à un boyau qu'un autre boyau. Si vous vous perdez, arrêtez-vous et attendez. Autrement, vous pourriez vous éloigner davantage et rendre les recherches plus difficiles.
- Dans les grottes, ne vous affolez pas en entendant des chauves-souris voler près de vous. Leur système radar très précis leur permet de manœuvrer avec précision autour de votre tête !
- Ne vous laissez pas convaincre d'escalader le volcan Arenal. Une telle expédition est terriblement dangereuse : d'aucuns y ont déjà perdu la vie.

SANTÉ

Si le risque d'attraper le paludisme est faible dans les zones montagneuses, il est cependant recommandé de prendre les précautions médicales appropriées (consultez votre médecin). Lors de la visite des grottes, qui regorgent de déjections de chauves-souris, optez pour de vieux vêtements que vous pourrez jeter. Sachez en outre que certaines personnes portent des masques afin de minimiser les éventuels risques de contamination par inhalation.

NE PAS OUBLIER

- Lunettes de soleil
- Baladeur avec lecteur de cassettes (les stations de radio sont difficiles à capter)
- Vieux vêtements pour la visite des grottes
- Lampe-torche étanche
- Maillot de bain pour les sources d'eau chaude
- Carte à une échelle de 1/650 000 du Costa Rica
- Bonnes chaussures de marche

21 Incursion dans le monde sauvage

par Steve Watkins

Le parc national de Corcovado, qui abrite de nombreuses espèces sauvages, est probablement la zone de forêt tropicale la mieux préservée subsistant aujourd'hui en Amérique centrale. Comme il n'existe pas de routes dans cette région, j'ai opté pour un séjour sous le signe de l'eau, avec descente du Río Sierpe jusqu'à Marenco Lodge, dans la baie de Drake, puis expédition de plongée dans l'Isla del Caño.

En Amérique centrale, où le progrès se mesure trop souvent au nombre d'arbres remplacés par du béton, une forêt tropicale située sur la presqu'île d'Osa défie les promoteurs tel l'irréductible village gaulois d'Astérix. Curieux appendice de la côte pacifique sud du Costa Rica, la presqu'île recèle une perle méconnue : le **parc national de Corcovado**. Il est considéré comme la réserve la plus riche de la planète en terme de faune et de flore, et abrite les étendues côtières de forêt tropicale les plus remarquables de la région. À n'en pas douter, le spectacle vous enchantera, sans parler du fascinant trajet en bateau sur le Río Sierpe, de la multitude des plages désertes, des cascades à couper le souffle et de la somptueuse Isla del Caño (île du Tuyau).

Le voyage en autobus de San José à Palmar Sur, porte d'entrée de la presqu'île d'Osa, dure 6h. Le même trajet en avion, réduit à une heure, offre des

2 Cette aventure convient à tous les niveaux de forme physique. La marche dans le parc national de Corcovado, chaud et humide, est la partie la plus éprouvante, mais on peut adapter cette excursion à ses capacités.

★★ L'expédition exige un goût certain pour l'aventure, car il s'agit d'une région très isolée, ce qui implique des trajets périlleux sur de petits bateaux en pleine mer et des marches à travers la forêt tropicale. Le niveau de confort dépend des conditions météo, souvent imprévisibles. L'hébergement à Marenco est rustique mais confortable.

Bien que de bonne qualité, l'équipement fourni pour la plongée aura beaucoup servi. Vous pouvez donc emmener vos propres masque, tuba et palmes. Des chaussures de marche sont indispensables pour les randonnées en forêt.

vues spectaculaires sur la cordillère de Talamanca et la côte pacifique. En dépit de son coût élevé, Keith, un ami anglais, et moi choisissons cette option. À l'aéroport Tobias Bolaños de San José, nous montons donc à bord d'un avion de 12 places de Travelair. Peu avant l'atterrissage, les montagnes disparaissent et nous survolons de vastes plantations de bananiers. Une navette nous conduit à Sierpe Lodge, point de départ de notre future descente du Río Sierpe jusqu'à Marenco Lodge, dans la baie de Drake.

Johnny, notre guide, charge nos bagages sur la petite vedette blanche à 6 places et démarre. Quittant les plantations de bananiers, nous dépassons le village de Sierpe pour entreprendre la descente sinueuse du fleuve, qui va s'élargissant à travers la forêt tropicale. Tout à coup, Johnny arrête le moteur et laisse le bateau dériver vers la rive droite. Un gros caïman à lunettes (*Caiman crocodilus*) se prélasse au soleil, les mâchoires ouvertes, exhibant d'impressionnantes rangées de dents

À droite *Le toucan à carène (*Ramphastos sulfuratus*), dont le bec est en forme de quille de bateau.*
Ci-dessous *Les randonnées dans le parc national de Corcovado vont de la courte marche à un trek de plusieurs jours.*

pointues. Bien que les caïmans n'aiment pas qu'on empiète sur leur territoire, ils n'attaquent jamais les bateaux, nous assure Johnny. À voir celui-ci glisser d'un air menaçant dans l'eau brunâtre, j'espère seulement que Johnny ne se trompe pas. Plus bas, nous apercevons, perchés sur des branches, des cormorans viguas (*Phalacrocorax brasilianus*). Ils font sécher leurs longues ailes noires après avoir pêché quelques poissons.

Un lodge paradisiaque

Plus au sud, près de l'embouchure, émergent des collines couvertes d'arbres tandis que, sur les rives du fleuve, la forêt cède la place à la mangrove. Comme la marée est basse, l'épais enchevêtrement de racines des palétuviers noirs sort de l'eau. Johnny manœuvre prudemment entre deux bancs de sable et, bientôt, nous entendons le grondement de l'océan. À son embouchure, le lit du fleuve se rétrécit légèrement à cause des rochers de Playa Blanca. À présent, nous comprenons pourquoi nous portons tous des gilets de sauvetage : avec une grande précision, Johnny progresse, observant le cycle des vagues pour passer au moment le plus propice. Les rouleaux cessent à l'instant même où nous débouchons dans l'océan Pacifique. Nous coupons à travers la baie de Drake et prenons la direction de la pointe San José. **Bahía Drake** doit son nom à sir Francis Drake, qui débarqua là en 1579 pendant son tour du monde sur le *Golden Hind*. Alors que nous mouillons dans une petite crique de sable encadrée de rochers noirs, nous avons bien du mal à croire qu'un lodge puisse exister à cet endroit. Une vaste plage qui paraît déserte, s'étire vers le nord, bordée de cocotiers et d'une épaisse forêt. Nous sautons dans l'eau, puis nous gravissons l'escalier interminable qui mène à **Marenco Lodge**.

Le lodge offre une vue somptueuse sur le Pacifique et sur l'Isla del Caño. Inauguré en 1982 en tant que centre de recherche biologique, le domaine fut repris en 1997 par un costaricain du nom de Henrique. Transformé en réserve pour la flore et la faune tropicales et gérée par des fonds privés, il a été équipé d'installations de recherche. Cette réserve de 500 ha, située à l'extrémité nord du parc national de Corcovado, constitue une importante zone tampon et possède une remarquable biodiversité. Sur son sol cohabitent 140 espèces de mammifères, 367 espèces d'oiseaux, 117 espèces de reptiles et d'amphibiens et plus de 6 000 espèces d'insectes. Dieu merci, les toits de chaume des bungalows nous protègent de ces derniers ! Quand à la faune aquatique, on observe souvent des baleines et des dauphins dans les eaux côtières. Comme c'est la saison des pluies (mai-novembre), seuls deux autres clients séjournent ici, alors qu'en pleine saison (décembre-janvier), ils sont environ 40 !

LES PARCS NATIONAUX DU COSTA RICA

Plus d'un quart du territoire du Costa Rica est protégé dans le cadre de parcs nationaux, de refuges pour les espèces sauvages ou de réserves biologiques : une proportion plus importante que dans n'importe quel autre pays du monde. C'est grâce aux efforts résolus du Suédois Olaf Wessberg que le processus fut enclenché en 1955. Propriétaire d'une maison à Cabo Blanco, à l'extrémité de la presqu'île de Nicoya, il mena une campagne personnelle afin de protéger cette zone des ravages de l'agriculture. En l'espace de trois ans, il rassembla assez de fonds pour faire l'acquisition de toute la zone, désormais connue sous le nom de Reserva Absoluta Cabo Blanco (Réserve inviolable de Cabo Blanco). On compte aujourd'hui 21 parcs nationaux au Costa Rica.

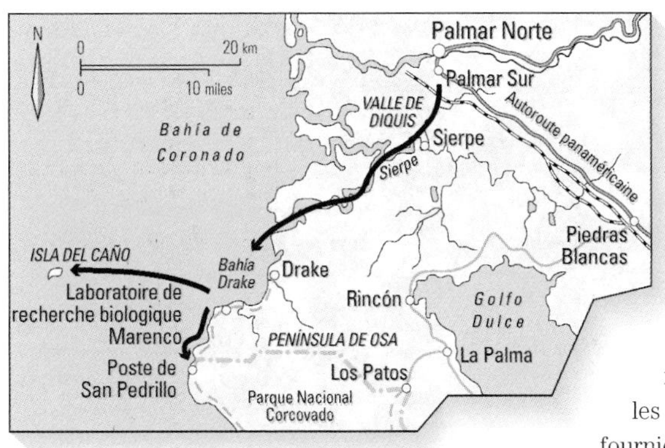

Le parc national de Corvacado.

Des aras aux cris perçants

Assis sur le balcon de notre bungalow, nous passons le reste de la journée à observer l'incroyable faune sauvage environnante. De minuscules et ravissants oiseaux-mouches volettent de plante en plante. Leurs ailes battent si vite – jusqu'à 80 battements par seconde – qu'elles produisent un bourdonnement semblable à celui des abeilles. Autre caractéristique marquante : c'est la seule espèce d'oiseau capable de voler à reculons grâce à ses ailes pivotant à 360°. Deux toucans de Swainson (*Ramphastos swainsonii*), plutôt cocasses, exhibent leur inimitable profil avant de plonger dans l'eau, telles des torpilles à plumes. Seul un vol d'aras rouges (*Ara macao*) vient troubler la quiétude de notre après-midi. Ces grands perroquets au corps rouge vif, aux ailes jaune, bleu et vert, forment des couples pour la vie. Le parc national de Corcovado en abrite la plus grande population subsistante du Costa Rica, leur nombre ayant baissé partout ailleurs avec la poursuite de la destruction des forêts tropicales.

Randonnée dans la forêt tropicale

Le lendemain matin, après avoir mangé le traditionnel *gallo pinto*, petit déjeuner constitué de haricots et de riz, nous faisons notre paquetage pour la journée. Sur la plage, nous prenons un bateau qui va nous conduire jusqu'au poste de San Pedrillo, entrée du parc la plus au nord. Une pluie légère nous force à endosser les capes imperméables fournies, pour ce trajet de 25 min. Créé en 1975, le parc couvre maintenant plus de 54 000 ha. Il protège au moins 13 habitats différents, dont une zone marécageuse dans la région du lagon, des mangroves le long de la côte, des récifs de corail et de la forêt de haute futaie sur le plateau et dans les montagnes. La canopée, dominée par d'énormes flamboyants, atteint par endroits jusqu'à 60 m, ce qui en fait la plus haute du pays. La région du plateau de Lorena renferme, quant à elle, plus de 100 espèces d'arbres par hectare et abrite aussi quelques-unes des espèces animales les plus menacées comme l'aigle-harpie féroce (*Harpia harpyja*), quasi éteint, ou le tapir de Baird (*Tapirus bairdii*), animal au long museau qui fait partie des grands mammifères les plus anciens. Pas étonnant que le *National Geographic* fasse l'éloge de ce parc !

Certaines pistes, difficiles, peuvent exiger plusieurs jours de marche. Aussi les randonneurs doivent-ils emporter d'importantes réserves en vivres et en équipement, et avoir une bonne expérience des treks en forêt tropicale. La meilleure solution est de commencer par une marche d'une journée afin de se faire une idée de la région. Avec Johnny, notre guide, nous partons pour une randonnée assez courte dans la partie nord du parc. Au poste de San Pedrillo, les gardes forestiers sont toujours disponibles : ils peuvent vous conseiller un itinéraire ou vous venir en aide en cas de problème. Sur la piste qui traverse la forêt, sombre et humide, nous n'avons

DES AMPHIBIENS MORTELS

Il existe au Costa Rica sept variétés de grenouilles venimeuses. Trois d'entre elles se distinguent par leurs couleurs éclatantes qui permettent aux prédateurs – du moins ceux ayant survécu au premier contact avec ces animaux – de les reconnaître. Les Indiens Chocos de Colombie utilisaient leurs toxines pour empoisonner leurs flèches. Notre guide en prit une dans sa main, vu que la toxine des espèces du Costa Rica n'est pas aussi puissante que celles des grenouilles bleues ou rouges d'Amérique du Sud, potentiellement mortelles pour l'homme. Sachez toutefois qu'il est déconseillé d'en faire autant, le contact des grenouilles risquant tout de même de provoquer chez vous une réaction violente.

Ci-dessus *Bien que la petite grenouille venimeuse noire et verte du Costa Rica ne soit pas aussi dangereuse que ses cousines bleues ou rouges d'Amérique du Sud, ne la touchez jamais.*
À droite *Moment de détente dans une cascade sur le cours du Río San Pedrillo, à Corcovado.*

pas mis longtemps avant d'apercevoir les premiers animaux sauvages : les marches du sentier sont couvertes de bernard-l'ermite de toutes tailles. Percevant notre présence, ils se réfugient aussitôt dans leur coquille. Plus loin, Johnny nous désigne un guitguit saï mâle (*Cianerpes cyaneus*) à la calotte d'un rouge brillant et aux yeux jaunes, exécutant dans un arbre proche une petite parade amoureuse devant une femelle.

UNE VOIE LACTÉE

Nous progressons fort lentement tant il y a de choses fascinantes à voir et parfois à sentir. Les araignées Golden Orb (*Nevila clavipes*) tissent en travers du chemin des toiles aux reflets jaunes de la taille d'une assiette. Arrivés devant un arbre à lait (*Brosimum utile*), Johnny perce un petit trou dans l'écorce avec son couteau. Une sève laiteuse, utilisée pour soigner les maux d'estomac mais qui sert aussi d'aphrodisiaque, s'en échappe. Soudain, la pluie se met à tomber en cascades et nous sommes forcés de nous abriter dans un grand arbre creux. Mais des chauves-souris, qui volent à l'intérieur du tronc en sifflant autour de nos têtes, nous obligent à repartir avant la fin de l'averse.

On trouve quelques serpents plutôt déplaisants à Corcovado, comme le fer-de-lance (*Bothrops atrox*), agressif et venimeux, et le serpent corail (*Micrurus fulvius*). Quant au boa constrictor, il est moins dangereux. Si nous n'avons pas eu la chance d'en rencontrer, nous avons tout de même découvert un nid entouré de plumes, vestiges de son dernier repas. Nous devons notre plus grande trouvaille du jour à Johnny, dont les yeux avertis ont déniché, parmi les feuilles, une petite grenouille venimeuse noire et verte, appartenant au genre *Dendrobates* (*ci-dessus*).

À l'approche du cours étroit du Río San Pedrillo, des bruits de feuilles froissées indiquent la présence d'un groupe de sapajous capucins (*Cebus capucinus*). Ils pèsent jusqu'à 4 kg et ont la face et la partie supérieure du corps couverte de poils blancs.

Un bain tropical

Les pieds dans l'eau, nous longeons le Río San Pedrillo vers l'aval, enjambant d'énormes racines et évitant d'épaisses lianes grimpantes. Nous nous arrêtons pour contempler une cascade de 8 m formée par le cours d'eau ; l'écume produite rappelle le brouillard matinal qui remonte de la vallée. Mais le plus spectaculaire est encore à venir : une autre cascade, sur trois niveaux, moins haute mais plus large, se déverse dans un beau bassin d'eau claire, idéal pour un bain tropical. Nous ne résistons pas à la tentation. Une fois rafraîchis, nous filons jusqu'au poste de garde par une piste étroite et escarpée qui suit le *río*. De retour à Marenco Lodge, attablés dans le restaurant de plein air, nous pouvons nous détendre en repensant à notre captivante journée. Au loin, un gros orage monte de l'océan Pacifique.

L'île aux trésors

Vue du continent, l'**Isla del Caño**, à 17 km à l'ouest de Marenco, ressemble à un cigare géant : 3 km de long et à peine plus de 2 km de large. Cette réserve biologique et marine intéresse aussi les archéologues, qui viennent y étudier d'étranges sphères de pierre sans doute sculptées par les Indiens précolombiens Bruncas. Les experts estiment que ces sphères, qui mesurent parfois jusqu'à 2 m de diamètre et dont la fonction n'a pas été déterminée avec certitude, ont pu servir à l'occasion de rites funéraires.

Le trajet pour rejoindre l'île a été à lui seul une aventure. Nous embarquons dans une petite vedette en compagnie de trois autres personnes, Jeff, Patricia et Heather, et gagnons la pleine mer. Par moments, la houle fait décoller le bateau, qui retombe brutalement sur l'eau, et nous avons bien du mal à nous cramponner au bastingage. À mi-parcours, nous croisons un merveilleux groupe de dauphins. Ils jouent autour de la coque pendant quelques minutes et semblent nous escorter jusqu'à l'île, crevant la surface de l'eau de leurs corps caoutchouteux. Plus tard, alors que nous approchons de l'île, une tortue de Ridley (*Lepidochelys olivacea*) sort la tête de l'eau, à quelques mètres devant nous. Offusquée de notre présence, elle replonge rapidement.

Poissons-perroquets et poissons porcs-épics

La plongée est l'une des principales activités touristiques de l'Isla del Caño. Équipés des masques, palmes et tubas qu'on nous a fournis, nous barbotons dans l'eau, dos aux vagues, regrettant que le récif de corail ait brutalement disparu en 1984, à la suite du passage de l'ouragan el Niño. Malgré la mauvaise visibilité (elle s'améliore pendant la saison sèche, de décembre à avril), la densité des poissons est impressionnante. Nous nettoyons tout d'abord nos tubas – il faut souffler fort dedans tout en remontant à la surface –, puis nous plongeons plus profondément dans les couloirs rocheux. Les richesses que recèle l'océan Pacifique ne cessent de m'étonner. Quantité d'espèces, dont le poisson-perroquet (*Scarus spp.*), le poisson-porc-épic (*Diodon hystrix*) et les raies mantas, grouillent autour de nous, ignorant presque notre présence.

Une fois remontés à la surface, nous nous dispersons : Keith et Jeff suivent Johnny sur un sentier qui s'enfonce dans la forêt, Patricia et Heather prennent un bain de soleil ; quant à moi, j'explore la plage. Des pélicans bruns (*Pelecanus occidentalis*) plongent dans l'océan à la recherche de poissons, tandis que des centaines de bernard-l'ermite sillonnent le sable. Malgré tous mes efforts, je n'aperçois aucune des baleines à bosse (*Megaptera novæangliæ*) qui migrent du Canada jusque dans ces eaux entre décembre et avril. À l'évidence, nous sommes arrivés quelques semaines trop tôt. Un déjeuner et une plongée plus tard, nous prenons le chemin du retour vers le continent. De minuscules poissons volants sautent autour du bateau, au milieu des dauphins qui nous escortent une fois de plus. Devant le spectacle de Marenco Lodge, émergeant avec majesté de l'épaisse forêt côtière, nous réalisons combien nous sommes loin de la civilisation !

Trempés mais heureux

Nous passons nos derniers jours dans la réserve de Marenco. Plusieurs pistes faciles mais pas toujours bien indiquées, traversent le secteur. L'une d'entre elles part de la plage et conduit vers le sud, jusqu'à l'embouchure du Río Claro. Avant d'aller explorer l'intérieur du pays, nous prenons un bain d'eau douce rafraîchissant dans une grande piscine naturelle située derrière un banc de sable. Alors que nous abordons une étroite piste de terre rouge, un orage éclate. Imperturbables face à la pluie torrentielle, Keith et moi continuons de suivre le sentier de plus en plus raide, résistant au courant qui dévale la colline et balaie la piste. Complètement trempé, la boue et l'argile collant à mes chaussures ou me faisant glisser, je ne peux m'empêcher de repenser à ce que Johnny m'a dit au sujet des serpents, délogés de leurs nids et emportés par l'eau lors des orages…

La pluie s'arrête enfin, et le sentier sèche rapidement. En parcourant la dernière partie du chemin, nous rencontrons des singes hurleurs à manteau (*Alouatta palliata*) qui se balancent dans les branches, et des singes-araignées (*Ateles geoffroyi*), plus rares, mais aussi plus faciles à repérer grâce à leur poitrail roux. Par chance, nous échappons à leur bombardement de fruits, tactique qu'ils emploient souvent pour éloigner les intrus. Quatre heures après avoir quitté le fleuve, nous rentrons finalement à Marenco Lodge, tout crottés mais triomphants.

Le lendemain matin, le retour à San José est un véritable déchirement : nous sommes encore sous le charme de cette région, l'une des plus sauvages et isolées d'Amérique centrale. Je meurs d'envie d'y revenir dans le cadre d'une expédition de plusieurs jours, en immersion complète. Mais une vie entière au cœur du parc national de Corcovado suffirait-elle pour découvrir toutes ses richesses ?

PARTIR EN SOLO

QUAND PARTIR

La saison sèche est une époque très prisée pour visiter la presqu'île d'Osa, car la visibilité sous-marine est optimale. Cependant, il peut faire très chaud lors des randonnées en forêt, et les séjours sont plein tarif. S'il pleut presque tous les après-midi de juin à octobre, il reste possible d'organiser des sorties en évitant le gros des averses. Les prix sont moins élevés et il y a moins de visiteurs.

SE DÉPLACER

Travelair et Sansa proposent des vols quotidiens pour Palmar Sur à partir de San José, la capitale. Attention : les bateaux qui desservent les lodges autour de la baie de Drake sont vite pleins. Des bateaux peuvent aussi être affrétés à partir de Sierpe.

S'ORGANISER

Du fait de l'absence de routes à Corcovado, organiser un voyage indépendant peut exiger beaucoup de temps et d'argent. Les séjours comme ceux proposés par Marenco Lodge comprennent le billet d'avion aller-retour, les transferts en bateau et les excursions. Il existe des options de deux, trois ou quatre jours et, si vous pouvez vous le permettre, nous vous conseillons l'option la plus longue : vous ne vous ennuierez pas.

Le camping est autorisé dans la région et dans le parc national, à condition d'avoir l'autorisation du Service des parcs nationaux à San José ; il est même quelquefois possible de séjourner dans les postes des gardes.

Les pistes qui traversent le parc sont longues et difficiles : emportez donc avec vous de l'eau et des vivres pour au moins huit jours. Dans le parc, renseignez-vous auprès des gardes pour savoir où vous ravitailler en eau potable.

QUELQUES TUYAUX

- ❑ Si vous voyagez en avion, essayez d'avoir une place avec une bonne vue, loin des ailes et des moteurs, car les montagnes et la côte sont spectaculaires.
- ❑ Si vous avez le mal de mer, regardez l'horizon et pensez à quelque chose d'agréable.
- ❑ Quand vous explorez les fonds avec masque et tuba, portez un tee-shirt pour vous protéger du soleil, mais n'oubliez pas d'appliquer de la crème solaire sur l'arrière de vos jambes, de votre cou et de vos bras.
- ❑ Emportez beaucoup de lotion antimoustique, et méfiez-vous des chiques sur les plages, dont la piqûre est bien plus désagréable que celle des moustiques.

SANTÉ

Le paludisme et la dengue posent problème dans la presqu'île d'Osa. Aussi, renseignez-vous auprès d'un médecin pour les précautions à prendre. Portez des vêtements longs, mettez de la lotion antimoustique et utilisez une moustiquaire. Méfiez-vous des serpents, et emportez du sérum.

NE PAS OUBLIER

- ❑ Maillot de bain
- ❑ Crème solaire
- ❑ Lunettes de soleil
- ❑ Bonnes chaussures de marche
- ❑ Lotion antimoustique
- ❑ Jumelles
- ❑ Appareil photo étanche
- ❑ Veste imperméable
- ❑ Un bon livre pour les longues soirées

COMMENT RÉAGIR FACE À UN SERPENT

Venimeux ou non, les serpents font peur à la plupart des gens. Bien que la presqu'île d'Osa en regorge, vous aurez peu de chances d'en voir : ils sentent les mouvements de loin, et disparaissent rapidement. La meilleure façon de vous préparer à affronter un serpent venimeux est d'en parler avec les gardes du parc. Ils seront à même de vous montrer des spécimens morts ou des photos pour vous apprendre à reconnaître les espèces dangereuses. Dès lors, en cas de morsure, si vous savez quel type de serpent vous a attaqué, on pourra vous administrer plus rapidement le traitement approprié. Lors de randonnées plus longues, dans des sites isolés, il est recommandé d'emporter avec soi du sérum et de savoir s'en servir. Pour plus d'informations, joignez le service des parcs nationaux à San José (► Contacts).

22 Les pagayeurs de la jungle

par Steve Watkins

Les cours d'eau du Costa Rica sont idéaux pour le rafting, et le Río Pacuare, qui traverse une forêt primaire, est sans doute l'un des plus sauvages. S'y attaquer constitue une expérience très excitante. J'ai donc affronté ses rapides lors d'une excursion de deux jours, passant la nuit dans un camp en pleine jungle.

Le Costa Rica est riche de cours d'eau tumultueux, qui tous naissent dans la Cordillera Central. Aussi ce pays est-il aux adeptes du rafting ce que l'Himalaya est aux amateurs de trekking et d'alpinisme : une Mecque que l'on se doit de visiter au moins une fois dans sa vie. De plus, l'eau n'y est pas trop froide. Outre les nombreux touristes qui viennent ici vivre leur première expérience de rafting, beaucoup de professionnels affluent du monde entier au moment de la trêve hivernale dans leur pays. Les cours d'eau les plus populaires sont le Pacuare et le Reventazón. Ils traversent tous deux les collines luxuriantes et quasi désertes qui bordent l'Atlantique, puis ils se déversent dans les plaines des Caraïbes, dominées par les plantations de bananiers. C'est aussi le pays des Garífunas, à la riche culture.

En route pour le Pacuare

Bien que le Reventazón soit le cours d'eau le plus tumultueux, avec plusieurs sections de catégorie V (► 216), mon choix se porte sur le **Río Pacuare**, considéré comme un joyau du rafting au Costa Rica. Ce fleuve prend sa source sur les pentes est de la Cordillera de Talamanca, qui s'étend de San José jusqu'au nord du Panamá, puis elle serpente à travers une forêt tropicale primaire et s'enfonce dans de profondes gorges. En 1986, il fut le premier cours d'eau à se voir attribuer par le gouvernement le statut de "fleuve sauvage spectaculaire".

Le rafting en soi requiert une forme physique moyenne. L'excursion d'une journée nécessite en revanche d'être en très bonne condition. Il n'est pas absolument nécessaire de savoir nager car le gilet de sauvetage aide à flotter, mais il faut savoir rester à l'aise dans des eaux tumultueuses.

★ Le seul camp de base est très confortable, et l'on y mange très bien. Le circuit de rafting est relativement facile si vous restez dans le bateau, mais les conditions peuvent devenir bien moins confortable si vous tombez à l'eau.

Tout l'équipement est fourni. Vous devrez porter des chaussures spéciales ou des sandales adaptées munies de boucles en plastique (le Velcro ne résistant pas très bien à l'eau). Elles devront en outre bien couvrir la cheville et comporter des semelles antidérapantes (en restant pieds nus, vous risquez de vous couper sur les rochers).

À droite *El Nido del Tigre, le camp de Coast to Coast Adventures sur le Río Pacuare.* Ci-dessous *Les couleurs vives des casques et gilets de sauvetage aident à retrouver ceux qui tombent à l'eau.*

APEX

LE RAFTING AU COSTA RICA

Outre le Pacuare, sept autre cours d'eau sont exploités pour le rafting de chaque côté de la Cordillera Central. Sauf exception, vous pouvez vous inscrire à toutes les excursions par l'intermédiaire d'une agence de voyages.

- ❑ **Corobicí** Classes I et II. Côté Pacifique. Plus une "promenade" qu'une expérience sur les rapides. Idéal pour les débutants et les amateurs de vie sauvage, car il traverse le parc national de Palo Verde.
- ❑ **General** Classes III et IV. Côté Pacifique. Long, loin de tout et comportant de nombreux rapides impressionnants, le General vous fera vivre une véritable aventure, le plus souvent pendant une durée de quatre jours. Uniquement pendant la saison des pluies.
- ❑ **Naranjo** Classes III et IV. Côté Pacifique. Les excursions sont organisées au départ de la ville de Quepos. Cette rivière, assez récente sur la liste des parcours de rafting, offre de bonnes sensations aux personnes expérimentées. Uniquement durant la saison des pluies.
- ❑ **Parrita** Classes II et III. Côté Pacifique. Une rivière relativement tranquille, vers le nord du parc national Manuel Antonio.
- ❑ **Reventazón** Classes III et V. Côté Atlantique. Elle tient les promesses contenues dans son nom qui signifie "vagues écumantes". La partie la plus fréquentée, qui était de classe III et reliait Tucurrique à Angostura, a disparu à la suite de la construction d'un barrage en 1999 (► 221). En revanche, trois autres sections sont toujours ouvertes.
- ❑ **Sarapiquí** Classes I et III. Côté Atlantique. Bon poste d'observation de la forêt tropicale qu'il traverse. Un bon choix pour les débutants ou les personnes peu expérimentées.
- ❑ **Savegre** Classes II et III. Côté Pacifique. Magnifique rivière traversant la forêt tropicale près du parc national Manuel Antonio. But d'excursion aussi, de Quepos.

Considérée comme l'un des cinq meilleurs du monde pour le rafting, ce cours d'eau comporte de nombreux rapides de classes III et IV. En dépit de cette notation élevée, il est praticable par toute personne en bonne condition physique, avide de sensations intenses.

Comme pour la plupart des excursions au départ de San José, il faut se lever tôt. On vient me chercher à mon hôtel à 7h30. Nous sommes un petit groupe de sept personnes, dont John et Julie, jeunes mariés américains en voyage de noces, Asako, une Japonaise, et Matt, le guide de Coast to Coast Adventures, accompagné de ses assistants, Goldie, Joel et Edwin. J'ai prévu de terminer ma nuit durant les 2h30 de car à effectuer avant de commencer notre aventure, mais Goldie profite du voyage pour nous faire un exposé fascinant sur l'histoire et la vie sauvage des endroits que nous traversons. Au passage, il nous montre des urubus à tête rouge (*Cathartes aura*), qui tournoient au-dessus des plantations de café et sont surnommés localement Costa Rica Air Force. Nous passons le volcan Irazú, dont la dernière éruption remonte au 19 mars 1963, jour de la dernière visite de John F. Kennedy. Lors d'une brève halte dans l'ancienne capitale coloniale qu'est **Cartago**, nous visitons la **basilique Nuestra Señora de los Angelos**. Cette grandiose basilique abrite *La Negrita*, une petite statue de Vierge noire réputée pour ses pouvoirs de guérison. Tous les 2 août, les pèlerins affluent de toute l'Amérique centrale avec des amulettes représentant la partie du corps qu'ils souhaitent voir guérir.

CONSEILS DE RAFTEURS

À Turrialba, jolie petite ville près du volcan du même nom, nous prenons un petit déjeuner constitué d'œufs brouillés et du traditionnel *gallo pinto*, mélange de haricots et de riz très énergétique et donc parfait pour ce qui va suivre. Puis nous nous mettons en route vers Tres Equis, où nous attendent les rafts.

Il est possible d'accomplir les 29 km jusqu'à Siquirres en une seule journée, mais il est bien moins stressant de le parcourir en deux jours. On peut ainsi passer la nuit dans un camp confortable en bordure de fleuve, et prendre le temps de découvrir quelques-unes des nombreuses cascades qui ponctuent la route. Cette option présente également l'avantage de démarrer plus tard que ceux qui font l'excursion à la journée (au moins 30 rafts par jour les week-ends de haute saison). On profite aussi du spectacle plus au calme.

Après avoir troqué nos vêtements pour des shorts et des tee-shirts, nous descendons un sentier et avons un premier aperçu du fleuve : l'eau écumante fend en deux une vallée verdoyante et pentue. Sur la rive caillouteuse, nous nous équipons : casques bleus, pagayes jaunes et gilets de sauvetage rouges, dont les couleurs vives permettent de mieux repérer les rafteurs qui tombent à l'eau, et de leur venir en aide plus rapidement.

Nous nous regroupons autour du raft et écoutons attentivement les instructions détaillées de notre guide Matt, qui nous apprend deux règles essentielles : ne jamais lâcher la poignée de sa pagaie car, dans le feu de l'action, elle peut blesser un autre pagayeur ; garder son calme et se mettre sur le dos, les pieds dans le sens du courant, si l'on se retrouve éjecté du raft. Il ne faut surtout pas essayer de tenir la position verticale car, si l'un de vos pieds se coince sous un rocher, la puissance du courant vous entraînera sous l'eau, et il vous sera pratiquement impossible de refaire surface. "Mais, ne vous inquietez pas, nous n'avons encore jamais perdu quelqu'un dans le Pacuare", ajoute Goldie avec un sourire qui se veut rassurant.

Premiers rapides

Nous nous entraînons d'abord sur la terre ferme à pagayer et à communiquer entre nous. Le rafting a son propre langage, assez simple. "À droite, arrière !" signifie que ceux qui sont à droite doivent pagayer en arrière, tandis que ceux qui sont à gauche continuent de pagayer en avant. "En avant, toute !" exige que tout le monde pagaie un grand coup, tandis que "Stop !" indique que l'on va trop vite et qu'il ne reste plus qu'à prier pour ne pas se renverser. Mais les ordres les plus amusants sont "Tout le monde à droite !" et "Tout le monde à gauche !", qui annoncent que le raft risque de chavirer et que l'on doit se précipiter du côté qui penche pour rééquilibrer l'embarcation. Une fois entassés tous les six dans le long raft en caoutchouc, nous faisons rapidement connaissance et l'ambiance devient chaleureuse.

À présent, il est l'heure de passer à l'action. Notre premier rapide à franchir n'est plus qu'à quelques mètres, et nous nous mettons à pagayer de toutes nos forces tandis que le raft avance en crabe vers le milieu du fleuve. De l'eau passe par-dessus l'avant et trempe mes vêtements, ce qui me fait frissonner. Mais nous réussissons à redresser le raft, et franchissons, soulagés, le rapide.

"Bon, celui-là, c'était de la rigolade. N'oubliez pas de pagayer au même rythme", crie Goldie. Après avoir négocié avec succès le rapide el Segundo, Goldie profite de la portion de rivière assez calme qui suit pour nous préparer au rapide suivant, qui est important. Surnommée Bienvenido (Bienvenue), cette section de classe III comporte de nombreux trous et les vagues y sont fortes. Dans un premier temps, il nous faut pagayer énergiquement pour contourner le premier de ces trous, où de nombreux rafts restent coincés ou se renversent. Tandis que nous fendons l'eau, une légère appréhension commence à se lire sur nos visages. "En avant toute !" hurle Goldie, mais nous l'entendons à peine à cause du rugissement du rapide.

L'eau m'éclabousse le visage. Penché en avant, les yeux fermés, j'appuie fort sur ma pagaie. L'espace d'un instant, j'ouvre les yeux et m'aperçois que nous grimpons une grosse vague, puis je les ferme à nouveau. Le raft se cabre, me faisant perdre l'équilibre. Lorsque je parviens à me rasseoir, nous avons franchi le rapide ! Nous poussons tous un cri de victoire et entrechoquons nos pagaies pour fêter l'événement.

Dans l'antre du tigre

Dans l'après-midi, la pluie, traditionnelle en cette saison, fait irruption. Le brouillard qui l'accompagne rend l'aventure plus exceptionnelle encore. Les rapides suivants se nomment Landslide, Piel Ojo (littéralement, "par la peau des yeux") et Bumper Rock ; à chaque coup de pagaie, nous gagnons en confiance. Alors que nous abordons les derniers virages, un martin-pêcheur bagué (*Megaceryle torquata*) vient voleter juste à l'avant du raft, et c'est donc escortés que nous arrivons au camp où nous devons passer la nuit. Construit entièrement en bois flottant au bord du fleuve, le luxueux camp el Nido del Tigre (l'Antre du Tigre) fut édifié par Coast to Coast Adventures, en 1996. Il tient son nom des plants géants de gingembre, nombreux ici,

qui, atteignant une certaine hauteur, tombent sur le sol et forment une sorte de patte de tigre. Allongés dans des hamacs, sirotant des bières bien fraîches et dégustant quelques fruits, nous prenons un repos bien mérité.

Lorsque je fais du camping, je mange souvent un mélange peu ragoûtant de pommes de terre écrasées, de thon et de soupe. Ici, c'est un délicieux repas qui m'attend, composé de pâtes et de sauce aux légumes, suivies de succulents biscuits au caramel avec de la crème. Nous ne tardons pas à aller nous coucher dans de spacieuses tentes montées sur des plateformes en bois. Le fond sonore de la rivière et des cigales nous garantit un sommeil prompt et réparateur.

À gauche *La bonne coordination de l'équipe est un point essentiel du rafting.*
Ci-dessous *En choisissant l'excursion de deux jours, vous profiterez du luxueux camp el Nido del Tigre.*

Des courants tourbillonnants

Le deuxième jour, le temps passé sur l'eau est moindre mais l'on affronte les rapides les plus difficiles. Au petit déjeuner, nous nous resservons un peu de *gallo pinto* tout en observant un incroyable morpho bleu (*Morpho peleides*) qui volette à travers le camp. À l'époque coloniale, les Français aimaient tant la couleur de ce papillon qu'ils utilisèrent les pigments contenus dans ses ailes pour colorer leurs billets de banque !

De retour sur le Pacuare, nous constatons que la pluie de la veille a fait monter le niveau de l'eau : notre trajet jusqu'à Siquirres sera donc à la fois rapide et mouvementé. Après avoir passé le rapide Ríos, nous atteignons une boucle du fleuve, où l'eau vient taper sur un rocher plat de la taille d'une maison. Goldie ordonne l'assaut et nous mobilisons toute notre énergie. Il y a un sérieux risque que le raft vienne frapper le rocher et se retourne ; il nous faudrait alors nager assez longtemps entre de nombreux autres rochers. "En avant toute… plus vite !" aboie Goldie, et nous plongeons nos pagaies bien profond dans les courants tourbillonnants en y mettant le plus de force possible. Nos bras montent et descendent comme des pistons, permettant au raft de tourner plus vite. Mais le courant étant le plus fort, nous allons droit contre le rocher et perdons l'équilibre. Nous cessons alors de pagayer pendant un moment qui nous paraît interminable. "Tout le monde à droite !" hurle Goldie tandis que le raft se retrouve plaqué contre le rocher. Nous nous précipitons tous du même côté. Pendant un instant, la bataille semble perdue, mais notre poids parvient à redresser le raft. En quelques secondes, nous regagnons nos places et pagayons furieusement pour nous extraire de ce piège. Le cri de victoire que nous poussons en sortant du rapide est si bruyant qu'il chasse, dans un envol paniqué, un couple d'aigrettes blanches.

Après le long et sinueux rapide dénommé Blind Man's Bluff, la rivière devient plus calme et nous pouvons enfin relever nos pagaies et admirer la végétation luxuriante qui nous entoure. La forêt, très dense, se compose de diverses espèces de palmiers, d'heliconias et de fougères. D'immenses flamboyants sont collés aux parois presque verticales de la

CLASSEMENT DES RIVIÈRES À RAFTING

La référence en la matière est l'échelle de cotation des cours d'eau par difficulté, établie par l'American Whitewater Affiliation.

- **Classe I** Eaux moyennement agitées avec quelques rapides et de petites vagues. Peu d'obstacles.
- **Classe II** Rapides faciles, avec des vagues plates pouvant atteindre 1 m. Quelques manœuvres sont nécessaires.
- **Classe III** Rapides aux vagues hautes et irrégulières, susceptibles de renverser un raft. Passages étroits qui requièrent des manœuvres complexes. Un guidage peut être nécessaire de la rive.
- **Classe IV** Rapides longs et difficiles avec des boyaux exigeant des manœuvres complexes dans des eaux tumultueuses. Un guidage depuis la rive est souvent nécessaire et les conditions rendent un sauvetage difficile. Généralement impossible à franchir avec un raft ouvert. En raft fermé ou en kayak, il faut savoir pratiquer l'eskimotage.
- **Classe V** Rapides très difficiles, longs et violents, avec de nombreux obstacles qui exigent presque toujours un guidage de la rive. Tout accident peut être fatal. L'aptitude à l'eskimotage est essentielle.
- **Classe VI** Conditions de navigation extrêmes, presque impossibles et très dangereuses. Réservé aux experts.

vallée, tel un papier peint aux motifs tropicaux. Cette forêt est peuplée de serpents, dont le très venimeux fer-de-lance (*Bothrops atrox*), de jaguars, de loutres de rivière et de pécaris (*Tayassu tajacu*), une espèce de cochon sauvage que l'on a très rarement la chance de rencontrer. Durant le trajet, plus de 20 cascades, plus impressionnantes les unes que les autres, se déversent dans le Pacuare. Alors que nous approchons de l'impressionnante cascade de Río Frío, un couple d'araçaris à collier (*Pteroglossus torquatas*) s'élance de la cime des arbres et nous survole. Profitant du temps libre que nous ménage notre excursion de deux jours, nous arrêtons le bateau, sautons à terre et grimpons jusqu'en haut de la cascade pour plonger dans l'eau vert clair.

Haute voltige

Nos succès de la matinée nous ont donné confiance en nous, mais Matt s'empresse de nous faire redescendre sur terre. Il nous explique que nous approchons des rapides les plus importants du Pacuare, les plus techniques aussi, appelés les Upper and Lower Huacas. Tout ce que nous avons fait jusque-là n'est qu'un simple entraînement pour nous préparer à ce passage. Il présente sur 150 m une multitude de rochers et de hauts-fonds, normalement de classe IV, mais qui, compte tenu du niveau de l'eau, relèvent plutôt d'un bon IV+. Nous mesurons combien le fait d'avoir Matt dans un kayak de secours à nos côtés peut se révéler précieux. Si l'un d'entre nous ou l'équipage entier tombe à l'eau, il peut nous rattraper en nous lançant le filin de sécurité qu'il porte dans son petit sac de secours orange fluo.

Alors que nous abordons la zone tourbillonnante, nous jetons un œil à l'écume sous notre raft. Mon estomac se noue. J'entends vaguement Goldie nous ordonner d'accélérer le mouvement lorsqu'une grosse vague passe soudain

UN FUTUR COMPROMIS

Le Costa Rica a la réputation de protéger son environnement, y compris ses forêts. Malheureusement, cette conduite semble ne plus avoir cours lorsqu'il s'agit des cours d'eau qui traversent le territoire. Lorsque vous lirez cet encadré, le Río Reventazón aura déjà été transformé en barrage pour fournir en électricité la ville proche de Turrialba, détruisant du même coup le circuit de rafting le plus connu du pays. Le projet concernant le Río Pacuare au niveau de la gorge de Dos Montañas est encore plus inquiétant. Il balaiera en effet toute la partie supérieure du fleuve, détruisant une portion de forêt vierge exceptionnelle. Des protestations se sont élevées, mais la compagnie d'électricité du pays insiste pour que le barrage, dans lequel 1 milliard de dollars ont été investis, soit achevé en 2006.

par-dessus bord et nous asperge tous. Le raft monte parfois si haut au sommet des vagues que nous avons bien du mal à enfoncer nos pagaies dans l'eau. Mais ce n'est pas le moment de paniquer ; les rochers approchent à une vitesse impressionnante. Le raft dérive à droite, bute contre un gros rocher noir et rebondit à gauche sur un haut-fond. “En arrière toute !” hurle Goldie. Nous luttons tous pour ne pas entrer en collision avec un nouveau rocher et nous devons fournir un effort considérable pour traverser le Lower Huacas. Enfin, nous arrivons dans des eaux plus tranquilles. Notre soulagement cède rapidement la place à un sentiment d'euphorie et nous poussons un cri de victoire comme si nous venions de remporter les jeux Olympiques !

Un autre monde

Afin de savourer notre succès, nous nous arrêtons sur une plage de sable pour déguster un déjeuner consistant, à même notre raft retourné. Mais ce n'est pas terminé. De retour sur l'eau, nous traversons plusieurs rapides de classe III – dont le Pinball, le Brain et le rocher Magnétique –, très rapprochés, avant de ralentir un peu pour admirer une nouvelle cascade. Au virage suivant, une belle surprise nous attend : une gorge étroite et profonde aux parois verticales, qui semble être le seuil d'un autre monde. Appelée Dos Montañas (Deux Montagnes), c'est peut-être la section la plus impressionnante de tout le fleuve. Avec l'accord des guides, nous sautons tous dans l'eau calme et nous nous laissons porter par le courant. Voilà enfin devant nous la nature sauvage que nous cherchions. Des martinets de Cayenne (*Panyptila cayennensis*) volettent autour des rochers, tandis que des urubus noirs (*Coragyps atratus*) tournoient au-dessus de nos têtes. La civilisation nous paraît bien lointaine…

Mais notre émotion s'accroît lorsqu'on nous apprend qu'un barrage est prévu à cet endroit précis (►221). Sa construction va détruire la partie supérieure du Pacuare et y mettre fin, bien évidemment, au rafting.

En regagnant nos rafts, nous prenons conscience de notre entrée dans un autre monde : les montagnes ont disparu pour céder la place au spectacle envoûtant des plaines de la côte caraïbe. Seuls deux petits rapides nous séparent de la ville de Siquirres, qui marquera la fin de notre fantastique excursion dans l'une des régions les plus reculées et préservées du Costa Rica. En apprenant à manœuvrer un raft, nous avons compris l'importance du travail en équipe qui, seul, peut permettre de se sortir des situations les plus inextricables. Songeur, je jette un dernier regard derrière moi, espérant simplement pouvoir revenir un jour sur cette rivière… si elle est encore là.

Goldie, notre guide, est assis à l'arrière du raft pour le diriger et nous dire comment aborder les rapides.

PARTIR EN SOLO

QUAND PARTIR

La plupart des visiteurs se rendent au Costa Rica pendant la saison sèche (de décembre à avril), lorsque le niveau de l'eau est bas et les températures élevées. Toutefois, pour pratiquer le rafting sur le Pacuare, il y a de bonnes raisons de faire l'inverse et de s'y rendre durant la saison des pluies (de juin à novembre). La rivière est bien plus amusante lorsqu'elle déborde d'eau : les vagues sont plus grosses et masquent la plupart des rochers, ce qui exige un effort moins important pour les contourner que lorsque le niveau de l'eau est bas. En outre, les températures élevées font transpirer en permanence, alors qu'à la saison des pluies les après-midi sont souvent couverts, ce qui est, somme toute, reposant. Et même lorsqu'il pleut, la pluie n'est pas froide. Enfin, il y a bien moins de touristes et les hôtels sont moins chers.

S'ORGANISER

De nombreuses agences de San José, dont Coast to Coast Adventures, Ríos Tropicales, Horizontes et Aventuras Naturales, proposent des excursions d'une ou plusieurs journées sur les principaux cours d'eau. Les prix incluent toujours le retour en car, l'équipement, le guide, la nourriture et les boissons (l'alcool n'est pas autorisé pour des raisons évidentes). Certaines agences y incluent également le petit déjeuner du premier jour, qui est généralement pris dans un restaurant en chemin. Pour les excursions de plusieurs jours, l'hébergement sur la rive (dans des tentes ou des bungalows, selon l'agence choisie) ainsi que la nourriture et les boissons (dont du vin et de la bière pour le dîner) sont également compris. Si l'agence avec laquelle vous partez n'est pas citée ci-dessus, assurez-vous auprès de l'office du tourisme de San José qu'elle propose un équipement de qualité et des guides expérimentés.

QUELQUES TUYAUX

- ❑ Dans le raft, ne vous appliquez pas de crème solaire sur le front car celle-ci vous dégoulinera dans les yeux, ni sur l'arrière de vos jambes car vous glisserez sur les boudins du raft.
- ❑ Vérifiez que vos poches contenant des objets de valeur sont bien fermées et rassemblez toutes vos affaires dans l'un des sacs étanches fournis à cet effet. Les sacs en plastique ne sont pas assez résistants.

SANTÉ

Prémunissez-vous contre le paludisme ; consultez votre médecin pour les derniers traitements en la matière. Ne portez pas de lentilles de contact pour le rafting, vous risqueriez de les perdre. À la place, mettez des lunettes munies d'un cordelette.

NE PAS OUBLIER

- ❑ Crème solaire
- ❑ Casquette avec visière pouvant être portée sous un casque
- ❑ Sandales appropriées (vérifiez qu'elles tiennent bien aux pieds, faute de quoi vous risquez de les perdre) ou baskets
- ❑ Lotion antimoustique
- ❑ Vêtements de rechange
- ❑ Appareil photo étanche (les appareils jetables sont d'assez bonne qualité, et l'on peut en acheter à San José)
- ❑ Lampe-torche
- ❑ Cordelette pour retenir vos lunettes

Tente surélevée du camp el Nido del Tigre.

23 Sur la piste des chasseurs de tortues

par Steve Watkins

Le parc national de Tortuguero, sur la côte caribéenne du Costa Rica, est l'un des derniers havres de paix pour la plupart des espèces sauvages du pays. Cette zone étant quadrillée par un réseau de cours d'eau et de canaux, j'ai trouvé que la meilleure façon d'apprécier les merveilles de la vie sauvage était de les découvrir tranquillement en kayak.

En 1970, lors du conseil d'administration du Service des parcs nationaux du Costa Rica, certains durent faire la grimace lorsqu'on décida de baptiser une toute nouvelle réserve "parc national des Chasseurs de tortues". Les *tortugueros*, qui pendant 400 ans avaient eu un accès quasi illimité à ce territoire riche en nids de tortues géantes, comprirent qu'ils en étaient désormais bannis bien qu'il portât leur nom.

Le parc national de Tortuguero, d'une superficie de 19 000 ha, se compose d'une jungle épaisse et d'une zone côtière au relief très doux. Du fait de l'absence totale de routes alentour, on n'y accède que par une des nombreuses voies d'eau qui le sillonnent. La grande majorité des touristes la visitent en canot à moteur, mais le bruit ainsi généré fait généralement fuir les animaux. Même s'ils coupent leur moteur chaque fois qu'ils aperçoivent quelque chose d'intéressant, c'est souvent trop tard. Il est possible de se déplacer plus discrètement, en kayak. Keith, un ami anglais, et moi-même avons déjà rejoint quatre touristes américains et les guides Matt, Joel, Goldie et Sue, de Coast to Coast Adventures, pour un voyage de deux jours sur le cours inférieur du Río Pacuare. Ce fleuve coule au sud du parc, et cette première expédition vouée au rafting (► 214) a constitué un bon entraînement avant le kayak. Nous sommes maintenant fin prêts pour explorer pendant deux jours les rivières moins connues qui traversent le parc.

3 Le kayak nécessite une bonne condition physique, même si les cours d'eau sont calmes et le rythme assez tranquille. Dans certains passages, il faut pagayer à contre-courant, ce qui peut être fatigant.

★★ Pendant cette excursion, aucun véhicule ne suit avec les bagages. Vous devez donc tout emporter dans les kayaks. On ne sert au déjeuner que des repas froids. Chaque soir, en revanche, on s'arrête dans un hôtel, au confort sommaire, mais qui sert un vrai dîner.

Tout l'équipement pour le kayak est fourni.

Des bananes calibrées

Après avoir déchargé nos kayaks près d'un entrepôt de tri de bananes, sur la rive du Pacuare, nous faisons un petit tour dans la plantation. Des hommes en sueur, les muscles bandés, attachent à un câble à l'aide de lanières des régimes de bananes enveloppés dans des bâches bleues. Ce câble relie la plantation à l'usine. Là, on ouvre les bâches et des femmes trient les bananes selon les marchés auxquels elles sont destinées. En effet, les Américains les aiment incurvées et pas très mûres, alors que les Européens les préfèrent droites et bien jaunes. Les centaines de fruits qui ne répondent pas à ces critères, sont renvoyés vers une benne. Ceux qui ont été retenus sont lavés, divisés en régimes plus petits, étiquetés puis emballés dans de grands cartons ; ils voyageront ainsi avant de terminer dans une corbeille de fruits.

De retour au bord du fleuve, nous empaquetons nos vêtements de rechange, lampes-torches, portefeuilles et autres effets personnels dans les sacs étanches qui nous sont fournis. Nous prenons chacun un gilet de sauvetage et une pagaie, vérifions que nos bouteilles d'eau sont pleines, puis nous nous glissons dans nos kayaks. Le cours inférieur du Río Pacuare est large et ne comprend aucun rapide, contrairement au cours supérieur sur lequel j'ai fait du rafting quelques jours plus tôt (► 214). Je partage mon kayak double avec Goldie et nous prenons rapidement un bon rythme. Pour observer la vie sauvage, mieux vaut rester près de l'une des berges, sans trop s'en approcher toutefois, car les serpents y pullulent et s'enroulent sur les branches basses. N'étant pas un expert de la vie sauvage tropicale, les commentaires de Goldie me sont précieux. Ainsi, il me raconte comment les enfants des rares villages du coin coupent des bananiers et descendent la rivière sur leur tronc en le faisant rouler sous leurs pieds, pour garder l'équilibre, à la manière des bûcherons en Amérique du Nord.

LA VIE AU RALENTI

D'innombrables espèces d'oiseaux et de papillons peuplent les rives du Pacuare. D'élégantes grandes aigrettes (*Casmerodius albus*), blanches et élancées, nous fixent, perchées sur des arbres, plusieurs oiseaux gobe-mouches foncent au-dessus de nous à la recherche de nourriture et de superbes papillons, des morphos bleus (*Morpho peleides*) surgissent de l'autre côté du fleuve, semblables à des lampions. Mais le plus grand spectacle de la journée nous est offert par l'un des animaux les plus zen du monde. Très en hauteur, entre deux branches d'un cecropia (*Cecropia lyratiloba*), Joel aperçoit la silhouette d'un paresseux à trois doigts, ou aï, (*Bradypus tridactylus* ► 228), à poitrail brun. Ces créatures au nez camus, dégingandées et griffues, sont des cousins éloignés des fourmiliers. Cependant, à un moment de l'évolution, les paresseux ont du penser que même la vie sédentaire des fourmiliers était trop agitée. Lorsqu'ils se déplacent, on a l'impression de voir un film au ralenti. Ils se nourrissent surtout de feuilles de cecropia, dont la substance chimique agit comme un sédatif et produit à peu près le même effet que les feuilles d'eucalyptus sur les koalas. Leur système digestif fonctionnant aussi au ralenti, les paresseux n'ont pas besoin de se nourrir souvent, ce qui leur laisse le loisir de faire ce pour quoi ils sont le plus doués, c'est-à-dire rien. Bien entendu, "notre" paresseux ne bouge pas d'un iota.

Peu après avoir passé un petit affluent, le Río Madre de Dios, nous commençons à entendre le bruit de la mer. Le fleuve

FAIRE DU KAYAK EN TOUTE SÉCURITÉ

La première fois que vous entrerez dans un kayak, vous aurez l'impression que vous allez vous renverser tant l'embarcation semble instable. Mais en vous calant bien dans le siège et en évitant de trop bouger le haut du corps, vous pourrez sans doute éviter d'aller rejoindre les crocodiles. Comme toutes les embarcations, plus les kayaks vont vite, plus ils sont stables ; vous serez donc en sécurité dès que vous avancerez. Méfiez-vous du sillage des autres bateaux ; essayez de les prendre de face, non de côté. En général, les canots à moteur ralentissent lorsqu'ils voient des kayaks, pour minimiser leurs remous.

s'élargit alors considérablement ; à son embouchure, nous trouvons une jolie petite plage bordée de palmiers et nous décidons d'y pique-niquer. Après une digestion plus que rapide, nous piquons une tête du haut d'un palmier-plongeoir. Ce n'est en fait pas très prudent car il y a des crocodiles dans l'eau. Nous ne sommes plus très loin de notre étape du soir, un minuscule hôtel rustique nommé Cocotel Inn. Il n'a rien d'extraordinaire, mais avec son balcon suplombant le fleuve et, auprès de nous, un singe hurleur à manteau (*Aloutta palliata*) très joueur, de la bière et du rhum à volonté, il comble nos envies de détente et de divertissement pour la soirée.

Naviguer sur les canaux

Un lever de soleil rose pâle et embrumé accueille les plus matinaux d'entre nous : la journée va être belle. Nous prenons un petit déjeuner traditionnel, constitué d'une bonne portion de *gallo pinto* (riz et haricots), et nous repartons sur nos kayaks. La côte caribéenne a toujours représenté une zone de commerce active, aussi bien pour les marchands locaux que pour ceux du Nicaragua dans le Nord et du Panamá dans le Sud. Cependant, lorsqu'on longe la côte, on peut s'exposer à des intempéries. Les villageois, qui ne peuvent y naviguer avec leurs pirogues, empruntent les voies d'eau intérieures.

Ci-dessus *Des canaux ont été creusés au sein du parc national de Tortuguero pour relier les cours d'eau, créant ainsi des voies d'eau intérieures protégées. Les marchands y circulent à bord de leurs pirogues.*
À gauche *Un plongeoir improvisé sur la côte caribéenne.*
Ci-dessous *Le kayak est idéal pour observer les animaux sauvages, comme ce singe-araignée (*Ateles geoffroyi*).*

LE GRAND SOMMEIL

Le paresseux à trois doigts (*Bradypus tridactylus*), connu également sous le nom d'aï, est l'habitant le plus végétatif du parc national de Tortuguero. Il dort pas moins de 20h par jour et n'interrompt son sommeil que pour déguster lentement les feuilles et les fruits qui constituent son alimentation. Sa vue est très mauvaise (cela le fatigue sans doute trop de regarder !) et il ne trouve sa nourriture qu'au sommet des cecropias (➤ 225) en utilisant son odorat. Le paresseux ne s'aventure que très rarement sur le sol, où il ne se montre pas plus rapide : sa vitesse de pointe est de 0,16 km/h. Il ferait donc 40 min dans le 100 m !

Mais elles ne coulent toutes que d'ouest en est. Pour y remédier, des canaux intérieurs ont été construits, qui relient entre eux les principaux cours d'eau et forment un réseau aquatique protégé qui s'étend de Puerto Limón, au sud, jusqu'au Río San Juan, à la frontière du Nicaragua. Nous avons prévu de descendre plus au sud sur le canal reliant le Pacuare au Río Chirripó. Là, nous traverserons une étroite langue de terre, avant de pagayer à contre-courant sur l'océan pour retrouver l'embouchure du Pacuare.

Attention aux crocodiles

Une fois de plus, l'observation de la vie sauvage constitue le point fort de notre journée. Alors que nous pagayons le long d'un champ de nénuphars, la tête d'un jacana du Mexique (*Jacana spinosa*) surgit parmi les fleurs blanches. Ces superbes oiseaux ont une démarche très étrange et gauche, due à leurs pattes à quatre doigts extrêmement longues. Elles leur permettent de marcher sur le tapis flottant des feuilles de nénuphars. Ces oiseaux sont faciles à repérer grâce à leur bec jaune qui contraste fortement avec leur plumage brun. Nous avons la chance d'en voir un de près car il s'envole juste au-dessus de nous, dévoilant le dessous jaune vif de ses ailes.

Des caïmans à lunettes (*Caiman crocodilus*) apparaissent sur les berges boueuses du fleuve, prêts à glisser dans l'eau si l'un de nous chavire. Mais nous serions trop gros pour eux ! Cependant, il y a aussi dans le fleuve des crocodiles américains (*Crocodilus acutus*), plus grands et plus agressifs, qui représentent une menace bien plus sérieuse. Un panneau en bois, presque totalement recouvert par la végétation, nous invite à la prudence : il a été dressé là en mémoire d'un chercheur israélien disparu le 9 avril 1997. Bien que les autochtones l'aient prévenu du danger, il s'était baigné dans le Pacuare et s'était fait dévorer.

Alors que nous entrons dans un canal étroit menant vers l'océan, un martin-pêcheur bagué (*Megaceryle torquata*) plonge dans l'eau devant le kayak de Joël afin d'attraper un poisson. Ce plongeon ainsi que notre présence provoquent l'envol d'une nuée de papillons jaunes, posés sur des nénuphars tout proches. Nous sommes pris alors dans ce nuage d'ailes tourbillonnantes ; Goldie et moi nous arrêtons de pagayer afin d'admirer ce spectacle. À lui seul, le Costa Rica abrite 11 % des espèces de papillons existant dans le monde.

Une fois sur le rivage, nous portons les kayaks sur quelques centaines de mètres pour atteindre l'océan. Les rouleaux ne sont pas trop forts et nous arrivons bientôt dans des eaux plus calmes. Faire du kayak sur la mer peut pourtant s'avérer éprouvant. Le soleil tape fort, et le temps nous paraît long avant de rejoindre l'embouchure du Pacuare. Après avoir regagné le rivage, nous rentrons au Cocotel Inn, où Matt obtient que le propriétaire nous emmène sur son bateau jusqu'à l'entrepôt de bananes. Les kayaks traînent derrière nous comme une caravane de chameaux. Le voyage est plus reposant, mais certainement pas aussi intense qu'en kayak.

Vers l'inconnu

Les Américains reprennent la route vers San José, tandis que Matt, Goldie, Keith et moi-même partons en voiture pour le village de Quatro Esquinas. Ce dernier est situé au bord d'un minuscule affluent du Río Suerte, qui conduit au village de Tortuguero et qui n'a jamais encore été parcouru en kayak. Matt souhaite explorer cette nouvelle voie d'eau afin d'y organiser des expéditions par la suite. Nous devons tout d'abord obtenir l'autorisation de traverser une ferme avec nos kayaks, avant de trouver un endroit convenable pour les mettre à l'eau. Après les larges canaux sur lesquels nous venons de naviguer pendant deux jours, cela nous fait bizarre de nous retrouver sur un cours d'eau si étroit et si peu profond. Malgré tout, comme dans toute aventure, nous frissonnons déjà à l'idée de cette nouvelle escapade.

Au début, nous n'arrivons à faire entrer dans l'eau que les extrémités de nos pagaies. Peu à peu, la rivière devient plus profonde et sinueuse. Certains virages sont si serrés que nous effectuons des manœuvres complexes pour les passer. Les hautes herbes qui couvraient les rives laissent progressivement la place à la forêt tropicale. Les caïmans semblent beaucoup plus menaçants dès lors qu'ils nous approchent à moins de 3 m. En général, nous n'apercevons que leurs yeux scrutateurs dépassant à peine la surface de l'eau mais, de temps en temps, nous en surprenons un sur la terre ferme et le regardons, effrayés, glisser doucement dans l'eau.

Nous frayant un chemin parmi les plantes grimpantes et les souches d'arbres, nous nous rapprochons du Río Suerte. Peu avant le confluent, Goldie et moi observons un bébé tortue installé sur une branche à demi immergée. Nous arrêtons de pagayer et glissons doucement vers lui avant qu'il ne replonge dans l'eau. En arrivant dans le Suerte, plus large, je ressens un certain soulagement à quitter le climat confiné de cet affluent.

Sur les rives du Suerte, nous devinons la présence de singes hurleurs à travers les branches, ainsi que de singes-araignées qui évoluent comme de vrais gymnastes. Finalement, le Suerte rejoint le canal reliant le village de Tortuguero et **Cerro Tortuguero**. Culminant à 119 m, elle est la seule colline à des kilomètres à la ronde. On peut l'escalader à condition d'être en très bonne forme physique et d'aimer les pentes raides et boueuses. Nous décidons de faire un arrêt au village et pagayons jusqu'à un bar situé en bordure de la rivière. Après avoir dégusté une bière, nous retournons hisser les kayaks à terre.

Le petit **village de Tortuguero** est isolé et il y fait très chaud. Ses habitants sont d'origine variée, à la fois hispanique, miskito, indienne, nicaraguayenne et afro-caribéenne.

La chasse aux tortues

Les chasseurs de tortues, qui sont souvent des pêcheurs, ont exercé leur activité sur toute la côte caribéenne à partir de l'an 1500 environ. La viande de tortue était très appréciée dans la région et, avec l'arrivée des Espagnols, elle le fut en Europe, ainsi que les articles en écaille obtenus à partir de sa carapace. Lorsqu'elles n'avaient pas été tuées sur le coup, les tortues étaient emmenées vivantes en Europe et enduraient une longue agonie. La création du parc national de Tortuguero et le vote de lois régulant cette chasse ont amélioré leur sort, mais le braconnage des œufs et les incursions humaines dans la zone protégée du parc demeurent une source d'inquiétude.

Ils vivent dans des maisons en bois de couleurs vives, la plupart agrémentées de fleurs de bougainvillées tout aussi éclatantes. La rue principale, chemin étroit et sale, longe une aire de jeux sommaire, une jolie église jaune pâle, une boulangerie ainsi que plusieurs bars et restaurants. On peut séjourner sur place si l'on voyage seul.

TORTUES GÉANTES DE TORTUGUERO

- **La tortue verte** (*Chelonia mydas*) Elle vit dans les eaux chaudes des côtes de l'Atlantique, du Pacifique et de l'océan Indien. Se nourrissant principalement d'herbe à tortue et d'autres plantes marines, elle peut peser jusqu'à 180 kg. Sa carapace en forme de cœur, de couleur brun olivâtre, comporte quatre couches cornées. Les mâles peuvent mesurer jusqu'à 1,6 m de long et passent toute leur vie dans l'océan, alors que les femelles, plus petites, reviennent sur les rivages où elles sont nées tous les deux à quatre ans, pour y pondre jusqu'à 100 œufs.
- **La tortue luth** (*Dermochelys coriacea*) Cette espèce, qui est très menacée, vit principalement dans les eaux tropicales, subtropicales et dans les eaux tempérées plus profondes des océans Atlantique, Pacifique et Indien. Elle est la plus grande de toutes, le mâle pouvant atteindre 2,4 m et peser jusqu'à 860 kg. Contrairement aux autres tortues marines, sa carapace est formée d'une peau sombre semblable à du cuir, qui contraste avec son ventre blanc. Elle est excellente nageuse et parcourt de grandes distances pour trouver les méduses qui constituent la base de son alimentation.

Pages précédentes *Une fois que vous saurez bien manœuvrer votre kayak, vous pourrez vous détendre et profiter de la balade. Ce moyen de transport silencieux vous permettra de pénétrer au cœur de la vie sauvage et d'observer, entre autres créatures, des caïmans à lunettes (*Caiman crocodilus*).*

Les tortues sont la principale attraction du village ; nous partons donc à 20h vers la **plage de Tortuguero**. Elle abrite le site de ponte des tortues vertes le plus important du pays. La Caribbean Conservation Corporation, qui siège sur place, en a dénombré quelque 20 000 qui abordent chaque année ce rivage lors de la saison de reproduction. Cet organisme a créé un centre, au nord du village, donnant des informations sur les tortues et présentant les dispositions prises pour leur sauvegarde. Nous ne sommes pas à la période de ponte (entre juillet et début octobre), mais nous espérons tout de même voir quelques tortues.

Avant que nous n'allions à la plage, on nous explique comment nous comporter avec ces animaux. Les photos avec flash sont interdites, car les tortues s'arrêtent alors de pondre, et nous ne sommes pas autorisés à franchir les limites d'une zone d'observation définie. Ces règles doivent être scrupuleusement respectées, car les tortues sont des animaux très craintifs. Très vite, nous pouvons observer une tortue verte en pleine action : elle se met à creuser un trou avec ses pattes arrière. Ce manège semble durer des heures mais, finalement, des œufs gros comme des balles de golf tombent dans le trou. Après les avoir soigneusement recouverts de sable, la tortue retourne dans l'eau, d'où elle ne ressortira que pour la prochaine saison de ponte.

Tortuguero est un parc mondialement connu, et le découvrir au fil de l'eau dans des kayaks silencieux représente une option bien agréable. À en juger par le nombre de visiteurs en canot à moteur qui nous prennent en photo comme si nous étions une curiosité locale, nous sommes certainement plus en phase qu'eux avec la vie sauvage.

PARTIR EN SOLO

QUAND PARTIR

La saison sèche (de décembre à avril) est beaucoup plus touristique que la saison des pluies (de juin à octobre). Les tortues vertes pondent entre juillet et début octobre, c'est donc probablement la meilleure période pour les apercevoir. Bien qu'il pleuve plus pendant la saison des pluies, il y a généralement du soleil pendant la journée, les prix sont moins élevés et les hôtels ont davantage de chambres libres.

S'ORGANISER

En raison du manque de routes, voyager seul dans le parc national de Tortuguero n'est pas aisé et peut s'avérer très coûteux si vous devez louer un bateau. À moins d'avoir beaucoup de temps, de bien maîtriser l'espagnol et d'être patient, mieux vaut prévoir un voyage organisé. Coast to Coast Adventures est actuellement le seul organisme qui propose des excursions en kayak dans le parc. La durée moyenne de l'excursion est de deux jours, mais il est possible d'adapter l'itinéraire à vos envies.

Si vous voyagez seul et souhaitez faire du kayak, allez près de l'embarcadère principal du village de Tortuguero, où l'on loue des kayaks (ceux dans lesquels on peut s'asseoir). Si vous n'en avez jamais fait, entraînez-vous près du village avant de vous aventurer plus loin, car ils sont assez instables. Et vous n'aurez peut-être pas envie de rejoindre les crocodiles dans l'eau.

De nombreuses personnes dans le village de Tortuguero proposent de vous accompagner voir les tortues, mais mieux vaut se rendre à la station de Quatro Esquinas, à l'extrémité nord du parc, où les gardiens vous indiqueront où aller. La plupart des circuits guidés incluent cette visite.

QUELQUES TUYAUX

- ❏ Le centre de recherche de la Caribbean Conservation Corporation, au nord du village de Tortuguero, abrite une petite exposition qui explique très bien son travail sur les tortues, et qui vaut une petite visite.
- ❏ Ne vous baignez pas dans les eaux côtières autour du village de Tortuguero, car les courants et les rouleaux peuvent mettre en péril même un nageur expérimenté. De plus, les requins y abondent. Dans les cours d'eau, ce sont les crocodiles qui vous dissuaderont sans doute de piquer une tête. À Tortuguero, pour échapper à la chaleur, on ne peut que s'abriter sous un arbre ou aller prendre une douche à l'hôtel !
- ❏ Si vous sillonnez les canaux en bateau à moteur, essayez de vous asseoir à l'avant, car beaucoup d'animaux s'enfuiront à votre approche. Vous aurez ainsi une toute petite chance d'apercevoir, plutôt que la jungle désertée, un jaguar battant en retraite.

SANTÉ

Prémunissez-vous contre le paludisme : consultez votre médecin pour connaître les derniers traitements en cours. Portez des vêtements couvrants, utilisez un bon produit antimoustique, et n'oubliez pas votre moustiquaire. Sur le kayak, pensez à boire beaucoup et à renouveler fréquemment vos applications de crème solaire. Enfin, ne buvez pas l'eau du robinet au village de Tortuguero.

NE PAS OUBLIER

- ❏ Chapeau à grands bords
- ❏ Crème solaire
- ❏ Appareil photo étanche
- ❏ Jumelles avec une courroie
- ❏ Bouteilles d'eau
- ❏ Quelque chose à grignoter

POUR EN SAVOIR PLUS...

- ❏ *Le Grand Guide du Costa Rica* (Gallimard / Bibliothèque du Voyageur, 1999). Un guide très illustré faisant la part belle à la nature et aux activités sportives possibles dans le pays.
- ❏ Bonin, Franck, Devaux, Bernard et Dupré, Alain, *Toutes les tortues du monde* (Delachaux et Niestlé / Les encyclopédies du naturaliste, 1996). La Bible des tortues, avec plus de 250 photographies, des dessins et des cartes de répartition.

24 Odyssée à Nicoya

par Steve Watkins

Le sud de la péninsule de Nicoya, dans le Guanacaste, est une région reculée et très peu visitée, ce qui en fait une terre d'aventure formidable. Afin de longer ses superbes plages bordant le Pacifique et d'arpenter ses paysages vallonnés, j'ai opté pour une excursion en kayak combinée avec une randonnée à VTT.

La partie sud de la péninsule de Nicoya, dans la province de Guanacaste, est, par sa situation géographique, l'une des régions les plus reculées du pays. Comme les routes y font défaut, rares sont ceux qui ont la chance de découvrir ses richesses naturelles. Le mieux est donc d'utiliser des kayaks de mer et des VTT. L'intérêt du voyage organisé, que j'ai choisi, est de faire suivre les bagages d'étape en étape. Ainsi, notre petit groupe peut mener ses explorations en toute liberté.

Le Guanacaste est coupé du reste du pays par deux chaînes de montagne, la Cordillera de Guanacaste et la Cordillera de Tilarán. Cela lui confère un climat particulier, avec seulement 500 mm de précipitations par an, soit

4 — Il n'est pas difficile d'apprendre le kayak de mer ; cela requiert juste une assez bonne condition physique. Toutefois, il vaut mieux ne pas être sujet au mal de mer. Pour le VTT, il faut être en assez bonne forme et ne pas se laisser décourager par la boue, les cours d'eau à traverser et la chaleur.

★★ — Les activités de la journée pourront parfois être physiquement et mentalement éprouvantes, mais chaque soir vous pourrez récupérer dans un hôtel ou un camp confortable, après un bon repas.

Tout l'équipement est fourni pour le kayak et le VTT. Si vous le souhaitez, vous pouvez emporter la tenue qui est la vôtre habituellement pour faire du vélo, à savoir votre short, vos gants, vos chaussures spéciales (bien que de simples chaussures de marche conviennent tout à fait) et votre propre casque.

À droite *L'absence de routes en bitume dans la péninsule de Nicoya fait du VTT l'un des seuls moyens de transport possibles.*
Ci-dessous *Pour parcourir les 30 km de côte entre Carillo et Malpaís, il faut emprunter des pistes en terre ou en sable et traverser quelques cours d'eau.*

LES INDIENS CHOROTEGAS

Les Indiens Chorotegas arrivèrent à Guanacaste vers 800. Leur nom signifie "Ceux qui se sont enfuis", rappelant qu'ils battirent en retraite vers le nord, au Guatemala et au Mexique, lorsque les sociétés mayas périclitèrent. Doués pour la poterie, ils utilisaient des crânes humains pour leurs cérémonies et appréciaient beaucoup le jade, comme les Mayas. Leurs maisons, tout en longueur étaient groupées autour d'une place où se pratiquaient des sacrifices rituels. On a ainsi découvert qu'ils jetaient de jeunes vierges dans les cratères des volcans pour apaiser la colère les dieux, peut-être après une éruption. En 1522, les Espagnols arrivèrent, apportant avec eux des maladies qui furent désastreuses pour les Chorotegas. Les rares membres de leur communauté qui survécurent à la grippe et à la variole furent réduits en esclavage, et leur civilisation s'éteignit.

dix fois moins que sur la côte caraïbe et sensiblement moins que dans la Cordillera Central. De décembre à avril, l'herbe des champs est souvent brûlée, mais à la saison des pluies, de mai à novembre, tout reverdit : la végétation, dense et luxuriante, est alors traversée par des cours d'eau tumultueux.

Il faut 5h pour relier San José, la capitale, à la péninsule de Nicoya. Le car de Coast to Coast Adventures arrive à l'aube, avec des kayaks de mer sur le toit et une remorque remplie de VTT, à l'arrière. Nous sommes cinq dans le groupe : John et Julie, un couple de jeunes Américains en voyage de noces, et nos guides Matt et Goldie, avec lesquels j'ai déjà fait du rafting sur le Río Pacuare (► 214) et visité le parc national de Tortuguero (► 224). Nous nous connaissons donc tous. De San José, nous prenons l'autoroute Panaméricaine jusqu'au Río Tempisque, infesté de crocodiles. Puis, après une traversée de 10 min en bac, nous abordons la péninsule, rocailleuse et vallonnée. Ici, la plupart des routes sont des chemins poussiéreux rendus impraticables l'hiver, sauf pour les 4x4 et les VTT. Cependant, la plus grande partie de celle que nous empruntons pour rejoindre **Playa Sámara** est pavée. Elle serpente à travers une campagne superbe, et nous y croisons plus de cow-boys à cheval que de voitures.

La sécurité avant tout

Arrivés à l'hôtel Fenix, charmant petit groupe de maisons indépendantes en bordure de la plage de Sámara, nous allons fouler cette interminable étendue de sable blanc et n'y croisons absolument personne. Après le déjeuner, un cours de kayak de mer est prévu dans la **baie de Sámara** pour nous initier aux manœuvres et aux règles de sécurité. Nous revêtons chacun un gilet de sauvetage et une "jupe" en Nylon qui se fixe au cockpit pour éviter que l'eau n'entre dedans, puis nous écoutons Matt nous expliquer comment franchir les rouleaux. Il faut les aborder de face et avec suffisamment de vitesse. Si l'on ne va pas assez vite, on est repoussé vers la plage, ou renversé par la vague. Mais Matt nous assure que la mer n'est pas assez agitée cet après-midi-là pour que cela se produise. De toute façon, nous serons forcément mouillés car nous devons apprendre, pendant l'entraînement, l'eskimotage : redresser le kayak lorsqu'il s'est retourné, tout en restant dedans. "Des questions ?" lance Matt. Je demande alors s'il y a des requins par ici, redoutant sa réponse. "Bien sûr, mais ils évoluent plus bas sur la côte… enfin, d'habitude", répond Goldie avec un sourire malicieux.

Le couple en voyage de noces est le premier à s'installer dans un kayak double. Les jeunes mariés sont

La péninsule de Nicoya, Costa Rica

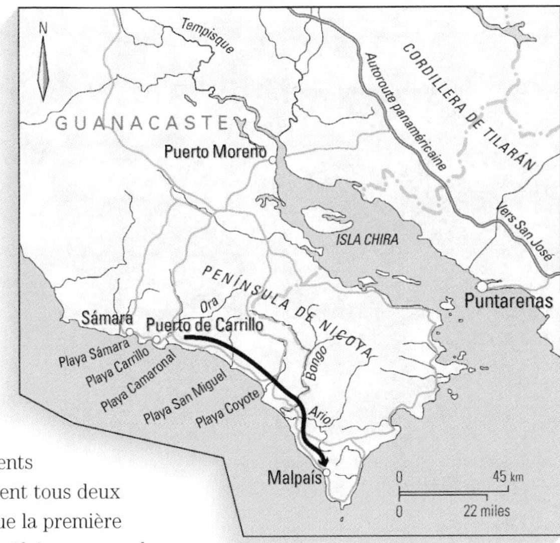

généralement assez ouverts au compromis, et je ne suis donc pas surpris de voir John accepter joyeusement, lorsque Julie lui demande si elle peut s'asseoir à l'avant, d'où l'on a la meilleure vue. Sous les encouragements de Matt, ils commencent tous deux à pagayer. Mais lorsque la première vague heurte leur esquif, je comprends pourquoi John a si facilement accédé à la demande de Julie. En fait, il est bien à l'abri à l'arrière tandis que sa femme reçoit toute l'eau dans la figure ! Je le vois esquisser un petit sourire alors qu'ils s'éloignent pour gagner des eaux plus calmes. J'aurais souri moi aussi si Goldie ne s'était pas déjà confortablement installé à l'arrière de notre kayak double.

LA CRISE D'IDENTITÉ DU GUANACASTE

Appartient-il au Nicaragua ou au Costa Rica ? Le Guanacaste est passé de l'un à l'autre comme un vulgaire pion. La région faisait partie du groupe de pays d'Amérique centrale géré par les Espagnols, connu sous le nom de capitanat général du Guatemala. Considérée comme trop petite pour être indépendante, elle fut inféodée au Nicaragua en 1787. En 1812, les Espagnols estimèrent que le Costa Rica avait besoin d'accroître sa population et ses terres, et lui adjoignirent donc le Guanacaste. Neuf ans plus tard, le capitanat fut dissous lorsque les différentes nations proclamèrent leur indépendance. Le statut du Guanacaste restait à définir. Ceux de ses habitants qui vivaient au nord souhaitaient dépendre du Nicaragua, tandis que les autres préféraient le Costa Rica. Les deux pays s'en disputèrent le contrôle, mais à l'issue d'un vote très serré, en 1824, la population du Guanacaste choisit le rattachement au Costa Rica.

PAS D'ESKIMOTAGE

Contrairement aux kayaks de rivière, les kayaks de mer sont équipés d'un safran que l'on contrôle du siège arrière à l'aide de pédales ; ils sont donc assez faciles à diriger. Le problème est de les redresser s'ils se retournent dans des eaux profondes. Vu leur poids – surtout s'ils sont doubles –, il est impossible de les remettre à l'endroit en utilisant la technique de l'eskimotage. Une petite houle s'est installée, et il est temps d'apprendre à rétablir nos kayaks en cas de dessalage. Malgré l'aspect peu engageant de l'eau et la peur des requins, renverser volontairement notre kayak est finalement rapide et indolore. Je me débarrasse alors de ma "jupe" et m'extrais du kayak. Mon gilet de sauvetage me fait remonter à la surface, où le vrai travail commence. Goldie

et moi remettons le kayak à l'endroit et écopons à la main, chacun à notre tour, le plus d'eau possible hors de l'habitacle. Le plus difficile est de remonter dans le kayak sans qu'il se retourne de nouveau. Alors que j'empoigne solidement un bord pour stabiliser l'embarcation, Goldie se hisse de l'autre côté et parvient à s'asseoir à sa place. Je fais de même et nous pouvons repartir. Matt est satisfait de nos efforts ; nous nous laissons donc porter par les vagues jusqu'à la plage.

Un ciel bleu et des rouleaux plus puissants nous accueillent le matin suivant. Chargés d'une bonne provision d'eau, de crème solaire et d'en-cas, nous mettons le cap sur Isla Chira, une petite île rocailleuse au large de Punta Indio. Les déferlantes, qui partent de l'île et s'étendent sur toute la largeur de la baie, paraissent bloquer notre route vers l'océan, mais en nous approchant nous apercevons, au milieu, un passage possible. Lorsque que les cocotiers qui bordent la côte disparaissent de notre

Ci-dessus *Le Río Ora est un des cours d'eau à passer à gué au cours de l'excursion à VTT.* À droite *Le cours d'initiation au kayak de mer sur la plage de Sámara permet de se former à la fois aux techniques et aux règles de sécurité.*

vue, un sentiment de solitude nous saisit. Faire du kayak sur l'océan me fait le même effet que d'escalader une montagne : une conscience aiguë de l'insignifiance de l'homme au sein de l'immensité de la nature.

Près de l'île, une nuée de pélicans bruns (*Pelecanus occidentalis*) fend l'écume en glissant droit vers nous avec la grâce un peu lourde de vieux bombardiers. Au dernier moment, ils brisent leur formation et dévient, échappant à une collision certaine. La péninsule de Nicoya est un lieu de reproduction prisé par ces oiseaux à l'aspect gauche qui effectuent des plongeons spectaculaires pour stocker les poissons dans la poche de leur grand bec.

En pagayant vers le sud, après la colline de Carillo, où les vagues viennent se briser contre les récifs, nous apercevons, juste devant notre kayak, une tortue géante qui semble être une tortue luth (*Dermochelys coriacea*). Elle remonte à la surface pour respirer et notre confrontation paraît l'effrayer autant qu'elle nous ravit. Le soleil tape fort et nous nous réappliquons de la crème solaire pour ne pas être brûlés. Tout à coup, la houle s'intensifie au point que Matt, qui est seul dans son kayak, disparaît derrière des vagues de 4-5 m. Voyant que certaines d'entre elles menacent de s'abattre sur nous, nous décidons d'aller plus au large.

Quinze secondes chrono

En début d'après-midi, nous atteignons la **baie de Carrillo**, où nous devons passer la nuit. Vu les rouleaux intimidants qui déferlent sur le rivage, aucun passage ne semble plus indiqué qu'un autre pour y aborder. Matt se lance le premier. Nous le perdons de vue après qu'il a franchi la zone d'écume, mais il réapparaît sur la plage et nous fait signe de le rejoindre. Goldie se met à calculer à quel rythme arrivent les vagues pour savoir combien de temps nous pouvons pagayer avant d'être emportés. Il compte quinze secondes, ce qui ne me semble pas suffisant pour atteindre la grève. Nous nous plaçons perpendiculairement à la plage et pagayons doucement en attendant la vague. "Vas-y !" crie alors Goldie, tandis que notre kayak se soulève. Comme je le redoutais, un autre rouleau arrive avant que nous ayons atteint le rivage et nous frappe de plein fouet. À l'aide de nos pagaies, nous parvenons à nous remettre droits et regagnons non sans mal la terre ferme. Cette expérience nous ayant enthousiasmés, John et moi sommes prêts à repartir ensemble, mais après deux tentatives infructueuses pour franchir les rouleaux, nous abandonnons finalement, tentés aussi, à vrai dire, par l'idée d'aller déjeuner.

À Playa Carrillo, l'hôtel Sueño Tropical est tenu par des Italiens ; nous nous y régalons de délicieux plats de pâtes et y passons une nuit reposante. Nous repartons tôt le lendemain. Direction Malpaís, toujours sur la côte, dans le sud de la péninsule. Nous parcourerons ces 30 km à VTT avec au programme : routes poussiéreuses, chemins de sable le long de plages désertes et traversée de quelques cours d'eau importants. Après avoir réglé la hauteur de nos selles, vérifié nos suspensions et mis nos casques, nous nous élançons sur la piste qui déroule son long ruban ocre devant nous.

Nous suivons un sentier étroit et bordé d'arbres, qui longe le Río Ora et comprend pas mal de flaques boueuses. Bien sûr, c'est à qui éclaboussera le plus les autres. En fait, ces douches boueuses ne sont pas désagréables, vu la chaleur et l'humidité régnantes. Après avoir traversé, nos vélos sur les épaules, le Río Ora, large mais peu profond, nous abordons la première des quatre montées de la journée. Assez courte, elle est en revanche très abrupte. Il semble ne plus y avoir un souffle d'air car les petites collines nous séparant de Punta Camaronal, sur la côte, ne laissent pas passer le vent. Même les plus sportifs d'entre nous ont du mal à gravir cette côte, et nos réserves d'eau s'épuisent vite. Heureusement, Matt en a mis de côté et nous pouvons remplir nos gourdes une fois arrivés au sommet. Heureux d'avoir remporté ce nouveau défi, nous sommes vite récompensés de nos efforts par la descente, tout aussi raide. Un petit vent frais et un panorama spectaculaire sur la côte verdoyante nous font oublier tous nos muscles douloureux.

À **Pueblo Nuevo**, petit village de huttes, des chevaux errent dans la grand-rue déserte. Sans l'homme qui tond la pelouse d'un probable terrain de foot, on pourrait croire le bourg inhabité. Nous pénétrons dans le bien nommé Café Maravilloso (Café merveilleux) pour avaler quelques limonades bien méritées et nous reposer. Il ne reste plus qu'une côte à gravir avant d'arriver à l'étape du soir. Heureusement, c'est l'une des plus faciles, et nous sommes bientôt sur la route – plate ! – en direction de notre camp, à **Playa San Miguel**. L'océan est si accueillant après notre chaude journée passée sur nos vélos que nous y piquons une tête aussitôt. Dans la soirée, tranquillement installés dans des fauteuils à bascule sous la véranda du bar, nous admirons le coucher du soleil sur fond de ciel orageux.

Une tortue verte au travail

Cette nuit-là, nous avons la chance de voir une tortue verte (*Chelonia mydas*) se hisser sur le rivage et pondre juste à côté de notre camp. Comme pour ajouter à l'intensité de la scène, des éclairs se mettent à déchirer le ciel. Sans un regard pour notre petit groupe, la tortue grimpe le plus haut possible sur la plage pour y déposer ses œufs. Avec ses pattes arrière, elle creuse pendant environ 20 min jusqu'à obtenir un trou circulaire de 60 cm de profondeur. Matthew, un volontaire anglais qui participe à un projet local sur les tortues, me demande si je veux bien compter les œufs. Je les recueille alors un à un dans un sac. Ils sont gluants car couverts d'un mucus qui les protège des moisissures. Ils seront placés dans une couveuse au centre de recherche, pour éviter que des prédateurs – tels que des chiens ou des ratons laveurs –, voir des humains, s'en emparent. J'ai eu peur de briser les coquilles, même si Matt m'a assuré qu'elles sont très résistantes. Je ne pensais pas qu'une tortue pût pondre autant d'œufs : 98 en tout. Ce grand nombre offre la garantie que survivra une quantité raisonnable d'entre eux, même si seuls 3 % arriveront à maturité. Je me sens un peu coupable devant la tortue, qui passe encore une vingtaine de minutes à recouvrir soigneusement le nid vide, mais je n'oublierai jamais le spectacle de l'océan se refermant sur elle.

Un gros orage éclate cette nuit-là, mais ce n'est que le lendemain, alors que le soleil brille de nouveau, que nous ressentons ses effets.

RETOUR AU NID

Les tortues de mer sont sans doute l'espèce animale dont le cycle de reproduction est le plus fascinant. Elles ne deviennent matures sexuellement qu'à 50 ans, et reviennent alors chaque année sur la plage où elles sont nées pour y déposer leurs œufs. On ne sait pas encore comment elles font pour la retrouver. Le développement touristique de la côte, au nord de San Miguel, leur a été néfaste. Comme les femelles pondent dans la pénombre, les fortes lumières diffusées par les complexes hôteliers les effraient. De plus, les bébés qui viennent de naître trouvent l'océan en se guidant par rapport à la lumière de l'aube, et toute autre source de lumière peut les désorienter. Des projets visant à protéger les tortues, comme celui de San Miguel, permettent de les préserver provisoirement, mais le risque persiste et six espèces sur sept sont menacées d'extinction.

Ci-dessus *Une occasion de se rafraîchir le long de la route.*
À droite *La grève déserte de Playa San Miguel.*
Ci-dessous *Malgré sa profondeur, nous avons pu traverser l'Estero Jabilla (chenal de Jabilla) nos VTT sur les épaules.*

De San Miguel, l'itinéraire suivant, long de 35 km, traverse quatre fleuves dont les pluies ont fait monter le niveau des eaux. Matt ne sait si nous pourrons les passer, mais nous voulons tenter l'aventure.

Après les côtes du premier jour, c'est un plaisir de pédaler sur le sable dur de la superbe plage San Miguel. La chaleur du soleil, la brise douce qui nous rafraîchit et le murmure apaisant de l'océan nous procurent un intense sentiment de liberté. Nous nous mettons à zigzaguer sur la grève. L'euphorie est de courte durée car, 20 min de route plus tard, nous nous retrouvons devant les eaux en crue de l'Estero Jabilla. Matt juge que la traversée est possible. Nos vélos sur les épaules, nous entrons dans l'eau où le courant est assez fort, mais pas au point de nous emporter. À mi-chemin, l'eau nous arrive à la poitrine, et nous commençons à avoir quelques doutes. Mais elle ne monte pas plus haut et nous parvenons sur la rive opposée.

Nos vêtements sèchent rapidement, et nous reprenons notre joyeuse balade le long de Playa Coyote, bordée de cocotiers. Les frégates superbes (*Fregata magnificens*), dont nous admirons le vol gracieux, portent bien leur nom. Cet oiseau noir et élancé, dotée d'une longue queue fourchue, peut atteindre 1,80 m d'envergure. Comme son plumage n'est pas imperméable, il lui est interdit de plonger pour attraper des poissons. Il doit attaquer des oiseaux plus petits ayant attrapé une proie, afin de leur voler leur butin.

Cocotiers et crocodiles

Le Río Coyote est également très en crue, nous renonçons à le traverser. Matt se dévoue pour le franchir à la nage et va louer un bateau. En attendant, Goldie ouvre quelques noix de coco tombées à terre, dont le lait est parfait en guise de rafraîchissement. Du minuscule village de Puerto Coyote, nous pénétrons à l'intérieur des terres sur une route assez plate bordée de verts pâturages. Il fait de plus en plus chaud, et nous sommes heureux de trouver sur notre chemin un petit magasin vendant des boissons fraîches. Nous en profitons pour interroger le propriétaire sur la traversée du Río Bongo. D'après lui, il n'est pas franchissable à pied, mais il dit connaître quelqu'un qui a un bateau. Devant son insistance, nous nous demandons si le propriétaire du bateau ne serait pas un membre de sa famille, et lorsqu'il nous met en garde contre les crocodiles, nous décidons d'y aller voir de plus près par nous-mêmes.

Au premier coup d'œil, le boutiquier semble avoir raison. L'eau, très sombre, a beaucoup monté. Toutefois, il est impossible d'estimer sa profondeur et de voir s'il y a ou non des crocodiles. Matt reste convaincu que nous pouvons traverser. Devant un attroupement d'autochtones venus observer les "gringos fous", Matt et Goldie entrent dans l'eau. Le courant est très fort, ce qui oblige à progresser lentement et avec précaution. Matt nous fait signe de les suivre. Les vélos sur les épaules, John, Julie et moi-même entamons la traversée, face au courant pour éviter qu'il nous fauche. Pendant un court instant, l'eau monte jusqu'à nos poitrines mais, heureusement, nous atteignons vite un banc de sable. À partir de là, l'autre rive est relativement facile à gagner. Nous sommes tous fiers d'avoir conquis l'"infranchissable" Bongo !

Face à face avec des hurleurs

Le Río Ario est le dernier fleuve du parcours. Dans une forêt toute proche, nous entendons le hurlement caractéristique des singes hurleurs à manteau (*Alouatta palliata*). Après avoir traversé l'Ario, nous nous plaçons juste sous leur arbre. Goldie lance un grand hurlement, auquel les singes répondent poliment, avant de descendre de leurs branches pour nous voir de plus près. Leur cri incroyable, produit par le passage de l'air dans un os creux de leur gorge, a une portée de plus de 1 500 m. Il leur sert à mettre en garde les intrus qui pénètrent dans leur territoire. Ils ne furent d'ailleurs satisfaits qu'en nous voyant partir.

Le chemin poussiéreux se prolonge à travers une belle forêt en bordure de la plage. Nous retombons en enfance en jouant de nouveau avec l'eau des flaques, puis nous gagnons la grève parsemée de rochers, où nous allons parcourir les derniers kilomètres qui nous séparent de **Malpaís**, terminus de notre "odyssée". C'est dimanche et tous les habitants de Malpaís se sont mis sur leur trente et un ; avec nos vêtements tout boueux et crasseux, nous nous sentons mal à l'aise. Au bout de la rue principale, la vue du chauffeur du car de Coast to Coast Adventures nous donne l'impression de franchir la ligne d'arrivée d'un marathon ! Toute la fatigue accumulée lors de l'excursion semble tout à coup fondre sur nous. Heureux d'avoir effectué une expédition aussi captivante, nous parvenons à trouver encore un peu d'énergie pour célébrer notre exploit en buvant… une bonne limonade.

PARTIR EN SOLO

QUAND PARTIR

Mieux vaut éviter la saison sèche (de décembre à avril) pour les aventures un peu physiques, car les températures sont alors élevées et les paysages arides. Décembre est le mois le plus touristique.

SE DÉPLACER

Des cars partent chaque jour de San José vers Nicoya, la ville principale (deux départs par jour) et les plages. Playa Sámara est desservie une fois par jour par la compagnie Empresa Alfaro, qui met 6h. Sansa et Travelair proposent des vols quotidiens de San José jusqu'à l'aéroport de Carrillo, proche de Sámara. Si vous voyagez seul, mieux vaut louer un 4x4 pour explorer la péninsule dans tous ses recoins, car les transports publics dans la région sont pratiquement inexistants.

S'ORGANISER

Cette région étant très reculée, il est beaucoup plus facile de la visiter avec un groupe. Le Guanamar Hotel, à Carrillo, ainsi que quelques particuliers à Sámara louent des kayaks et des VTT – à l'heure si l'excursion ne dure qu'une journée. Coast to Coast Adventures, basé à San José, est le seul à proposer un circuit combinant kayak et VTT (avec aussi deux jours de rafting sur le Río Pacuare ►214). D'autres organismes de voyages peuvent également vous préparer un circuit qui répondra à vos attentes.

QUELQUES TUYAUX

- ❏ N'appliquez pas de crème solaire sur votre front lorsque vous faites du kayak ou du VTT car, avec la transpiration, elle coulera dans vos yeux, provoquant des irritations.
- ❏ En kayak, pagayez lentement. Vous aurez l'impression que vous n'avancez pas, car seuls des points de repère sur la côte vous indiquent votre progression, mais des mouvements amples et lents seront plus efficaces que de petits coups rapides qui, en outre, vous épuiseront.
- ❏ Si vous avez un peu le mal de mer, ne vous arrêtez pas pour autant de pagayer. En effet, vous serez encore plus ballotté à l'arrêt.
- ❏ Si vous possédez un maillot, des chaussures ou des gants de cycliste, emportez-les. Essayez de ne pas porter de short moulant avec des coutures intérieures, car le frottement sera irritant.
- ❏ Même si le ciel est couvert, portez vos lunettes de soleil car elles vous protégeront de la boue et des insectes.
- ❏ Le meilleur endroit pour rouler à vélo sur une plage est en général près de l'eau, là où le sable est le plus dur.

SANTÉ

Même si le risque de paludisme est faible à Nicoya, parlez-en à votre médecin. Lorsque vous faites du kayak, pensez à appliquer de la crème solaire sur toutes les parties du corps exposées (sauf le front), car l'eau réfléchit les rayons du soleil. Emportez également un chapeau qui protège votre nuque. Que vous fassiez du kayak ou du VTT, buvez beaucoup, de l'eau de préférence, pour éviter de vous déshydrater. Et essayez de manger des petites choses salées, comme des chips ou des cacahuètes.

NE PAS OUBLIER

- ❏ Vos vêtements, chaussures et casque pour le vélo (sinon, des casques tout simples sont fournis)
- ❏ Crème solaire
- ❏ Lampe-torche
- ❏ Lunettes de soleil avec cordelette
- ❏ Chapeau de planteur ou casquette
- ❏ Lotion antimoustique

BAIGNADE À LA PLAGE : RÈGLES DE SÉCURITÉ

Vous pouvez vous baigner sans risque sur la plupart des plages de la péninsule de Nicoya, dont Playa Sámara, mais certaines sont baignées par des eaux dont les forts courants peuvent s'avérer très dangereux. N'essayez jamais de nager contre le courant pour regagner la grève, car vous vous épuiseriez rapidement. En général, les courants forment une boucle perpendiculaire à la côte ; il convient donc de nager parallèlement à la plage pour en sortir, avant de tenter de rejoindre le rivage.

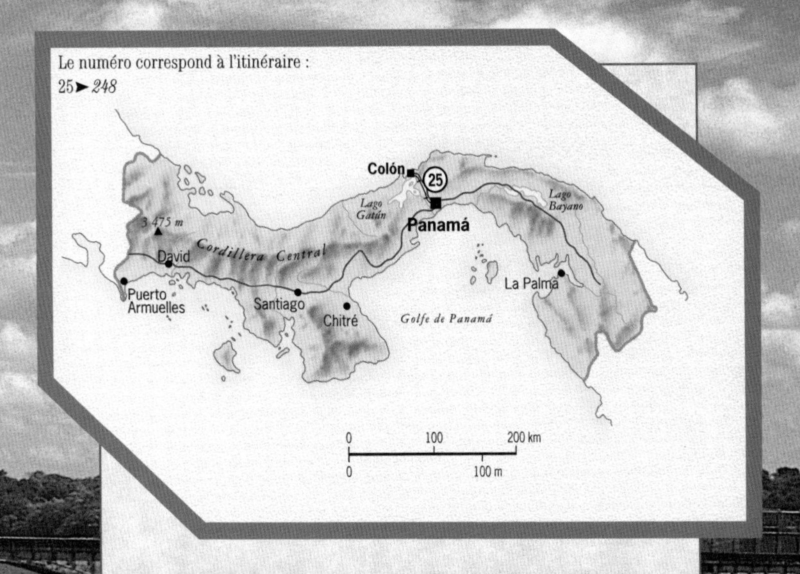

PANAMÁ

S'il on vous dit "Panamá", vous penserez immédiatement aux fameux chapeaux de paille du même nom, aux énormes cigares et, bien évidemment, au canal, qui relie les océans-Atlantique et Pacifique. Mais, très vite, vous serez bien en peine de poursuivre, dans cette première évocation du Panamá. Étrangement, ses superbes et sauvages forêts tropicales – qui valent bien celles du Costa Rica – et ses côtes spectaculaires ont échappé à l'œil attentif des globe-trotters en quête de vraies découvertes. Cependant, toutes ces richesses ne sauraient rester cachées bien longtemps, car le Panamá devrait devenir l'une des principales destinations d'aventure des dix prochaines années. De plus, depuis la rétrocession du canal par les États-Unis le 1er janvier 2000, ce pays est entré, avec enthousiasme, dans une nouvelle ère, de complète indépendance. Alors, ne tardez pas : rendez visite au pays le moins peuplé et le moins touristique d'Amérique centrale avant qu'il ne soit pris d'assaut.

Le Madden Dam, barrage supplémentaire construit en 1934 sur le Río Chagres afin de pourvoir en eau le canal de Panamá.

25 Quand les océans se rencontrent

par Steve Watkins

Très sous-estimé, le Panamá jouit pourtant d'atouts naturels et historiques qui lui permettent de rivaliser avec ses voisins d'Amérique centrale : le canal de Panamá, tout d'abord, dont la traversée constitue un voyage fascinant, avec un arrêt sur l'île tropicale de Barro Colorado, et Portobelo, ancien comptoir colonial face à l'Atlantique.

Aucune autre voie navigable n'a eu un impact aussi fort sur les échanges internationaux que le canal de Panamá. Attablé dans un bar du yacht-club de Balboa, refuge de vieux loups de mer et d'Américains expatriés, j'embrasse du regard ce carrefour des océans, long de 80 km. Creusé pour l'essentiel entre 1904 et 1914, il est l'une des plus grandes réussites de l'humanité en matière de génie civil. Chaque année, environ 300 000 touristes y transitent, la grande majorité d'entre eux se contentant de l'observer de luxueux bateaux de croisière. J'ai moi-même l'intention de naviguer sur ses eaux, bien qu'à bord d'un vaisseau plus modeste, mais j'espère aussi me faire une idée plus complète du Panamá en explorant les alentours du canal.

Les activités liées au canal de Panamá sont accessibles à tous et idéales à effectuer en famille. Les randonnées sur l'île de Barro Colorado et la montée au phare de l'Isla Grande demandent un effort, mais chacun peut les accomplir à son rythme.

★ Mis à part la randonnée de quelques heures au milieu des moustiques dans la forêt tropicale de Barro Colorado et l'ascension de 15 min jusqu'au phare de l'Isla Grande, ce parcours est globalement peu contraignant. L'hébergement est adapté à tous les budgets.

Prévoyez des chaussures de marche ou de sport pour les randonnées dans l'île.

Pour la plupart des gens, le canal demeure le symbole du Panamá. Pourtant, ce pays possède bien d'autres trésors telles que des parcs naturels et des réserves comparables à ceux du Costa Rica voisin (► 208), une foule d'îles paradisiaques et plusieurs villes historiques bien conservées. Ces sites sont tous implantés à proximité de la capitale : Panamá. Sur le canal même, l'île de Barro Colorado, propriété de la Smithsonian Institution, abrite un écosystème de forêt tropicale réputé qui attire d'éminents scientifiques du monde entier. Côté Pacifique, l'Isla

LE MUSÉE DU CANAL DE PANAMÁ

Ce musée, situé à San Felipe, le *casco viejo* de Panamá, est entièrement consacré au canal : il retrace à partir d'illustrations, de divers objets, de photos rares et de films l'histoire des échanges à travers l'isthme de Panamá et la construction de la voie navigable. Cette visite est à faire de préférence avant l'excursion sur le canal. Fermé le lundi, il se trouve sur la Plaza de la Independencia, près de la cathédrale. Bien que non dénué de charme, San Felipe est un quartier peu sûr. Aussi est-il recommandé d'emprunter un taxi à l'aller comme au retour et de ne pas s'y promener.

LE CANAL EN QUELQUES CHIFFRES

- La quantité de matériaux extraits lors de la construction du canal aurait suffi à construire une seconde muraille de Chine de 4000 km de long, soit 1 000 km de plus que l'originale.
- Les céréales sont de loin la denrée qui transite le plus couramment par le canal. Les bateaux proviennent surtout de la côte est des États-Unis et se dirigent vers l'Asie.
- Plus de 15000 bateaux empruntent le canal tous les ans, soit une moyenne de 42 par jour.
- Le temps de séjour moyen par bateau sur le canal est de 24h.
- Le canal fonctionne 24h/24h, tous les jours de l'année.

Grande est un havre pour les amoureux du soleil et des sports nautiques tandis que la ville de Portobelo, vieux comptoir colonial fortifié, témoigne de l'enivrante époque des pirates.

Avec ses gratte-ciels, le centre de Panamá, la capitale, fait penser à une ville américaine. Le canal se trouve à seulement 15 min en taxi. L'une des possibilités pour le traverser est de se faire engager comme équipier sur un yacht privé. Mais il faut savoir que la plupart des marins jettent l'ancre pendant la saison des ouragans. C'est la raison pour laquelle il m'a été impossible, en dépit de mes discussions au yacht-club, d'opter pour cette solution. Argo Tours est le seul tour-opérateur à proposer des traversées toute l'année : excursion complète tous les mois et des traversées partielles *via* les écluses de Miraflores. Ce surprenant manque de choix s'explique par la faible demande touristique. Le canal étant avant tout une voie navigable commerciale, la grande majorité des visiteurs le traverse à bord de bateaux de croisière.

PONT, ÉCLUSES ET GROS BATEAUX

C'est sur le quai 18 de **Porto Balboa**, que je m'apprête à embarquer, pour un bout de traversée, sur l'*Islamorada*, un bac fraîchement repeint. Nous débouchons, en pétaradant, dans la baie de Panamá et tombons sur l'une des plus étonnantes merveilles technologiques du canal : la structure métallique du **pont des Amériques** (1962) que traverse l'autoroute Panaméricaine. Sa grande arche marque symboliquement l'entrée du canal côté Pacifique ; en réalité, la zone draguée le précède de 8 km. Notre bateau glisse silencieusement sous le pont, tandis que le *Happiness*, un cargo battant pavillon panaméen en route pour l'Atlantique, nous dépasse. Le canal est si essentiel au commerce maritime mondial qu'un type spécial de porte-conteneurs a été conçu pour s'ajuster exactement à ses dimensions : avec leurs 294 m de long et 32 m de large, les Panamax atteignent ainsi la taille limite pour passer les écluses. Ils représentent à peu près un quart du trafic du canal. Leur pilotage est une tâche très délicate qu'assurent jusqu'à quatre pilotes spécialement entraînés.

Bien que de taille modeste comparé à l'un de ces Panamax, le *Happiness* va être notre passeport pour franchir les écluses de Miraflores. En temps normal, la traversée du canal et de ses six écluses dure de 8h à 10h. Afin d'éviter tout retard dans le transport des marchandises et d'économiser l'eau, les bateaux de croisière effectuent de ce fait le passage avec des bâtiments de commerce. Tandis que nous suivons le *Happiness*, notre guide souligne une nouvelle fois le rôle stratégique de ce canal interocéanique. Par exemple, un bateau reliant l'Équateur à l'Europe économise 8 000 km par rapport à l'itinéraire passant par le cap Horn, pour un coût jusqu'à 10 fois inférieur. Le prix du passage – 29 700 $ en moyenne – est calculé en fonction du tonnage net du navire. Ainsi, les droits les plus élevés à ce jour ont été réglés en 1997 par le paquebot *Rhapsody of the Seas*, qui a versé 153 622 $. Richard Halliburton, quant à lui, a payé, en 1928, le prix le plus bas, soit 36 cents, afin de traverser le canal… à la nage, en 7 jours ! Inutile toutefois de sauter sur votre maillot de bain : ce genre d'exploit est désormais interdit.

Le *Happiness* se laisse dériver lentement vers le premier sas des écluses de Miraflores. En contrebas, quelques employés, en bateau pneumatique, s'assurent que les câbles d'acier qui relient le bateau aux mules (locomotives électriques de l'écluse), sont correctement amarrés. Les mules, qui avancent sur un rail à crémaillère le long des écluses, ont deux winchs, lesquels exercent une force de traction de 16 t chacun afin d'aider le bateau à se positionner. Pour le *Happiness*, quatre mules furent nécessaires, leur nombre pouvant aller jusqu'à huit. Dès que le pétrolier est installé, nous manœuvrons de façon à nous engager dans son sillage. En raison de la grande amplitude des marées côté Pacifique (5,80 m), les portes de Miraflores sont les plus grandes écluses du canal. Et c'est une expérience inquiétante que d'être ballotté au fond de cette gigantesque baignoire de pierre.

DÉPERDITION D'EAU

À chaque passage d'un bateau transitant par les six écluses du canal, 235 millions de litres d'eau douce sont utilisés, acheminés depuis le lac Gatún (► 252) par un réseau de canalisations et d'aqueducs fonctionnant grâce à la gravité. Cette eau est ensuite évacuée en mer. La gestion de l'eau se révèle être la priorité de la Panamá Canal Commission.

Une fois amorcé le puissant système de pompage de l'écluse, notre remontée est très rapide. Dès que le premier sas est plein, l'*Islamorada* s'engage dans le second. Le processus se répète, nous élevant à une hauteur de 16 m au-dessus du niveau de l'océan Pacifique. Libérés de l'écluse, nous franchissons la courte distance qui sépare le lac Miraflores de l'écluse Pedro Miguel. Là, nous observons le *Happiness* s'élever d'un niveau afin d'atteindre le lac Gatún, à l'entrée d'une section appelée passe Gaillard.

La construction du canal reste marquée par le sang des quelque 22 000 ouvriers qui trouvèrent la mort pendant ces travaux herculéens. La **passe Gaillard (Corte de Gaillard)**, longue de 14 km, fut la plus difficile à réaliser et la plus coûteuse : 90 millions de dollars. Ce chantier de génie civil, le plus important jamais mené à bien en ces années 1900, nécessita d'excaver, jusqu'à 100 m de fond par endroits, le schiste de la ligne de séparation

des continents. Il fallut plus de 200 trains par jour pour déblayer les 1 500 000 m^3 de matériaux extraits. Outre la mortalité due aux épidémies et maladies, de nombreux ouvriers perdirent la vie lors des fréquents glissements de terrain.

Passé le Corte de Gaillard, nous faisons demi-tour sur le canal et rejoignons, *via* Miraflores, Balboa.

Une île refuge

Le canal étant pour l'essentiel dédié au commerce, je suis surpris d'apprendre que le lac Gatún abrite une réserve biologique. L'**île de Barro Colorado** est le principal centre de la Smithsonian Institution dédié à la recherche tropicale. Il offre à un nombre limité de visiteurs la possibilité d'en savoir plus sur l'écosystème des forêts tropicales, et propose aussi une excursion d'une heure sur une section spectaculaire du canal.

Dès le lever du soleil, je prends un taxi en direction de Porto Gamboa, à 50 min de Balboa, pour prendre le bateau de l'institut. Porto Gamboa est situé à l'embouchure du Río Chagres, près de la sortie Atlantique de la passe Gaillard. À l'époque coloniale, le fleuve s'inscrivait dans l'itinéraire utilisé par les commerçants pour transférer des marchandises d'un océan à l'autre : une route certes plus pénible que la voie terrestre de Portobelo à Panamá, mais aussi plus populaire,

La passe Gaillard, section du canal de Panamá de 14 km située côté Atlantique, fut la plus difficile à réaliser et la plus coûteuse.

NAISSANCE DU CANAL DE PANAMÁ

L'idée de creuser un canal s'imposa dans les années 1850 lorsque le commerce s'intensifia à la suite de la ruée vers l'or californienne. En 1879, une société française signa un contrat avec la Colombie, qui contrôlait à l'époque le Panamá. Plus de 15 000 ouvriers furent recrutés, et Ferdinand de Lesseps, ingénieur en chef du canal de Suez, supervisa le projet. Mais les problèmes techniques liés au tracé, les glissements de terrain et les maladies décimant les ouvriers ralentirent le travail. Et la société fit banqueroute en 1888. Dans les années qui suivirent la guerre hispano-américaine de 1898, les États-Unis s'intéressèrent de nouveau au projet, mais la Colombie rejeta un accord leur concédant la propriété du canal, menant ainsi le Panamá vers l'indépendance en 1903. Cette même année, le Français Philippe Bunau-Varilla signa, pour le Panamá, l'accord de Hay-Bunau-Varilla. Ironie de l'histoire, il concéda aux Américains bien plus de territoire et de pouvoir qu'ils n'en avaient demandé. Le 15 août 1914, le vapeur *Ancon* fut le premier bateau à franchir les écluses séparant les deux océans.

parce que moitié moins chère. Alors que notre bateau s'engage dans le croisement de Chagres, un Panamax battant pavillon singapourien, l'*Humboldt Express*, se dirige doucement vers l'Atlantique avec sa cargaison de conteneurs orange vif.

Le lac Gatún résulte de la construction du barrage du même nom en 1912. Il demeura le plus grand lac artificiel de la planète jusqu'en 1936, date à laquelle fut édifié le barrage Hoover (Nevada), qui donna naissance au lac Mead. Il est difficile d'imaginer que toutes les îles, couvertes de végétation tropicale, que nous dépassons étaient jadis des sommets de collines !

Alors que je prends un bain de soleil sur le pont supérieur, nous virons autour de Punto Caño Quebrado afin d'atteindre le large chenal de Tabernilla Reach. Peu après, à Punto Colorado, nous nous enfonçons dans la bien nommée Laboratory Cove (crique du Laboratoire), base du centre de recherche de la Smithsonian Institution.

LA PARADE DE LA REINE

Déclarée réserve biologique par le gouvernement panaméen en 1923, l'île de Barro Colorado est administrée depuis 1946 par la Smithonian Institution. D'où de nombreuses études scientifiques, qui ont conduit à une bien meilleure compréhension des écosystèmes de la forêt tropicale et produit des réussites notables. Par exemple, la chercheuse Catherine Milton a mis au point une méthode d'étude des singes de l'île, dont Diane Fossey, l'auteur de *Gorilles dans la brume*, s'est inspirée pour ses recherches sur les gorilles du Rwanda. En 1997, un chercheur allemand fut le premier au monde à observer des fourmis soldats coupeuses de feuilles (*Atta colombica*), transportant, en une impressionnante parade, leur reine jusqu'à un nouveau nid.

Je me joins à un groupe scolaire panaméen pour une promenade facile de 2-3h sur Donato Loop, l'un des sentiers de l'île. La distance à parcourir est courte, mais il y a énormément de choses à découvrir. Comme c'est la saison des pluies, période pendant laquelle les tiques sont les moins actives, nous ne sommes pas obligés de rentrer nos pantalons dans nos chaussettes afin de nous en protéger. En début de circuit, il nous faut toutefois nous asperger rapidement de lotion antimoustique avant de traverser un petit ruisseau. Après avoir escaladé un talus, notre guide nous demande de ralentir et de ne pas faire de bruit. Soudain, nous entendons un froissement de feuilles ; nous nous accroupissons tous pour scruter les buissons. Apparaît alors un coati (*Nasua narika*) au long groin et à la fourrure brune. Ne dirait-on pas un petit raton laveur ?

Lors des randonnées dans la jungle, les guides recommandent souvent aux marcheurs de ne pas s'accrocher aux branches des arbres pour reprendre leur équilibre, car de nombreuses espèces déclenchent des mécanismes d'autodéfense. Cette mesure de prudence a probablement été adoptée après que quelqu'un se fut agrippé à un sablier blanc ou arbre au diable (*Hura crepitans*). Le gros tronc de ces arbres, parfois évidé pour fabriquer un canoë, est en effet couvert de solides petites épines. La sève et les graines du sablier blanc contiennent également des substances toxiques pour l'homme. Inutile de préciser que nous n'avons pas traîné à côté de cet arbre !

La ronde des singes

Après avoir effectué un petit détour pour admirer un kapokier (*Ceiba pentandra*), nous entendons de terribles hurlements, à glacer le sang : ainsi se manifestent les singes hurleurs à manteau (*Alouatta palliata*) que nous espérions voir. Ils sont là, juste au-dessus de nos têtes, cachés par les feuilles et les lianes. Plus de 1 200 de ces singes, répartis grosso modo en 65 groupes, vivent sur l'île. C'est à l'aube, au crépuscule ou encore pour éloigner les intrus qu'ils émettent leurs cris, perceptibles à plus de 1 500 m à la ronde.

Peu après, nous avons la chance d'apercevoir, tout près du sentier, un daguet rouge (*Mazama americana*) qui broute. Le fait d'être en petit groupe constitue vraiment un atout pour observer la vie sauvage. Puis, c'est de nouveau au tour des singes de se manifester : nous nous retrouvons soudain entourés d'une troupe de sapajous capucins (*Cebus capucinus*), à face blanche. Certains fouillent le sol de la forêt à la recherche d'insectes et de fruits. Nous restons dix bonnes minutes à observer bouche bée leur visage rose pâle si expressif, leur fourrure blanche et leur queue en tire-bouchon.

Rage de dents et fourmi couineuse

La rencontre avec les singes nous ayant pleinement satisfaits, nous prenons le chemin du retour. Mais il y a encore beaucoup de choses à voir sur le sentier qui nous ramène au centre. Comme son nom l'indique, le palmier échasse (*Socratea durissima*) développe des racines semblables à des échasses, qui lui donnent l'air de "marcher", à la recherche du meilleur ensoleillement. Du côté des plantes médicinales, le *Piper darienense* est également intéressant : mâcher ses feuilles calme

TRANSFERT DE SOUVERAINETÉ

Le 31 décembre 1999, à minuit, marqua la fin d'une époque. Après 96 années à la tête du canal, les États-Unis le restituèrent au Panamá. L'accord de Hay-Bunau-Varilla (1903) conférait aux États-Unis un pouvoir perpétuel presque illimité sur le canal ainsi que sur la "zone du canal", qui s'étend part et d'autre sur 16 km. Cet accord contesté provoqua de nombreux conflits entre les deux pays et prit fin par la signature d'un nouveau traité en 1977. Ce dernier échelonnait en plusieurs étapes le processus de transfert de souveraineté prévu pour la fin du XXe siècle. Afin que le fonctionnement du canal ne fût pas pertubé par ce transfert, des mesures transitoires furent appliquées dès la signature du traité. Les sentiments sur ce transfert restent cependant partagés : si les Panaméens sont très fiers de pouvoir enfin revendiquer la propriété du canal, le retrait américain suscite des craintes pour l'économie du pays.

les rages de dents. Quant à l'arbre connu sous le nom d'*Apeiba tibourbou*, il est supposé guérir les rhumatismes. Pour faire bonne mesure, après toutes ces plantes bienfaisantes, nous tombons sur une fourmi Conga (*Paraponera clavata*), qui mesure tout de même 2,5 cm ! Elle a la particularité de couiner quand on la provoque ; elle peut également, avec ses mandibules de belle taille, infliger des morsures capables de faire souffrir pendant une bonne semaine. Arrivés au centre, nous reprenons le bateau en direction de Porto Gamboa, riches d'une nouvelle vision de la forêt tropicale.

Un lieu de défense idéal

Avant que ne naisse l'idée du canal, la ville de Portobelo, sur l'océan Atlantique, était célèbre pour son port de commerce. Bien qu'il soit possible de s'y rendre en bus, il est préférable d'avoir son propre moyen de transport afin d'explorer sans contrainte la côte, qui est superbe. Au Panamá, les conducteurs sont plus respectueux du code de la route que dans les autres pays d'Amérique centrale. Abilio, un ami panaméen à qui j'ai proposé de m'accompagner, me conseille d'éviter la route principale, qui relie Panamá, la capitale, à Colón, car elle est souvent encombrée. En revanche, celle qui traverse le **parc national de Soberanía** est quasi déserte et vraiment spectaculaire.

Après une sortie – mal indiquée – à Sabanitas, petite ville située à 10 km à l'est de Colón, nous longeons d'étroites plages de sable avant de pénétrer dans **Portobelo**. Minuscule avec sa poignée de maisons, la localité est toujours dominée par les impressionnantes ruines du vieux Portobelo. Une série de bouches à feu rouillées parfaitement alignées gisent le long des solides fortifications. Avec un peu d'imagination, on se figure aisément la fumée des canons, les soldats mourants et les attaques des bateaux de pirates de jadis. Grâce à sa baie profonde en forme de U et aux collines surplombant la côte, Portobelo constituait un lieu de défense idéal. C'est d'ailleurs pour cette raison qu'il fut baptisé Portobelo, qui signifie "beau port". C'est en 1502 que Christophe Colomb accosta en ce lieu et y établit une colonie. Portobelo devint le principal port de commerce espagnol des Amériques et le demeura plus de 200 ans. Lors des jours de grand marché, au moins 2 000 mulets étaient nécessaires pour transporter les marchandises de Portobelo jusqu'aux villes de Panamá et de Cruces, le port fluvial le plus proche, sur le Río Chagres.

Le sac de Portobelo

Les affaires florissantes de Portobelo causèrent sa perte car, plus un port était riche, plus il attirait les pirates, très nombreux au XVIIe siècle. Tout pirate digne de ce nom se devait de tenter, au cours de sa carrière, de mettre à sac Portobelo. En 1668, des pirates britanniques, commandés par Henry Morgan, donnèrent l'exemple en pillant les lieux, avant de s'en prendre à la vieille ville de Panamá en 1671. C'est toutefois un autre marin britannique qui, en 1739, porta à Portobelo le coup de grâce : l'amiral Edward Vernon. À partir de cette date, les Espagnols, privés de leur port, furent obligés de passer par l'épouvantable route du cap Horn. Rebâtie vers le milieu du XVIIIe siècle, la ville ne retrouva jamais son âge d'or. La forteresse, surnommée le "château

Ci-dessus *Les impressionnantes fortifications espagnoles de Portobelo, où subsistent de nombreuses pièces d'artillerie, dominent toujours la ville.* Ci-dessous, à gauche *Cette étrange statue d'un Christ au pélican émerge de l'eau entre le continent et l'Isla Grande.*

de Fer", fut en grande partie démantelée, et ses pierres servirent plus tard à la construction du canal de Panamá.

La grande église de Portobelo abrite la statue d'un Christ noir, qui fait l'objet d'un grand pèlerinage tous les 21 octobre. Certains parcourent le pays pendant des jours en portant de lourdes croix ou en rampant sur les mains et les genoux. Plus de 30 000 personnes se rassemblent ainsi à Portobelo et défilent en procession dans les rues pour rendre hommage à la statue la plus révérée du pays. La cérémonie commence à 18h et se poursuit jusque tard dans la nuit. La légende veut que la statue du Christ noir, haute de 1,20 m, ait été envoyée en guise de cadeau d'Espagne en Colombie. Le bateau la transportant fut bloqué à Portobelo à cause du mauvais temps, et ne put repartir. Les marins, qui y virent un signe, la jetèrent par-dessus bord afin qu'elle restât à Portobelo. Une autre histoire raconte que deux pêcheurs trouvèrent la statue flottant dans une caisse, dans la baie. Quand ils la rapportèrent à terre, l'épidémie de choléra qui sévissait en ville s'éteignit miraculeusement.

Aujourd'hui, la ville de Portobelo, qui a restauré sa vieille douane, devrait connaître un nouvel essor touristique grâce au classement de ses alentours comme parc national. Avant de prendre le chemin de la capitale, nous nous rendons sur la délicieuse **Isla Grande**, à tout juste 20 km de la côte à l'est de Portobelo. Nous y faisons une brève promenade, en nous arrêtant au vieux phare de l'île, qui offre une vue spectaculaire sur la mer des Caraïbes. De retour au yacht-club de Balboa, je sirote tranquillement une dernière bière Soberanía tout en regardant le soleil se coucher derrière le pont des Amériques. Ce dernier est désormais pour moi une porte ouverte sur un monde relativement méconnu et riche d'aventures. À n'en pas douter, le Panamá a bien plus à offrir qu'un canal, des bateaux et des écluses.

PARTIR EN SOLO

QUAND PARTIR

La saison sèche (de mi-décembre à mi-avril) est la meilleure période pour visiter le Panamá. Les journées sont chaudes et ensoleillées, et le faible taux d'humidité rend les excursions en forêt tropicale plus agréables.

S'ORGANISER

Argo Tours offre une traversée complète du canal chaque mois et des traversées partielles toutes les semaines. Elles durent toute une journée et ont lieu le samedi. Pour les traversées complètes et partielles, les horaires sont respectivement : de 7h30 à 17h et de 7h30 à 12h30. Un déjeuner-buffet est inclus dans le prix. La plupart des tour-opérateurs du Panamá proposent des traversées, mais elles achètent des places sur les bateaux d'Argo Tours et vous feront payer plus cher.

Si vous désirez travailler comme équipier sur un yacht privé, allez faire un tour au yacht-club de Balboa ou à celui de Colón, et parlez-en autour de vous. Vous serez peut-être obligé d'attendre plusieurs jours ou plusieurs semaines avant de trouver une occasion. Certains bateaux rémunèrent les équipiers ; d'autres offrent juste le passage.

Pour visiter l'île de Barro Colorado, contactez le plus tôt possible le Smithsonian Tropical Research Institute, à Panamá, car seuls 45 visiteurs sont admis chaque semaine. Au moment de la réservation vous seront communiqués les horaires des bus pour vous rendre à Porto Gamboa (les taxis sont chers) et la liste de ce qu'il faut emporter. En tout cas, n'oubliez pas votre passeport, faute de quoi vous ne pourrez entrer au port de Gamboa. Même si elles ne valent pas celles du Smithsonian Institute, les tour-opérateurs organisent des excursions dignes d'intérêt pour Barro Colorado National Monument.

Pour gagner Portobelo de la capitale, prenez l'un des bus pour Colón, qui circulent fréquemment entre Calle P (près de Calle 26) et Avenida Central. Descendez à Sabanitas et prenez un autre bus pour Portobelo. Il y en a toutes les heures. Le voyage dure au total 3h-3h30. La solution la plus facile (bien que plus chère) est de louer une voiture à Panamá et d'atteindre ainsi Portobelo en 2h30. Plusieurs agences proposent des excursions d'une journée à Portobelo.

De Portobelo à La Guaira, d'où partent les bateaux pour l'Isla Grande, il est sans doute plus rapide de faire du stop que de prendre le bus. Aucune des personnes avec lesquelles j'ai discuté n'a pu m'informer sur les horaires de ce bus.

QUELQUES TUYAUX

- Si vous louez une voiture, faites le tour des agences, car les prix sont assez variables.
- Comme il n'y a pas de règle de priorité aux carrefours de Panamá, soyez courageux et mêlez-vous au flot de la circulation. Sinon, vous risquez d'attendre longtemps ! Méfiez-vous des panneaux de stop à moitié cachés près des postes de police : il faut impérativement s'y arrêter.
- Les taxis n'ayant pas de compteur, mettez-vous d'accord sur un prix avant de monter.
- À La Guaira, d'où partent les bateaux pour l'Isla Grande, des enfants vous proposeront de garder votre voiture pour 1 $. La famille qui habite la maison la plus proche de la mer possède un parking et propose la même chose.

SANTÉ

Il faut vous prémunir contre le paludisme avant de partir (consultez votre médecin pour les derniers traitements en date). Compte tenu de la chaleur et de l'humidité de la forêt tropicale, buvez beaucoup au cours de vos randonnées.

NE PAS OUBLIER

- Lotion antimoustique et pantalons longs
- Bonnes chaussures de randonnée
- Crème solaire
- Jumelles

POUR EN SAVOIR PLUS...

- Mollier, Jean-Yves, *Le Scandale de Panamá* (Fayard, 1991). Sous-estimant les difficultés techniques du percement du canal, Ferdinand de Lesseps fit appel à des financiers. S'enchaîneront lancements d'emprunts, campagnes de presse et escroqueries.

INTRODUCTION

Pour vous aider à préparer votre aventure, les "Pages Bleues Contacts" dressent la liste des organismes et des établissements relatifs à chacun des 25 périples (➤ 18-256). Ce carnet d'adresses présente les tours-opérateurs localisés en Europe, au Canada et/ou dans le pays concerné, ainsi que les hôtels, bars et restaurants, commentés par les auteurs : ces établissements peuvent être situés dans des endroits reculés ; par conséquent, pensez à les contacter avant votre départ.

TÉLÉPHONE

Les numéros sont donnés avec l'indicatif de la ville. Pour appeler depuis l'étranger, faites précéder le numéro d'appel de l'indicatif international, suivi de celui du pays.

International

Depuis l'Europe 00
Depuis le Québec 011

Pays

Belize 501
Costa Rica 506
Guatemala 502
Honduras 504
Mexique 52
Nicaragua 505
Panamá 507

AMBASSADES ET CONSULATS

AMBASSADES FRANÇAISES

Belize
En résidence au Salvador
1ra calle Poniente 474, Colonia Escalon,
AP (Apartado Postal) 474,
San Salvador
☎ (503) 279 40 16 / 279 40 18
fax (503) 298 15 36

Costa Rica
De l'Indoor Club, Curridabat – 200 Sur 50 Oeste –,
AP 10177
1000 San José
☎ (506) 234 41 67
fax (506) 234 41 95
email sjfrance@sol.racsa.co.cr
site www.ambafrance-cr.org

Guatemala
16a calle 4-53, zona 10,
Immeuble Marbella, 11e étage,
AP 1252,
10010 Guatemala Ciudad
☎ (502) 337 22 07
fax (502) 337 31 80
email diplo@ambafrance.org.gt
site www.ambafrance.org.gt

Honduras
Av. Juan Lindo,
Colonia Palmira, AP 3441,
Tegucigalpa
☎ (504) 236 68 00
fax (504) 236 80 51

Mexique
Campos Eliseos 339
11560 México DF
☎ (52) (5) 282 97 00
fax (52) (5) 282 98 58
site www.emb-fr.org.mx

Nicaragua
Iglesia el Carmen 1,
cuadra 1/2 abajo
Managua
☎ (505) 222 62 10
fax (505) 222 26 04
site www.ambafrance-ni.org

Panamá
Plaza de Francia,
AP 869, Panamá zona 1
☎ (507) 228 78 24
fax (507) 228 78 52

EN FRANCE

Belize
Pas de représentation à Paris

Costa Rica
78, av. Émile-Zola, 75015 Paris
☎ 01 45 78 96 96

Guatemala
73, rue de Courcelles
75008 Paris
☎ 01 42 27 78 63

Honduras
8, rue Crevaux
75016 Paris
☎ 01 47 55 86 45

Mexique
4, rue N.-D.-des-Victoires
75002 Paris
☎ 01 42 86 56 20

Nicaragua
34, av. Bugeaud
75116 Paris
☎ 01 44 05 90 42

Panamá
145 av. de Suffren
75015 Paris
☎ 01 45 66 42 44

AMBASSADES BELGES

Belize
Consulat honoraire
Discovery Expeditions
Belize Ltd., 59116 Manate Drive, Buttenwood Bay,
P.O. Box 1217, Belize City
☎ (501) 23 07 48 / 23 10 63
fax (501) 23 07 50

Costa Rica
Los Yoses, 4a entrada,
AP 3725,
1000 San José
☎ (506) 225 66 33
fax (506) 225 03 51
email sanjose@diplobel.org

Guatemala
Avenida Las Américas 7-20,
zona 13, Centro Comercial Real América, local n° 17,
AP 01013,
Guatemala Ciudad
☎ (502) 361 19 99
fax (502) 361 00 05
email ojberger@infovia.com.gt

Honduras
Edificio Banco Atlantida S.A.,
3° piso, Bd Centro América,
Tegucigalpa
☎ (504) 232 39 54
fax (504) 231 19 74
email preacresa@sigmanet.net

Mexique
Av. Alfredo Musset 41,
Colonia Polanco,
11550 México D.F.
☎ (52) (5) 280 07 58
fax (52) (5) 280 02 08
email mexico@diplobel.org

Nicaragua
Calle 27 de Mayo, Edificio Targa Industrial, AP 3397,
Managua
☎ (505) 222 32 02
fax (505) 222 46 60

Panamá
Av. Domingo Diaz,
Panamá

☎ (507) 217 32 77
fax (507) 217 32 66
email
cocige@grupoescope.com

En Belgique

Belize
Mission of Belize to the European Communities
Bd Brand Whitlock 136
1200 Bruxelles
☎ (2) 732 62 04

Costa Rica
Av. Winston Churchill 185
1180 Bruxelles
☎ (2) 345 90 47

Guatemala
Av. Louise 489 – boîte 13
1050 Bruxelles
☎ (2) 640 55041

Honduras
Av. des Gaulois 8
1040 Bruxelles
☎ (2) 734 00 00

Mexique
Av. Franklin-Roosevelt 94
1050 Bruxelles
☎ (2) 629 07 77

Nicaragua
Av. de Wolvendael 55
1180 Bruxelles
☎ (2) 375 65 00

Panamá
Av. Louise 390-392
1000 Bruxelles
☎ (2) 649 07 29

Ambassades canadiennes

Belize
85 North Street, P.O. Box 610,
Belize City
☎ (501) 23 10 60

Costa Rica
AP 351, Centro Colon,
1007 San José
☎ (506) 296 41 49
fax (506) 296 42 70

Guatemala
AP 400,
01001 Guatemala Ciudad
☎ (502) 333 61 04
fax (502) 363 42 08

Honduras
AP 3552,
Tegucigalpa
☎ (504) 232 45 51
fax (504) 232 87 67

Mexique
AP 105-05, 11580 México D.F.
☎ (52) (5) 724 79 00
fax (52) (5) 724 79 80

Nicaragua
AP 25, Managua
☎ (505) 268 04 33
fax (505) 268 04 37

Panamá
AP 0832-2446, Estafeta World Trade Center,
Panamá Ciudad
☎ (507) 264 97 31
fax (507) 263 80 83

Au Canada et au Québec

Belize
C/o Bloomfield & Associates,
bureau 1720,
1080, côte du Beaver-Hall
Montréal H2Z 1S8
☎ (514) 871 47 41

Costa Rica
325 Dalhouise St., Suite 407
Ottawa K1N 7G2
☎ (613) 562 28 55

Guatemala
130 Albert St., Suite 1010
Ottawa K1P 5G4
☎ (613) 233 71 88

Honduras
151 Slater St., Ottawa K1P 5H3
☎ (613) 233 89 00

Mexique
2055 Peel, Suite 1000
Montréal H3A 1V4
☎ (514) 288 25 02

Nicaragua
4870 Doherty
Montréal H4V 2V2
☎ (514) 484 82 50

Panamá
1425, bd René-Levesque Ouest,
Bureau 904
Montréal H3G 1T7
☎ (514) 874 19 29

Ambassades suisses

Belize
P.O. Box 24, 41, Albert Street,
Belize City
☎ (501) 277 257
fax (501) 275 213

Costa Rica
Edificio Centro Colon, 10° piso,
Paseo Colon, AP 895, Centro Colon,
1007 San José
☎ (506) 221 48 29
fax (506) 255 28 31

Guatemala
16 Calle 0-55, Zona 10, Edificio Torre internacional, AP 1426,
01010 Guatemala
☎ (502) 367 55 20
fax (502) 367 58 11

Honduras
Agencia consular de Suiza y Cosude, Colonia Lara,
3a, av. 702, AP 143,
Tegucigalpa
☎ (504) 236 89 59
fax (504) 236 80 52

Mexique
Torre Optima, Avenida de las Palmas 405, Colonia Lomas de Chapultepec
11000 México D.F.
☎ (52) (5) 5520 30 03
fax (52) (5) 5520 8685

Nicaragua
Oficinas de Cosude, AP 166 de la Clinica de Las Palmas,
Managua
☎ (505) 266 73 28
fax (505) 266 66 97

Panamá
Calles Victoria y Calle Primera, Entrada Barriada Miraflores, Via Boyd Roosevelt, AP 499,
Panamá 9A
☎ (507) 261 15 30
fax (507) 229 41 38

En Suisse

Belize
1, rue Pedro-Meylan
1211 Genève 17
☎ (22) 736 86 11

Costa Rica
Schwarztorstrasse 11
3007 Bern
☎ (0) 31 372 78 87

Guatemala
Rue du Vieux-Collège 10-bis,
P.O. Box 3194, 1211 Genève 3
☎ (22) 311 40 22

Honduras
Chemin Taverney 13
1218 Grand Saconnex GE
☎ (22) 710 07 60

Mexique
Bernastrasse 57, 3005 Bern
☎ (0) 31 357 47 47

Nicaragua
Pas de représentation

Panamá
Rue de Lausanne, 72
1202 Genève 17
☎ 41 (22) 715 04 50

Gamme de prix hôtels et restaurants

Quatre catégories de prix :

$ moins de 30 $ **$$** entre 30 $ - 50 $ **$$$** entre 50 $ - 70 $ **$$$$** plus de 70 $

1 Au cœur du désert
► 20–27

Qui consulter

Baja Expeditions
Av. Albaro Bregón 25, Colonia Centro,
La Paz, Baja California Sur
☎ (619) 581 33 11
fax (112) 556 36
email boa@kayactivities.com
site www.bajaex.com
Basée aux États-Unis, cette société, qui a fait ses preuves, organise des plongées avec bouteilles ou avec tuba et masque, ainsi que des sorties pour observer les baleines. Elle possède de luxueux bateaux et met à la disposition des touristes de confortables campements.

Baja Outdoor Adventures
BP 792, Centro, La Paz, Baja California Sur
☎/fax (112) 556 36
email boa@cibnor.mx
site www.kayactivities.com
Le propriétaire de ce tour-opérateur est professeur de canoë. Les activités proposées sont : kayak de mer, observation des baleines et pêche à la mouche dans le sud de la Basse-Californie. Les circuits peuvent être personnalisés et adaptés à tous les budgets.

Ecoturismo Kuyima
Morelos 23, Hidalgo, San Ignacio,
Baja California Sur
☎/fax (115) 400 70
email kuyimasi@cybermex.net
site www.kuyima.com
Ce tour-opérateur est spécialisé dans l'observation des baleines, les randonnées à dos de mulet, la découverte des peintures rupestres et le kayaking.

Malarrimo Eco-Tours
Bd. Emiliano Zapata, Guerrero Negro,
Baja California Sur
☎ (115) 70100 / (115) 70250
email malarrimo@malarrimo.com
site www.malarrimo.com
Le jeune propriétaire de ce tour-opérateur, Enrique Achoy, organise des randonnées à dos de mulet (peintures rupestres et désert) ainsi que des circuits d'observation des baleines à partir de l'hôtel familial de Guerrero Negro.

Où se renseigner

Coordinacion General de Turismo
Km 5,5 Carretera Transpeninsular,
Fraccionamiento Fidepaz,
La Paz, Baja California Sur
☎ (112) 401 00 / (112) 401 99 **fax** (112) 407 22
email turismo@gbcs.gob.mx
site www.gbcs.gob.mx
Le siège social de l'office du tourisme de Basse-Californie du Sud ne se trouve pas dans le centre de La Paz. Il existe néanmoins un bureau sur le *malecón* : Paseo Alvaro Obregón 2130.

Comment se loger

Hotel Los Arcos $$$$
Av. Alvaro Obregón 498, La Paz,
Baja California Sur
☎ (112) 227 44
fax (112) 543 13
email reservation@losarcos.com
site www.losarcos.com
Le meilleur hôtel du centre de La Paz, avec 190 chambres climatisées et des bungalows donnant sur le *malecón*. Bar et restaurant. Piscine. Parties de pêche.

Hotel La Pinta $$$$
San Ignacio, Baja California Sur
☎/fax (115) 403 00
site www.lapintahotels.com
Un hôtel de 28 chambres qui donne sur la rue principale de San Ignacio, avec chambres climatisées, piscine et restaurant.

Hotel Posada San Ignacio $
Av. Venustiano Carranza 2,
San Ignacio, Baja California Sur
☎/fax (115) 403 13
Cet hôtel de famille possède des chambres basiques mais confortables. Le propriétaire organise des randonnées à dos de mulet.

Hotel Yeneka $
Francisco, Madero 1520, Colonia Centro,
La Paz, Baja California Sur
☎/fax (112) 54688

Un hôtel idéal pour les touristes à petits budgets. Des chambres confortables et spacieuses, un restaurant qui donne sur une cour et une décoration insolite faite de bric-à-brac.

OÙ BOIRE ET MANGER

El Moro

Km 2,5 Carretera Pichilingue, La Paz,
Baja California Sur
☎/fax (112) 240 84
email elmoro@prodigy.com
site www.clubelmoro.com
Le restaurant donne sur la plage. Bons fruits de mer et salades à prix abordables.

Palapa Adriana $

Av.. Alvaro Obregón, 5 de Mayo,
La Paz, Baja California Sur
☎ (112) 283 29
Un restaurant de plage très bon marché. Plats mexicains, fruits de mer et steaks.

2 LE CHEMIN DE FER SAUVAGE ➤ 28–37

QUI CONSULTER

Trips Worldwide (➤ 285), tour-opérateur anglais, est spécialisé dans les séjours à la carte en Amérique centrale.

La Cooperativa de Los Guias Alta y Baja Tarahumara

Batopilas, État de Chihuahua
(P. O. Box 203, Bozerman, Montana 59771)
site www.canyontravel.com
Un organisme qui se veut proche des Tarahumaras dont il explore la culture au cours de treks dans les canyons.

Pantera Excursiones

BP 67, Durango
☎ (18) 250 682
email pantera@omanet.com.mx
site www.aventurapantera.com.mx
Un des pionniers dans les circuits d'aventure au nord du Mexique. Au programme : circuits VTT, notamment sur une route peu connue entre Basaseachic et Divisadero, randonnées et camping dans le désert, le tout dans un esprit très écolo.

Umarike Expediciones

Av. Ferrocarril, AP 61, Creel, État de Chihuahua
☎/fax (145) 602 48 / 602 12
email kuira@umarike.com.mx
site www.umarike.com.mx
Ce tour-opérateur propose des circuits en VTT d'une journée à partir de Creel, des parcours d'escalade pour débutants et sportifs confirmés. Il est géré par Arturo Gutierrez et sa femme galloise Audrey Hill. Location de VTT et de tentes.

Villa Mexicana

Hotel Resort & RV Park,
Canyon du Cuivre, État de Chihuahua
☎/fax 421 7088
email koacreel@infosel.net.mx
site www.koacoppercanyon.com
Ce domaine composé de 20 bungalows à l'architecture typiquement mexicaine permet d'explorer le canyon du Cuivre au cours de randonnées à pieds, en VTT et à cheval.

COMMENT S'Y RENDRE

Gare ferroviaire de Chihuahua

☎ (14) 397 212
fax (14) 397 211

Gare routière Estrella Blanca

☎ (14) 290 240 / 290 241 / 290 242
fax (14) 290 240

OÙ SE RENSEIGNER

Coordinacion General de Turismo

Edificio Agustín Melgar, Centro, Chihuahua
☎ (14) 162 106 / 159 124
fax (14) 160 032
email turismo@gbcs.gob.mx
site www.gbcs.gob.mx

COMMENT SE LOGER

Hotel Korachi $

Av. Francisco Villa 116, Creel,
État de Chihuahua
☎/fax (145) 600 64
Un hôtel style cabane en bois, basique mais confortable, juste en face de la gare.

Hotel Margarita $$

Calle Chapultepec, Creel,
État de Chihuahua
☎/fax (145) 602 45
Cet hôtel moderne de 26 chambres n'est qu'une goutte d'eau dans l'empire de Margarita Creel, également propriétaire d'une ancienne et charmante maison d'hôtes (**Casa Margarita**, Av. López Mateos, Creel ☎ (145) 600 45), qui peut héberger jusqu'à 40 personnes. La gamme des prix est très large. Un troisième hôtel existe aussi à Batopilas.

Hotel Mary $
Juárez 15, Batopilas,
État de Chihuahua
☎ (114) 560 624 / 560 632 / 560 633
Cet hôtel très populaire possède des chambres climatisées et une jolie cour intérieure. Excellent restaurant.

Hotel Parador de la Montaña $$
Av. López Mateos 44, Creel,
État de Chihuahua
☎ (145) 600 75
fax (145) 60085
email parador-creel@yahoo.com
site www.members.tripod.com/copperinn
Un hôtel-ranch, donnant sur la rue principale de Creel et offrant de bonnes prestations. Bar, restaurant et parking gardé. Organisation de sorties.

The Sierra Lodge $$$
Creel, État de Chihuahua
N° Vert 1-800-776 39 42
email coppercanyon@earthlink.net
site www.sierratrail.com
Situé à 25 min de Creel, ce lodge de 22 chambres jouit d'un site magnifique au cœur du canyon du Cuivre. L'atmosphère cosy et la décoration soignée sont à l'image de la nature environnante, comme en témoignent les scènes traditionnelles peintes sur certains murs des chambres. Excursions possibles.

Où boire et manger

Il est difficile de recommander un restaurant plutôt qu'un autre à Creel. Un coup de cœur pourtant : le **Swinging Bridge Restaurant**, à Batopilas (près du pont qui mène à la piste de Satevo). Il propose une cuisine excellente, servie dans une bonne ambiance, mais il très couru par les groupes. Si vous ne trouvez pas de place, réservez chez **Doña Micha** (sa demeure privée), sur la Plaza Constitución. Végétariens s'abstenir : la plupart des mets proposés dans cette région sont à base de viande.

3 Les ruines d'Oaxaca
► 38–45

Qui consulter

Terre d'Aventure
6, rue Saint-Victor 75005 Paris
☎ 01 53 73 76 76 / 08 25 84 78 00
fax 01 43 25 69 37
site www.terdav.com
Ce tour-opérateur spécialisé dans la randonnée organise un circuit de 17 jours qui fait la part belle à la vallée d'Oaxaca et à ses sites précolombiens.

Où se renseigner

SECTUR
Presidente Mazaryk 172, Colonia Polanco,
BP 11587, México
☎ (5) 250 0123 / 250 0027
site www.mexico-travel.com/sectur.htm
Ce bureau de l'office du tourisme du Mexique met à votre disposition des informations générales sur le pays, avec nombre de dépliants et de cartes.

Location de voitures

Les principaux loueurs ont des succursales à Oaxaca. Il faut faire jouer la concurrence car la compétition est intense. Les promotions, intéressantes, sont souvent indiquées dans les journaux. Bien sûr, vous pouvez aussi réserver votre voiture chez un des grands loueurs français.

Comment se loger

Hotel Las Golondrinas $$
Tinoco y Palacios 11,
Oaxaca
☎ (951) 43 298
Un bel établissement de style colonial avec des chambres spacieuses et confortables donnant sur une cour fleurie.

4 Mer et sierra
► 46–53

Qui consulter

Ecotours de Mexico
Ignacio L. Vallarta 243
Puerto Vallarta, État de Jalisco
☎**/fax** (322) 266 06 / 331 30
email ecoturm@prodigy.net.mx
site www.ecotours-mex.com
Quoique chers, les circuits et activités proposés par ce tour-opérateur, sont de grande qualité : plongée avec bouteilles ou avec masque et tuba, observation de baleines, kayak de mer, randonnées et observation ornithologique.

Expediciones Cielo Abierto
Guerrero 339, Puerto Vallarta,
État de Jalisco
☎ (322) 233 10 **fax** (322) 324 07
email openair@vivamexico.com
site www.vallartawhales.com

Cet établissement spécialisé dans l'éco-tourisme propose observation des baleines, plongée avec masque et tuba, kayak de mer, randonnées et observation ornithologique.

Rancho Ojo de Agua
Cerrada del Cardenal 227,
Fraccionamiento Aralias, Puerto Vallarta,
État de Jalisco
☎**/fax** (322) 406 07
email ranchojo@punet.com.mx
site www.go2vallarta.com/ranchojo
Randonnées à cheval tous les jours (10h-13h ou 15h-18h) à travers la forêt jusqu'au village de Playa Grande. Des circuits plus longs sont possibles.

Terra Noble
Tulipanes 595, AP 48350, Puerto Vallarta,
État de Jalisco
☎ (322) 303 08
fax (322) 240 58
email terranoble@prodigy.net.mx
site www.terranoble.com.mx
Outre le *temazcal* et les massages, Terra Noble organise des ateliers de poterie et de peinture. Ce centre est situé dans les collines ; il est facile à trouver, car la plupart des taxis le connaissent.

QUI CONSULTER (PLONGÉE)

Chico's Dive Shop
Díaz Ordáz 722, Puerto Vallarta,
État de Jalisco
☎ (322) 218 95 / 254 39
fax (322) 218 97
email staff@chicosdiveshop.com
site www.chicosdiveshop.com
Une institution de Puerto Vallarta. Sorties quotidiennes à Los Arcos, Las Marietas et à El Morro (plongée bouteille ou avec masque et tuba) et cours de plongée PADI (Professional Association of Diving Instructors). Ils organisent aussi des circuits autour de la baie (9h-12h et 13h-16h).

OÙ SE RENSEIGNER

Oficina de Turismo
Bureaux municipaux,
Calle Morelos, Puerto Vallarta,
État de Jalisco
☎ (322) 202 42 / 202 43
site www.mexico-travel.com
Outre des informations d'ordre touristique, ce bureau met à votre disposition une équipe de femmes policiers, reconnaissables à leurs casques blancs ; n'hésitez donc pas à les consulter.

LOCATION DE VÉLOS

Bobby's Bikes
Miramar 399 à l'angle de Iturbide,
Puerto Vallarta,
État de Jalisco
☎**/fax** (322) 300 08 / 238 48
email bikespv@acnet.net
Location de VTT et circuits.

COMMENT SE LOGER

Hotel Encino $$
Juárez 122, Puerto Vallarta,
État de Jalisco
☎ (322) 202 80
fax (322) 225 73
L'Encino dispose de chambres climatisées à des prix abordables ; certaines sont pourvues d'une terrasse avec vue sur la sierra. Évitez les chambres sur la rue, trop bruyantes. Parmi les prestations : une petite piscine et un restaurant.

Hotel Molino de Agua $$
Ignacio L. Vallarta 130, Puerto Vallarta,
État de Jalisco
☎ (322) 219 07
fax (322) 246 01
email hotelmolino@prodigy.net.mx
site www.molinodeagua.com
Des bungalows confortables dans un cadre verdoyant, avec pour attraits la plage et la toute proche Isla del Cuale.

Hotel Rosita $
Paraguay 1117, à l'angle de Uruguay,
Colonia Centro, Puerto Vallarta,
État de Jalisco
☎ (322) 213 51 **fax** (322) 210 33
email reserva@hotelrosita.com
site www.hotelrosita.com
Ouvert en 1948, le Rosita est l'hôtel le plus ancien de Vallarta et sa réputation ne faiblit pas. Sa situation centrale, sur la plage, est un de ses atouts ; ses chambres sont basiques mais bien tenues. Bon rapport qualité/prix.

Vallarta Sun Suites $$
Rodolfo Gomez 169, Puerto Vallarta,
État de Jalisco
☎**/fax** (322) 216 26
email vallartasun@usa.net

Situé derrière la Playa de los Muertos, le Vallarta Sun Suites est composé, comme son nom l'indique, d'appartements meublés et équipés, avec balcon. En revanche, tous ne sont pas pourvus d'une cuisine. La piscine, accessible à tous, est très agréable.

Où boire et manger

Adobe Café $

Basilio Badillo 252, Puerto Vallarta, État de Jalisco
☎ (322) 319 25 / 267 20
Un restaurant climatisé est installé dans l'une des rues les plus fréquentées de la vieille ville. Goûtez aux excellents *fajitas* de bœuf et à la mousse au chocolat, onctueuse.

Archie's Wok $

Francisca Rodriguez 130, Puerto Vallarta, État de Jalisco
☎ (322) 204 11
Ce restaurant asiatique, situé près de la jetée de la Playa de los Muertos, a fait ses preuves, tout comme son créateur, Archie, qui fut un temps le chef personnel du metteur en scène John Huston.

Chez Elena

Matamoros 520, Puerto Vallarta, État de Jalisco
☎ (322) 201 61
email fourwinds@zonavirtual.co.mx
site www.4vientos.com
C'est dans le cadre intime d'un jardin qu'est servie, le soir uniquement, la cuisine internationale et mexicaine de ce restaurant d'hôtel qui, par ailleurs, jouit de jolies vues.

5 Rafting à Veracruz
► 54–61

Qui consulter

Intercontinental Adventures

Homero 526, Oficina 801, México
☎/fax (5) 255 44 00 et (3) 641 55 98 (Guadalajara)
email adventur@mpsnet.com.mx
site www.rafting-mexico.com.mx
Cette agence basée à México, qui officie pour la société de rafting la plus ancienne du Mexique, Expediciones Mexico Verde, peut organiser votre séjour dans l'État de Veracruz. Elle est également spécialiste des activités de plein air et propose du VTT près de Cuernavaca, de la montgolfière à Guanajuato et Malinalco, du parapente à Ixtapa, des cours de kayak à Cuernavaca, du kayak de mer à Veracruz et des parcours d'escalade sur le volcan Iztaccihuatl.

Río y Montaña

Prado Norte 450, Colonia Lomas de Chapultepec, México
☎ (5) 520 20 41 / 540 78 70
fax (5) 200 17 83
email rioymontana@compuserve.com.mx
Cette agence est spécialisée dans l'escalade et le rafting dans l'État de Veracruz.

Veraventuras

Santos Degollado 81-88, Xalapa, État de Veracruz
☎ (28) 189 579 / 189 779
fax (28) 189 680
email veraventuras@yahoo.com
site www.dpc.com.mx/veraventuras ou www.veraventuras.com
Un petit établissement qui organise, à partir de campements très adaptés, des descentes en rafting sur les rivières Pescados, Antigua et Actopan. Il propose aussi de la plongée sous-marine.

Où se renseigner

Secretaría de Turismo

Bd. Cristóbal Colón 5, Torre Las Animas, Fraccionamiento Las Animas, Xalapa, État de Veracruz
☎ (28) 127 345 / 128 500
fax (28) 418 540
email ambiante-adventure@infosel.net.mx
site www.sedecover.gob.mx
Il existe aussi un office du tourisme à l'intérieur du palais municipal, sur la place principale de Veracruz.

Location de voitures

Autos Villa Rica

Miguel Lerdo 245, Veracruz
☎ (29) 327 100 / 318 329
fax (29) 327 092
email fastautorenta@prodigy.net.mx
Ce loueur propose une gamme de voitures allant de la Coccinelle Volkswagen à la Monza Chevrolet.

Operadora Turistica "Pevi"

(Ex Rent-a-Car)
Víctimas del 5 y 6 Julio 1883, Veracruz
☎/fax (29) 355 231
email rentacarotp@ver.megared.net.mx

COMMENT SE LOGER

Calinda Veracruz $$$$

Av. Independencia, Miguel Lerdo,
Veracruz
☎ (29) 312 233 / 311 991
fax (29) 315 134
email reserva@prodigy.net.mx
site www.hotelescalenda.com.mx
Un hôtel chic et bien situé, donnant sur la place principale de Veracruz. Chambres climatisées, bar et restaurant.

Hotel Imperial $$

AP 91700, Miguel Lerdo 153, Colonia Centro,
Veracruz
☎ (55) 239 856 (México)
☎ (29) 321 204 (Veracruz)
fax (29) 314 508
email info@hotelimperialveracruz.com
site www.hotelimperialveracruz.com
L'hôtel Impérial, qui donne sur la place principale, est idéalement situé pour qui veut sortir le soir. Le bâtiment, qui date de la fin du XXe siècle, a été rénové et est agrémenté d'une piscine.

Hotel Mocambo $$$$

Calzada Ruiz Cortines 4000, Boca del Río,
État de Veracruz
☎ (29) 220 200/1
fax (29) 220 212
email hmocambo@infosel.net.mx
hmreservasiones@infosel.net.mx
site www.hotelmocambo.com.mx
Une institution de Veracruz qui date des années 1930. L'hôtel Mocambo, situé à environ 8 km du centre-ville, à Boca del Río, la plage la plus proche de Veracruz, offre d'excellentes prestations et un service de qualité.

Hotel San Agustín $

Heroes de Tlapacoyan 201, Tlapacoyan,
État de Veracruz
☎ (231) 50023
fax (231) 500 88
Un hôtel simple mais confortable situé dans le centre d'une charmante bourgade de marché.

Mesón del Alfarez $$$

Zaragoza, Sebastián Camacho,
Xalapa, État de Veracruz
☎ (28) 186 351
fax (28) 180 113
email m_alferez@xal.megared.net.mx,
mesonalferez@hotmail.com
site www.geocities.com/mesonelalferez
Cette villa du XVIIIe siècle, au confort cossu, a été renovée et décorée avec goût. Autre atout, qui n'est pas des moindres : elle possède un bon restaurant.

OÙ BOIRE ET MANGER

Café de la Parroquia

Av. Gomza Farias 34, Veracruz
☎/fax (29) 322 584
Cet immense café, qui ne cesse de s'agrandir, a récemment quitté son emplacement historique, sur la place principale, pour emménager dans ce site moderne tout aussi central, près du *malecón*. Il n'a rien perdu de sa réputation et demeure une véritable institution de Veracruz pour les petits déjeuners d'affaires.

Si vous aimez les fruits de mer, allez à Boca del Río. Les restaurants proposant du *ceviche* (poisson cuit dans du jus de citron) et du poisson frais grillé y sont nombreux.

6 L'ART DE LA JUNGLE
➤ 62–73

QUI CONSULTER

Maya-Sol

À 2,5 km des ruines de Palenque,
Palenque, État du Chiapas
☎ (934) 505 33 / 50954
fax (934) 505 44
email kin-ha@palenque.com.mx
site www.palenque.com.mx/hoteles/kinha
Maya-Sol est le tour-opérateur d'aventure le plus dynamique du Chiapas ; il est actuellement en train d'étendre ses activités à Palenque et Flores (Guatemala). La gamme de circuits et d'activités, en plein essor, comprend des randonnées jumelées avec des descentes en rafting sur les rivières Chacamax, Shumulja et Raxilha. Sont également au programme des randonnées d'une journée autour d'Agua Azul et des visites d'une journée des ruines de Piedra Negras.

Viajes Shivalva

Merle Green 1 (à côté de l'office du tourisme),
Palenque, État du Chiapas
☎ (934) 508 22 / 504 11
fax (934) 503 92
email shivalva@tnet.net.mx
site www.palenquemx.com/shivalva

Ce tour-opérateur coordonne des circuits Yaxchilán-Bonampak et cascades de Misol-Ha et d'Agua Azul. Ses tarifs sont souvent plus chers que ceux d'autres agences mais le transport est généralement plus confortable.

Viajes Toniná

Av. Juárez 105,
Palenque, État du Chiapas
☎/fax (934) 503 84
Une agence de voyage très fréquentée, car les prix des circuits qu'elle propose sont imbattables. On se rendra le plus souvent aux cascades de Misol-Ha et d'Agua Azul tassé dans une fourgonnette ! Yaxchilán, Bonampak; et Flores (Guatemala), *via* Bethel, sont également des destinations prévues au programme.

Où se renseigner

SEDETUR

Plaza de las Artesanías,
Av. Juárez, Abasolo,
Palenque, État du Chiapas
☎ (934) 503 56
email sedetur@chiapasonly.com.mx
site www.chiapasonly.com.mx
Un office du tourisme qui ne fournit souvent pas plus d'informations que les tour-opérateurs locaux.

Comment se loger

La Aldea del Halach Uinic $

À 2,5 km des ruines de Palenque,
État du Chiapas
☎ (934) 516 93
email aldea@mexico.com
Ces bungalows aux toits en chaume ont été construits récemment, pour les touristes, sur une colline paisible qui surplombe la grand-route. Bien conçus, ils sont même équipés de panneaux solaires sur la terrasse. Le prix de location d'un bungalow est très intéressant et inclut l'accès à un restaurant et à une petite piscine. Des visites de Palenque sont possibles.

Centro Turístico Chan-Kah $$$$

Km 3 Carretera Arqueológica,
État du Chiapas
☎ (934) 511 34
fax (934) 508 20
email chan-kah@tnet.net.mx
site www.chan-kah.zl.com.mx
Un vaste et beau domaine dans lequel sont aménagés de jolis bungalows, une piscine d'eau douce et un restaurant en plein air.

Escudo Jaguar $$

Frontera Corozal,
État du Chiapas
☎ (934) 503 56 ou contacter
Luis Arcos ☎ (5) 201 64 41
L'Escudo Jaguar est situé à proximité du Río Usumacinta et de Yaxchilán. Deux bungalows à toit de chaume, pouvant héberger chacun jusqu'à huit personnes, un bungalow à deux lits doubles et une grande salle de restaurant.

Hotel La Cañada $

Cañada 934, Palenque, État du Chiapas
☎/fax (934) 501 02
À l'entrée de la ville, au cœur d'un jardin tropical, se dressent les bungalows de cet hôtel familial et accueillant. Mais ils ne sont plus tout neufs puisqu'ils ont été construits pour héberger les archéologues du site.

Hotel Chan-Kah Centro $$

Av. Juárez 2,
Palenque, État du Chiapas
☎ (934) 503 18
fax (934) 504 89
Le bon hôtel du centre-ville, surtout si l'on est logé au dernier étage, d'où l'on jouit d'un panorama superbe. Évitez en revanche les premiers étages, trop bruyants. Les chambres sont toutes climatisées et pourvues de terrasses. Une seule ombre au tableau : le restaurant est plutôt médiocre.

Où boire et manger

Restaurant Maya $

Independencia 5,
Palenque, État du Chiapas
☎ (934) 500 42 / 502 16
fax (934) 510 96
email rmaya@tnet.net.mx
Ce grand restaurant convivial situé sur la place principale fonctionne depuis 1958. Son atout : il est bon marché. Préférez la carte aux menus. Les margaritas sont une valeur sûre de la maison.

La Selva $

Km 0,5 Carretera Palenque Ruinas
Palenque, État du Chiapas
☎ (934) 503 63
fax (934) 500 46
email laselva@tnet.net.mx
site www.palenque.mx.com/laselva

Un restaurant tropical situé au début du chemin menant aux ruines. Serveurs en costume typique et décor de jungle. Cuisine internationale et régionale (bons *fajitas*).

7 DU LAC AUX VOLCANS
► 76–83

QUI CONSULTER

Atalante

10, rue des Carmes
75005 Paris
☎ 01 55 42 81 00
fax 01 55 42 81 01
36-37, quai Arloing
69256 Lyon cedex 09
site www.atalante.fr
Circuit de 16 jours comprenant, entre autres, la découverte des volcans bordant le lac Atitlán (Santiaguito, Pacaya, Acatenango et Fuego) et une plongée au cœur du pays maya dans la cité coloniale d'Antigua et sur les marchés de Chichicastenango, de Solola et de San Francisco. Thierry, le guide, est installé depuis 14 ans au Guatemala.

Servicios Turísticos Atitlán

Calle Santander,
Panajachel
☎ (762) 20 75
fax (762) 22 46
email turisticosatitlan@yahoo.com
site www.atitlan.com
Ce tour-opérateur est spécialisé dans les activités sportives telles que le parapente, la randonnée et l'escalade de volcan. Il organise également des excursions à Antigua, à Chichicastenango, à Guatemala et sur le Río Dulce, ainsi que des vols vers d'autres destinations d'Amérique centrale.

Tecun Uman

7ª Av. Norte 18,
Antigua
☎ (832) 66 32
Autocars touristiques entre Guatemala, Panajachel, Antigua et Chichicastenango ; cars spéciaux pour Copán (Honduras) et Tapachula (Mexique) ; randonnée au volcan Pacaya et sorties en bateau sur le Río Dulce.

Transportes Turísticos Atitrans

Edificio Rincon Sai, calle Santander,
Panajachel
☎ (762) 01 46
fax (762) 23 36
email atitrans.aquick.guate.com
Excursions en bus touristiques à Antigua, Guatemala et Chichicastenango.

OÙ SE RENSEIGNER

INGUAT

Calle de la Playa Publica,
Panajachel
☎ (762) 13 92
fax (762) 11 06
email inguat@guate.net
site www.guatemala.travel.com.gt
www.travel-guatemala.org.gt
Nombreux dépliants disponibles sur les activités possibles autour du lac Atitlán. Horaires des bateaux et bus.

COMMENT SE LOGER

Hotel Bambu $$$

Santiago Atitlán
☎ (201) 89 13
site www.ecobambu.com
Chambres et bungalows neufs dans le cadre d'un charmant jardin donnant sur l'embarcadère de Santiago Atitlán. Restaurant proposant des plats internationaux.

Hotel Regis $$$

Calle Santander,
Panajachel
☎/fax (762) 11 52
email elregis@hotmail.com
site www.atitlan.com/hotelregis
Depuis longtemps, une des étapes préférées des voyageurs. Sans doute grâce à sa situation au cœur de la ville, sur la grand-rue. Le bâtiment est moderne, les appartements et les chambres sont équipés de douches fonctionnant à l'eau de source. L'hôtel héberge aussi l'agence de voyage Servicio Turísticos Atitlán (voir ci-contre).

Hotel Utz-Jay $

Calle 15 de Febrero,
Panajachel
☎/fax (762) 13 58 / 02 17
email utzjay_garcia@yahoo.com
site www.atitlan.com/utz-jay.htm
Un hôtel familial entouré d'un grand jardin, au centre de Panajachel et à deux rues du lac. Les chambres possèdent des salles de bain communes ou privatives. Deux bungalows indépendants sont prévus pour héberger les groupes. Des randonnées autour du lac peuvent être organisées.

The Mayan Inn $$$$
8ª Calle, 3ª Av.,
Chichicastenango
☎ (756) 11 76
fax (756) 12 12
email info@clarktours.com.gt
Un hôtel de style colonial, luxueux et superbement conçu, construit autour d'une cour fleurie. Même si vous n'y séjournez pas longtemps, le déjeuner à l'auberge, un jour de marché, est incontournable : les serveurs arborent ce jour-là le costume quiché traditionnel.

Posada de Santiago $$
Santiago Atitlán
☎ (721) 71 67 **portable** (702) 84 62
fax (721) 71 67
email posdesantiago@guate.net
site www.atitlan.com
Le cadre est paisible : un grand jardin d'avocatiers et caféiers posés sur une colline surplombant le lac, face aux volcans. Ici, les bungalows sont en pierre et assez spacieux. Les hôtes ont accès à une belle bibliothèque. La cuisine est préparée avec imagination. Bref, cette posada est une valeur sûre… et une véritable réussite que l'on doit à un couple d'Américains, toujours attentif et accueillant.

Rancho Grande Inn $
Calle Rancho Grande,
Panajachel
☎ (762) 22 55 / 1554
fax (762) 22 47
email hranchog@quetzal.net
site www.travellog.com
Quoique près du centre, ce domaine respire la tranquillité. Les bungalows y sont confortables et décorés avec soin ; ils donnent sur un jardin tout aussi bien tenu. Le propriétaire, qui est d'origine allemande, a ouvert à ses invités sa plantation de café à flanc de collines.

OÙ BOIRE ET MANGER

Circus Bar
Av. Los Arboles,
Panajachel
email circus@atitlan.com
site www.atitlan.com/circus.htm
Bar, restaurant et pizzeria en un seul lieu, le Circus Bar est très fréquenté, surtout le week-end, lors des concerts *live*. Propriétaires français et allemands.

La Laguna perdida
Santa Cruz, La Laguna,
Panajachel
☎/fax (762) 11 96
C'est l'endroit idéal pour déguster, en extérieur ou à l'intérieur, près d'un feu de bois, le plat national du Guatemala, le *pepian*, un ragoût de poulet piquant.

8 PATRIMOINE MAYA
➤ 84–91

QUI CONSULTER

Avinsa
Calle Principal,
Santa Elena
☎ (926) 0808
fax (926) 0807
email avinsa@guate.net
info@tikaltravel.com
site www.tikaltravel.com
Large sélection de circuits dans le Péten, à l'est du Guatemala (Río Dulce) et dans le Chiapas (Palenque, Mexique) ainsi que descente en rafting et randonnée à cheval. Avinsa organise également des voyages au Belize et au Yucatán (Mexique). Français, anglais et allemand parlés.

Ecomaya
Calle 30 de Junio, Flores
☎/fax (926) 32 02
email ecomaya@guate.net
site www.ecomaya.com
Circuits de 2 à 6 jours sur la piste de Scarlet Macaw, à El Mirador ou à Tikal. Le confort est rudimentaire : on dort dans des hamacs. La société possède aussi une école d'espagnol à San Andrés et organise du travail de bénévolat auprès d'organismes sociaux.

Martsam Travel Agency
Av. Centro América, Flores
☎/fax(926) 10 13
email martsam@guate.net
Un des nombreux tour-opérateurs locaux qui proposent des billets d'avion et des tickets de bus, des locations de voiture et de VTT, ainsi que des sorties d'une journée en vélo et à cheval, avec retour en bateau.

Monkey Eco Tours
Petén
☎/fax (926) 410 1910 / 414 5780
email nitun@nitun.com
site www.nitun.com

Des circuits parfaitement organisés dans le Péten et le Chiapas (Mexique), sur des sites mayas moins connus et peu fréquentés. Camping et randonnée dans la jungle. Cuisine excellente, tentes confortables et même des douches ! Ce tour-opérateur fonctionne grâce au savoir faire de Bernie Mittlestaedt, un Guatémaltèque d'origine allemande. Possibilités de circuits sur mesure et guidés en anglais ou en allemand.

Où se renseigner

INGUAT

Parque Central, Flores
☎/**fax** (926) 331 4416
site www.inguat.net
Le personnel de ce bureau de tourisme, situé en face de l'église sur la place principale, est très efficace. Demandez en particulier Otto ou Abel : ils pourront vous mettre en relation avec une association de guides locaux afin d'organiser des randonnées.

Comment se loger

La Casona de la Isla $/$$

Calle 30 de Junio, Flores
☎ (926) 05 23 ou ☎/**fax** (926) 05 93
email reservasiones@corpetur.com
site www.corpetur.com
Un grand hôtel à la décoration colorée, situé à côté du lac. Les chambres sont climatisées et pourvues de balcons. Autres prestations : une petite piscine et un restaurant. Location de kayaks à l'heure.

Hotel Casazul $$

Calle Union, Flores
☎ (926) 11 38
fax (926) 05 93
email lacasona@gua.net
Un petit hôtel accueillant dans un des lieux paisibles de l'île de Flores. Les chambres sont spacieuses et climatisées et leurs terrasses donnent sur le lac.

Hotel Villa del Lago $

Calle Centro América, Flores
☎ (926) 05 08
fax (926) 06 29
email villadelago@latinmail.com
Un hôtel tranquille des bords du lac qui propose toute une gamme de chambres propres et confortables, avec salles de bain communes ou privatives, climatisation ou ventilateur, et le câble. Restaurant en plein air et terrasse pour les bains de soleil.

Ni'tun Ecolodge

Avenida Reforma 8-60, zona 9, oficina 105
Guatemala Ciudad
☎ 361 31 04
fax 334 04 53
email ecoadventure@mail2.guate.net
site www.ecotourism-adventure.com
Un "eco-lodge" superbement conçu dans un petit bout de jungle qui surplombe le lac Petén Itza. Il y a quatre bungalows spacieux, chacun pouvant loger trois personnes. Belles salles de bain et terrasses. Le bar-restaurant en pein air, spectaculaire, est présidé par Murphy la chauve-souris et son ami Silvio le perroquet ! Les propriétaires guatémaltèques, Lore et Bernie, sont des écologistes passionnés.

Tikal Inn $$

Parque Nacional Tikal
☎/**fax** (926) 00 65
email hoteltikalinn@itelgua.com
Ambiance jungle, parc national de Tikal oblige. Le Tikal Inn est bien situé, près de l'entrée du site. Chambres doubles très confortables autour d'une large piscine ou chambres standard dans le bâtiment principal. Attention : le groupe électrogène ne fonctionne que de 18h à 21h, donc pas de couche-tards et les repas sont à des heures fixes !

9 Le long du Río Dulce

➤ 92–101

Qui consulter

Aventuras Vacacionales

Captain John Clark, 1ª Av. Sur 11B, Antigua
☎/**fax** (832) 3352
email sailing@guate.net.gt
Quatre jours en catamaran sur le Río Dulce : l'offre est valable d'août à avril. Le catamaran mesure 14 m ; on est donc parfois un peu tassé, mais cette offre est bon marché. Le capitaine est très fiable. Ce tour-opérateur propose aussi un circuit plongée (avec masque et tuba) au Belize.

Bruno's Marina

Fronteras (appelé aussi Río Dulce)
☎ (930) 51 74 / 51 78
fax (930) 51 78
email río@guate.net
site www.mayaparadise.com/brunoe.htm
C'était à l'origine un simple bar ; c'est aujourd'hui un hôtel-restaurant doublé

d'un tour-opérateur. C'est toujours le rendez-vous des skippers de passage… et de ceux qui en cherchent un ! Des sorties charters sont organisées.

Happy Fish Travel
Calle Principal,
Lívingston
☎/fax (947) 06 61
email happyfishtravel@yahoo.com
Propose une vaste gamme d'excursions à Punta Manabique, Playa Blanca, Siete Altares et Río Dulce.

OÙ SE RENSEIGNER

INGUAT
7 Av. 1-17, zona 4, Centro Civico,
AP 1020-A,
Guatemala Ciudad
☎/fax(2) 331 44 16
email inguat@guate.net
site www.guatemala.travel.com.gt
Il n'y a pas d'office du tourisme à Fronteras. Pour des renseignements, contactez le bureau INGUAT, à Guatemala, qui s'occupe aussi de la région du Río Dulce.

COMMENT SE LOGER

Hacienda Tijax
Fronteras (appelé aussi Río Dulce)
☎ (502) 367 55 63 / 902 08 58
fax (502) 367 55 63
email tijax@guate.net / reservacions@tijax.com
site www.tijax.com
Le Hacienda Tijax, situé sur une lagune face à Fronteras, n'est accessible que par bateau. Au choix : cabanes montées sur pilotis ou bungalows à toit de chaume pour quatre personnes. Possibilité de randonnées à cheval dans la campagne environnante. Le bar-restaurant est très convivial et les propriétaires, guatémaltèque et américain, sont très accueillants.

Hotel La Casa Rosada $
Lívingston
☎ (947) 03 03
fax (947) 03 04
email info@hotelcasarosada.com
site www.hotelcasarosada.com
Un hôtel sur le fleuve, avec son embarcadère privé. Le cadre est charmant : petit jardin abritant dix cabanes à toit de chaume. Ambiance décontractée, comme en témoignent les nombreux hamacs. Bonne cuisine.

Hotel Cayos del Diablo $$$$
Aldea Las Pavas, Santo Tomás de Castilla
☎ (948) 23 61
fax (948) 23 64
Situé à 8 km au nord-ouest de Santo Tomás de Castilla, cet endroit est accessible par bateau de Santo Tomás ou de Puerto Barrios. L'hôtel possède des bungalows climatisés donnant sur la baie de Santo Tomás. Sports aquatiques, randonnées à pied et en VTT sont proposés.

Hotel Tucán Dugú $$
Lívingston
☎ (334) 78 13 / 50 64
fax (334) 52 42
email tukansa@internet.net.gt
site www.hoteltukan.com
Cet hôtel à l'architecture originale se dresse au milieu d'une végétation tropicale luxuriante et donne sur la mer. Chambres confortables avec ventilateurs ou bungalows dans le jardin. Grande piscine. Le restaurant, El Tiburon, est excellent, avec des spécialités de fruits de mer et de homard. Superbe panorama.

Punta de Manabique Fishermen's Association
☎ (948) 2331 or (948) 2851
Contactez cette association pour passer la nuit dans le village de pêcheurs de Punta de Manabique, à une heure de bateau de Lívingston ou de Puerto Barrios. Les huttes recouvertes de feuilles de palmier sont rustiques.

OÙ BOIRE ET MANGER

Restaurant Bahía Azul
Dans la rue principale, à 800 m du débarcadère, Lívingston
Bonne cuisine caribéenne, ambiance – et service – décontractés. Certains soirs, la salle s'échauffe au rythme des percussions. Le Bahía Azul est aussi une bonne source d'informations pour remplir ses journées.

Restaurant El Malecón $
À 100 m du débarcadère, Lívingston
De la grande salle rustique de ce restaurant bien situé, la vue sur la mer est superbe. Clientèle locale. Bons poissons grillés.

Restaurant McTropic $
Dans la rue principale, Lívingston
Mi-restaurant, mi-boutique, le McTropic constitue un bon poste d'observation de la vie de Lívingston. Très bon marché.

10 AU ROYAUME DES EAUX
➤104–113

QUI CONSULTER

Belize Land Air Sea Tours Ltd.

5 Eyre St., Belize City
☎ (2) 738 97 mobil (1) 487 77
Le capitaine Nicholás Sánchez organise des visites très agréables de la ville de Belize. Le circuit, qui dure environ 2h, s'effectue en calèche.

Ellen McRae, Marine Biologist

47 Caye Caulker
☎ (22) 21 78
email sbf@btl.net
Visites guidées du parc national sous-marin de Caye Caulker par la biologiste Ellen McRae.

QUI CONSULTER (PLONGÉE)

Blue Hole Dive Centre

Ambergris Caye
☎ (26) 29 82
email bluehole@btl.net
Ce centre organise des circuits-plongée de 2 jours aux Turneffe Islands, à Lighthouse Reef et au Blue Hole. Nuit à bord d'un bateau ou sous la tente. Les prix, variables selon le nombre de participants, sont d'environ 300 $ pour la plongée bouteille et 200 $ pour la plongée avec tuba.

Coral Beach Hotel & Dive Club

Ambergris Caye
☎ (26) 28 17 / 20 13
fax (26) 28 64
email forman@btl.net
Ce club organise des circuits-plongée de 2 ou 4 jours sur l'*Offshore Express*, un bateau spécialement équipé. Les prix sont d'environ 300 $ pour 2 jours et 450 $ pour 4 jours. Ces tarifs incluent la pension complète.

Fantasea

BP 32, San Pedro, Ambergris Caye
☎**/fax** (26) 25 76
Cette société propose plongées à une ou deux bouteilles sur les récifs et plongées nocturnes. Cours de plongée par instructeurs PADI (400 $) et stages "Open Water" (250 $). Location de matériel de plongée.

Gaz Cooper's Dive Belize

P. O. Box 96, San Pedro, Ambergris Caye
☎ (26) 32 02
email gaz@btl.net
site www.divebelize.com
Cette société propose plongées à une ou deux bouteilles sur les récifs et plongées nocturnes. Possibilité de sortie d'une journée au Blue Hole et aux Turneffe Islands. Les prix vont de 120 à 150 $ par jour. Location de matériel de plongée.

Larry Parker's Reef Divers Ltd.

Spindrift Resort Hotel, San Pedro, Ambergris Caye
☎ (26) 31 34
fax (26) 29 43
email larry@reefdivers.com
site www.reefdivers.com
Larry Parker's Reef Divers Ltd. a plus de 20 ans d'expérience dans les eaux du Belize. Il a d'ailleurs décroché le titre de "magasin de plongée le plus professionel" du pays. Il emploie des instructeurs NAUI Nitrox et PADI ; le propriétaire, Larry Parker, est lui-même un instructeur NAUI de haut niveau. Une séance de plongée avec masque et tuba à la réserve marine de Hol Chan ou à Shark-Ray Alley coûte environ 50 $ par personne. Une formation complète de 4 jours, avec obtention du certificat, vous reviendra à 450 $.

OÙ SE RENSEIGNER

Belize Tourist Board (Office du tourisme du Belize)

P.O. Box 325, New Central Bank Building, niveau 2, Belize City
☎**/fax**(2) 319 13
email btbb@btl.net
site www.travelbelize.org

COMMENT S'Y RENDRE

Belize Marine Terminal

En face de la poste, Belize City
☎ (2) 319 69
C'est de ce terminus maritime que l'on embarque pour Caye Caulker et Ambergris Caye. Outre les trois sociétés de transport indépendantes qui desservent ces deux îles, plusieurs bateaux appartenant à la Caye Caulker Water Taxi Association (CCWTA) effectuent les même trajets, trois fois par jours pour Ambergris Caye et six fois par jour pour Caye Caulker. Le terminus maritime ne reçoit que les bateaux membres du CCWTA.

Maya Island Air
P.O. Box 458, aéroport,
Belize City
☎ (2) 313 48
fax (2) 305 85
email mayair@btl.net
site www.mayaairways.com
Maya Island Air, reconnue pour sa fiabilité, dessert très fréquemment Caye Caulker et Ambergris Caye au départ de Belize et de San Pedro.

Tropic Air
P. O. Box 20, San Pedro
☎ (26) 20 12
fax (26) 23 38
email tropicair@btl.net
site www.tropicair.com
Tropic Air, compagnie aérienne locale, assure, plus fréquemment encore que Maya Island Air, des liaisons avec Caye Caulker et Ambergris Caye au départ de Belize et de San Pedro. Les avions embarquent un maximum de 14 personnes.

Comment se loger

Fort Street Restaurant and Guest House $$$
4 Fort St., P.O. Box 3, Belize City
☎ (2) 301 16
fax (2) 788 08
email fortst@btl.net
site www.belizenet.com/fortst.html
Cette auberge de qualité est située dans le quartier de Fort George, à seulement quelques mètres de la mer des Caraïbes. Le restaurant est excellent. Les prix, qui varient selon la saison, incluent le petit déjeuner et les taxes (7 %).

Morgan's Inn $$
P.O. Box 47, Caye Caulker
☎/fax (2) 221 78
email sbf@btl.net
Bungalows spacieux donnant sur la plage.

Radisson Fort George Hotel $$$$
2 Marine Parade, P.O. Box 321, Belize City
☎ (2) 333 33
fax (2) 738 20
email radexec@btl.net
site www.radissonbelize.com
Ce complexe de style colonial se trouve dans le quartier de Fort George, à proximité du centre-ville, des marchés, des centres d'affaires et des consulats. Il a vue sur la mer des Caraïbes et les cayes. Il comprend pas moins de 102 chambres, toutes climatisées et équipées du câble, d'un minibar et des prestations habituelles. L'hôtel possède également une piscine, un centre de remise en forme, un restaurant et un bar. L'écart de prix est important entre la basse et la haute saison.

Rainbow Hotel $$
Front St.,
Caye Caulker
☎ (2) 221 23
fax (2) 221 72
Un bâtiment simple, rectangulaire et en béton à l'image des chambres, basiques et propres. Douches chaudes et télévision dans certaines chambres. Vue sur la mer.

Royal Palm Inn Ltd. $$$$
P.O. Box 18, San Pedro,
Ambergris Caye
☎ (2) 622 44
fax (2) 623 29
email royalpalm@btl.net
site www.belize.com/royalpm.html
Ce complexe d'appartements se trouve à 5 min en taxi du centre de San Pedro. Un jardin tropical y a été aménagé autour d'une belle piscine et d'un bon restaurant. Le Royal Palm Inn est le premier complexe de ce type à avoir été primé au Belize par le Resort Condominiums International. Les prix des appartements varient selon les saisons. Une gamme de circuits est proposée.

11 Bloqué dans le Sud
➤ 114–121

Qui consulter

MayaLand Tours and Travel
69 1/4 Western Highway, P.O. Box 137
Belize City
☎ (2) 305 15 / 328 10
fax (2) 322 42 / 317 84
email mayaland@btl.net
site www.mayalandbelize.com
Le plus grand tour-opérateur entièrement bélizéen. Il propose des circuits dans tout le pays, avec pour sujets de prédilection l'archéologie et l'ornithologie.

Où se renseigner

Belize Tourist Board
➤ 270.

Location de voitures

Budget

P.O. Box 863, 771 Bella Vista,
Belize City
☎ (2) 324 35
email jmagroup@btl.net
site www.budget-belize.com

Crystal Auto Rental Ltd.

Aéroport International,
Belize City
☎ (2) 316 00
fax (2) 319 00
email crystal@btl.net
site www.crystalbelize.com
Une bonne gamme de véhicules à des prix raisonnables.

Thrifty Car Rental

Central American Bd., à l'angle de Fabers Rd.,
Belize City
☎ (2) 712 71
fax (2) 714 21

Comment s'y rendre

Maya Island Air

➤ 271.

Tropic Air

➤ 271.

Comment se loger

Bob's Paradise $$$$

Monkey River,
Toledo
☎ (6) 120 24
email bobsparadise@webtv.net
site www.bobsparadise.com
Cet endroit est vraiment au bout du monde. Il est à 1,5 km au nord du village de Monkey River mais n'est accessible qu'en bateau. Si vous arrivez de Placencia, Bob peut vous embarquer dans son bateau gratuitement ; si vous arrivez à Monkey River par la route, demandez à un des guides de vous y amener en bateau. Bob's Paradise est plutôt un endroit voué au farniente, mais des excursions sont possibles et Bob peut vous en organiser. Il y a trois bungalows, chacun ayant l'eau chaude et l'éléctricité (groupe électrogène).

The Monkey House $$$$

Monkey River Village, Toledo
☎ (6) 120 32
email monkeyhouse@btl.net
site www.belizemonkeyhouse.com
Le Monkey House est un des complexes récemment construits sur la rive nord de la Monkey River, à côté du village du même nom. Les propriétaires, Martha et Sam Scott, sont originaires de Beaumont, au Texas. Pour le moment, ils possèdent deux *cabanas* assez luxueuses sur la plage, mais deux autres sont prévues pour bientôt. Elles ont l'eau chaude et l'éléctricité. Ce sont les meilleures *cabanas* de la région. Les propriétaires proposent aussi plusieurs sorties.

Nautical Inn $$$$

Péninsule de Placencia,
Stann Creek
☎/**fax**(6) 235 94
email nautical@btl.net
site www.belizenet.com/nautical.html
Ce luxueux lieu de vacances est à proximité du village garífuna de Seine Bight. Les propriétaires, Ben et Janie Ruoti, y ont aménagé 12 chambres, toutes donnant sur la plage et toutes climatisées ou équipées de ventilateurs. Le bar est accueillant. Si vous ne savez pas quoi faire de vos journées, essayez le sport local : le bowling aux noix de coco ! Ben et Janie proposent également différentes excursions dans la région.

Singing Sands Inn $$$$

Maya Beach, Peninsule de Placencia,
Stann Creek
☎/**fax** (6) 222 43
email ssi@btl.net
site www.belizenet.com/singsand.html
Le premier atout du Singing Sands Inn est son personnel exceptionnel : tous se mettent en quatre pour que votre séjour se déroule bien. Ce qui n'est pas bien difficile dans un tel cadre : les bungalows ne sont qu'à quelques mètres d'une longue et belle plage. Chacun possède un patio et est équipé d'un ventilateur ; l'eau chaude coule à flot. Ceux qui souhaitent rester en famille peuvent disposer d'une maison, un peu à l'écart des bungalows. Un plongeur professionnel est disponible pour organiser des sorties avec des plongeurs certifiés (munis de leurs cartes). En partant, vous remercierez certainement les gérants, Kathy et Hank Hays, pour leur accueil.

Sunset Inn $$

Monkey River Village, Toledo
☎ (6) 120 28

Cet hôtel de 9 chambres est détenu par Clive Garbutt, qui est aussi un guide expérimenté. Les chambres, basiques et propres, ont toutes l'eau chaude. Clive organise des sorties d'ornithologie, de pêche, de plongée avec masque et tuba ainsi que des randonnées de plusieurs jours. Le circuit de Monkey River coûte environ 30 $ par personne.

Trade Winds Hotel $$$
Placencia,
Stann Creek
☎ (6) 231 22
fax (6) 232 01
email trdewndpla@btl.net
La propriétaire, Janice Romero Leslie, détient aussi le Byrds Bar, au port de Placencia. L'hôtel possède cinq chambres basiques.

12 Sous le charme des Mayas ➤ 122–129

Qui consulter

Belize Land Air Sea Tours Ltd.
➤ 270.

Caves Branch
Voir Comment se loger ci-contre.
Ce centre de loisirs spécialisé dans les aventures souterraines propose plusieurs types d'excursions : 4 excursions différentes d'une journée dans les grottes, une sortie de nuit, plus aventureuse, des randonnées dans la jungle et un épuisant parcours de survie dans la jungle de 4 jours, avec une machette pour seul équipement. Votre guide vous décernera un certificat si vous parvenez à aller jusqu'au bout. Autre idée : une expédition de 13 jours aux monts Mayas.

Eva's Restaurant
➤ 274.

Ix Chel Farm
San Ignacio,
Cayo District
☎ (92) 38 70
fax (93) 31 65
email ixchel@btl.net
Le sentier médicinal d'Ix Chel Farm permet de découvrir les effets thérapeutiques de nombreuses plantes du Belize. Afin de participer aux randonnées et ateliers proposés, il faut contacter la ferme à l'avance. Il n'est pas possible d'y séjourner, mais vous pouvez dormir au complexe de **Cha Creek** (voir Comment se loger, ci-dessous). Des remèdes préparés à partir de plantes de la région sont disponibles au magasin ou par correspondance. Parmi les sélections : "Belly Be Good" (Estomac soulagé), "Flu Away" (À bas la grippe), un tonique pour les nerfs, un pour le dos et un autre conçu spécialement pour les voyageurs. Ils coûtent entre 10 et 20 $, avec 15 % supplémentaire pour les frais de port. Il faut en commander 3 au minimum et ils sont livrés en 4 semaines environ.

Où se renseigner

Office de tourisme du Belize
➤ 270.

Location de voitures

➤ 272.

Comment se loger

Caves Branch Jungle Lodge $$$
Km 67, Hummingbird Highway,
P.O. Box 356, Belmopan
☎/**fax** (8) 228 00
email caves@pobox.com
Ce lodge a été aménagé dans un domaine de 23 500 ha au cœur de la jungle bélizéenne. Il surplombe la rivière de Caves Branch, tout en étant caché sous la canopée, qui atteint à cet endroit 30 m de haut. Il peut héberger jusqu'à 35 personnes répartis dans 10 bungalows (dont 4 suites) et un dortoir pour 8 personnes. Des déjeuners à emporter peuvent être commandés.

Cha Creek Cottages $$$$
P.O. Box 53, San Ignacio,
Cayo District
☎ (92) 20 37
fax (92) 25 01
email chaacreek@btl.net
site www.chaacreek.com
Ici, vous êtes en plein nature, au milieu de 120 ha protégés au pied des monts Mayas. Cha Creek est composé de 20 cabanes à toit de chaume installées le long de la rivière. De nombreuses activités sont proposées : randonnée, canoë, équitation, VTT et visites des ruines mayas de Xunantunich et de Caracol. Les prix dépendent de la saison mais sont d'environ 175 $ pour la suite avec jacuzzi en haute saison (de novembre à mai). Il existe des forfaits pour un minimum de 3 nuits. Ceux qui disposent d'un petit budget peuvent camper au Macal River Camp :

les tentes surléevées comportent même de larges vérandas ombragées. Les douches (chaudes) sont communes. Les repas sont servis dans un grand bâtiment accueillant recouvert de chaume.

DuPlooy's Jungle Lodge $$/$$$

P.O. Box 180, San Ignacio,
Cayo District
☎ (92) 31 01
fax (92) 33 01
email duplooys@btl.net
site www.duplooys.com

Ce complexe luxueux est situé non loin de Cha Creek Cottages. Les prestations y sont à peu près similaires mais le DuPlooy's Jungle Lodge possède ce dont tout marcheur rêve : une allée sur pilotis qui traverse la forêt jusqu'à un point de vue magnifique sur la rivière Macal. Pour une agréable promenade quotidienne…

San Ignacio Resort Hotel $$$$

P.O. Box 33, San Ignacio,
Cayo District
☎ (92) 20 34 / 21 25
fax (92) 21 34
email sanighot@btl.net
site www.sanignaciobelize.com

Le San Ignacio Resort Hotel est aussi un sanctuaire pour l'iguane vert, espèce actuellement en voie de disparition. Dirigé par Mariam Roberson, le Green Iguana Conservation Project élève de jeunes iguanes dans un enclos pendant deux ans ; ils sont ensuite lâchés sur les terrasses qui longent la rivière Macal et peuvent vivre leur vie. Des visites quotidiennes sont proposées, mais il faut réserver à l'avance. Les visiteurs peuvent ainsi voir ce qui est fait sur le terrain pour cette espèce menacée. L'hôtel possède le seul bar et restaurant-grill climatisé de la ville.

Où boire et manger

Eva's Restaurant

22 Burns Av.,
San Ignacio,
Cayo District
☎ (92) 22 67
email evas@btl.net
site www.evasonline.com/home.htm

Ce lieu est tout à la fois une boutique, un restaurant, un bar et un office du tourisme. Il est incontournable si vous voulez trouver un logement ou organiser une sortie dans les environs. C'est le rendez-vous des routards, qui viennent, entre autres, y envoyer des mails. Les propriétaires, l'Anglais Bob Jones et sa femme Nestor, seront toujours contents de vous donner un coup de main.

13 Échappées sauvages
➤ 132–139

Qui consulter

AFE/COHDEFOR

La Ceiba Atlantida
☎ (441) 08 00 / (443) 38 24
fax (441) 18 32
email transforma@psinet.hn

C'est l'organisme qui gère le parc national Pico Bonito. Contactez-le afin d'obtenir l'autorisation de pénétrer dans le parc ou pour de plus amples informations.

Fundación Cuero y Salado (FUCSA)

Edificio Ferrocarril Nacional,
zona Mazapan, AP 674,
La Ceiba
☎/fax (443) 03 29

La Fucsa est l'organisme qui dirige la réserve naturelle de Cuero y Salado. Elle s'occupe des réservations, obligatoires pour toute visite sauf si l'on y pénètre, accompagné d'un guide reconnu. Le personnel est accueillant et efficace. Il pourra vous fournir les horaires du bus allant au village de La Unión, organiser votre transport en *burra* ou en *motocarro* (train local) au départ de La Uníon. Il y a un départ toutes les heures à partir de 7h et le parcours est de 9 km. Les prix dépendent du nombre de personnes qui vous accompagnent : si vous êtes 4, il vous en coûtera 10 $ chacun.

MC Tours

Barrio Río de Piedras, calle 7 y 8,
18 Av. Sur Oeste, local 5,
San Pedro Sula
☎ (552) 4455
fax (557) 3076
email operationssap@mctours-honduras.com
ou sales@mctours-honduras.com
site www.mctours-honduras.com

L'un des principaux tour-opérateurs du Honduras, réputé pour ses excursions de grande qualité. La réserve naturelle de Cuero y Salado est incluse dans le Green and Blue Adventure Tour, qui dure 6 jours.

MC Tours propose aussi toute une gamme de circuits dans tout le pays.

La Moskitia Ecoaventuras

Av. 14 de Julio,
Casa n° 125, AP 890,
La Ceiba
☎ 221 04 04
fax (442) 01 04
email moskitia@caribe.hn
site www.honduras.comlekamoskitia.com

Une société très professionnelle, hautement recommandée. Elle est gérée par Jorge Salaveri, qui parle anglais couramment. La Moskitia Ecoaventuras organise des sorties à la réserve naturelle de Cuero y Salado et au parc national Pico Bonito, des descentes en rafting sur le superbe Río Cangrejal, ainsi que des circuits vers d'autres destinations du Honduras. La société peut organiser des excursions à la carte. Pour les tarifs, contactez-la.

COMMENT S'Y RENDRE

Aerolineas SOSA

Edificio Roman,
8 Av. 1, calle 2,
San Pedro Sula
☎ (550) 65 45
Bureau de La Ceiba ☎ (443) 13 99
Bureau de Roatán ☎ (445) 11 54
Bureau de Guanaja ☎ (453) 43 59
Bureau d'Utila ☎ (425) 31 61
email aerososa@psinet.hn
site www.aerososa.com

Une petite compagnie aérienne qui propose des vols à destination de San Pedro Sula, La Ceiba, Palacios et les îles de la Baie (Roatán, Guanaja et Utila). Elle est généralement fiable, donc assez prisée. Il vaut mieux réserver à l'avance.

Grupo TACA

Aéroport international,
San Pedro Sula
☎ (668) 33 35 / 33 38
fax (668) 33 40
email mcisneros@grupotaca.com
site www.grupotaca.com

Le Grupo Taca et sa filiale **Isleña Airlines** proposent plusieurs vols quotidiens à destination de Tegucigalpa et San Pedro Sula au départ de plusieurs villes. Il assure également des vols à destination de La Ceiba, Roatán (une des îles de la Baie), Palacios et la Mosquitia.

Isleña Airlines

Av. San Isidro, devant Parque Central,
La Ceiba
☎ (443) 01 79 or (443) 08 83
Bureau de Roatán ☎ (445) 10 88
Bureau de San Pedro Sula ☎ (552) 83 22
Bureau aéroport San Pedro Sula ☎ (668) 22 18
Bureau de Tegucigalpa ☎ (237) 33 70
Bureau aéroport Tegucigalpa
☎ (233) 11 30 / 98 13 **fax** (443) 26 32
Aéroport de La Ceiba (443) 26 93
email islena@caribe.hn
site www.info@flyislena.com

Cette filiale du Grupo TACA dessert tout le pays (Tegucigalpa, San Pedro Sula, La Ceiba, Roatán, Guanaja et la Mosquitia). Elle propose aussi deux vols internationaux pour Managua, au Nicaragua, et le Grand Cayman.

OÙ SE RENSEIGNER

Instituto Hondureño de Turismo (IHT)

Colonia San Carlos, Edificio Europa,
AP 3261,
Tegucigalpa
☎ (222) 2124
fax (238) 2102
email tourisminfo@iht.hn
site www.letsgohonduras.com

Cet office du tourisme, qui est de plus en plus actif, met à disposition des voyageurs de nombreux dépliants ainsi que le magazine *Destination Honduras*. Le personnel est efficace et parle anglais.

Ambassade du Honduras en France

➤ 257.

Elle dispose des mêmes documents et conseils que l'Instituto Hondureño de Turismo (ci-dessus).

Honduras Tips

Edificio Rivera y Cía,
Piso 7, Oficina 705,
3 Calle, 6 Av,
AP 2699,
San Pedro Sula
☎ (552) 5860
fax (552) 9557
email hondurastips@honduras.com
site www.hondurastips.honduras.com

Honduras Tips est un guide touristique sur le Honduras, plein d'informations utiles sur les différentes régions, sur les hôtels et les restaurants, sur la vie nocturne et les circuits. Il est indispensable pour planifier son voyage. Au Honduras, il est gratuit ; on le trouve également dans les offices de tourisme à l'étranger.

Comment se loger

Grand Hotel La Ceiba $

Av. San Isidro, 5ta.Calle
La Ceiba
☎ (443) 2747 / 0876
fax (443) 2737
email hotelceiba@psinet.hn
site www.hotelceiba.com
Bon rapport qualité/prix pour cet hôtel central, disposant de 40 chambres, spacieuses et confortables, chacune équipée du câble, de la climatisation, du téléphone, d'un minibar et d'une salle de bain. Le restaurant-bar est également bon marché.

Honduras Maya $$$$

3 Calle, Av. República de Chili,
Colonia Palmira,
Tegucigalpa
☎ (220) 50 00
fax (220) 60 00
email reserve@hondurasmaya.hn
hmayager@gbm.hn
site www.hondurashotels.com/hondurasmaya
Un des meilleurs hôtels de la capitale, situé dans le quartier chic de Palmira. Les prestations offertes sont à la hauteur d'un hôtel de cette catégorie : câble, piscine, casino, bar et restaurant, boutiques, coiffeur et vendeur de journaux. La chambre double coûte 85 $, l'appartement environ 120 $ et la suite royale 250 $ (prix par personne).

Hotel Plaza Flamingo $$

1ra Calle, à la fin de Av. 14 de Julio
La Ceiba
☎ (443) 31 49 ou ☎**/fax** (443) 27 38
Un hôtel moderne au bord de la plage. Les chambres sont propres et confortables, équipées du câble, de la climatisation, du téléphone et d'un coffre-fort. Elles donnent toutes sur une terrasse commune. Attention, la discothèque voisine peut être assez bruyante.

Hotel Saint Anthony $$$

3a Av., Calle 13,
AP 2291, San Pedro Sula
☎ (558) 07 44
fax (558) 10 19
email santanthony@hondutel.hn
saintanthony@globalnet.hn
site www.honduras.com/hotels
En dépit de son allure vieillote, il s'agit d'un des meilleurs hôtels de San Pedro Sula. Vous y découvrirez une insoupçonnable piscine avec jacuzzi, un centre de remise en forme et un billard. Les chambres sont équipées du câble. La chambre double coûte 95 $, petit déjeuner et journal inclus. Bar-restaurant agréable.

Paseo Miramontes $$$

Calle Paseo Miramontes,
Colonia Miramontes,
Face à Bodegas de Larach 3,
Tegucigalpa
☎ (239) 18 55
fax (232) 81 79
email reservas@hotelpmiramontes.com
site www.hotelpmiramontes.com
Un hôtel agréable dans un quartier tranquille de Tegucigalpa. Les 20 chambres sont petites mais bien équipées, avec câble et téléphone direct. La chambre double coûte environ 65 $, petit déjeuner compris. Hôtel le plus proche de l'aéroport, le Paseo Miramontes est idéal pour des séjours brefs ou si vous avez un vol tôt le matin. Parking privé pour la clientèle.

14 Les îles aux trésors
➤ 140–149

Qui consulter

Captain Van's Rentals

West End, Roatán, Islas de la Bahía
site www.roatanonline.com/captainvan
email paradise@globalnet.hn
Captain Van's Rentals se trouve à West End, en face de l'église évangéliste. Cette petite société de location conviviale est gérée par Van et Gabriel. Vous pouvez leur envoyer un email à l'adresse ci-dessus en n'oubliant pas d'indiquer "Captain Van" comme sujet du message. On peut louer ici des VTT, des mobylettes, des motos et des rafts. Van et Gabriel peuvent vous conseiller de bons itinéraires dans l'île.

MC Tours

➤ 274.

Qui consulter (plongée)

Sueño del Mar Dive Center

West End, Roatán, Islas de la Bahía
☎**/fax** (445) 17 17

email roatan@stic.net
site www.suenodelmar.com
Un des meilleurs centres de plongée de l'île, situé à West End. Il organise trois sorties, dont l'exploration de l'épave *El Aguila*. Un retour au centre est prévu après chaque plongée, ce qui permet de n'effectuer que la deuxième ou la troisième sortie. Les instructeurs sont tous des professionels qualifiés et les bateaux sont bien équipés. Ils proposent, entre autres, des cours de plongée PADI, avec obtention du brevet. En ce qui concerne les tarifs et les différents forfaits, se renseigner par téléphone ou par email. Sueño del Mar possède un magasin qui vend de l'équipement de plongée ainsi que des souvenirs. Le centre loue également des kayaks de mer et de l'équipement pour les plongées avec masque et tuba. Autre prestation de Sueño del Mar : des offres d'hébergement avec des remises importantes pour ceux qui prennent les forfaits plongée (Comment se loger ► 278).

West Bay Dive Resort

West Bay, Roatán, Islas de la Bahía
☎/fax (991) 06 94
email westbaylodge@globalnet.hn
site www.stic.net/roatan/westbaylodge
West Bay Dive Resort, qui est un centre de vacance spécialisé dans la plongée, constitue l'endroit idéal pour combiner plongée et détente. Surplombant la plage idyllique de West Bay, qui offre des opportunités fabuleuses pour la plongée avec masque et tuba, ce centre est réputé pour son accueil. Les propriétaires, Maren et Reinhard Gnielka, proposent des cours de plongée PADI, avec obtention du brevet. Une plongée unique avec tout l'équipement nécessaire coûte environ 50 $ et 10 plongées environ 300 $. Il existe un forfait pour deux personnes combinant une formation PADI d'une semaine et l'hébergement. Ce forfait inclut le petit déjeuner, mais pas les taxes. Autre atout du West Bay Dive Resort : Maren est une masseuse professionnelle… c'est qui n'est pas désagréable après une journée d'efforts intenses. Pour tout renseignement sur les offres d'hébergement du **West Bay Lodge**, voir Comment se loger ► 278.

OÙ SE RENSEIGNER

Instituto Hondureño de Turismo (IHT) ► 275.

COMMENT S'Y RENDRE

Aerolineas SOSA

► 275.
Des vols quotidiens à Guanaja et Roatán.

Grupo TACA / Isleña Airlines

► 275.
Des vols quotidiens à Guanaja et Roatán.

Safeways Transportation Company

Municipal Dock,
La Ceiba
☎ Réservations (445) 17 95
Roatán ☎ (445) 16 95
Utila ☎ (425) 31 61
Les bateaux de la compagnie relie La Ceiba aux îles de la Baie. Le *Galaxy II*, navire moderne de 350 passagers pourvu d'un pont principal climatisé et d'un pont supérieur à ciel ouvert, effectue quotidiennement la traversée entre La Ceiba et Roatán (trajet de 1h45), de même qu'entre La Ceiba et Utila (trajet de 1h). Le ferry *Tropical* effectue également ces traversées. L'embarcadère de La Ceiba se trouve dans un endroit isolé, à environ 10 km de route du centre-ville ; il n'est accessible qu'en voiture.

COMMENT SE LOGER

Pour les logements à Tegucigalpa ► 276.

Bayman Bay Club $$$

Pour toute réservation et informations, s'adresser à :
Terra Firma Adventures
7481 W. Oakland Park Bd. Ste. 308,
Fort Lauderdale, FL 33319,
États-Unis
☎ (954) 472 37 00
fax (954) 723 00 44
email reservations@baymanbayclub.com
site www.baymanbayclub.com
Ce centre de vacances voué à la plongée est situé au nord de l'île de Guanaja,dans un endroit magnifique, assez haut à flanc de montagne. Il est réputé pour être l'un des plus idylliques des Caraïbes. Ses 14 bungalows, rustiques mais confortables, possèdent chacun une salle de bain et un balcon surplombant l'océan. Spacieux, ils sont équipés de ventilateurs qui complètent le système de climatisation naturelle des fenêtres à claire-voie. Le restaurant et le bar, joliment décorés, abritent un billard et une

salle de lecture à l'étage. Il existe un forfait d'une semaine combinant hébergement et plongée, dont le prix varie entre la haute saison et la basse saison.

Posada Arco Iris $$
Half Moon Bay, West End,
Roatán,
Islas de la Bahía
☎/fax (445) 12 64
email roberto@hondutel.hn
Le Posada Arco Iris compte parmi les plus beaux hôtels de l'île de Roatán et ses prix sont très raisonnables. Ses propriétaires, les Argentins Andres et Valeria, l'ont conçu et construit récemment sur la paisible Half-Moon Bay, à West End. Les chambres, qui ont les pieds dans l'eau, sont propres, spacieuses et décorées avec goût. Elles possèdent toutes une salle de bain (avec l'eau chaude), un balcon et des hamacs. Des appartements plus vastes sont prévus pour les groupes. Un service de blanchisserie est à la disposition des clients. Le Posada Arco Iris propose d'intéressantes remises en basse saison.

Sueño del Mar $$
West End, Roatán,
Islas de la Bahía
☎/fax (445) 17 17
email roatan@stic.net
site www.suenodelmar.com
Ce centre de plongée (➤ 276) de West End, qui est également un centre de vacances où l'on peut séjourner, propose toute une gamme d'hôtels aux prix raisonnables : le Sea Breeze Inn, le South Winds et le rocambolesque Fawlty Towers, qui est très bon marché. Des remises sont possibles pour les plongeurs ainsi que pour ceux qui opteraient pour un long séjour.

West Bay Lodge $
West Bay, Roatán,
Islas de la Bahía
☎/fax (991) 06 94
email westbaylodge@globalnet.hn
site www.stic.net/roatan/westbaylodge
Maren et Reinhard Gnielka, les propriétaires de ce centre de West Bay spécialisé dans la plongée (➤ 276), parlent anglais, espanol, et allemand. Ils ont aménagé 3 bungalows doubles, rustiques mais confortables, équipés d'un grand lit, d'une salle de bain et d'un balcon. Le prix de la nuit inclut un délicieux petit déjeuner, avec du pain maison. Des remises sont proposées lors d'étapes plus longues et pendant la basse saison.

15 Vestiges d'une civilisation ➤ 148–155

Qui consulter

MC Tours ➤ 274.
MC Tours propose une visite des ruines de Copán, en une seule excursion ou au cours d'un itinéraire plus complet, tel que le circuit intitulé "Aventure maya". Les propriétaires détiennent également le magnifique Hôtel Marina Copán (voir Comment se loger, ci-dessous). Les circuits comprennent la liaison avec l'aéroport de San Pedro Sula, en navette climatisée, des guides professionnels bilingues, l'hébergement dans l'hôtel familial et les repas. À ces circuits peuvent être ajoutées d'autres visites intéressantes dans les environs de Copán.

Où se renseigner

Instituto Hondureño de Turismo (IHT) ➤ 275.

Comment se loger

Hotel Los Gemelos $
Près de la place centrale,
Copán Ruinas
☎ (651) 40 77
fax (651) 43 15
email maricela@hondutel.hn
Le Los Gemelos est un hôtel de routards situé près du vieux pont de la ville. Ses 13 chambres rudimentaires sont disposées autour d'une cour. Les douches (froides) et les toilettes sont communes. Accès à Internet possible, ainsi qu'à des services fax et téléphone. Un petit magasin y vend des barres chocolatées importées et d'autres petites tentations venues d'ailleurs.

Hotel Marina Copán $$$$
Place centrale,
Copán Ruinas
☎ (651) 40 70 / 40 71 / 40 72
fax (651) 44 77
email info@hotelmarinacopan.com
site www.hotelmarinacopan.com
Le Marina Copán, qui se trouve en plein centre-ville, est un des hôtels les plus charmants de tout le pays. Il est entre

les mains d'une même famille depuis plus de 50 ans. Il fut longtemps l'hôtel préféré des archéologues venus fouiller les ruines de Copán et dévoiler tous leurs secrets. Cet ensemble de bâtiments de style colonial est disposé autour d'une belle cour verdoyante. Les 40 chambres spacieuses sont décorées avec goût, ajoutant au style colonial initial une petite touche de modernité. Elles sont toutes équipées du câble, du téléphone et de la climatisation. Dans les salles de bain, spacieuses, on appréciera les douches immenses. L'hôtel met également à la disposition de ses clients une piscine, un centre de remise en forme et une boutique de souvenirs. Sans oublier son très bon restaurant. Une vraie merveille, à des prix raisonnables compte tenu de la qualité des prestations.

16 Des fleuves à remonter le temps ➤ 156–165

Qui consulter

Adventure Expeditions

1020 Altos de la Hoya, Tegucigalpa
☎/fax (237) 47 93
email cyber-place@hotmail.com
Le tour-opérateur Adventure Expeditions s'est spécialisé dans des circuits à travers la Mosquitia ; il peut organiser des itinéraires à la carte dans toute cette région.

MC Tours ➤ 274.

Ce tour-opérateur propose des circuits intéressants de 5 à 6 jours dans la Mosquitia. Les accompagnateurs sont avec des guides professionnels bilingues.

La Moskitia EcoAventuras ➤ 274.

La Moskitia EcoAventuras est spécialisé, comme son nom l'indique, dans des circuits à travers la Mosquitia. Il existe plusieurs parcours possibles dans la région, dont un périple de 10 à 12 jours pour aventuriers confirmés combinant une descente en rafting sur le Río Plátano et des randonnées dans la jungle. Ils ont également l'habitude de concevoir des itinéraires à la carte dans toute la région. Contactez-les directement pour les prix.

Où se renseigner

Instituto Hondureño de Turismo (IHT) ➤ 275.

Comment s'y rendre

Aerolineas Sosa ➤ 275.

Des vols quotidiens de Palacios à La Ceiba.

Grupo TACA / Isleña Airlines ➤ 275.

Des vols quotidiens de Palacios à La Ceiba.

Comment se loger

Les villages de la Mosquitia ne peuvent être contactés que par radio. Il est donc impératif de tout organiser depuis la ville de Palacios. En ce qui concerne l'hébergement à La Ceiba et à Tegucigalpa (➤ 276).

17 Une forêt magique ➤ 168–175

Qui consulter

Careli Tours

Calle Principal Colonial Los Robles,
AP C-134,
Managua
☎ (2) 782 572
fax (2) 782 574
email info@carelitours.com
site www.carelitours.com
Cette agence, réputée et fiable, organise des circuits dans tout le Nicaragua. Les forfaits sont à des prix raisonnables et la qualité des services est excellente.

ORO Travel

AP 69, Granada
☎ (55) 245 68
fax (55) 265 12
email orotravl@tmx.com.ni
ORO Travel propose des visites de Granada, de Managua et de León ainsi que des excursions aux volcans de Mombacho et de Santiago et à l'île d'Ometepe. Également au programme, un séjour à l'archipel de Solentiname et une descente du Río San Juan, des circuits de randonnée au Cerro Kilambe et dans la région de la Mosquitia.

Sol Tours Nicaragua

AP Bolonia 777,
Managua
☎ (266) 71 40 / 266 71 64
fax (266) 15 91
email soltours@tmx.com.ni
site www.soltours.com
Un tour-opérateur local recommandé par l'office du tourisme du Nicaragua.

Tours Nicaragua
Edificio Bolívar, 2 cuadras al sur, 1/2 cuadra abajo Del Hotel International, Bolonia, Managua
☎ (228) 70 63 / 70 64
fax (266) 66 63
email nicatour@nic.gbm.net
site www.nvmundo.com/toursnicaragua
Ce tour-opérateur organise des excursions dans tout le Nicaragua, y compris dans les réserves naturelles d'Indio Maiz et de Los Guatusos. Il propose également des sorties en bateau sur le Río San Juan et dans l'archipel de Solentiname.

Où se renseigner

Instituto Nicaraguense de Turismo (office du tourisme)
Hotel Intercontinental
1 cuadra al sur y 1 cuadra abajo,
AP A-122,
Managua
☎ (2) 223 333 / 222 962
fax (2) 226 618
email promo@nicanet.com.ni
site www.intur.gob.ni
On y trouvera de nombreuses brochures ainsi que des cartes (les plus détaillées sont payantes). Quelques membres du personnel parlent l'anglais.

Comment se loger

Hotel Ideal $
Repuestos Brenes,
1 cuadra al oeste,
Matagalpa
☎ (61) 224 83
Il existe peu d'hôtels à Matagalpa et l'hôtel Ideal est de loin le meilleur, avec des chambres équipées de salles de bain. Il a l'avantage d'être très central, puisqu'il est proche de la cathédrale.

Intercontinental Hotel $$$$
Av. Bolivar Sur, face à Banco de Finanzas,
Managua
☎ (2) 283 530
fax (2) 283 087
email managua@interconti.com
site www.interconti.com
L'Intercontinental Hotel fait figure d'exception à Managua, car c'est l'un des rares hôtels de luxe de la capitale. Le tarif de ses chambres en témoigne. Il offre des prestations dignes d'un grand hôtel : piscine, centre de remise en forme, sauna, centre de conférence et bureau de location de voitures à la réception, ainsi qu'un bar et deux restaurants. Toutes les chambres sont équipées d'une télévision, d'un téléphone, d'une salle de bain, d'un mini-bar et de la climatisation.

Selva Negra Mountain Resort $$$
Eddy and Mausi Kühl,
AP 126,
Km 140 Carretera a Jinotega,
Highway Matagalpa
☎**/fax** (61) 238 83
email selvanegra@tmx.com.ni
site www.selvanegra.com
Le complexe hôtelier de Selva Negra comprend 24 bungalows aménagés dans le cadre enchanteur d'une forêt extraordinairement dense. Les plus grands possèdent 5 chambres et coûtent de 100 à 150 $ par nuit ; les plus petits, équipés de 1 à 3 lits, sont à 50 et 100 $ la nuit. Pour une chambre seulement, comptez entre 30 et 70 $. L'option la moins chère est l'auberge de jeunesse, à 10 $. Tous les bungalows possèdent un salon privé, une cheminée ainsi qu'une salle de bain par chambre. Sans oublier une superbe véranda donnant sur la forêt, le lac ou la plantation de café.

Sollentuna Hem $
Batazo 4 1/2 cuadras al Norte,
Jinotega
☎**/fax** (63) 223 34
Cet hôtel est très prisé des voyageurs à budget serré, car il est vraiment très bon marché : la chambre double ne coûte en effet que 20 $.

Où boire et manger

El Royal Bar $
Chevron 2 cuadras al oeste,
Matagalpa
☎ (61) 224 87
fax (61) 22545

Selva Negra $
Eddy and Mausi Kühl,
AP 126,
Km 140 Carretera a Jinotega,
Highway Matagalpa
☎**/fax** (61) 238 83
email selvanegra@tmx.com.ni
ou information@selvanegra.com
site www.selvanegra.com

Il s'agit du restaurant du complexe hôtelier de Selva Negra (➤ 280). Le prix du petit déjeuner est compris entre 2 et 5 $. Pour un déjeuner ou un dîner, comptez de 5 à 15 $. Ces tarifs sont élevés pour le Nicaragua, mais ils se justifient pleinement par la qualité de la cuisine. Laissez-vous tenter par les gateaux, traditionnels et faits maison (les propriétaires sont d'origine allemande). Si vous séjournez à Selva Negra, pensez à acheter, pour vos en-cas, tout ce dont vous avez besoin, car il n'y a pas de magasins à proximité. Quelques bungalows sont équipés de réfrigérateurs. Quand vous arriverez à l'entrée du complexe, le gardien vous demandera une prime d'entrée de 20 cordobas qui pourra être déduite de votre facture.

18 Au pays des volcans ➤ 176–185

Qui consulter

Des tour-opérateurs proposent des circuits dans tout le Nicaragua ➤ 279-280.

Comment se loger

Hotel Alhambra $$/$$$

Costado oeste del Parque Central,
Granada
☎ (55) 244 86
fax (55) 220 35
email hotalalm@tmx.com.ni

Situé en face du beau parc central et non loin du lac Nicaragua, l'hôtel Alhambra est l'un des meilleurs hôtels de Granada. Il dispose de 60 chambres avec climatisation, câble, téléphone et salles de bain. Les autres prestations incluent piscine, accès à Internet et coffre-fort gratuit. Le restaurant, excellent, ravira les gourmets. Et si vous avez envie de découvrir la région, le bureau touristique de l'hôtel Alhambra peut organiser de nombreux circuits, y compris des excursions au volcan Mombacho, à seulement un quart d'heure du centre.

Hotel Cailagua $

Km 29,5 Carretera Masaya-Granada,
Masaya
☎ (52) 244 35
fax (55) 244 35

Cet hôtel sans prétention, situé sur la route de Granada, possède également un restaurant, dont les prix sont aussi raisonnables que ceux des chambres.

Hotel Casa Blanca $$

Del Hotel Estralla 1/2 cuadra norte,
San Juan del Sur
☎ (45) 821 35
fax (45) 823 07
email casablanca@ibw.com.ni
site www.sanjuandelsur.org.ni.casablanca

Point fort de cet hôtel de San Juan del Sur : son personnel accueillant.

Hotel El Pirata $

Rotonda del puerto 3 cuadras al este,
Moyogalpa
Isla de Ometepe
☎/**fax** (045) 942 62

Bien que rudimentaire, El Pirata est un bon hôtel construit autour d'une jolie cour, très fleurie, où il fait bon goûter aux joies du hamac. On peut également s'attabler au petit bar ou découvrir la cuisine nicaraguayenne au restautant de l'hôtel, qui est excellent (demandez les spécialités du jour). Les deux autres hôtels de Moyogalpa sont l'Hôtel Santo Domingo, près de la plage, et l'Ometepetl, près du port.

Intercontinental Hotel $$$$

➤ 280

Où boire et manger

El Filete

Km 26 Carretera Masaya,
Masaya
☎ (52) 247 00
fax (52) 230 30
email elfilete@ibw.com.ni
site www.ibw.com.ni

19 Un fleuve chargé d'histoire ➤ 186–193

Qui consulter

ORO Travel

➤ 279.

Pêche, qui consulter

Si vous êtes intéressé par des parties de pêche sur le lac Nicaragua et le Río San Juan, contactez Careli Tours ou Sol Tours Nicaragua, à Managua (➤ 279), ou un des deux tour-opérateurs suivants, également spécialistes dans ce type d'activité.

Munditour

Km 4,5 Carretera a Masaya,
Managua

☎ (2) 670 047, 673 544 ou 701 604
fax (2) 785 167
email munditur24@hotmail.com
site www.munditur.com.ni

No Frills Fishing Adventures

Calle 5, Av. 11,
San José
☎ 228 48 12
fax 221 80 01
email nofrillsfishing@hotmail.com
site www.nofrillsfishing.com
Fondée en 1988, cette société costaricaine s'est donnée pour but d'offrir aux passionnés de pêche des aventures inoubliables.

COMMENT S'Y RENDRE

La Costeña

Aéroport international
Terminal des vols nationaux,
Managua
☎ (2) 631 281 ou 631 228
fax (2) 631 281
San Carlos ☎ (2) 830 271
La compagnie aérienne nationale La Costeña assure quotidiennement la liaison entre Managua (aéroport Augusto Sandino) et San Carlos. Départs de la capitale à 6h30 et à 12h30 et retours de San Carlos à 7h30 et à 13h30. Les billets coûtent environ 80 $.

OÙ SE RENSEIGNER

Instituto Nicaraguense de Turismo (office du tourisme)

Hotel Intercontinental
1 cuadra al sur y 1 cuadra abajo,
AP A-122,
Managua
☎ (2) 223 333 ou 222 962
fax (2) 226 618
email promo@nicanet.com.ni
site www.intur.gob.ni
On y trouvera de nombreuses brochures et cartes.

COMMENT SE LOGER

Les hôtels de San Carlos étant assez rudimentaires, il est préférable de séjourner à El Castillo, si vous parvenez toutefois à trouver un bateau pour vous y emmener avant la tombée de la nuit. El Castillo est pourvu de trois hôtels d'un confort sommaire, mais propres et accueillants. La cuisine, typique, qui y est servie est de qualité et fait, bien sûr, la part belle au poisson.

Albergue El Castillo $

Muelle 1 cuadra al sur,
El Castillo
☎ (2) 678 267
fax (2) 703 617
Situé près du port, l'Albergue El Castillo tend les bras à ceux qui débarquent de leur exploration du Río San Juan. Ses chambres, confortables et spacieuses, surplombent le fleuve. Le balcon, équipé de hamacs, est accessible à tous. Le salon, très agréable, est propice aux rencontres. Quant au restaurant, également spacieux, il propose une cuisine délicieuse : n'oubliez pas de goûter aux crevettes et écrevisses d'eau douce.

Cabinas Leyco $

Policia $1^{1/2}$ cuadra al oeste,
San Carlos
☎ (2) 830 354
Chambres avec salles de bain communes ou privatives.

Hotel Azul $

Face à Plaza Malecon,
San Carlos
☎ (2) 830 282
Chambres avec salles de bain communes.

Hotel Mancarrón $$$$

Isla Mancarrón,
Archipiélago de Solentiname
☎/fax 265 2716
email zerger@ibw.com.ni
site www.solentiname.com.ni
Cet hôtel, aménagé dans l'unique grand bâtiment de l'île, est doté de 15 chambres et propose des découvertes de Mancarrón.

Refugio Bartola Hotel $$

Km 6 Río abajo del Castillo
☎ (2) 897 924
fax (2) 894 154
email bartola@usa.net
Un joyau méconnu : voilà ce qu'est le Refugio Bartola Hotel. Tout d'abord par son emplacement extraordinaire sur le Río San Juan, non loin de la réserve d'Indio Maiz. Si les chambres sont rudimentaires, le restaurant deviendra vite votre QG et votre lieu de détente préféré. Il y fait moins chaud qu'ailleurs, grâce à l'ombre bienfaisante de sa voûte verte. Et c'est un observatoire idéal pour découvrir la vie du fleuve, après un bon repas.

20 DIRECTION PLEIN NORD
➤ 196–205

QUI CONSULTER

Aguas Bravas Fortuna
Costado Sur de la Plaza de Deportes,
La Fortuna
☎ 479 94 84
fax 479 94 34
Ce tour-opérateur organise des circuits de rafting, des randonnées à cheval et à VTT, ainsi qu'une découverte de la canopée (escalade d'arbre en arbre).

Aventuras Arenal
La Fortuna
☎ 479 91 33
fax 479 92 95
email avarenal@sol.rasca.ico.cr
site www.arenaladventures.com
Ce tour-opérateur, installé de longue date, propose des circuits d'aventure dans la région de Fortuna, incluant la visite des grottes de Venado, et des descentes en rafting sur le Río Sarapiquí. Cette rivière, de classe I et III, idéale pour les débutants ou les personnes peu expérimentées, constitue un bon poste d'observation de la forêt tropicale. Aventuras Arenal pratique des prix raisonnables.

Camino Travel
Av. Central & 1, Calle 1,
San José
☎ 257 01 07
fax 257 02 43
email caminotr@sol.racsa.co.cr
Cette agence conviviale et efficace est située en plein centre-ville de San José. Elle propose des circuits nombreux et variés dans tout le Costa Rica.

Sunset Tours
La Fortuna
☎ 479 91 99
fax 479 90 95
email info@sunset-tours.com
site www.sunset-tours.com
Il s'agit du plus important tour-opérateur de Fortuna et de sa région qu'il sillonne au cours de nombreux itinéraires. Il propose, entre autres, la visite des grottes de Venado, une excursion au volcan d'Arenal, jusqu'au lac. Les prix des circuits locaux sont très raisonnables (renseignements sur le site Internet).

COMMENT S'Y RENDRE

Travelair
Basé à l'aéroport Tobías Bolaños,
San José
☎ 220 30 54
fax 220 04 13
email travelair@centralamerica.com
site www.centralamerica.com/cr/tran/travlair.htm
Un service rapide et efficace, tel est l'atout principal de cette compagnie aérienne réputée fiable. Elle assure des vols dans tout le pays dans de petits et moyens courriers.

OÙ SE RENSEIGNER

Instituto Costarricense de Turismo (ICT)
AP 777-1000,
San José
☎ 222 10 90 ou **N° Vert** 1-800-343 63 32
fax 223 54 52
email info@tourism-costarica.com
site www.tourism-costarica.com
Le bureau principal de l'office du tourisme du Costa Rica a prouvé maintes fois son efficacité, grâce à son personnel performant. Son adresse actuelle (Av. 4, Calle 5 & 7) est provisoire. Il existe un autre bureau à l'aéroport international.

LOCATION DE VOITURES

Hertz
Paseo Colon & Calle 38,
San José
☎ 221 18 18
fax 233 72 54
email hertz@hertzcostaricarentacar
L'agence internationale Hertz possède également des bureaux dans trois hôtels de San José (Hôtel Irazú, Hôtel Balmoral ➤ 284 et Hôtel Corobici) ainsi qu'à l'aéroport international. Vous avez la possibilité de louer les véhicules en ville et de les rendre à l'aéroport. Les prix démarrent à 50 $ par jour et vont jusqu'à 74 $ pour un 4x4.

Mapache Rent a Car
AP 2060-1002, Paseo de Estudiantes,
San José
☎ 286 04 04
fax 286 02 11
Aéroport :
☎ 443 85 84
fax 443 85 83
email mapuche@racsa.co.cr
site www.crdirect.com/mapuche

Mapache Rentacar se trouve au niveau du rond-point entre les autoroutes 34 et 214, près de l'église de Saint Sébastien. Ce loueur propose un service 24h/24, avec la possibilité de récupérer et de rendre votre voiture à votre hôtel. Il est également disponible pour tout renseignement d'ordre touristique. Voici les forfaits proposés (en haute saison) : pour une petite voiture, 34 $ par jour et 204 $ par semaine ; pour un 4x4, 77 $ par jour et 460 $ par semaine. Les prix augmentent pendant la haute saison.

Comment se loger

Tous les circuits costaricains proposés dans ce guide ont San José comme point de départ. Voici donc une sélection d'hôtels dans la capitale.

Gran Hotel Costa Rica $$$$

AP 527-1000,
Av. Central, Calle 3,
San José
☎ 221 40 00
fax 221 35 01
email granher@rasca.co.cr
site www.calypsotours.com

Construit dans les années 1930, le Gran Hotel Costa Rica est néanmoins doté des les prestations les plus modernes, comme en témoigne la télévision grand écran installée dans la réception. Sa position centrale, près du Théâtre National, et sa décoration soignée en font un des hôtels les plus charmants de la capitale. Pour les amateurs, un casino y est ouvert 24h/24. Le petit déjeuner est compris dans le prix de la chambre.

Hotel Balmoral $$$$

AP 3344-1000,
Av. Central, Calle 7 & 9,
San José
☎ 222 50 22
fax 221 78 26
email ventas@balmoral.co.cr
site www.balmoral.co.cr

Proche du Théâtre National, comme le Gran Hotel Costa Rica, cet hôtel moderne a pour lui son personnel accueillant. Les chambres y sont spacieuses et tranquilles, équipées de tout le confort moderne : câble, accès à Internet et climatisation. Le rez-de-chausée abrite un bon restaurant ainsi qu'un bureau Hertz (➤ 283). Chambres doubles à partir de 80 $. Le petit déjeuner est compris dans ce prix.

Hotel Fleur de Lys $$$$

AP 10736-1000,
Av. 2 & 6, Calle 13,
San José
☎ 257 32 57
fax 257 36 37
email florlys@sol.rasca.co.cr
site www.hotelfleurdelys.com

L'hôtel Fleur de Lys, situé en centre-ville, a été aménagé dans un beau bâtiment ancien, qui fut rénové. Parquet, plafonds en bois et décoration soignée des salons et des halls en font un véritable hôtel de charme. Les chambres sont dotées de tout le confort moderne. Une agence de voyages est installée au rez-de chaussée pour ceux qui souhaitent alterner repos et excursions. Les chambres doubles sont à partir de 80 $, avec petit déjeuner inclus.

Hotel Galilea $

Av. Central, Calle 11 & 13,
San José
☎ 233 69 25
fax 223 16 89

Un hôtel agréable et central, doté de chambres propres avec salles de bains. Chambres doubles à partir de 30 $.

Voici d'autres possibilités d'hébergement dans la région, pour ceux qui veulent s'éloigner de San José :

Arenal Observatory Lodge $$/$$$$

Au pied du volcan Arenal.
☎ 257 94 89
fax 257 42 20
email observatory@centralamerica.com
site www.centralamerica.com/cr/hotel/aobserve.htm

On ne peut être plus proche du volcan Arenal sans se brûler ! L'endroit est spectaculaire et porte bien son nom, puisqu'il s'agit du meilleur poste d'observation de ce volcan encore actif. Les 24 chambres sont classées en 4 catégories, de rustique, avec des lits superposés, jusqu'à très confortable, avec des salles de bain privées. Le prix des chambres doubles en haute saison s'échelonnent de 54 $ à 112 $, ce dernier tarif correspondant aux chambres avec la meilleure vue sur le volcan. Certaines chambres sont baptisées Smithsonian, car de nombreux chercheurs de la prestigieuse institution y séjournent. L'établissement propose aussi des visites de sites locaux.

Balneario Tabacón et Tabacón Lodge $$$$

À 11 km à l'ouest de La Fortuna
☎ 256 84 12
fax 256 73 73
email tabacon@centralamerica.com
site www.centralamerica.com/cr/hotel/tabacon
Le complexe thermal Balneario Tabacón soulagera les muscles douloureux des marcheurs, cyclistes ou randonneurs à cheval. Au programme des thermes : massages revitalisants, douches revigorantes sous une chute d'eau chaude et masques de boue. Un restaurant excellent vous attend après la détente et vous propose un bon buffet. L'hôtel, qui se trouve à quelques mètres des thermes, possède des chambres modernes et confortables équipées de deux lits doubles ou d'un très grand lit, de la télévision et de la climatisation. Les chambres doubles coûtent environ 110 $ en basse saison et 125 $ en haute saison, avec petit déjeuner compris et accès illimité aux thermes. Ce prix inclut l'accès aux bains de vapeur de Tabacón et le petit déjeuner.

Cabinas La Amistad $

À 75 m à l'ouest de l'église catholique,
La Fortuna,
San Carlos
☎ 479 93 42 ou **☎/fax** 479 93 64
email htlguana@sol.rasca.co.cr
site www.acepsa.or.cr/jadetour/amistad.htm
La Amistad est dotée de chambres doubles, triples ou pour la famille, à des prix raisonnables. Eau chaude et ventilateurs dans chacune d'elles. Prévoyez, pour une chambre double, environ 25 $ en basse saison et 30 $ en haute saison. Il y a également un service de blanchisserie et un parking. William Bogarin, un guide réputé, organise des circuits dans la région comprenant une visite des grottes de Venado, des randonnées à cheval aux chutes d'eau de Fortuna, une descente en rafting sur le Río Peñas Blancas et une excursion nocturne au volcan Arenal, combinée à une “trempette” dans les bains de vapeur de Tabacón.

Hotel Don Beto $$

Au coin de la place,
à côté de l'église de Zarcero
☎/fax 506 463 31 37
Le Don Beto est un hôtel convivial, à la décoration soignée. Les chambres doubles sont à 50 $. Attention, les salles de bain sont communes.

La Garza $$$$

AP 100, Tres Ríos 2250
☎ 475 52 22
fax 475 50 15
email information@hotel-lagarza-arenal.com
site www.hotel-lagarza-arenal.com
Ce ranch situé sur les rives du Río Platanar est à seulement 25 min du volcan Arenal, sur la route de Platanar. Les 12 bungalows sont pourvus de balcons avec vue sur le volcan. La Garza propose plusieurs excursions dans les environs, y compris au volcan et aux grottes de Venado ainsi que des randonnées à cheval dans leur réserve forestière privée et parmi les plantations du ranch. Le petit déjeuner et les visites ne sont pas inclus dans le prix de la chambre double qui est d'environ 80 $.

21 INCURSION DANS LE MONDE SAUVAGE
➤ 206-213

QUI CONSULTER

Camino Travel

➤ 283.

Trips Worldwide

9 Byron Place, Clifton,
Bristol BS8 1JT
Royaume-Uni
☎ (0117) 987 2626
fax (0117) 987 2627
email post@trips.demon.co.uk
site www.tripsworldwide.co.uk
Ce tour-opérateur, basé au Royaume-Uni, est spécialisé dans les séjours à la carte en Amérique centrale. L'équipe, enthousiaste et compétente, peut organiser des voyages en fonction de tous les budgets. Au programme, entre autres, la presqu'île d'Osa et le parc national de Corcovado, considéré comme la réserve la plus riche de la planète en terme de faune et de flore.

COMMENT S'Y RENDRE

Travelair

➤ 283.

OÙ SE RENSEIGNER

Instituto Costarricense de Turismo (ICT)

➤ 283.

Comment se loger

► 284 pour la sélection d'hôtels de San José. Voici d'autres possibilités d'hébergement dans la région, pour ceux qui veulent s'éloigner de San José et être au plus près du parc national de Corcovado :

Casa Corcovado Jungle Lodge $$$$

AP 1482-1250,
Escazú
Adresse aux États-Unis :
Casa Corcovado
Interlink #253 - P.O. Box 526770
Miami FL 33152
États-Unis
☎ 256 31 81 ou **N° Vert** 1-888-896 60 97
fax 256 74 09
email reservations@casacorcovado.com
site www.casacorcovado.com
Ce lodge, qui a été aménagé à la frontière nord du parc national de Corcovado, dispose de chambres confortables et d'un bon restaurant avec une vue magnifique sur la forêt tropicale environnante. Le "bureau touristique" du lodge propose à peu près les mêmes circuits et forfaits de 3 jours que ceux de Marenco Lodge (ci-dessous). Pour les prix, renseignez-vous sur le site Internet.

Marenco Lodge $$$$

AP 4025-1000,
San José
☎ 258 19 19
fax 255 13 46
email info@marencolodge.com
site www.marencolodge.com
Ce fut un centre de recherche jusqu'en 1997 et c'est encore une réserve de 500 ha pour la flore et la faune tropicales. Ce qui explique, sans doute, l'emplacement exceptionnel de Marenco Lodge au sud de la baie de Drake. Ses bungalows rustiques mais confortables et ses cabanes sont disséminés dans un jardin paysager et surplombent, de leur balcon, l'océan Pacifique. Un restaurant à ciel ouvert vous permettra de jouir du spectacle fantastique de la forêt tropicale. Parmi les excursions proposées, le parc national de Corcovado, bien sûr, l'île de Caño et une exploration du Río Claro, le tout inclus dans un forfait de quelques jours, hébergement et repas compris. Pour les prix, renseignez-vous sur le site Internet.

22 Les pagayeurs de la jungle ► 214–223

Qui consulter

Amigos del Río

☎ (506) 256 73 73
fax (506) 256 84 12
email amigos@centralamerica.com
site www.centralamerica.com/cr/quepos/amigo
Ce tour-opérateur propose d'explorer en toute sécurité certaines rivières costaricaines à bord de rafts. Une découverte de la jungle agrémente ces descentes. Le "Savegre Jungle River Rafting" se déroule sur le Río Savegre, rivière de classe II et III, située du côté Pacifique. Elle traverse la forêt tropicale près du parc national Manuel Antonio. Cette excursion d'une journée coûte 89 $, transport, petit déjeuner et déjeuner compris. Le "Naranjo White Water Rafting", sur le Río Naranjo (classe III et IV, côté Pacifique du Costa Rica), coûte, quant à elle, 65 $ et dure une demi-journée.

Coast to Coast Adventures

AP 2135-1002,
San José
☎ 225 60 55
fax 225 78 06
email info@ctocadventures.com
site www.ctocadventures.com/travel.htm
Coast to Coast Adventures propose des circuits de rafting de 1 ou 2 jours sur le Río Pacuare, avec hébergement au camp el Nido del Tigre, qui peut presque être qualifié de luxueux pour ce type de logement. L'encadrement est assuré par des guides experimentés et conviviaux et les circuits se font par petits groupes, ce qui rend la découverte du rafting amusante. Les prix de ces circuits incluent transport, repas, hébergement, guides et équipement spécialisé (renseignez-vous sur le site Internet). L'excursion "Paddles & Pedals" combine du rafting sur le Río Pacuare ainsi que du kayak de mer et du VTT dans la péninsule de Nicoya (► 287).

Costa Sol Rafting

Hotel Herradura,
AP 84390,
San Antonio de Belen,
1000 San José
☎ 293 21 50
fax 293 21 55
Une petite entreprise conviviale qui propose des descentes en rafting sur plusieurs rivières

et fleuves du Costa Rica, y compris le Río Pacuare. Les prix sont à peu près les mêmes que ceux proposés par Coast to Coast Adventures (➤ 286).

Ríos Tropicales
Entre Av. Central et 2da calle 38,
San José
☎ 233 64 55
fax 255 43 54
email info@riostro.com
site www.riostro.com
Ríos Tropicales est le plus grand tour-opérateur spécialisé dans le rafting au Costa Rica. Toutes les rivières à rafting du pays font l'objet d'excursions de 1 et 2 jours. Les descentes du Río Pacuare sont organisées avec soin. De nombreux bateaux sont prévus à cet effet, et Ríos Tropicales possède son propre camp d'hébergement. Les prix sont du même ordre que ceux de Coast to Coast Adventures (➤ 286, renseignez-vous sur le site Internet).

Comment s'y rendre
Travelair
➤ 283.

Où se renseigner
Instituto Costarricense de Turismo (ICT)
➤ 283.

Comment se loger
➤ 284 pour la sélection d'hôtels de San José.

23 Sur la piste des chasseurs de tortues
➤ 224-233

Qui consulter
Camino Travel
➤ 283

Coast to Coast Adventures
➤ 286.
Coast to Coast Adventures est le seul tour-opérateur qui organise des excrusions en kayak dans le parc national de Tortuguero, l'un des derniers havres de paix pour la plupart des espèces sauvages du pays. Le prix de ce circuit de 2 jours inclut transport, hébergement, repas, guides et équipement (renseignez-vous sur le site Internet).

Costa Rica Expeditions
AP 6941-1000
Av. 3, Calle Central
San José
☎ 257 07 66
fax 257 16 55
email costaric@expeditions.co.cr
site www.costaricaexpeditiones.com
La découverte de la faune et de la flore du parc national de Tortuguero est, entre autres, au programme de ce tour-opérateur. On se déplace en canot à moteur, guidé par un expert de la faune et de la flore locales.

Trips Worldwide
➤ 285.
Ce spécialiste de l'Amérique centrale organise différentes excursions dans le parc national de Tortuguero.

Comment s'y rendre
Travelair
➤ 283.

Où se renseigner
Instituto Costarricense de Turismo (ICT)
➤ 283.

Comment se loger
➤ 284 pour la sélection d'hôtels de San José.

24 Odyssée à Nicoya
➤ 234–245

Qui consulter
Coast to Coast Adventures
➤ 286
L'excursion "Paddles & Pedals" combine 2 jours de rafting sur le Río Pacuare et 4 jours de kayak de mer et de VTT dans la péninsule de Nicoya, une région reculée et très peu visitée. Il y a des départs tout au long de l'année, et les prix incluent transport, hébergement dans de bons hôtels ou des camps confortables, équipement spécialisé et guides.

Comment s'y rendre
Travelair
➤ 283.

Où se renseigner
Instituto Costarricense de Turismo (ICT)
➤ 283.

Comment se loger

➤ 284 pour la sélection d'hôtels de San José. Voici d'autres possibilités d'hébergement dans la région, pour ceux qui veulent s'éloigner de San José :

Condominios Fénix $$

AP 31-5235,
Playa Sámara,
Guanacaste
☎ 656 0158
fax 656 0162
email confenix@sol.racsa.co.cr
Un petit hôtel agréable au bord de la plage. Les chambres sont équipées de kitchenettes et de salles de bain. Alternative à une baignade en mer : la petite piscine, entourée de jardins tropicaux.

Hotel El Sueño Tropical $$/$$$

Playa Carrillo,
Guanacaste
☎ 656 0151
fax 656 0152
email suetrop@sol.rasca.co.cr
site www.novanet.co.cr/tropical
El Sueño Tropical est un hôtel ravissant, à quelques minutes de la plage. Les 12 chambres spacieuses offrent de bonnes prestations, y compris la climatisation. Un charmant jardin paysagé borde l'hôtel et sa piscine. Le restaurant à toit de chaume offre une cuisine raffinée ; laissez-vous tenter par les plats de pâtes (les propriétaires sont italiens). La chambre double coûte 54 $ en basse saison et 79 $ en haute saison.

25 Quand les océans se rencontrent ➤ 248-256

Qui consulter

Ancon Expeditions of Panamá

Calle Elvira Mendez,
Edificio El Dorado,
Panamá Ciudad
☎ 269 94 14 / 269 94 15
fax 264 37 13
email info@anconexpeditions.com
site www.anconexpeditions.com
Ancon Expeditions of Panamá, qui a une excellente réputation, s'est spécialisé dans l'éco-tourisme et le tourisme culturel. Les circuits proposés sont très variés, allant d'une demi-journée dans la ville de Panamá à une expédition "Trans-Darien" de 14 jours (pour les prix, renseignez-vous sur le site Internet).

Argo Tours

Sur le quai,
Porto Balboa
☎ 228 60 69
fax 228 12 34
site www.big-ditch.com
Argo Tours est le seul tour-opérateur à proposer des traversées du canal de Panamá toute l'année : excursion complète tous les mois et traversées partielles *via* les écluses de Miraflores. Les prix s'échelonnent de 45 $ à 135 $, avec des remises pour les enfants pour une traversée complète (vérifiez les horaires indiqués ➤ 256 et les prix sur le site Internet). Ces tarifs incluent petits en-cas et boissons.

Panamá Jones Tours

En face de l'Hôtel Marriot,
entre Via España et Calle 50,
près de Av. Federico Boyd,
Ciudad de Panamá
☎ 265 45 51
fax 265 45 53
email pdtpanam@sinfo.net
site www.panamácanal.com
Un tour-opérateur très fréquenté qui propose une bonne gamme de circuits dans tout le pays, y compris des excursions d'une journée à Portobelo, tous les mercredis, et un circuit "eco-canal" tous les mardis. Panamá Jones Tours réserve également des places sur les bateaux d'Argo Tours pour la traversée complète ou partielle du canal de Panamá (ci-dessus).

Smithsonian Institute

Bureau des visiteurs :
Tupper Building
Av. Roosevelt,
Ciudad de Panamá
☎ 227 60 22 ext 22 71
fax 232 59 78
email arosemo@tivoli.si.edu
site www.stri.org
La seule manière d'accéder à l'île de Barro Colorado, géré par la Smithsonian Institution, est de participer aux excursions qu'elle organise. Les places sont très limitées ; il est donc impératif de réserver d'avance. Ces sorties, qui coûtent 70 $ (réductions pour les étudiants), démarrent du port de Gamboa

deux fois par semaine, à 8h. Ce tarif inclut le transport en bateau, la visite guidée de la forêt tropicale de l'île et un déjeuner-buffet. Attention : n'oubliez pas votre passeport, faute de quoi vous ne pourrez entrer au port de Gamboa.

Trips Worldwide

➤ 285.

Ces spécialistes de l'Amérique centrale peuvent vous organiser un circuit à la carte au Panamá, avec traversée du canal et exploration de la zone, ainsi que visite de Portobelo.

Où se renseigner

Instituto Panameño de Turismo (IPAT)

Atlapa Convention Centre - Via Israel
Ciudad de Panamá
☎ 226 70 00 ext 112
fax 226 68 56
email infotur@ns.ipat.gob.pa
site www.ipat.gob.pa/index

L'office du tourisme du Panamá met à la disposition des visiteurs de nombreuses brochures gratuites, ainsi que des cartes et un service de réservation d'hôtels. Un petit bureau, à l'aéroport, offre les mêmes services. Leur site Internet est une mine d'informations.

Comment se loger

Bananas Village Resort, Isla Grande $$$$

Av. Federico Boyd,
Edificio Parque Urraca,
Ciudad de Panamá
☎ 263 95 10
fax 264 75 56
email info@bananasresort.com
site www.bananasresort.com

Bananas Village Resort est un hôtel merveilleusement situé sur l'Isla Grande. Tous les bungalows offrent une vue magnifique sur l'océan Pacifique. Des sorties de plongée avec bouteilles ou avec masque et tuba sont proposées.

Hotel Las Vegas $$

Av. 2ª Norte, Calle 55 Oeste,
El Cangrejo, AP "D",
Ciudad de Panamá
☎ 269 07 22
fax 223 00 47
email lasvegas@pan.gbm.net
site www.hotelvegas.com

L'hotel Las Vegas est un complexe hôtelier qui comprend également des appartements, avec des suites spacieuses et de bonnes prestations, y compris salons et cuisines. Belle vue sur la ville.

INTRODUCTION

Nous espérons que ce guide a aiguisé votre goût de l'aventure. Les "Pages Bleues Activités" vous fourniront un carnet d'adresses des diverses activités praticables dans chacun des pays. Le choix est vaste et couvre tout type de loisirs allant du rafting au safari photo en passant par le trekking et le travail bénévole pour la sauvegarde des espèces protégées.

La plupart des périples impliquent la participation des autochtones et beaucoup sont directement liés à l'éco-tourisme – de sévères contrôles sont effectués afin de préserver l'environnement du nombre de visiteurs toujours croissant dans les zones sensibles. Gardez à l'esprit que de nombreuses régions citées connaissent un climat et/ou une situation politique instables. Tenez compte de tous ces paramètres ; renseignez-vous auprès des autorités compétentes sur la destination que vous avez choisie. Laissez-nous vous conseiller sur les équipements nécessaires.

À LA DÉCOUVERTE

ETHNIES

À l'époque précolombienne, l'Amérique centrale a accueilli des civilisations fascinantes, comme celles des Aztèques et des Mayas. Elles ont laissé des sites magnifiques, qui furent parfois réinvestis par les Espagnols, à la suite de la Conquête. Ce sont donc, à chaque visite, des pages d'histoire qui défilent devant nos yeux. Si vous souhaitez vous rendre sur des sites excentrés, ne voyagez pas seul et pensez à vous faire accompagner d'un guide, qui connaît les dangers propres à ce genre d'excursion. Quand vous croisez des autochtones, soyez respectueux de leur vie et de leurs coutumes, et évitez de leur donner de l'argent.

GUATEMALA - EL MIRADOR

El Mirador, situé près de la frontière mexicaine, est le plus important site maya du Guatemala. À proximité, deux autre sites, El Tintal et Nakbé, valent la visite. Un circuit de 4 jours à cheval ou à dos de mulet réunit ces trois sites en un parcours de 36 km. Départ de Carmelita.

Maya Expeditions
15, calle 1-91, zona 10, local 104,
Guatemala Ciudad
☎ (502) 363 49 55 **fax** (502) 337 46 60
email info@@mayaexpeditions.com
site www.mayaexpeditions.com
Ce tour-opérateur, fondé par un archéologue, organise des excursions guidées par des spécialistes de l'archéologie maya qui donnent également des conférences sur le sujet.

Guatemala unlimited
P.O. Box 786,
Berkeley CA 94701
États-Unis
☎ 800 733 33500 **fax** 415 661 6149
email archaeomaya7@guate.net
Cette agence organise des circuits pour les passsionnés d'archéologie.

GUATEMALA - VILLES COLONIALES ET MODERNES

Ce circuit est axé sur la découverte de la ville de Guatemala et de l'ancienne capitale du pays, Antigua, classée au patrimoine de l'humanité. Visite de nombreuses églises et monastères, ainsi que de plusieurs autres monuments coloniaux.

Space travel agency
5a. Calle Ponientes #3 "A",
Antigua Guatemala 03001
☎**/fax** (832) 71 43
email spacegua@terra.com.gt
site www.travellog.com
Partir à la rencontre des Mayas d'aujourd'hui et découvrir leur vie communautaire à Chichicastenango, sur les Hautes Terres et autour du lac Atitlán. Tomber sous le charme d'Antigua et de son riche patrimoine religieux, avant de regagner la capitale guatémaltèque qui est l'une des plus grandes agglomérations d'Amérique centrale.

GUATEMALA ET BELIZE - LES SITES MAYAS

Ce circuit thématique permet d'explorer des sites mayas du Belize, comme Caracol et

Xunantunich, et du Guatemala, comme Tikal. Des safaris photo sont également proposés.

Journeys International

107 Aprill Dr. Ste. 3,
Ann Arbor MI 48103
États-Unis
fax (734) 665 29 45
email resources@journeys-intl.com
Ce tour-opérateur nord-américain, qui s'est établi il y a plus de 20 ans, s'est spécialisé dans les voyages en famille. Le guide-accompagnateur parle anglais.

MEXIQUE - LES SITES MAYAS

La plupart des circuits partent de Mérida et explorent villes historiques et sites archéologiques. Ils incluent souvent dans leur itinéraire des plages de la côte caraïbe.

Guerba

Wessex House, 40 Station Road, Westbury,
Wiltshire BA13 3JN
Royaume-Uni
☎ (01373) 858 956 **fax** (01373) 858 351
email tours@journeylatinamerica.com
site www.guerba.co.uk
ou www.outdoorholidays.com
Les points forts des circuits mayas proposés par ce tour-opérateur sont les petits groupes (une douzaine de personnes) et l'hébergement dans des hôtels de charme, proches des communautés locales.

Mexico Jungle Tours

☎ (816) 532 08 28
site http://mexicojungletours.com
Ce tour-opérateur organise des circuits à la carte, d'une journée, d'une semaine ou d'un mois, au sud du Mexique. Des guides polyglotes mènent les visites des sites archéologiques (Palenque et Toniná, entre autres). Un arrêt aux cascades de Misol-Ha et d'Aqua Azúl est possible.

FAUNE

Des singes hurleurs à manteau aux tortues vertes, du toucan à carène au paresseux à trois doigts, du caïman à lunettes au papillon morpho bleu..., l'Amérique centrale est un sanctuaire de la vie sauvage. La région abrite d'ailleurs l'unique réserve de jaguars au monde. Vous apercevrez peut-être l'un de ces animaux au cours de votre périple. Si vous voulez mettre toutes les chances de votre côté, optez pour un circuit spécialisé d'au moins 3 jours. Pendant la saison sèche, il est plus aisé de les observer dans leurs activités quotidiennes, car ils sont à la recherche de points d'eau. De plus, il y moins d'insectes pendant cette période. Malgré la création de réserves naturelles et de parcs nationaux censés préserver la faune locale, il est souvent difficile de faire respecter certaines règles de bonne conduite aux populations locales. De ce fait, refusez catégoriquement des propositions de chasse. Ne tentez pas d'approcher de trop près les animaux et, bien sûr, n'abandonnez aucun déchet dans ces zones protégées.

BELIZE - COCKSCOMB BASIN WILDLIFE SANCTUARY

Aussi connu sous le nom de "Jaguar Reserve", ce sanctuaire, qui couvre 40 000 ha, protège jaguars, tapirs, pumas et ocelots, ainsi que 300 espèces d'oiseaux. Pistes de randonnée et camping.

Discovery Expeditions

126 Freetown Rd., P.O. Box 1217,
Belize City
☎ (2) 307 48 / 307 49 / 310 63
fax (2) 307 50 / 302 63
email info@discoverybelize.com
Discovery Expeditions organise des vols quotidiens (aller-retour) à destination de Cockscomb Basin Wildlife Sanctuary, à partir de la ville de Belize et de San Pedro (sur Ambergris Caye). Puis visite guidée de la Jaguar Reserve.

GUATEMALA - RÉSERVE NATURELLE SAN BUENAVENTURA DE ATITLÁN

Cette réserve naturelle de 160 ha peut être visitée en une demi-heure ou en une heure, sous la houlette d'un guide parlant l'anglais ou l'espagnol. Autre visite possible : une réserve de papillons abritant plus de 500 spécimens. Idéal en famille.

Hotel San Buenaventura

Panajachel
☎/fax (762) 2059
Cet hôtel fournit des renseignements sur la réserve naturelle de San Buenaventura de Atitlán.

HONDURAS - RÉSERVE NATURELLE DE CUERO Y SALADO

Cette réserve de 13 225 ha, située sur la côte nord du Honduras, abrite des fourmiliers, des boas, des lamantins, ainsi qu'une grande variété d'oiseaux. Une journée suffit pour la visite, mais ceux qui souhaiteraient y séjourner plus longtemps peuvent y dormir. Vous pouvez vous y rendre par vos propres moyens ou opter pour un circuit d'une journée qui part de La Ceiba. Location de bateau et canoë à l'arrivée.

Fundación Cuero y Salado (FUCSA)

Zona Mazapan,
Edificio El Ferrocarril Nacional,
La Ceiba
☎/**fax** 443 03 29
email fusca@laceiba.com
Pour les visites de groupe et les réservations de bateau. Informations sur la réserve.

MC Tours

Barrio Río de Piedras, calle 7 y 8,
18 Av. Sur Oeste, local 5,
San Pedro Sula
☎ (552) 44 55
fax (557) 30 76
email operationssap@mctours-honduras.com
ou sales@mctours-honduras.com
site www.mctours-honduras.com
L'un des principaux tour-opérateurs du Honduras, spécialiste des excursions haut de gamme. Cuero y Salado est compris dans le "Green and Blue Adventure Tour", une excursion de 6 jours.

La Moskitia Ecoaventuras

Av. 14 de Julio, Casa n° 125, AP 890,
La Ceiba
☎ 221 04 04
fax (442) 01 04
email moskitia@caribe.hn
site www.honduras.comlekamoskitia.com
Cette société très professionnelle est gérée par Jorge Salaveri, qui parle anglais couramment. Excursions à la réserve naturelle de Cuero y Salado et au parc national Pico Bonito ; descentes en rafting sur le Río Cangrejal, entre autres. La société peut organiser des circuits sur mesure vers la plupart des destinations. Contactez-les pour les tarifs.

Mexique - Anganguero

Des essaims de papillons monarch (*Danaus plexippus*) peuvent être observés près de Morelia, de mi-novembre à mi-mars, avant qu'ils ne commencent leur migration vers le nord.

Union-Castle Travel

86/87 Campden St.,
London W8 7EN
Royaume-Uni
☎ (0171) 229 14 11 **fax** (0171) 229 15 11
email u-ct@u-ct.co.uk
Des circuits à la carte peuvent être organisés, en particulier, entre juillet et mars, pour l'observation des tortues à Puerto Vallarta et l'observation des baleines en Basse-Californie.

Mexique - Baja California

Entre janvier et mars, les baleines grises (*Eschrichtius robustus*) se rassemblent en Basse-Californie pour se reproduire. Les meilleurs postes d'observation sont San Ignacio, la lagune Ojo de Liebre, près de Guerrero Negro, et la baie de Magdalena.

Baja Expeditions

Av. Albaro Bregón 25, Colonia Centro,
La Paz
☎ (619) 581 33 11
fax (112) 556 36
email boa@kayactivities.com
site www.bajaex.com
Cette société reconnue, basée aux États-Unis, organise des sorties de plongée autonome (avec bouteille) ou en apnée (avec masque et tuba), ainsi que des sorties d'observation des baleines. Elle possède ses propres bateaux de plongée (luxueux) et campements.

Baja Outdoor Adventures

AP 792, Centro, La Paz
☎/**fax** (112) 556 36
email boa@cibnor.mx
site www.kayactivities.com
Le propriétaire de ce tour-opérateur est professeur de canoë. Les activités proposées sont : kayak de mer, observation des baleines et pêche à la mouche dans le sud de la Basse-Californie. Les circuits peuvent être personnalisés et adaptés à tous les budgets.

Ecoturismo Kuyima

Morelos 23 esquina Hidalgo,
San Ignacio
☎ (115) 400 70 **fax** (115) 400 70
email kuyimasi@cybermex.net
site kuyima.com
Ce tour-opérateur est spécialisé dans l'observation des baleines, les randonnées à dos de mulet, la découverte des peintures rupestres et le kayaking.

Malarrimo Eco-Tours

Bd Emiliano Zapata,
Guerrero Negro
☎ (115) 701 00 or (115) 702 50
email malarrimo@malarrimo.com
site www.malarrimo.com
Le jeune propriétaire de ce tour-opérateur, Enrique Achoy, organise des randonnées à dos de mulet (peintures rupestres et désert) ainsi que des circuits d'observation des baleines à partir de l'hôtel familial, à Guerrero Negro.

Mexique - Puerto Vallarta

L'arrière-pays de Puerto Vallarta est très prisé par les amateurs d'ornithologie. Le littoral de la baie de Banderas est également, entre novembre et avril, un lieu d'accouplement pour de nombreux dauphins et baleines.

Expediciones Cielo Abierto

Guerrero 339,
Puerto Vallarta
☎ (322) 233 10 **fax** (322) 324 07
email openair@vivamexico.com
site www.vallartawhales.com
Cet tour-opérateur spécialisé dans l'éco-tourisme est très efficace : il propose de l'observation des baleines et des oiseaux, de la plongée avec masque et tuba, du kayak de mer et des randonnées.

Nicaragua - Réserve naturelle de La Flor

Située à l'extrême sud du Nicaragua, cette réserve est un sanctuaire des tortues de Ridley (*Lepidochelys olivacea*), qui viennent y pondre. Jusqu'à 5 000 tortues par nuit ont été observées pendant la saison de ponte (entre juillet et décembre).

Ecotourism International de Nicaragua S.A.

AP LC93,
Managua
☎ (432) 24 84 **fax** (432) 23 36
email info@eco-nica.com
site www.eco-nica.com
Ce tour-opérateur organise des circuits de randonnée axés sur la nature et l'étude de la faune nicaraguayenne.

Jungle

Participer à des projets scientifiques ayant trait aussi bien à l'observation d'un habitat particulier ou aux fouilles archéologiques d'un site précolombien est possible. Ce genre d'activités n'a rien à voir avec les circuits traditionnels axés sur l'éco-tourisme. Les participants agissent tout d'abord comme bénévoles et paient leurs frais de séjour. Cela revient souvent plus cher que les vacances conventionnelles, mais peut éventuellement être déduit de vos impôts. Normalement aucune expérience spécifique n'est requise, mais il faut se préparer à travailler dur. Les organisateurs doivent vous fournir des descriptions détaillées des tâches à effectuer. L'hébergement et les repas peuvent varier selon les lieux : tentes rafistolées avec réfectoir commun ou hôtel confortable avec restaurant. Les programmes changent chaque année.

Belize - Lamanaï

Un projet qui s'engage à étudier les singes hurleurs à manteau (*Alouatta palliata*), vivant sur le site archéologique de Lamanaï, au nord du pays. Le travail consiste à recueillir des informations sur leur habitudes sociales et leur répartition. Les amateurs d'ornithologie seront également comblés.

Chan Chich Lodge

P.O. Box 37, Gallon Jug,
Belize City
☎ (2) 756 34 **fax** (2) 769 61
email info@chanchich.com
La forêt de 100 000 ha qui entoure ce lodge, situé dans la province d'Orange Walk, au nord du Belize, abrite, entre autres, une population de singes-araignées.

Costa Rica - Réserve de la Forêt des brouillards de Monteverde

Cette réserve privée de 10 500 ha, située au nord-ouest du pays, appartient au Tropical Science Centre, voué à la recherche et à l'éducation. On y a répertorié plus de 100 espèces de mammifères et 2 000 espèces de plantes. La meilleure période pour visiter cette réserve est la saison sèche (de janvier à mai). Réservez d'avance votre visite.

Monteverde Conservation League

Polly Morrison, AP 10165,
1000 San José,
Monteverde
☎ 661 29 53
site www.monteverdeinfo.com
Renseignez-vous sur le genre de travaux

scientifiques proposés ici, en plus d'un projet éducatif dans les écoles locales.

COSTA RICA - PARC NATIONAL DE TORTUGUERO

Ce programme d'une semaine comprend des interviews d'habitants ainsi que l'étude des lamantins et de différentes espèces marines. Hébergement dans un hôtel bordé par la forêt tropicale humide.

MEXIQUE - CHAMELA

Un programme de 11 jours dans une des dernières étendues de forêt tropicale sèche. Le travail consiste à suivre à la trace des animaux carnivores, tels que ocelots, jaguarundis et coyotes, afin de mieux comprendre cet écosystème menacé. Hébergement dans des chambres confortables sur la côte Pacifique.

Earthwatch Institute

3, Clock tower Place, Suite 100, P.O. Box 75
Maynard MA 01754
États-Unis
☎ (617) 926 82 00 **fax** (617) 926 85 32
email info@earthwatch.org
site www.earthwatch.com
Cet organisme international propose une large gamme de projets de conservation et recherche des bénévoles.

Earthwatch Europe

57 Woodstock Rd.,
Oxford OX2 6HJ
Royaume-Uni
☎ (01865) 311 600 **fax** (01865) 311 383
email info@earthwatch.org.uk
site www.earthwatch.com

À DEUX ROUES

Que ce soit sur des routes ou des pistes, en montagne ou en ville, se déplacer à vélo permet de profiter pleinement du paysage et de rencontrer la population locale… sans polluer l'environnement. La plupart des randonneurs à VTT font environ 80 km par jour, soit quatre fois la distance moyenne que pourraient parcourir des marcheurs. Dans les voyages de groupe, l'hébergement est prévu et un véhicule transporte vos valises. Dans les endroits touristiques, les loueurs de vélos appliquent un prix fixe par heure et par jour, seulement si la balade a lieu dans les environs. Si vous souhaitez emporter votre propre vélo, vérifiez que votre compagnie aérienne ne vous facturera pas de supplément. N'oubliez pas de vous munir d'un kit de réparation, avec pneus et rayons.

Cycling Touring Club

Cotterell House, 69 Meadrow,
Godalming,
Surrey GU7 3HS
Royaume-Uni
☎ (01483) 417 217 **fax** (01483) 426 994
email cycling@ctc.org.uk
site www.ctc.org.uk
Le Cycling Touring Club fournit à ses membres – 25 £ par an – les informations nécessaires pour les voyages individuels, publie des récits de voyage avec des informations pratiques très détaillées, et donne les coordonnées de tour-opérateurs spécialisés dans les circuits vélo.

VTT

COSTA RICA - LAC ARENAL ET PÉNINSULE DE NICOYA

Point de départ : le lac Volcan et ses sources chaudes. L'expédition se poursuit à travers la réserve de la forêt des brouillards de Monteverde, où s'épanouissent colibris et orchidées, puis sur les berges du Río Tempisque. Pour finir sur les plages de la péninsule de Nicoya.

Backroads

801 Cedar St.,
Berkeley CA 94710
États-Unis
☎ (510) 527 15 55
site www.backroads.com
Huit jours de VTT sur route et sur piste, au départ de San José. Toutes les excursions proposées par cette agence sont évaluées selon leur degré de difficulté.

Coast to Coast Adventures

AP 2135-1002,
San José
☎ 225 6055 **fax** 225 7806
email info@ctocadventures.com
site www.ctocadventures.com/travel.htm
L'excursion "Paddles & Pedals" combine 2 jours de rafting sur le Río Pacuare et 4 jours de kayak de mer et de VTT dans la péninsule de Nicoya, une région reculée et très peu visitée. Il y a des départs tout au long de

l'année, et les prix incluent transport, hébergement dans de bons hôtels ou des camps confortables, équipement spécialisé et guides.

Honduras - Trujillo

Trujillo, l'ancienne capitale du Honduras, est une jolie ville de la côte nord. Elle s'enorgueillit de belles plages et d'un parc national à proximité.

Turtle Tours

Hotel Villa Brinkley,
Trujillo
☎/fax 434 44 31
email ttours@hondutel.hn
info@turtletours.de
site www.turtletours.de/framee.htm
Location de vélos à la journée et circuits moto le long du Río Plátano, cerné par la forêt tropicale. Découverte de la faune et de la flore locales et visites d'intéressants sites archéologiques.

Mexique - Canyon du cuivre

Les montagnes grandioses et les canyons de la Sierra Tarahumara, qui bordent le canyon du Cuivre, offrent un cadre privilégié à de belles balades à VTT.

Pantera Excursiones

AP 67,
Durango
☎ (18) 250 682
email pantera@omanet.com.mx
site www.aventurapantera.com.mx
Un des pionniers dans les circuits d'aventure au nord du Mexique. Sont proposés des circuits VTT, notamment sur une route peu connue entre Basaseachic et Divisadero, des randonnées et du camping dans le désert, le tout dans un esprit très écolo.

Umarike expediciones

Av. Ferrocarril, AP 61,
Creel
☎/fax (145) 602 48 / 602 12
email kuira@umarike.com.mx
site www.umarike.com.mx
Ce tour-opérateur propose des circuits VTT d'une journée à partir de Creel, des parcours d'escalade pour débutants et sportifs confirmés. Il est géré par Arturo Gutierrez et sa femme galloise Audrey Hill. Il est possible de louer des VTT et des tentes.

CIRCUITS CULTURELS

Ces circuits culturels à cheval sur plusieurs pays sont l'équivalent contemporain du “Grand Tour” à l'anglaise. Le temps est souvent compté, aussi les sites visités sont-ils choisis parmi les plus connus (“incontournables”) de chaque pays. Toutefois, certains itinéraires intègrent des lieux habituellement inaccessibles… Aujourd'hui, grâce aux 4x4, on fait des miracles ! Car, minibus, voitures… les modes de transport varient. En revanche, les hôtels sélectionnés sont toujours très confortables. Des circuits plus ou moins complexes peuvent être organisés à la demande, pour un groupe ou, par exemple, pour un couple. Un guide bilingue accompagnera le groupe en permanence. Afin de ne pas avoir de surprises, vérifiez, avant de vous engager, le nombre de participants, la qualité de l'hébergement, ainsi que ce qui est compris dans le tarif (repas, droits d'entrée aux sites et vols régionaux).

Costa Rica / Mexique De Cancun à San José

Ce circuit, qui traverse presque tous les pays d'Amérique centrale, vous donne rendez-vous avec les sites archéologiques et les réserves naturelles incontournables de ces pays. Les paysages varient beaucoup, des plages de la côte caraïbe à la forêt tropicale.

Himalayan Travel

8, Berkshire Place, Danbury CT 06810,
États-Unis
☎ (203) 743 2349 **fax** (203) 797 8077
email himalayantravel@cshore.com
site www.gorp.com/himtravel/mexico3.htm
Départ de Cancún, saut de puce à Caulker Caye (Belize), visite des sites mayas de Tikal, d'Antigua, de Panajachel et de Chichicastenango (Guatemala), passage éclair à San Salvador, visite des ruines de Copán et saut de puce aux îles de la Baie (Honduras), visite des villes coloniales du Nicaragua et découverte de deux parcs costaricains, avant de gagner San José.

Mexique, Belize, et Guatemala

Départ de Cancun, station balnéaire du Yucatán ; visite des cayes du Belize ; découverte des plages de la côte caraïbe ; excursion dans la forêt tropicale humide et visite du site archéologique de Tikal.

Himalayan Travel
➤ 295.

Panamá - Darién Gap

La jungle entre le Panamá et la Colombie est l'une des étendues sauvages les plus grandes du monde, sans véritable route pour la sillonner. C'est donc à un parcours éprouvant, qui ne peut être effectué que pendant la saison sèche (janvier-avril), que vous êtes conviés. Si vous voyagez par vous-même, renseignez-vous sur les secteurs dangereux à éviter, engagez un guide amérindien fiable et expérimenté, et partez au moins à deux. Il est primordial de vous munir à l'avance d'un visa d'entrée pour la Colombie.

Wildland Adventures
3546 NE 155th St.,
Seattle WA 98155
États-Unis
☎ (206) 365 06 86 **fax** (206) 363 66 15
email info@wildland.com
site www.wildland.com
Un séjour de 14 jours sur les pas des conquistadores espagnols. Trois guides, spécialistes des différentes zones traversées, vous accompagnent.

DANS LES AIRS

Montgolfière

Intercontinental Adventures
Homero 526, Oficina 801,
México
☎/**fax** (5) 255 44 00 et (3) 641 55 98 (Guadalajara)
email adventur@mpsnet.com.mx
site www.rafting-mexico.com.mx
Cette agence basée à México, qui officie pour la société de rafting la plus ancienne du Mexique, Expediciones Mexico Verde, peut organiser votre séjour dans l'État de Veracruz. Elle est également spécialiste des activités de plein air et propose, entre autres, de la montgolfière à Guanajuato et à Malinalco, ainsi que du parapente à Ixtapa.

Parapente

Guatemala - Atitlán

Dans la zone du lac Atitlán, les sauts avec un instructeur ont lieu uniquement pendant la saison sèche, chaque matin, quand les vents se lèvent.

Servicios Turísticos de Atitlán
3ra av., 3 47, zona 2, Calle Santander,
Antigua
☎ (832) 06 48
email turisticosatitlan@yahoo.com
Les sauts en parapente sont tarifés à l'heure ou à la demi-heure ; les prix comprennent le transport en haut de la falaise qui surplombe Santa Catarina Palopó.

EN EAUX VIVES

Le canoë, pratiqué sur une rivière calme, permet d'observer la faune en toute tranquillité. Mais il peut également se muer en un combat contre les rapides. Dans les deux cas, il faut être expérimenté pour s'y risquer seul ; en général, il est recommandé de partir avec au moins deux autres personnes.
Le franchissement des rapides en canoë nécessite une bonne forme physique et la maîtrise de l'eskimotage. L'International River Grade classe les rivières par niveau de difficulté, allant de la classe I à la classe VI (➤ 220) ; le nombre de rapides est un autre critère à considérer. La meilleure période pour cette activité est la saison des pluies. Les rivières sont bien plus amusantes lorsqu'elles débordent d'eau : les vagues sont plus grosses et masquent la plupart des rochers, ce qui exige un effort moins important pour les contourner que lorsque le niveau de l'eau est bas.

Canoë / Kayak

Fédération française de canoë et kayak
87, quai de la Marne
94340 Joinville-le-Pont
France
☎ 01 45 11 08 50
Offre des conseils sur des destinations internationales ainsi qu'une liste des structures ouvertes au grand public offrant des prestations de qualité.

Fédération internationale de canoë
Dózsa György út 1-3
1143 Budapest
Hongrie
☎ (1) 363 48 32
fax (1) 221 41 30
email icf_hq_budapest@mail.datanet.hu

site www. datanet.hu/icf_hq
Une association qui offre des renseignements sur les organismes nationaux du monde entier, sélectionne les meilleurs destinations et prodigue des conseils de sécurité.

Belize - Cayo District

Cayo District abrite le Río Macal, rivière de classe IV que l'on peut descendre en kayak. Plus original : un circuit sur une rivière souterraine qui traverse une série de grottes.

Belize Explorer Canoeing

#59 Burns av.,
San Ignacio
☎ (9) 24618
fax (9) 23996
site www.belize-vacation.com
Ce tour-opérateur vous fera aimer non seulement le kayak de mer mais aussi le rafting, la pêche, la plongée et la visite de sites archéologiques qu'il réunit dans ses circuits.

Costa Rica - Cours inférieur du Río Sarapiquí et Río Pejibaye

Ces deux rivières (en particulier le Río Sarapiquí) sont un bon poste d'observation de la forêt tropicale qu'ils traversent. Elles sont idéales pour les débutants ou les personnes peu expérimentées. Choisissez d'y venir entre août et décembre, et prévoyez quelques jours de détente sur les plages de la côte caraïbe.

Costa Rica Ríos Aventuras

AP 43-7150,
Turrialba
☎ 556 96 17
email RMcLain@CostaRicaRios.com
Circuits combinant kayak sur rivières et kayak de mer.

Costa Rica - Tortuguero

Le parc national des "chasseurs de tortues" couvre une superficie de 19 000 ha, où la jungle est extraordinairement dense et que sillonnent des rivières sauvages. Il n'est accessible que par voie d'eau, d'où l'intérêt d'y pratiquer le kayak pour découvrir ce qu'il est impossible de voir autrement…

Coast to Coast Adventures

AP 2135-1002,
San José
☎ 225 6055
fax 225 7806
email info@ctocadventures.com
site www.ctocadventures.com/travel.htm
Coast to Coast Adventures est le seul tour-opérateur à organiser des excursions en kayak dans le parc national de Tortuguero.
Le prix de ce circuit de 2 jours inclut transport, hébergement, repas, guides et équipement (renseignez-vous sur le site Internet).

Honduras - Refugio Punta Izopo

Cette réserve, située sur la côte caraïbe du Honduras, peut être parcourue en kayak grâce au réseau de canaux qui la sillonnent. La mangrove y abonde et la faune y est particulièrement riche (crocodiles, oiseaux et singes). Point de départ : Tela.

Garifuna Tours

Parque Central,
Tela
☎ 448 1069
fax 448 2904
email garifuna@hondutel.hn
site www.garifuna.com
Des guides bilingues vous accompagnent au cours de vos sorties en kayak. Sont également possibles des randonnées ornithologiques, des sorties de plongée et de la planche à voile le long des plages de sable blanc de Tela.

San Salvador - Río Lempa

Descente rapide en canoë et rafting de mai à octobre (classes III et IV). Voyages de 1 à 4 jours. Sorties en kayak de mer possible à d'autres périodes de l'année.

Ríos Tropicales

Entre Av. Central et 2da calle 38,
San José
☎ 233 64 55
fax 255 43 54
email info@riostropicales.com
site www.riostropicales.com
Petite incursion au Salvador pour une descente en canoë sur le Río Lempa (d'autres rivières sont proposées). Il faut réserver au moins deux semaines à l'avance.

RAFTING

Le rafting, ou descente en eaux vives, ne nécessite ni expérience, ni connaissances techniques, contrairement au canoë. Cette activité excitante, qui vous permet de parcourir les sections les plus pittoresques de la rivière, n'est praticable que pendant la saison des pluies. On entend par "paddle rafting" une descente au cours de laquelle tous les membres du groupe pagaient, alors que pour le "oar boating", le guide dirige seul le raft. Les rivières sont classées à l'aide d'une échelle internationale de cotation par difficulté, de I à VI (➤ 220). Avant de vous engager, vérifiez que vous êtes dans une forme physique suffisante pour le parcours choisi. Hormis des vêtements imperméables et des chaussures adaptées, tout l'équipement nécessaire est fourni par les tour-opérateurs spécialisés.

Costa Rica - Río Pacuare

Située au centre du pays, la capitale, San José, est le point de départ de plusieurs descentes en rafting. Le Río Pacuare est particulièrement apprécié.

Coast to Coast Adventures

AP 2135-1002,
San José
☎ 225 60 55
fax 225 78 06
email info@ctocadventures.com
site www.ctocadventures.com/travel.htm
Coast to Coast Adventures propose des circuits de rafting de 1 ou 2 jours sur le Río Pacuare, avec hébergement au camp El Nido del Tigre, qui peut presque être qualifié de luxueux pour ce type de logement ! L'encadrement est assuré par des guides experimentés et conviviaux et les circuits se font par petits groupes, ce qui rend la découverte du rafting amusante. Les prix de ces circuits incluent transport, repas, hébergement, guides et équipement spécialisé (renseignements complémentaires sur le site Internet).

Costa Rica White Water

AP 6941-1000,
San José
☎ 257 0766
fax 257 1665
email costaric@expeditions.co.cr
site www.costaricaexpeditions.com
Spécialiste du rafting, cette agence propose une descente d'une journée sur le Río Pacuare, ainsi que sur d'autres rivières de la région.

Costa Sol Rafting

Hotel Herradura - San Antonio de Belen
P.O. box 84390-1000
San José
☎ 293 2150
fax 293 2155
email reservations@costasolrafting.com
site www.costasolrafting.com
Une petite entreprise conviviale qui propose des excursions de rafting sur plusieurs rivières de Costa Rica, y compris le Pacuare. Les prix sont concurrentiels avec ceux de Coast to Coast.

Ríos Tropicales

Entre Av. Central et 2da calle 38,
San José
☎ 233 64 55
fax 255 43 54
email info@riostropicales.com
site www.riostropicales.com
Ríos Tropicales est le plus grand tour-opérateur spécialisé dans le rafting du Costa Rica. Toutes les rivières à rafting du pays font l'objet d'excursions de 1 et 2 jours. Les descentes sur le Río Pacuare sont organisées avec soin. De nombreux bateaux sont prévus à cet effet, et Ríos Tropicales possède son propre camp d'hébergement. Les prix sont du même ordre que ceux de Coast to Coast Adventures (renseignements complémentaires sur le site Internet).

Guatemala - Piedras Negras

Ce site maya important, situé sur une falaise qui surplombe la rivière, n'est accessible qu'en raft. La rivière, qui est plutôt calme, produit des rapides sur certaines sections. Un archéologue spécialiste du site vous accompagne.

Maya Expeditions

15, calle 1-91, zona 10, local 104,
Guatemala Ciudad
☎ (502) 363 49 55
fax (502) 337 46 60
email info@@mayaexpeditions.com
site www.mayaexpeditions.com
C'est le tour-opérateur officiel du site, fondé par un archéologue. Il propose des expéditions de deux semaines, pour lesquelles il est essentiel de réserver à l'avance.

Honduras - Río Cangrejal

Cette rivière, au nord du pays, a des rapides de classes III et IV et traverse des régions boisées. Parties de pêche.

EuroHonduras Tours

Edificio Hotel Italia, Av. 14 de Julio,
La Ceiba

☎ (440) 0927
fax (443) 0933
email eurohonduras@caribe.hn
site www.ultranet.com
On parle français, anglais, espagnol et allemand dans cette agence familiale, qui propose des circuits en petits groupes.

Mexique - Veracruz

Les cinq rivières de l'État de Veracruz, qui se prêtent au rafting, ont des rapides de classes II, III, IV et V. La meilleure période pour y pratiquer le rafting varie d'une rivière à l'autre (➤ 56).

Intercontinental Adventures

Homero 526, Oficina 801, México
☎/fax (5) 255 44 00 et (3) 641 55 98 (Guadalajara)
email adventur@mpsnet.com.mx
site www.rafting-mexico.com.mx
Ce tour-opérateur basé à México officie pour la société de rafting la plus ancienne du Mexique, Expediciones Mexico Verde. Il connaît sur le bougt des doigts tous les rapides de chaque rivière de l'État de Veracruz !

Río y Montaña

Prado Norte 450, Colonia Lomas de Chapultepec,
México
☎ (5) 520 20 41 / 540 78 70
fax (5) 200 17 83
email rioymontana@compuserve.com.mx
Les activités proposées sont l'escalade et le rafting dans l'État de Veracruz.

Veraventuras

Santos Degollado 81-88,
Xalapa
☎ (28) 189 579 / 189 779
fax (28) 189 680
email veraventuras@yahoo.com
site www.dpc.com.mx/veraventuras ou www.veraventuras.com
Un petit établissement qui organise, à partir de campements très adaptés, des descentes en rafting sur les rivières Pescados, Antigua et Actopan.

Panamá - Río Chiriquí

Descentes en rafting sur le Río Chiriquí, qui traverse une une région rurale connue sous le nom d'"El Interior". Départs de Caldera, près de Boquete.

Chiriquí River Rafting

Entrega General,
Boquete-Chiriquí
☎ 720 15 05 **fax** 720 15 06
email rafting@panamá-rafting.com
site www.panamá-rafting.com
Cette agence familiale, qui met à votre disposition des guides bilingues, organise des sorties de rafting d'une demi-journée sur le Río Chiriquí, dont les rapides sont classés de II à IV. Certaines parties ne sont praticables que pendant la saison des pluies, de mai à mi-décembre.

EN MILIEU AQUATIQUE

De la modeste pirogue de pêcheur au luxueux bateau de croisière, c'est à vous de choisir, ou plutôt, c'est à l'embarcation de s'adapter au milieu aquatique sur lequel elle va naviguer : fleuves, rivières, lac, littoral et mer du large – bordant les nombreuses îles que compte l'Amérique centrale. La vitesse, le degré de confort et le prix de ces différents modes de transport sont variables. Avant de partir à bord de votre embarcation, vérifiez ce qui est compris dans le tarif de location. S'il n'y a pas de boisson à bord, emportez-en, car le soleil tape fort et on a vite très chaud. La brise marine peut d'ailleurs augmenter le risque d'attraper des coups de soleil. Ayez toujours sur vous de la crème solaire.

CROISIÈRES

Belize - Atoll de Glovers Reef

La réserve marine de l'atoll de Glovers Reef est à 4h en bateau de la côte. Il n'y a ni éléctricité ni eau courante sur l'atoll : vous allez donc pouvoir jouer les Robinson Crusoë, avec tout de même de bons équipements de plongée et de pêche.

Belize Lodge & Excursions

Indian Creek, P.O. Box 1840, Toledo District
Belize City
☎ 236 324 / 712 004
email info@belizelodge.com
site www.belizelodge.com

Manta Reef Resort

P.O. Box 1410,
Vashon Island WA 98070, Belize City
☎ 206 463 48 74

fax 206 463 40 81
email info@mantaresort.com
site www.mantaresort.com
Une semaine de pêche, de plongée (pour tous les niveaux) et de farniente sur l'atoll de Glovers Reef. Hébergement dans de petits bungalows.

COSTA RICA - INCONTOURNABLES

Les temps forts de cet itinéraire sont la réserve de la forêt des brouillards de Monteverde, le volcan Arenal et des plages peu fréquentées de la côte Pacifique.
Un circuit agrémenté d'activités comme l'ornithologie, la randonnée et le rafting.
Idéal en famille.

Tilajari Resort Hotel

P.O. Box 81 4400,
San Carlos (ou Ciudad Quesada)
☎ 469 90 91 **fax** 469 90 95
email info@tilajari.com
site www.tilajari.com
Croisière de 4 jours, avec hébergement dans de confortables hôtels.

GUATEMALA - RÍO DULCE

Le Río Dulce, qui se jette dans la mer des Caraïbes, constitue un refuge pour les yachts pendant la saison des ouragans, à la fin de l'été. Après l'exploration du Río Dulce et de quelques-uns de ses affluents, l'itinéraire se poursuit vers le nord, aux récifs du Belize, puis vers l'est, aux Islas de la Bahía, ou îles de la Baie (Honduras).

Aventuras Vacacionales

Captain John Clark, 1ª Av. Sur 11B,
Antigua
☎/fax (832) 3352
email sailing@guate.net.gt
Quatre jours en catamaran sur le Río Dulce : l'offre est valable d'août à avril. Le catamaran mesure 14 m ; on est donc parfois un peu tassé, mais cette offre est bon marché.
Le capitaine est très fiable. Ce tour-opérateur propose aussi un circuit plongée (avec masque et tuba) au Belize.

NICARAGUA - RÉSERVE NATURELLE D'INDIO MAIZ

Cette réserve est accessible par bateau de la ville d'El Castillo, située sur le Río San Juan, à la frontière du Costa Rica. L'hébergement est confortable et idéal pour la détente. Activités possibles : pêche et équitation.

Ecotourism International de Nicaragua S.A.

AP LC93,
Managua
☎ 432 24 84
fax 432 23 36
email info@eco-nica.com
site www.eco-nica.com
Ce tour-opérateur organise des circuits de randonnée axés sur la nature et l'étude de la faune nicaraguayenne.

Tours Nicaragua

Edificio Bolívar, 2 cuadras al sur, 1/2 cuadra abajo Del Hotel Intercontinental, Bolonia,
Managua
☎ (228) 70 63 / 70 64
fax (266) 66 63
email nicatour@nic.gbm.net
site www.nvmundo.com/toursnicaragua
Ce tour-opérateur organise des excursions dans tout le Nicaragua, y compris dans les réserves naturelles d'Indio Maiz et de Los Guatusos. Il propose également des sorties en bateau sur le Río San Juan et dans l'archipel de Solentiname.

NICARAGUA - MANAGUA

Située sur la côte ouest du pays, entre les vastes lacs Managua et Nicaragua, la capitale nicaraguayenne est cernée par les rivières et les volcans. Des complexes se sont installés sur les bords de ces deux lacs et proposent de la plongée (avec masque et tuba) et de la pêche.

Explore Worldwide

1 Frederick St., Aldershot,
Hampshire GU11 1LQ
Royaume-Uni
☎ (01252) 319448
fax (01252) 343170
email info@explore.co.uk
site www.exploreworldwide.com
Une excursion de 17 jours au départ de Managua, avec au programme des explorations de volcans, des visites d'îles du lac Nicaragua, de villages de la forêt tropicale et de plantations, et une découverte de la vie sauvage locale.

PANAMÁ - CANAL DE PANAMÁ

Le canal de Panamá, long de 80 km, est une prouesse de l'humanité en matière de génie civil. Depuis le 1er janvier 2000, les États-Unis l'ont rétrocédé au Panamá.

Argo Tours
Sur le quai,
Porto Balboa
☎ 228 60 69
fax 228 12 34
site www.big-ditch.com
Argo Tours est le seul tour-opérateur à proposer des traversées du canal de Panamá toute l'année : excursion complète tous les mois et traversées partielles *via* les écluses de Miraflores. Les prix s'échelonnent entre 45 $ et 135 $, avec des remises pour les enfants pour une traversée complète (vérifiez les horaires indiqués ➤ 256 et les prix sur le site Internet). Ces tarifs incluent petits en-cas et boissons.

Panamá Jones Tours
En face de l'Hôtel Marriot,
entre Via España et Calle 50,
près de Av. Federico Boyd,
Ciudad de Panamá
☎ 265 45 51
fax 265 45 53
email pdtpanam@sinfo.net
site www.panamácanal.com
Un tour-opérateur très fréquenté qui propose une bonne gamme de circuits dans tout le pays, y compris des excursions d'une journée à Portobelo, tous les mercredis, et un circuit "eco-canal" tous les mardis. Panamá Jones Tours réserve également des places sur les bateaux d'Argo Tours pour la traversée complète ou partielle du canal de Panamá (ci-dessus).

Pêche

La côte caraïbe est prisée des pêcheurs pour les tarpons et les brochets de mer, tandis que la côte Pacifique est réputée pour ses prises records de dorades et de thons, entre autres. Le gouvernement du Costa Rica, qui tient beaucoup à préserver ces richesses, encourage les amateurs à rejeter tous les poissons non comestibles. Le Belize restreint, pendant certaines saisons, la prise de homards, d'écrevisses et de tritons. Avant de vous engager, tenez-vous au courant de la législation et de ses variations saisonnières et vérifiez le matériel de pêche fourni (si vous n'avez pas apporté votre propre équipement). Si vous voyagez par vous-même, vérifiez bien que votre permis est valide. Si, par exemple, vous êtes très fiers d'une de vos prises, vous pouvez vous arranger pour qu'elle vous soit envoyée jusque chez vous !

Belize - Cayes du Belize et Turneffe Islands

Les lagunes sont idéales pour la prise de certaines espèces, tandis que la pleine mer est riche en barracudas. Quant au tarpon, on en trouve partout, dans les cayes. Vous pouvez y pêcher si vous avez un permis.

Turneffe Flats
P.O. Box 36,
Deadwood SD 57732
États-Unis
☎ (605) 578 13 04
fax (605) 578 75 40
email vacation@tflats.com
site www.tflats.com
Un tour-opérateur spécialisé dans la pêche en lagune, à l'atoll de Turneffe Islands. Très professionnel.

Costa Rica - Arenal

À l'ombre du volcan Arenal, dans le nord-ouest du pays, a été créé un lac artificiel, désormais prisé des pêcheurs. L'ensemble forme un vaste parc national, doté de circuit de randonnées à pied et à cheval. C'est également un paradis pour les amateurs d'ornithologie.

Gateway Costa Rica
305 Neltray Bld,
Austin TX 78751
États-Unis
email info@gatewaycostarica.com
site www.gatewaycostarica.com
Ce spécialiste de la pêche au Costa Rica organise des sorties sur le lac Arenal, qui est accessible aux pêcheurs toute l'année. Ces derniers caressent l'espoir de capturer l'insaisissable *black-bass*, poisson carnassier, introduit par erreur dans le lac dans les années 1960 et qui a exterminé la plupart des autres espèces.

Mexique - Île de Cozumel

Les passionnés de pêche se régaleront sur cette île située au large du Yucatán. C'est également l'endroit rêvé pour s'initier à la plongée, découvrir la faune locale et les nombreux sites archéologiques du Yucatán.

Cutting Loose Expeditions
P.O. Box 447,
Winter Park FL 32790-0447
États-Unis
☎ (407) 629 47 00

fax (407) 740 78 16
email ucutloos@aol.com
site www.gorp.com/cutloose.htm
Des circuits à la carte peuvent être organisés par ce tour-opérateur spécialiste de la pêche en Amérique centrale.

PANAMÁ - COIBA

Cette île de la côte pacifique du Panamá offre toute l'année de remarquables possibilités en matière de pêche.

Río Negro Sporting Lodge

Mariato
☎ (305) 294 06 03
email moinfo@panamasportsman.com
site www.panamasportsman.com
Un spécialiste de la pêche au Panama, installé sur la péninsule d'Azuero, que baigne l'océan Pacifique. Un forfait de 3 jours, avec hébergement et repas, coûte 900 $.

PLANCHE À VOILE

Étroit ruban de terre coincé entre l'océan Pacifique et l'océan Atlantique, l'Amérique centrale jouit de milliers de kilomètres de côtes, propices à la pratique de la planche à voile. Sans compter les nombreuses îles au large de ces côtes. Les véliplanchistes y trouveront des conditions idéales : eau calme, vents forts et stables. Si vous êtes débutant, prenez des cours avant de partir ou sur place, car ce sport nécessite tout de même une certaine maîtrise. Il vaut mieux porter une combinaison afin de vous protéger du vent et de la mer (parfois) froide. Équipez-vous d'un gilet de sauvetage, ne partez jamais seul et prévenez toujours quelqu'un de votre sortie.

International Board Sailing Association

P.O. Box 4139,
Kings Norton,
Birmingham B38 9AU
Royaume-Uni
☎/fax (0121) 628 5137
email jim@bsa.demon.co.uk
Des conseils sur les cours de planche à voile possibles et sur les organismes nationaux.

BELIZE - AMBERGRIS CAYE

Ambergris Caye est la plus au nord des îles de la barrière de corail du Belize, qui est la cinquième du monde (et non la deuxième, comme on pourra vous le dire). La réserve marine de Hol Chan est bien connue des plongeurs, mais on peut aussi faire de la planche à voile sur Ambergris Caye. La ville de San Pedro, au sud de l'île, est bien pourvue en hôtels et tour-opérateurs ➤ 270.

Victoria House

P.O. Box 22, San Pedro
Ambergris Caye
☎ 404 373 0068 / 404 373 3885
fax (26) 2429
email info@victoria-house.com
site www.victoria-house.com
Location de planches à voile, boutique de plongée et possibilités d'hébergement (très confortable).

COSTA RICA - LAC ARENAL

Le lac, situé au sud du volcan du même nom, dans le nord du pays, est balayé par des vents forts et stables, et l'eau y est chaude de mai à décembre. On peut y louer des planches à voile (mais c'est assez cher).

Tilawa Windsurfing Centre

Ce centre a été aménagé sur le côté ouest du lac Arenal, qui offre les meilleures conditions pour la planche à voile. Matériel de qualité à louer.

HONDURAS - TELA

Cette ville de la côte caraïbe, située au nord-est de la San Pedro Sula, jouit d'une belle plage de sable blanc assez peu fréquentée en temps normal, idéale pour la planche à voile. Sauf autour du 13 juin, fête du saint patron de Tela, lorsque les vacanciers descendent en masse pour participer aux festivités qui durent une semaine. À cette période, l'hébergement est couru et donc cher. Il faut réserver à l'avance.

Garifuna Tours

Parque Central,
Tela
☎ 448 1069
fax 448 2904
email garifuna@hondutel.hn
site www.garifuna.com
Planche à voile sur la plage de sable blanc de Tela.

MEXIQUE - PUNTA SAN CARLOS

Cette plage assez calme de Basse-Californie se prête aussi bien à la planche à voile qu'au surf.

Mag Bay Tours
271 Magnolia, Suite B,
Costa Mesa CA 92627
États-Unis
☎ (949) 650 2775
email booking@magbaytours.com
site www.magbaytours.com

SURF

La côte pacifique de l'Amérique centrale offre de nombreux spots de surf, praticables de mars à novembre. Les plus expérimentés surfent sur la côte atlantique de décembre à mars, lorsque les vagues du large se brisent contre les récifs, comme à Hawaii. Il est possible de louer des planches de surf sur certains sites. Les combinaisons étant en revanche plus difficiles à trouver, emportez la vôtre. Renseignez-vous sur les dangers de chaque spot. Attention : prenez en compte les interdictions de faire du surf sur des plages où la baignade est autorisée, dans les réserves naturelles ainsi que dans les zones réservées aux bateaux et petites embarcations.

Surfer Publications
P.O. Box 1028,
Dana Point CA 92629
États-Unis
☎ 714/496-5922 **fax** 714/496-7849
Publie le *Journal of International Surfing Destinations*. Une liste de destinations possibles est proposée sur demande et des itinéraires spécialisés payants peuvent être commandés.

COSTA RICA - GUANACASTE

Cette région, au nord-ouest du Costa Rica, offre des spots de surf de premier choix, tels Tamarindo et Playa Nosara, également propices à la plongée avec masque et tuba. Playa Naranjo a aussi une bonne réputation.

Travel Tech Tours Costa Rica
3646 Greebriar Dr.,
Houston TX 77098
États-Unis
site www.traveltechtours.com
Ce tour-opérateur spécialisé dans le surf au Costa Rica vous fera découvrir ses 37 spots préférés. Personnel compétent.

COSTA RICA - JACÓ

Cette station balnéaire de la côté pacifique est appréciée des surfeurs. On peut y louer des planches dans de nombreuses boutiques spécialisées. Playa Hermosa, plus au sud, organise chaque année une compétition de surf. Renseignez-vous sur les hôtels offrant des réductions aux surfeurs.

Playa de Jacó
Puntarenas CR,
AP #43,
Jacó Garabito
☎**/fax** 643 33 28
email chuck@surfoutfitters.com
chucks@sol.racsa.co.cr
site www.surfoutfilters.com
Ce tour-opérateur spécialiste des séjours de surf propose également des circuits sur mesure, intégrant d'autres activités, comme la pêche et la randonnée.

EL SALVADOR - ZUNZAL

La plage de Zunzal, située au sud de San Salvador, est un lieu de compétition international. La saison s'étend de novembre à avril ; pendant cette période, méfiez-vous des courants dangereux et des requins. La station balnéaire voisine, La Libertad, possède également un excellent spot.

Amphibious
Centro Comercial Plaza San Benito
Calle La Reforma 114,
Local 1-16,
San Salvador
☎**/fax** 335 32 61
Location de planches de surf et de kayaks à la journée, et cours de planche à voile.

NICARAGUA - SAN JUAN DEL SUR

La baie de San Juan del Sur, sur la côte Pacifique, offre aux surfeurs des vagues régulières et cassantes, comme à San Martín et à Poypoyo.

Tours Nicaragua
Edificio Bolívar,
2 cuadras al sur, 1/2 cuadra abajo del Hotel Intercontinental, Bolonia,
Managua
☎ (228) 70 63 / 70 64
fax (266) 66 63
email nicatour@nic.gbm.net
site www.nvmundo.com/toursnicaragua
Ce tour-opérateur propose un voyage de 6 jours, avec guide et bateau, pour vous emmener sur les meilleurs spots du Nicaragua.

ESCALADE

De nombreux volcans d'Amérique centrale, même actifs, peuvent être escaladés. La plupart sont situés dans des zones classées parc national, et offrent, du haut de leur sommet, des panoramas magnifiques. Les tour-opérateurs spécialistes de l'ascension de volcans fournissent tout l'équipement nécessaire. Ils vous conseilleront quant à la forme physique requise pour telle ou telle escalade. Si vous partez seul, louez les services d'un porteur ou prévoyez un mulet pour transporter ce dont vous avez besoin. Avant de partir, vérifiez que le volcan que vous avez choisi d'escalader peut l'être à la date prévue de votre séjour, renseignez-vous sur les conditions climatiques, qui peuvent évoluer rapidement. Enfin, consultez des clubs d'escalade. Sachez qu'il est essentiel de s'adapter en douceur à l'altitude, qui peut provoquer de graves troubles.

South American Explorers' Club

Av. Portugal 146, Brena, Casilla 3714,
Lima 100
Pérou
☎ (1) 425 0142
email limaclub@terra.com.pe
site www.samexplo.org
Cet organisme à but non-lucratif fournit des cartes, des renseignements touristiques, et planifie des itinéraires pour ses membres. Le club est l'une des sources d'information les plus complètes pour l'Amérique centrale et l'Amérique du Sud.

Club alpin français

24, av. Laumière
75019 Paris

Club alpin belge

Fédération nationale
313, av. de la Couronne, Boîte 20
1050 Bruxelles

Club alpin suisse

Geschaftsstelle SAC
Helvetiaplatz 4, Postfach
3000 Berne 6

Fédération française de la montagne et de l'escalade

8-10, quai de la Marne
75019 Paris

Union internationale des associations d'alpinisme et Groupe alpin luxembourgeois

B.P. 363,
L 2013 Luxembourg

GUATEMALA - LES VOLCANS D'ANTIGUA

Le volcan Pacaya, qui est l'un des plus célèbres du Guatemala, culmine à 2 600 m et est encore en activité. On peut s'approcher jusqu'à 200 m de son cratère et assister au spectacle de micro-éruptions. Il faut compter 3 ou 4h d'ascension. L'escalade du volcan Agua est plus tranquille et offre de très belles vues sur Antigua. Sachez que les agressions de touristes continuent sur le volcan Pacaya. N'emportez aucun objet précieux ou bijou et vérifiez la fiabilité de votre guide. Prenez une lampe-torche, car les brouillards peuvent descendre rapidement sur les volcans.

Servicios Turísticos de Atitlán

3ra av., 3 47, zona 2, Calle Santander,
Antigua
☎ (832) 06 48
email turisticosatitlan@yahoo.com
Ce tour-opérateur est spécialisé dans les activités telles que l'escalade de volcan, le parapente, le rafting et la randonnée.

MEXIQUE - PICO DE ORIZABA

Le Pico de Orizaba, situé près de México, est la montagne la plus haute du Mexique (5 760 m). On en fait l'ascension en 2 jours. Du sommet, les vues sont splendides.

Raimand Alvarado Torres

Calle Sure 10 574, Orizaba
☎ (272) 619 40
email pcray@correoweb.com
Ce guide expérimenté vous fournira tout l'équipement nécessaire pour l'ascension du Pico de Orizaba.

PANAMÁ - PARC NATIONAL DU VOLCAN BARÚ

Le volcan, qui culmine à 3 475 m, peut être escaladé aisément en 2 jours, à partir de Boquete. Après avoir aperçu de très beaux spécimens de la faune locale, vous serez récompensé, au sommet, par des vues imprenables sur les côtes atlantique et pacifique. Les pistes de randonnée sont bien délimitées. Un camping (sans eau courante) a été aménagé près du sommet.

Pension Marilos

Av. a Este y Calle 6 Sur,
Boquete
☎ 720 13 80
Les propriétaires de cette pension peuvent vous dénicher, pour vos ascensions, des guides fiables, comme Gonzalo Miranda.

PLONGÉE

Il n'y a rien d'étonnant à ce que l'Amérique centrale soit très prisée des plongeurs du monde entier : ses deux longues côtes, atlantique et pacifique, recèlent de multiples sites de plongée ; au large du Belize s'étend la cinquième barrière de corail du monde, et les prix pratiqués pour cette activité sont imbattables. Si vous n'avez jamais fait de plongée avec bouteilles, suivez, avant de partir, une formation jusqu'à l'obtention d'un brevet de niveau I et n'oubliez pas d'emporter votre diplôme dans le pays choisi. Vous avez, bien sûr, la possibilité de passer ce brevet sur place, mais le temps passé à suivre des cours ne vous permettra pas de profiter pleinement de votre séjour de plongée. Sachez que l'opérateur le moins cher n'est pas nécessairement le plus sûr. Des groupes importants ainsi qu'un équipement vétuste sont un signe : le tour-opérateur cherche simplement à casser les prix. Avant votre sortie, vérifiez toujours votre équipement et le livret de plongée de l'instructeur qui vous accompagne : sa carte peut être périmée. Si vous êtes débutant ou en famille, mieux vaut vous en tenir à la plongée avec masque et tuba.

L'Association nationale d'instructeurs sous-marins (NAUI)

NAUI Worldwide, P.O. Box 89 789,
Tampa FL 33689 0413
États-Unis
☎ (813) 628 62 84
fax (813) 628 82 53
site www.naui.org
Cours théoriques et pratiques sanctionnés par un examen écrit.

Professional Association of Diving Instructors (PADI)

PADI International Ltd., Unit 7,
St. Philips Central,
Albert Rd.
Bristol BS2 0PD
Royaume-Uni
☎ (0117) 300 72 34
fax (0117) 971 04 00
site www.padi.com
PADI est la plus grande école de plongée privée du monde : 55 % des plongeurs de la planète détiennent un diplôme Padi.

AVEC BOUTEILLES

BELIZE - CAYES DU BELIZE

Plus de 200 cayes, ou îlots, s'égrènent le long des 250 km de côtes que compte ce pays. Une demi-journée ou une journée suffisent à visiter plusieurs sites facilement accessibles. En revanche, il faut prévoir 2 ou 3 jours pour explorer les trois atolls, situés à l'est de la barrière corallienne. Deux d'entre eux, Turneffe Islands et Lighthouse Reef, offrent les plus parfaites plongées de paroi de la mer des Caraïbes, puisqu'elles débutent à la profondeur de 8-10 m, pour se prolonger jusqu'à 1 000 m. On peut également y explorer d'intéressantes épaves. Ce type de sortie nécessite de dormir à bord des bateaux ou de camper sur les atolls.

Blue Crab Resort

Seine Bight village, Placencia Peninsula
☎ (6) 235 44
fax (6) 235 43
email kerry@btl.net
site www.bluecrabbeach.com
Ce tour-opérateur local organise des sorties de 1 à 4 jours sur la barrière de corail, au départ de Placencia. Vous serez logés au choix dans un hôtel, un bungalow ou un camping. Il propose également de la plongée avec masque et tuba.

Blue Hole Dive Centre

Ambergris Caye
☎ (26) 29 82
email bluehole@btl.net
Ce centre organise des circuits-plongée de 2 jours (300 $) aux Turneffe Islands, à Lighthouse Reef et au Blue Hole. Nuit à bord d'un bateau ou sous la tente.

Coral Beach Hotel & Dive Club

Ambergris Caye
☎ (26) 28 17 / 20 13
fax (26) 28 64
email forman@btl.net
Ce club organise des circuits-plongée de 2 ou

4 jours sur l'*Offshore Express*, un bateau spécialement équipé. Les prix vont d'environ 300 $ pour 2 jours à 450 $ pour 4 jours. Ces tarifs incluent la pension complète.

Fantasea

P.O. Box 32, San Pedro, Ambergris Caye
☎/fax (26) 25 76
Cette société propose des plongées à une ou deux bouteilles sur les récifs, ainsi que des plongées de nuit. Cours de plongée PADI (400 $). Location de matériel de plongée.

Gaz Cooper's Dive Belize

P. O. Box 96, San Pedro,
Ambergris Caye
☎ (26) 32 02
fax (954) 351 97 40 (États-Unis)
email gaz@btl.net
site www.divebelize.com
Cette société propose des plongées à une ou deux bouteilles sur les récifs, ainsi que des plongées nocturnes. Possibilité de sortie d'une journée au Blue Hole et aux Turneffe Islands. Les prix vont de 120 à 150 $ par jour. Location de matériel de plongée.

Larry Parker's Reef Divers Ltd.

6D Royal Palm Villas, San Pedro,
Ambergris Caye
☎ (26) 3311
fax (26) 3459
email larry@reefdivers.com
site www.reefdivers.com
Larry Parker's Reef Divers Ltd. a plus de 20 ans d'expérience dans les eaux du Belize. Il a d'ailleurs décroché le titre de "magasin de plongée le plus professionel" du pays. Il emploie des instructeurs NAUI Nitrox et PADI ; le propriétaire, Larry Parker, est lui-même un instructeur NAUI de haut niveau. Une séance de plongée avec masque et tuba à la réserve marine de Hol Chan ou à Shark-Ray Alley coûte environ 50 $ par personne. Une formation complète de 4 jours, avec obtention du certificat, vous reviendra à 450 $.

Costa Rica - Presqu'île d'Osa

La presqu'île d'Osa – et la péninsule de Nicoya –, que baigne l'océan pacifique, offrent de bons sites de plongée. De nombreux complexes et hôtels y organisent des sorties. Les plongeurs confirmés auront sans doute la chance d'apercevoir des requins marteau, non loin de la côte, près de l'île de Coco.

Reef and Rainforest Tours

1 The Plains
Totnes
Devon TQ9 5DR
Royaume-Uni
☎ (01803) 866 965
email reefrain@btinternet.com
site www.reefrainforest.co.uk

Honduras - Îles de la baie

Les Islas de la Bahía (îles de la Baie) se trouvent à 20 min d'avion de La Ceiba, sur la côte nord du Honduras. Roatán, Guanaja et Utila constituent en fait la base de la barrière de corail du Belize. Elles offrent aux plongeurs leurs formidables formations coralliennes, leurs grottes et leurs cavernes sous-marines, et la visibilité y est excellente. Plonger aux îles de la Baie est un *must* pour les amateurs du monde entier.

Sueño del Mar Dive Center

West End, Roatán,
Islas de la Bahía
☎/fax (445) 17 17
email roatan@stic.net
site www.suenodelmar.com
Un des meilleurs centres de plongée de l'île de Roatán, situé à West End. Il organise trois sorties, dont l'exploration de l'épave *El Aguila*. Un retour au centre est prévu après chaque plongée, ce qui permet de n'effectuer que la deuxième ou la troisième sortie. Les instructeurs sont tous des professionels qualifiés et les bateaux sont bien équipés. Ils proposent, entre autres, des cours de plongée PADI, avec obtention du brevet. En ce qui concerne les tarifs et les différents forfaits, renseignez-vous sur le site Internet. Sueño del Mar possède un magasin qui vend de l'équipement de plongée.

West Bay Dive Resort

West Bay, Roatán,
Islas de la Bahía
☎/fax (991) 06 94
email westbaylodge@globalnet.hn
site www.stic.net/roatan/westbaylodge
West Bay Dive Resort, qui est un centre de vacances spécialisé dans la plongée, constitue l'endroit idéal pour combiner plongée et détente. Surplombant la plage idyllique de West Bay, qui offre des opportunités fabuleuses pour la plongée avec masque et tuba, ce centre est réputé pour son accueil. Les propriétaires, Maren

et Reinhard Gnielka, proposent des cours de plongée PADI. Une plongée unique avec tout l'équipement nécessaire coûte environ 50 $ et 10 plongées environ 300 $. Il existe un forfait pour deux personnes combinant formation PADI d'une semaine et hébergement.

Mexique - Baja California

Les îles préservées du Golfe de Californie sont un des meilleurs sites de plongée du Mexique La faune sous-marine y est abondante et exceptionnelle.

Baja Expeditions

Av. Albaro Bregón 25, Colonia Centro,
La Paz, Baja California Sur
☎ (619) 581 33 11
fax (112) 556 36
email boa@kayactivities.com
boa@kayactivities.com
site www.bajaex.com
Basée aux États-Unis, cette société, qui a fait ses preuves, organise des plongées avec bouteilles ou avec tuba et masque, des sorties pour observer les baleines. Elle possède de luxueux bateaux et met à la disposition des touristes de confortables campements.

Mexique - Cozumel

L'île de Cozumel, au large du Yucatán, possède plusieurs sites de plongée, où il existe un fort courant. Cours et forfaits de plongée sont proposés.

Pro Scuba Cozumel

Calle 2, 5 Avenida,
Cozumel
☎/fax 987 275 00
email proscuba@dicoz.com
site www.proscuba.com
Un centre de plongée complet, avec sorties, formations et spécialités. L'équipe des instructeurs est internationale. Bateaux équipés et rapides, petits groupes… Bref, le centre idéal dans un site idéal.

Mexique - Puerto Vallarta

Les îles Marietas, toutes proches de Puerto Vallarta, à la pointe nord de la baie de Banderas, sont réputées pour leurs pentes vertigineuses. Elles abritent une faune sous-marine vierge de toute agression humaine. Au sud de la baie, le site de Los Arcos est idéal pour la plongée avec masque et tuba.

Chico's Dive Shop

Díaz Ordáz 722,
Puerto Vallarta
☎ (322) 218 95 / 254 39
fax (322) 218 97
email staff@chicosdiveshop.com
site www.chicosdiveshop.com
Une institution de Puerto Vallarta. Sorties quotidiennes à Los Arcos, aux îles Marietas et à El Morro (plongée bouteille ou avec masque et tuba) et cours de plongée PADI.

Panamá - Bocas del Toro

Bocas del Toro, au sud de l'île Colón que baigne la mer des Caraïbes, offre de bons sites de plongée, avec bouteilles ou avec masque et tuba. Possibilité d'excursions avec randonnées dans la jungle.

Mangrove Inn Eco Dive Resort

Mangrove, Ecoresort, Calle 3 ,
Bocas del Toro
☎/fax 757 91 92
email manginn@usa.net
site www.bocas.com/mangrove.htm
Organise des plongées avec bouteilles et loue du matériel.

RAIDS

Trekking

L'Amérique centrale protège, dans le cadre de ses nombreux parcs nationaux, ses grandes étendues vierges, situées en général dans des zones reculées. Ces dernières constituent une source inépuisable pour les voyageurs en quête d'aventures, et les possibilités sont quasi illimitées. Il faut cependant en connaître les dangers : les régions montagneuses sont, par exemple, sujettes à des changements climatiques extrêmes (méfiez-vous des coups de soleil ainsi que des gelures). D'autres dangers, tels que les vols et les agressions, guettent le randonneur : les volcans, en particulier, sont des zones à risque. Il est donc préférable de se faire accompagner d'un guide. Si vous voulez randonner par vous-même, munissez-vous de cartes précises et actualisées. Le South American Explorers' Club (➤ 304) peut vous fournir des cartes, des listes de guides, ainsi que d'autres informations nécessaires à la préparation de votre trek. Les offices du tourisme peuvent également vous aider, dans le cas de randonnées plus courtes.

Costa Rica - De la cordillère de Talamanca à la Presqu'île d'Osa

Périple en voiture et en bateau de la cordillère de Talamanca à la forêt tropicale humide de la presqu'île d'Osa. Des randonnées d'une demi-journée seulement sont possibles, ainsi que des safaris photo et des visites de réserves naturelles.

Genesis II Lodge

AP 655,
Cartago
☎/fax (506) 381 0739
email info@genesis-two.com
site www.genesis-two.com
Découverte de la faune et de la flore de la cordillère de Talamanca, à 2 300 m d'altitude. Possibilité d'un hébergement agréable.

Guatemala - Petén

La forêt du Petén est renommée pour ses ruines mayas et pour ses nombreuses espèces d'oiseaux. La piste de Scarlet Macaw Trail démarre à Centro Campesino et finit à la Laguna del Tigre. Le point fort de ce circuit de 5 jours est la traversée de la principale zone d'accouplement de l'ara écarlate.

Avinsa

Calle Principal,
Santa Elena
☎ (926) 0808
fax (926) 0807
email avinsa@guate.net
info@tikaltravel.com
site www.tikaltravel.com
Large sélection de circuits dans le Péten. Français, anglais et allemand sont parlés.

Ecomaya

Calle 30 de Junio, Flores
☎/fax (926) 32 02
email ecomaya@guate.net
site www.ecomaya.com
Circuits de 2 à 6 jours sur la piste de Scarlet Macaw, à El Mirador ou à Tikal. Le confort est rudimentaire : on dort dans des hamacs.

Monkey Eco Tours

Petén
☎ 414 57 80
fax 410 19 10
email nitun@nitun.com
site www.nitun.com
Des circuits parfaitement organisés dans le Péten, sur des sites mayas moins connus et peu fréquentés. Camping et randonnée dans la jungle. Cuisine excellente, tentes confortables et même… douches ! Possibilités de circuits à la carte et guidés en anglais ou en allemand.

Honduras - la Mosquitia

La région excentrée de la Mosquitia, au nord-est du Honduras, est totalement dénuée d'infrastructure routière. Malgré l'intérêt grandissant pour l'éco-tourisme et les voyages d'aventure, la région reste peu frequentée.

Adventure Expeditions

1020 Altos de la Hoya,
Tegucigalpa
☎/fax (237) 47 93
email cyber-place@hotmail.com
Ce tour-opérateur s'est spécialisé dans les circuits à travers la Mosquitia : il peut vous y organiser des itinéraires sur mesure.

MC Tours

Barrio Río de Piedras, calle 7 y 8,
18 Av. Sur Oeste, local 5,
San Pedro Sula
☎ (552) 44 55
fax (557) 30 76
email operationssap@mctours-honduras.com
sales@mctours-honduras.com
site www.mctours-honduras.com
L'un des principaux tour-opérateurs du Honduras, réputé pour ses excursions de grande qualité. Il propose des circuits intéressants de 5 à 6 jours dans la Mosquitia. Les guides sont bilingues (anglais).

La Moskitia Ecoaventuras

Av. 14 de Julio, Casa n° 125, AP 890,
La Ceiba
☎ 221 04 04
fax (442) 01 04
email moskitia@caribe.hn
site www.honduras.complekamoskitia.com
La Moskitia EcoAventuras est spécialisée, comme son nom l'indique, dans des circuits à travers la Mosquitia. Il existe plusieurs parcours possibles dans la région, dont un périple de 10 à 12 jours pour aventuriers confirmés, combinant une descente en rafting sur le Río Plátano et des randonnées dans la jungle.

Mexique - Sierra Madre

La randonnée proposée démarre des hauts plateaux et descend jusque dans la partie sud d'une des sierras les plus impressionnantes du pays, en traversant la jungle et des villages reculés. Vous ne quitterez vos chaussures de marche qu'une fois arrivé à l'océan Pacifique. Certaines escalades atteignent les 1 000 m.

Explore Worldwide
1 Frederick St.,
Aldershot,
Hampshire GU11 1LQ
Royaume-Uni
☎ (01252) 319 448 **fax** (01252) 343 170
email info@explore.co.uk
site exploreworldwide.com
Un circuit de 14 jours au départ de México. Ce tour-opérateur privilégie les petits groupes.

PANAMÁ - VOLCAN BARÚ
➤ 304.

SAFARIS

À CHEVAL

La randonnée à cheval vous permet d'explorer et d'admirer tranquillement les paysages traversés tout en parcourant jusqu'à 30 km par jour. Vous pouvez rayonner à partir du lieu où vous dormez. Si vous décidez de partir pour une semaine, vous serez hébergé dans des ranchs confortables ou dans des campements accueillants. Les séjours plus longs nécessitent en général une expérience préalable, mais plusieurs tour-opérateurs acceptent les débutants et les enfants. Soyez prêts à monter des chevaux un peu moins dociles que ceux dont vous avez l'habitude ; les selles sont également différentes de celles que vous connaissez. Nous vous conseillons des bottes dotées d'un talon d'au moins 5 cm afin que vos pieds ne glissent pas hors de l'étrier.

BELIZE - JUNGLE MAYA
Au programme de cette randonnée à cheval : fermes mennonites – les mennonites sont les adeptes de la religion mennonite, un rameau oublié du mouvement des anabaptistes –, forêt tropicale humide et vallées fluviales, cascades magnifiques, ruines mayas (Xunantunich et Cahal Pech) et grottes spectaculaires.

Equitour
P.O. Box 807,
Dubois WY 82513
États-Unis
☎ (307) 455 33 63
fax (307) 455 23 54
email equitour@wyoming.com
site www.ridingtours.com
Une randonnée de 6 jours au départ de la ville de Belize ; tous les niveaux sont acceptés.

COSTA RICA - GUANACASTE
Une randonnée sur piste le long de la côte pacifique à travers le Guanacaste, qui est une des régions les moins peuplées du pays. Montagne, plage et faune riche et variée.

Cross Country International
P.O. Box 1170,
Millbrook NY 12545
États-Unis
fax (845) 677 60 77
email info@xcintl.com
site www.walkinguacationes.com
Une randonnée de 5 jours (novembre-mai), accessible aux débutants, et menée par des guides ayant une très bonne connaissance de la région.

GUATEMALA - ATITLÁN
De Santiago Atitlán, on aperçoit l'anse du lac Atitlán, surplombée par une crête coiffée d'un belvédère. Cette zone à la végétation tropicale luxuriante abrite de nombreux oiseaux, dont le célèbre quetzal, l'oiseau national du Guatemala. Une randonnée en pleine jungle, à l'assaut de la crête.

Los Caballos
Jim and Nancy Matison
Finca San Santiagoa
Santiago Atitlán
☎ (201) 55 27
Ce ranch a été ouvert en 1995 et possède désormais 11 chevaux. Pendant la haute saison, 4 randonnées à cheval sont proposées, incluant au choix petit déjeuner, déjeuner, cocktails ou dîner.

MEXIQUE - OAXACA
Quittez les embouteillages et la pollution de la ville d'Oaxaca et partez pour une excursion dans les montagnes de la Sierra Madre, ou vers le site zapotèque de Monte Albán.

Sierra Madre Expeditions
Puerto Vallarta
☎ (541) 344 17 48
email sierramex@hotmail.com
site www.mexonline.com/sierramex.htm

Ces randonnées à cheval dans la Sierra Madre sont encadrées par d'authentiques cow-boys d'Amérique centrale. Découverte de sentiers sauvages, ainsi que visite de villes historiques et d'anciennes mines d'or.

MEXIQUE - SAN CRISTÓBAL DE LAS CASAS

Randonnées d'une journée au départ de San Cristobal de las Casas, sur des pistes forestières ou jusqu'à la belle église du village de Chamula. Soyez vigilants et renseignez-vous, car des touristes ont déjà été attaqués au cours cette randonnée.

Bar La Galería

Hidalgo 3,
San Cristóbal de Las Casas
☎ (8) 815 47
Des randonnées quotidiennes, avec des guides bilingues (anglais).

NICARAGUA - RÉSERVE NATURELLE DE CHACOCENTE

Cette réserve, qui longe le Río Escalante, est un sanctuaire pour les tortues de mer. C'est également la plus grande étendue de forêt tropicale sèche du Nicaragua. Elle n'est accessible qu'à cheval ou en 4x4.

Ecotourism International de Nicaragua S.A.

AP LC93,
Managua
☎ 432 24 84
fax 432 23 36
email info@eco-nica.com
site www.eco-nica.com
Ce tour-opérateur organise des circuits de randonnée axés sur la nature et l'étude de la faune nicaraguayenne.

SAUVEGARDE DES ESPÈCES PROTÉGÉES

Colibris, aras écarlates, toucans à carène…, autant de petites merveilles de la nature qu'il vous sera donné d'apercevoir au cours de vos randonnées. L'Amérique centrale attire d'ailleurs des ornithologues du monde entier. Le Costa Rica possède à lui seul autant d'espèces d'oiseaux qu'il en existe dans toute l'Amérique du Nord. En général, la saison sèche (de novembre à avril) est propice à l'observation ornithologique, qui doit se pratiquer de préférence à l'aube et au crépuscule. Si possible, munissez-vous de jumelles et d'une caméra avec téléobjectif, et engagez un guide qui soit aussi ornithologue. Avant de vous lancer, renseignez-vous bien, car les services proposés sont loin d'être tous équivalents. Les circuits ornithologiques sont souvent combinés avec des randonnées de découverte de la faune locale.

Ligue de protection pour les oiseaux (LPO)

La Corderie Royale, BP 263,
17305 Rochefort Cedex
France
☎ 05 46 82 12 34
fax 05 46 83 95 86
email lpo@lpo-birdlife.asso.fr
site www.lpo-birdlife.asso.fr
La LPO s'inscrit dans un partenariat mondial d'organismes de préservation des oiseaux. Elle peut vous fournir des informations sur les associations du monde entier.

BELIZE - CHAN CHICH LODGE

P.O. Box 37, Gallon Jug,
Belize City
☎ (2) 756 34
fax (2) 769 61
email info@chanchich.com
Ce lodge, entouré de 100 000 ha de forêt privée, se trouve dans la province d'Orange Walk, au nord du Belize. Plus de 300 espèces d'oiseaux y ont été répertoriées. Vous pouvez aussi y apercevoir des singes-araignées, des jaguars et des tapirs. Le domaine n'est accessible que pendant la saison sèche, de février à mai.

Field Guides Incorporated

P.O. Box 160723,
Austin TX 78716-0723
États-Unis
☎ (512) 263 72 95
fax (512) 263 01 17
email fieldguides@fieldguides.com
site www.fieldguides.com
Organise un séjour de 9 jours au Chan Chich Lodge, avec des guides expérimentés, spécialistes de l'ornithologie.

COSTA RICA - RÉSERVE DE LA FORÊT DES BROUILLARDS DE MONTEVERDE

Cette réserve privée de 10 500 ha, située au nord-ouest du pays, appartient au Tropical Science Centre, voué à la recherche et à l'éducation. Elle abrite, entre autres, plus de 400 espèces d'oiseaux, dont le quetzal. La meilleure période pour visiter cette réserve est la saison sèche (de janvier à mai). Le nombre de visiteurs étant limité, allez y dès l'ouverture (7 h), surtout pendant la haute saison, ou réservez votre visite à l'avance.

GUATEMALA - TIKAL

L'immense parc national de Tikal (575 km^2), qui occupe une région longtemps désertée par l'homme, renferme une faune tropicale très riche. On y compte par exemple six espèces de perroquets. Le parc national propose un hébergement rustique mais confortable (► 268).

Field Guides Incorporated

► 310.

Organise des séjours de 6 jours au départ de la ville de Belize, avec des guides expérimentés, spécialistes de l'ornithologie.

Albergue Reserva Biológica de Monteverde

Monteverde Cloud Forest Reserve,
Monteverde
☎ 645 51 22
fax 645 50 34
email montever@sol.racsa.co.cr
site www.cct.or.cr/monte_sp.htm
Possibilités d'hébergement dans un dortoir de la réserve de Monteverde.

Gary Diller

AP 20 5655,
Santa Elena de Monterverde,
Monteverde
☎ 645 50 45
email tranquilo@racsa.co.cr
Un guide expérimenté, qui plus est ornithologiste, peut être engagé à la journée.

PANAMÁ - PIPELINE ROAD

Le parc national de Soberanía, situé près de la ville de Panamá, abrite le Pipeline Road, long sentier de 17 km très apprécié par les ornithologistes. Rappelons qu'avec 900 espèces d'oiseaux identifiées, le Panamá compte parmi les pays les plus riches en ce domaine.

EcoVentures

site www.ecoventures-travel.com/Birding/birdwatching_tours.htm
Circuit de 10 jours, guidé par un spécialiste d'ornithologie, à travers le Panamá et, plus particulièrement, le parc national de Soberanía et sa fameuse Pipeline Road.

INDEX GÉNÉRAL

A

B

C

D

E

INDEX GÉOGRAPHIQUE

A

B

C

D

E

F

G

H

I

J

L

M

N

O

P

Q

R

S

T

U

V

W

X

Y

Z

Remerciements

Steve Watkins témoigne sa reconnaissance à tous les acteurs ayant participé à la réussite de ses périples, autant les organisateurs que les participants.

Pour le voyage–Coralia Dreyfus et Ian Lord du Grupo TACA ; British Airways

Belize–Belize Audabon Society pour les noms scientifiques des espèces mentionnées dans le guide et Jon Hill pour sa contribution au texte *Au royaume des eaux.*

Costa Rica–Mike Lapcevic de Coast to Coast Adventures ;
Instituto Costarricense de Turismo ; Marenco Lodge ; Hotel La Garza (La Fortuna) ; Gustavo Quesada ; Gran Hotel ; Hotel Balmoral et The Fleur de Lys Hotel (San José) ; Steve Watkins exprime sa gratitude à TACA Group Airlines et British Airways ainsi qu'au tour-opérateur Coast to Coast Adventures (San José), qui l'a guidé lors de son odyssée à Nicoya et aidé à organiser ses activités de raft sur le Río Pacuare et de kayak dans le parc national de Tortuguero.

Honduras–Kenia Lima de Zapata ; Joáquin and Vince Murphy de l'Instituto Hondurêo Turismo ; Bayman Bay Club ; Fundacion Cuero y Salado ; MC Tours (SanPedro Sula) ; Copán Marina Hotel ; Professor Oscar Cruz (Conservateur du site de Copán) ; Hotel Honduras Maya (Tegucigalpa) ; Hotel Saint Anthony
(San Pedro Sula) et Roberto Marin de La Moskitia Ecoaventuras (La Ceiba).
Grand merci également au Grupo TACA ; au tour-opérateur MC Tours (San Pedro Sula) ; au Copán Marina Hotel ; au tour-opérateur La Moskitia Eco-Adventures (La Ceiba).

Panamá–Abilio Menédez ; TACA Group Airlines et British Airway

Crédits photos

Abréviations : centre (c) ; haut (h) ; bas (b) ; gauche (g) ; droite (d).

Couverture
Première Tony Stone Images (c) ; AA Photo Library/Steve Watkins (g, gc, c) ; Robert Harding Picture Library (dc) ; AA Photo Library (d). **Dos** Tony Stone Images. **Quatrième** Image Bank (h) ; AA Photo Library (hc) ; AA Photo Library/Steve Watkins (bc) ; Robert Harding Picture Library (b) ; Guy Marks (d). **Rabat** AA Photo Library/Clive Sawyer (h) ; AA Photo Library/Steve Watkins (hc, bc, c) ; Guy Marks (d).

L'Automobile Association souhaite remercier les agences et les photographes suivants pour leur précieuse aide à la préparation de cet ouvrage :
Jan Baldwin 8 (hg).
Bruce Coleman Collection 14 (h), 15 (c), 15 (b), 99, 102/3, 103, 110, 195, 207, 231.
Robert Harding Picture Library 182/3.
Pictures Colour Library 250/1

Tous les autres clichés sont issus du fonds photographique de AA Photo Librairy.
Ont contribué à ce guide :
Fiona Dunlop 2/3, 3, 6/7, 14/5, 15 (h), 18/9, 22, 22/3, 26 (h), 26 (b), 27, 30 (h), 30 (b), 30/1, 34, 35 (h), 35 (b), 46/7, 50/1, 54/5, 55, 58/9, 62/3, 63 (h), 63 (b), 66 (h), 66 (b), 67, 70/1, 74/5, 75, 78, 79, 82 (h), 82 (b), 87, 90, 91, 94, 94/5, 98.
Carl Pendle 106/7, 107 (h), 107 (b), 110/1, 115, 118, 118/9, 122, 123 (h), 123 (b), 126(h), 126 (b), 127, 166/7, 170/1, 171, 174, 175, 179, 182, 186/7, 187, 190.
Clive Sawyer 19, 227 (b).
Rick Strange 51.
Steve Watkins 7, 14 (h), 39, 42, 43 (h), 43 (b), 130/1, 134 (h), 134 (b), 135, 139 (h), 139 (c), 139 (b), 142/3, 142, 146, 151, 154 (h), 154 (b), 155, 158/9, 159 (h), 159 (b), 162/3, 162, 194/5, 198, 199, 202/3, 203, 206/7, 210, 211, 214, 215, 218/9, 219, 222, 223, 226/7, 227 (h), 230/1, 234/5, 235, 238/9, 239, 242 (h), 242 (b), 243, 246/7, 254, 255.

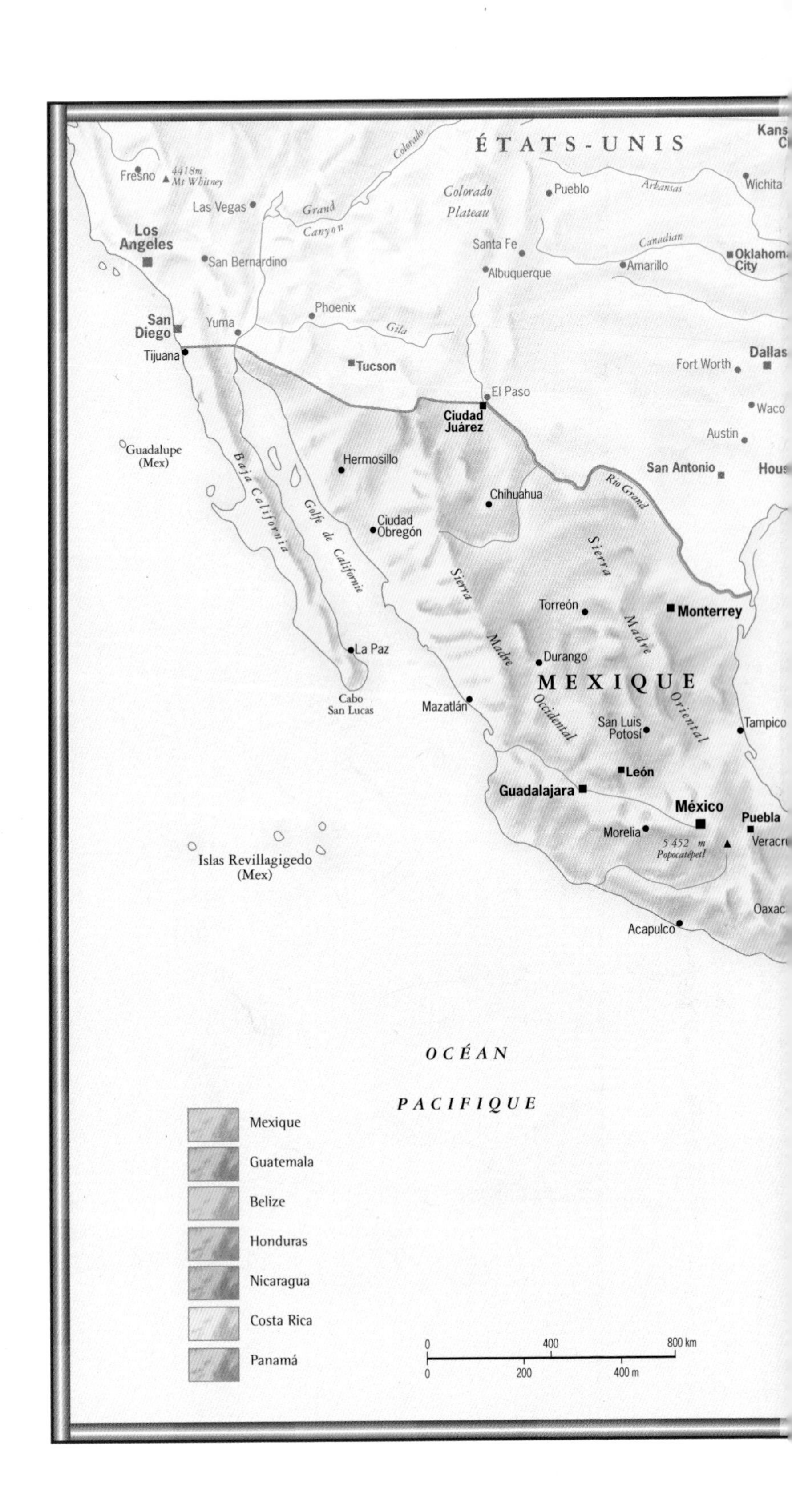

ÉTATS-UNIS
Fresno
4418m Mt Whitney
Las Vegas
Los Angeles
San Bernardino
Grand Canyon
Colorado
Colorado Plateau
Pueblo
Arkansas
Wichita
Santa Fe
Canadian
Oklahoma City
Amarillo
Albuquerque
Phoenix
Gila
San Diego
Yuma
Tijuana
Tucson
Dallas
Fort Worth
El Paso
Ciudad Juárez
Waco
Austin
Guadalupe (Mex)
Hermosillo
San Antonio
Rio Grand
Baja California
Golfe de Californie
Chihuahua
Ciudad Obregón
Sierra Madre Occidental
Sierra Madre Oriental
Torreón
Monterrey
La Paz
Durango
MEXIQUE
Cabo San Lucas
Mazatlán
San Luis Potosí
Tampico
León
Guadalajara
México
Puebla
Morelia
5 452 m Popocatépetl
Islas Revillagigedo (Mex)
Oaxac
Acapulco
OCÉAN PACIFIQUE
Mexique
Guatemala
Belize
Honduras
Nicaragua
Costa Rica
Panamá
0
400
800 km
0
200
400 m